Petit traité
des grandes vertus

PERSPECTIVES CRITIQUES

Collection dirigée

par

Roland Jaccard

Françoise Kunze

PETIT TRAITÉ
DES GRANDES VERTUS

ANDRÉ COMTE-SPONVILLE

PRESSES UNIVERSITAIRES DE FRANCE

DU MÊME AUTEUR

AUX PRESSES UNIVERSITAIRES DE FRANCE

Traité du désespoir et de la béatitude :
  t. 1 : *Le mythe d'Icare,* 1984, 10ᵉ éd. 1994 ;
  t. 2 : *Vivre,* 1988, 3ᵉ éd. 1993.
Une éducation philosophique, 1989, 4ᵉ éd. 1994.
Valeur et vérité (Etudes cyniques), 1994, 2ᵉ éd. 1995.

CHEZ D'AUTRES ÉDITEURS

Tombeau de Victor Hugo (en collaboration), Quintette, 1985.
Paroles d'amour (en collaboration), Syros-Alternatives, 1991.
Pourquoi nous ne sommes par nietzschéens (en collaboration), Grasset, 1991.
L'amour la solitude, Paroles d'Aube, 1992, 8ᵉ éd. 1994.
« Je ne suis pas philosophe » : Montaigne et la philosophie, Honoré Champion, 1993.

ISBN 2 13 046671 0

Dépôt légal — 1ʳᵉ édition : 1995, janvier
© Presses Universitaires de France, 1995
108, boulevard Saint-Germain, 75006 Paris

Sommaire

5

à Vivien
Fabien
Louis

Les chapitres 1, 2, 11 et 14 ont fait l'objet, sous une forme quelque peu différente, d'une première publication dans les n°s 1, 2, 8 et 13 de la série « Morales » de la revue *Autrement* (numéros parus entre 1991 et 1993, portant respectivement sur la fidélité, la politesse, l'humilité et la pureté). Je remercie la direction de la revue, et spécialement Nicole Czechowski, de m'avoir autorisé à les faire figurer — comme j'en avais l'intention dès le départ — dans ce *Petit traité des grandes vertus*. Les quatorze autres chapitres sont inédits.

Mes remerciements vont aussi à mes collègues et amis Laurent Bove, Monique Canto-Sperber et Marcel Conche, qui ont bien voulu lire le manuscrit et me faire part de leurs observations. Il va de soi qu'on ne saurait pour autant leur imputer les thèses que ce livre énonce ni les imperfections qu'il comporte : je suis seul responsable et des unes et des autres.

6

AVANT-PROPOS

Si la vertu peut s'enseigner, comme je le crois, c'est plus par l'exemple que par les livres. A quoi bon, alors, un traité des vertus ? A ceci peut-être : essayer de comprendre ce que nous devrions faire, ou être, ou vivre, et mesurer par là, au moins intellectuellement, le chemin qui nous en sépare. Tâche modeste, tâche insuffisante, mais tâche nécessaire. Les philosophes sont des écoliers (seuls les sages sont des maîtres) et les écoliers ont besoin de livres : c'est pourquoi ils en écrivent parfois, quand ceux qu'ils ont sous la main ne les satisfont pas ou les écrasent. Or quel livre plus urgent, pour chacun, qu'un traité de morale ? Et quoi de plus digne d'intérêt, dans la morale, que les vertus ? Pas plus que Spinoza je ne crois utile de dénoncer les vices, le mal, le péché. Pourquoi accuser toujours, dénoncer toujours ? C'est la morale des tristes, et une triste morale. Quant au bien, il n'existe que dans la pluralité irréductible des actions bonnes, qui excèdent tous les livres, et des bonnes dispositions, elles aussi plurielles mais sans doute moins nombreuses, que la tradition désigne du nom de vertus, c'est-à-dire (tel est le sens en grec du mot *arétè,* que les Latins traduisirent par *virtus*) d'excellences.

Qu'est-ce qu'une vertu ? C'est une force qui agit, ou qui peut agir. Ainsi la vertu d'une plante ou d'un médicament, qui est de soigner, d'un couteau, qui est de couper, ou d'un homme, qui est de vouloir et d'agir humainement. Ces exem-

7

ples, qui viennent des Grecs, disent assez l'essentiel : vertu c'est puissance, mais puissance spécifique. La vertu de l'ellébore n'est pas celle de la ciguë, la vertu du couteau n'est pas celle de la houe, la vertu de l'homme n'est pas celle du tigre ou du serpent. La vertu d'un être, c'est ce qui fait sa valeur, autrement dit son excellence propre : le bon couteau c'est celui qui excelle à couper, le bon remède celui qui excelle à soigner, le bon poison celui qui excelle à tuer...

On remarquera qu'en ce premier sens, qui est le plus général, les vertus sont indépendantes de l'usage qui en est fait, comme de la fin qu'elles visent ou servent. Le couteau n'a pas moins de vertu dans la main de l'assassin que dans celle du cuisinier, ni la plante qui sauve davantage de vertu que celle qui empoisonne. Non, certes, que ce sens soit dépourvu de toute visée normative : dans quelque main que ce soit, et pour la plupart des usages, le meilleur couteau sera celui qui coupe le mieux. Sa puissance spécifique commande aussi son excellence propre. Mais cette normativité reste objective ou moralement indifférente. Il suffit au couteau d'accomplir sa fonction, sans la juger, et c'est en quoi bien sûr sa vertu n'est pas la nôtre. Un excellent couteau, dans la main d'un méchant homme, n'est pas moins excellent pour cela. Vertu c'est puissance, et la puissance suffit à la vertu.

Mais à l'homme, non. Mais à la morale, non. Si tout être a sa puissance spécifique, dans quoi il excelle ou peut exceller (ainsi un excellent couteau, un excellent médicament...), demandons-nous quelle est l'excellence propre de l'homme. Aristote répondait que c'est ce qui le distingue des animaux, autrement dit la vie raisonnable[1]. Mais la raison n'y suffit pas : il y faut aussi le désir, l'éducation, l'habitude, la mémoire... Le désir d'un homme n'est pas celui d'un cheval, ni les désirs d'un homme éduqué ceux d'un sauvage ou d'un

---

1. *Ethique à Nicomaque*, I, 6, 1097 *b* 22 - 1098 *a* 20 (trad. Tricot, Paris, Vrin, 1979, p. 57 à 60).

ignorant. Toute vertu est donc historique, comme toute humanité, et les deux, en l'homme vertueux, ne cessent de se rejoindre : la vertu d'un homme, c'est ce qui le fait humain, ou plutôt c'est la puissance spécifique qu'il a d'affirmer son excellence propre, c'est-à-dire (au sens normatif du terme) son humanité. Humain, jamais trop humain... La vertu est une manière d'être, expliquait Aristote, mais acquise et durable : c'est ce que nous sommes (donc ce que nous pouvons faire), parce que nous le sommes devenus. Et comment, sans les autres hommes ? La vertu advient ainsi à la croisée de l'hominisation (comme fait biologique) et de l'humanisation (comme exigence culturelle) : c'est notre manière d'être et d'agir humainement, c'est-à-dire (puisque l'humanité, en ce sens, est une valeur) notre capacité à *bien* agir. « Il n'est rien si beau et légitime, disait Montaigne, que de faire bien l'homme et dûment. »[2] C'est la vertu même.

Cela, que les Grecs nous ont appris, que Montaigne nous a appris, se peut lire aussi chez Spinoza : « Par vertu et puissance j'entends la même chose ; c'est-à-dire que la vertu, en tant qu'elle se rapporte à l'homme, est l'essence même ou la nature de l'homme en tant qu'il a le pouvoir de faire certaines choses se pouvant connaître par les seules lois de sa nature »[3] ou, ajouterais-je (mais celle-ci, pour Spinoza, fait partie de celle-là), de son histoire. Vertu, au sens général, c'est puissance ; et au sens particulier : humaine puissance, ou puissance d'humanité. C'est ce qu'on appelle aussi les vertus morales, qui font qu'un homme semble plus humain ou plus excellent, comme disait Montaigne, qu'un autre, et sans lesquelles, comme disait Spinoza, nous serions à juste titre qualifiés d'inhumains[4]. Cela suppose un désir d'humanité,

---

2. *Essais*, III, 13, p. 1110 de l'éd. Villey-Saulnier, rééd. PUF, 1978.
3. *Éthique*, IV, déf. 8 (trad. Appuhn, rééd. Garnier-Flammarion, 1965).
4. Montaigne, *Essais*, II, 36 (« Des plus excellents hommes ») ; Spinoza, *Éthique*, IV, scolie de la prop. 50.

désir évidemment historique (il n'y a pas de vertu naturelle), sans lequel toute morale serait impossible. Il s'agit de n'être pas indigne de ce que l'humanité a fait de soi, et de nous.

La vertu, répète-t-on depuis Aristote, est une disposition acquise à faire le bien. Mais il faut dire plus : elle est le bien même, en esprit et en vérité. Pas de Bien absolu, pas de Bien en soi, qu'il suffirait de connaître ou d'appliquer. Le bien n'est pas à contempler ; il est à faire. Telle est la vertu : c'est l'effort pour se bien conduire, qui définit le bien dans cet effort même. Cela pose un certain nombre de problèmes théoriques, que j'ai traités ailleurs[5]. Ce livre-ci se veut tout entier de morale pratique, c'est-à-dire de morale. La vertu, ou plutôt *les* vertus (puisqu'il y en a plusieurs, puisqu'on ne saurait les ramener toutes à une seule ni se contenter de l'une d'entre elles) sont nos valeurs morales, si l'on veut, mais incarnées, autant que nous le pouvons, mais vécues, mais en acte : toujours singulières, comme chacun d'entre nous, toujours plurielles, comme les faiblesses qu'elles combattent ou redressent. Ce sont ces vertus que je me suis données ici pour objet. Encore mon propos n'était-il pas de les évoquer toutes, ni d'en épuiser aucune. Je n'ai voulu qu'indiquer, pour celles qui me paraissaient les plus importantes, ce qu'elles sont, ou ce qu'elles devraient être, et ce qui les rend toujours nécessaires et toujours difficiles. De là ce traité, dont le titre indique assez l'ambition, quant à son objet, et les limites, quant à son contenu.

Comment ai-je procédé ? Je me suis demandé quelles étaient les dispositions de cœur, d'esprit ou de caractère dont la présence, chez un individu, augmentait l'estime morale que j'avais pour lui, et dont l'absence, au contraire, la diminuait. Cela donna une liste d'une trentaine de vertus. J'ai éliminé celles qui pouvaient faire double emploi avec telle autre

---

5. Voir spécialement mon *Traité du désespoir et de la béatitude*, t. 2, *Vivre*, PUF, 1988, chap. 4 (« Les labyrinthes de la morale »), ainsi que *Valeur et vérité*, PUF, 1994.

(ainsi la bonté avec la générosité, ou l'honnêteté avec la justice) et toutes celles en général qu'il ne m'a pas paru indispensable de traiter. Il en est resté dix-huit, c'est-à-dire bien plus que ce que j'avais d'abord envisagé, sans que je parvienne pourtant à en supprimer davantage. J'ai dû être d'autant plus bref, sur chacune, et cette contrainte, qui faisait partie de mon projet, n'a cessé d'en gouverner la réalisation. Ce livre s'adresse au grand public. Si les philosophes de métier peuvent le lire, c'est à la condition de n'y chercher ni érudition ni exhaustivité.

Que l'ensemble commence par la politesse, qui n'est pas encore morale, et se termine par l'amour, qui déjà ne l'est plus, c'est bien sûr délibéré. Pour le reste, l'ordre choisi, sans être absolument contingent, doit plus à une espèce d'intuition ou d'exigence, tantôt pédagogique, tantôt éthique ou esthétique, qu'à je ne sais quelle volonté déductive ou hiérarchisante. Un traité des vertus, surtout petit comme est celui-ci, n'est pas un système de la morale : c'est morale appliquée, plutôt que théorique, et vivante, autant que faire se peut, plutôt que spéculative. Mais quoi de plus important, dans la morale, que l'application et la vie ?

J'ai beaucoup cité, comme d'habitude, et trop. C'est que je voulais faire œuvre utile, plutôt qu'élégante. La même raison m'obligeait à donner toutes les références, quitte à multiplier pour ce faire les notes en bas de page. Nul n'est tenu de les lire, et même il vaut mieux d'abord ne pas s'en préoccuper. Elles sont faites, non pour la lecture, mais pour le travail : non pour les lecteurs mais pour les étudiants, quels que soient leur âge et leur métier. Quant au fond, je n'ai pas voulu faire semblant d'inventer ce que la tradition m'offrait, quand je ne faisais que le reprendre. Non que je n'aie rien mis de mien, dans cet ouvrage, au contraire ! Mais on ne possède jamais que ce qu'on a reçu et transformé, que ce qu'on est devenu, grâce à d'autres ou contre eux. Un traité des vertus ne saurait, sans ridicule, chercher l'originalité ou la nouveauté. Il y a plus de courage d'ailleurs, et plus de mérite, à se confronter aux maîtres, sur leur terrain, qu'à fuir toute comparaison par je ne sais quelle volonté d'inédit. Voilà deux mille cinq cents ans, pour ne pas dire plus, que les meilleurs esprits réfléchissent aux vertus : je n'ai voulu que continuer leur effort, à ma façon, avec mes moyens, et en m'appuyant sur eux autant qu'il le fallait.

Certains jugeront l'entreprise présomptueuse ou naïve. Le second reproche m'est un compliment. Quant au premier, je crains que ce ne soit un contresens. Ecrire sur les vertus serait plutôt, pour qui s'y risque, une perpétuelle blessure narcissique : parce que cela le renvoie toujours, et bien vivement, à sa propre médiocrité. Toute vertu est un sommet, entre deux vices, une ligne de crête entre deux abîmes : ainsi le courage, entre lâcheté et témérité, la dignité, entre complaisance et égoïsme, ou la douceur, entre colère et apathie[6]... Mais qui peut vivre toujours au sommet ? Penser les vertus, c'est mesurer la distance qui nous en sépare. Penser leur excellence, c'est penser nos insuffisances ou notre misère. C'est un premier pas, et le seul peut-être qu'on puisse demander à un livre. Le reste est à vivre, et comment un livre pourrait-il en tenir lieu ? Cela ne signifie pas qu'il soit toujours inutile, ni moralement sans portée. La réflexion sur les vertus ne rend pas vertueux, en tout cas elle ne saurait évidemment y suffire. Il est une vertu toutefois qu'elle développe : c'est l'humilité, aussi bien intellectuelle, devant la richesse de la matière et de la tradition, que proprement morale, devant l'évidence que ces vertus nous font défaut, presque toutes, presque toujours,

6. Voir bien sûr Aristote, *Ethique à Nicomaque*, II, 4-9, 1105 *b* - 1109 *b*, et *Ethique à Eudème*, II, 3, 1220 *b* - 1221 *b*. C'est ce qu'on appelle parfois le *juste milieu*, ou la *médiété*, qui n'est pas une médiocrité mais son contraire : « Dans l'ordre de la substance et de la définition exprimant la quiddité, la vertu est une médiété, tandis que dans l'ordre de l'excellence et du parfait, c'est un sommet » (*Eth. à Nicomaque*, II, 6, 1107 *a* 5-7, p. 106-107 de la trad. Tricot). Voir aussi ce que j'écrivais dans *Vivre*, chap. 4, p. 116 à 118.

et qu'on ne saurait pourtant se résigner à leur absence ni s'exempter de leur faiblesse, qui est la nôtre.

Ce traité des vertus ne sera utile qu'à ceux qui en manquent, et cela, qui lui fait un public assez vaste, doit excuser l'auteur d'avoir osé — non malgré son indignité mais à cause d'elle — l'entreprendre. Le plaisir que j'y ai pris, qui fut vif, m'a paru une justification suffisante. Quant à celui des lecteurs, il ne pourra venir, s'il vient, que par surcroît : ce n'est plus travail, mais grâce. A ceux-là, donc, ma gratitude.

1

La politesse

La politesse est la première vertu, et l'origine peut-être de toutes. C'est aussi la plus pauvre, la plus superficielle, la plus discutable : est-ce seulement une vertu ? Petite vertu, en tout cas, comme on dit des dames du même nom. La politesse se moque de la morale, et la morale de la politesse. Un nazi poli, qu'est-ce que cela change au nazisme ? Qu'est-ce que cela change à l'horreur ? Rien, bien sûr, et la politesse est bien caractérisée par ce *rien*. Vertu de pure forme, vertu d'étiquette, vertu d'apparat ! L'apparence, donc, d'une vertu, et l'apparence seulement.

Si la politesse est une valeur, ce qu'on ne peut nier, c'est une valeur ambiguë, en elle-même insuffisante — elle peut recouvrir le meilleur comme le pire — et à ce titre presque suspecte. Ce travail sur la forme doit cacher quelque chose, mais quoi ? C'est un artifice, et l'on se méfie des artifices. C'est une parure, et l'on se méfie des parures. Diderot évoque quelque part la « politesse insultante » des grands, et il faudrait évoquer aussi celle, obséquieuse ou servile, de bien des petits. On préférerait le mépris sans phrases et l'obéissance sans manières.

Il y a pire. Un salaud poli n'est pas moins ignoble qu'un autre, et peut-être il l'est davantage. Par l'hypocrisie ? C'est douteux, puisque la politesse ne prétend pas à la morale. Le salaud poli serait volontiers cynique, d'ailleurs, et sans manquer pour cela ni à la politesse ni à la méchanceté. Mais alors, pourquoi choque-t-il ? Par le contraste ? Sans doute. Mais point contraste entre l'apparence d'une vertu et son absence (ce que serait l'hypocrisie), puisque notre salaud, par hypothèse, est effectivement poli — au reste, qui le paraît l'est suffisamment. Contraste, bien plutôt, entre l'apparence d'une vertu (qui est aussi, dans le cas de la politesse, sa réalité : l'être de la politesse s'épuise tout entier dans son apparaître) et l'absence de toutes les autres, entre l'apparence d'une vertu et la présence de vices, ou plutôt du seul réel, qui est méchanceté. Le contraste, à le considérer isolément, est pourtant davantage esthétique que moral : il expliquerait la surprise plus que l'horreur, l'étonnement plus que la réprobation. S'y ajoute ceci, me semble-t-il, qui est d'ordre éthique : la politesse rend le méchant plus haïssable parce qu'elle dénote en lui une éducation sans laquelle sa méchanceté, en quelque sorte, serait excusable. Le salaud poli, c'est le contraire d'un fauve, et l'on n'en veut pas aux fauves. C'est le contraire d'un sauvage, et l'on excuse les sauvages. C'est le contraire de la brute épaisse, grossière, inculte, laquelle est effrayante, certes, mais dont on peut au moins expliquer, par l'inculture, la violence native et bornée. Le salaud poli n'est pas un fauve, n'est pas un sauvage, n'est pas une brute : civilisé, au contraire, éduqué, élevé, et par là, dirait-on, sans excuses. Le malotru agressif, qui peut savoir s'il est méchant ou simplement mal élevé ? Pour le tortionnaire sélect, au contraire, point de doute. Comme le sang se voit davantage sur les gants blancs, l'horreur se montre mieux quand elle est policée. Les nazis, à ce qu'on rapporte, du moins certains d'entre eux, excellaient dans ce rôle. Et chacun comprend qu'une part de l'ignominie allemande s'est jouée là, dans ce mélange de barbarie et de civilisation, de violence et de civilité, dans cette cruauté tantôt polie tantôt bestiale, mais toujours cruelle, et plus coupable peut-être d'être polie, plus inhumaine d'être humaine, dans les formes, plus barbare d'être civilisée. Un être grossier, on peut accuser l'animal, l'ignorance, l'inculture, faire retomber la faute sur le saccage d'une enfance ou sur l'échec d'une société. Un être poli, non. La politesse est en cela comme une circonstance aggravante, qui accuse directement l'homme, peuple ou individu, et la société non dans ses échecs, qui pourraient être autant d'excuses, mais dans ses réussites. *Bien élevé,* dit-on, et c'est tout dire en effet. Le nazisme comme réussite de la société allemande (Jankélévitch ajouterait : *et de la culture allemande,* mais c'est ce que lui seul peut-être, ou ses contemporains, pouvaient se permettre), voilà ce qui juge et le nazisme et l'Allemagne, je veux dire cette Allemagne-là, qui jouait Beethoven dans les *lager* et qui assassinait les enfants !

Je m'égare, mais plus par vigilance que par mégarde. Face à la politesse, l'important d'abord est de n'être pas dupe. La politesse n'est pas une vertu, et ne saurait tenir lieu d'aucune.

Mais pourquoi dire alors qu'elle est la première, et l'origine peut-être de toutes ? C'est moins contradictoire qu'il n'y paraît. L'origine des vertus ne saurait en être une (car alors elle supposerait elle-même une origine, et ne pourrait l'être), et il est de l'essence des vertus, peut-être, que la première ne soit pas vertueuse.

Pourquoi *première* ? Je parle selon l'ordre du temps, et pour l'individu. Le nouveau-né n'a pas de morale, ni ne peut en avoir. Et pas davantage le nourrisson ni, pendant longtemps, le petit enfant. Ce que celui-ci découvre, en revanche, et très tôt, c'est l'interdit. « Ne fais pas ça : c'est sale, c'est mal, c'est laid, c'est méchant... » Ou bien : « C'est dangereux », et il fera vite la différence entre ce qui est mal (la faute) et ce qui *fait* mal (le danger). La faute est le mal proprement humain, le mal qui ne fait pas mal (du moins à celui qui l'accomplit), le mal sans danger immédiat ou intrinsèque. Mais alors, pourquoi se l'interdire ? Parce que c'est

comme ça, parce que c'est sale, laid, méchant... Le fait précède le droit, pour l'enfant, ou plutôt le droit n'est qu'un fait
comme un autre. Il y a ce qui est permis et ce qui est interdit,
ce qui se fait et ce qui ne se fait pas. Bien ? mal ? La règle suffit, qui précède le jugement et le fonde. Mais la règle est alors
sans fondement autre que de convention, sans justification
autre que l'usage et le respect des usages : règle de fait, règle
de pure forme, règle de politesse ! Ne pas dire de gros mots,
ne pas interrompre les gens, ne pas bousculer, ne pas voler,
ne pas mentir... Tous ces interdits se présentent identiquement, pour l'enfant (« c'est pas beau »). La distinction entre
ce qui est éthique et ce qui est esthétique ne viendra que plus
tard, et progressivement. La politesse est donc antérieure à la
morale, ou plutôt la morale n'est d'abord que politesse : soumission à l'usage (les sociologues ont évidemment raison ici
contre Kant, du moins ils ont raison d'abord, et c'est ce que
Kant peut-être ne contesterait pas), à la règle instituée, au
jeu normé des apparences — soumission au monde, et aux
manières du monde.

On ne saurait, dit Kant, déduire ce qu'on doit faire de ce
qui se fait. C'est pourtant ce à quoi l'enfant est obligé, durant
ses premières années, et par quoi seul il devient humain.
« L'homme ne peut devenir homme que par l'éducation,
reconnaît d'ailleurs Kant, il n'est que ce que l'éducation fait
de lui »[1], et c'est la discipline d'abord qui « transforme l'animalité en humanité »[2]. On ne saurait mieux dire. L'usage est
antérieur à la valeur, l'obéissance, au respect, et l'imitation,
au devoir. La politesse donc (« cela ne se fait pas ») est antérieure à la morale (« cela ne *doit pas* se faire »), laquelle ne se
constituera que peu à peu, comme une politesse intériorisée,
libérée d'apparences et d'intérêts, et tout entière concentrée

---

1. Kant, *Réflexions sur l'éducation*, Introduction, trad. Philonenko, Vrin, 1980,
p. 73.
2. *Ibid.*, p. 70.

dans l'intention (dont la politesse n'a que faire). Mais comment émergerait-elle, cette morale, si la politesse n'était donnée d'abord? Les bonnes manières précèdent les bonnes actions, et y mènent. La morale est comme une politesse de l'âme, un savoir-vivre de soi à soi (même s'il y est question surtout de l'autre), une étiquette de la vie intérieure, un code de nos devoirs, un cérémonial de l'essentiel. Inversement, la politesse est comme une morale du corps, une éthique du comportement, un code de la vie sociale, un cérémonial de l'inessentiel. « Monnaie de papier », dit Kant, mais qui vaut mieux que rien et qu'il serait aussi fou de supprimer que de prendre pour de l'or véritable[3]; « petite monnaie », dit-il aussi, qui n'est qu'apparence de vertu, mais qui la rend aimable[4]. Et quel enfant deviendrait vertueux, sans cette apparence et sans cette amabilité?

La morale commence donc au plus bas — par la politesse —, et il faut bien qu'elle commence. Aucune vertu n'est naturelle : il faut donc *devenir* vertueux. Mais comment, si on ne l'est déjà? « Les choses qu'il faut avoir apprises pour les faire, expliquait Aristote, c'est en les faisant que nous les apprenons. »[5] Comment les faire, pourtant, sans les avoir apprises? Il y a un cercle ici, dont on ne peut sortir que par l'*a priori* ou par la politesse. Mais l'*a priori* n'est pas à notre portée; la politesse, si. « C'est en pratiquant les actions justes que nous devenons justes, continuait Aristote, en pratiquant les actions modérées que nous devenons modérés, et en pratiquant les actions courageuses que nous devenons courageux. »[6] Mais comment agir justement sans être juste? Avec

3. Kant, *Anthropologie du point de vue pragmatique*, § 14 (trad. M. Foucault, Vrin, 1979, p. 35-36).
4. Kant, *Doctrine de la vertu* (deuxième partie de la *Métaphysique des mœurs*), § 48, trad. Philonenko, Vrin, 1968, p. 151-152.
5. Aristote, *Éthique à Nicomaque*, II, 1, 1103 *a* 33 (trad. Tricot, Vrin, 1979, p. 88).
6. *Ibid.*, 1103 *b* 1 (trad. Tricot, p. 89).

19

modération, sans être modéré ? Avec courage, sans être courageux ? Et comment dès lors le devenir ? Par l'habitude, semble répondre Aristote, mais la réponse est évidemment insuffisante : l'habitude suppose l'existence antécédente de ce à quoi on s'habitue et ne saurait donc l'expliquer. Kant nous éclaire davantage, qui expliquera ces premiers simulacres de vertu par la discipline, c'est-à-dire par une contrainte externe : ce que l'enfant, faute d'instinct, ne peut faire par lui-même, « il faut que d'autres le fassent pour lui », et c'est ainsi qu' « une génération éduque l'autre »[7]. Sans doute. Or, qu'est-ce que cette discipline, dans la famille, sinon d'abord le respect des usages et des bonnes manières ? Discipline normative plutôt que contraignante, et visant moins à l'ordre qu'à une certaine sociabilité aimable — discipline, non de police, mais de politesse. C'est par elle que, mimant les manières de la vertu, nous avons une chance peut-être de devenir vertueux. « La politesse, observait La Bruyère, n'inspire pas toujours la bonté, l'équité, la complaisance, la gratitude ; elle en donne du moins les apparences, et fait paraître l'homme au dehors comme il devrait être intérieurement. »[8] Ce pourquoi elle est insuffisante chez l'adulte, et nécessaire chez l'enfant. Ce n'est qu'un commencement, mais c'en est un. Dire « s'il te plaît » ou « pardon », c'est faire semblant de respecter ; dire « merci », c'est faire semblant d'être reconnaissant. C'est où commencent et le respect et la reconnaissance. Comme la nature imite l'art, la morale imite la politesse, qui l'imite. « C'est peine perdue que de parler de devoir aux enfants », reconnaissait Kant[9], et il avait évidemment raison. Mais qui renoncerait pour cela à leur enseigner la politesse ? Et qu'aurions-nous appris, sans elle, de nos

7. Kant, *Réflexions sur l'éducation*, Introduction, p. 70.
8. *Caractères*, « De la société et de la conversation », 32 (éd. R. Garapon, Classiques Garnier, 1990, p. 163).
9. *Réflexions sur l'éducation*, III, C (p. 129 de la trad. Philonenko).

devoirs ? Si nous pouvons devenir moraux — et il le faut bien pour que la morale, et même l'immoralité, soient simplement possibles —, ce n'est donc pas par vertu mais par éducation, non pour le bien mais pour la forme, non par morale mais par politesse — par respect, non des valeurs, mais des usages ! La morale est d'abord un artifice, puis un artefact. C'est en imitant la vertu qu'on devient vertueux : « Par le fait que les hommes jouent ces rôles, écrit Kant, les vertus dont, pendant longtemps, ils ne prennent que l'apparence concertée, s'éveillent peu à peu et passent dans leur manière. »[10] La politesse est antérieure à la morale, et la permet. « Parade », dit Kant, mais moralisatrice[11]. Il s'agit de prendre d'abord « les manières du bien », non certes pour s'en contenter, mais pour accéder par elles à ce qu'elles imitent — la vertu — et qui n'advient qu'en les imitant[12]. « L'apparence du bien chez les autres, écrit encore Kant, n'est pas sans valeur pour nous : de ce jeu de dissimulations, qui suscite le respect sans peut-être le mériter, le sérieux peut naître[13] », sans lequel la morale ne saurait, en chacun, ni se transmettre ni se constituer. « Les dispositions morales proviennent d'actes qui leur sont semblables », disait Aristote[14]. La politesse est ce *semblant* de vertu, d'où les vertus proviennent.

La politesse sauve donc la morale du cercle (sans la politesse il faudrait être vertueux pour pouvoir le devenir) en créant les conditions nécessaires à son émergence et même, pour une part, à son épanouissement. Entre un homme parfaitement poli et un homme simplement bienveillant, respectueux, modeste..., les différences, en bien des occasions, sont

10. *Anthropologie du point de vue pragmatique*, § 14 (p. 35 de la trad. Foucault).
11. *Critique de la raison pure*, Discipline, 2, AK, III, p. 489 (p. 512 de la trad. Tremesaygues et Pacaud, PUF, 1963).
12. *Ibid.*, AK, III, 489-490 (p. 512-513 de la trad. Tremesaygues et Pacaud).
13. *Anthropologie...*, § 14 (p. 36 de la trad. Foucault).
14. *Éthique à Nicomaque*, II, 1, 1103 *b* 21 (p. 90 de la trad. Tricot).

infimes : on finit par ressembler à ce qu'on imite, et la politesse conduit insensiblement — ou peut conduire — à la morale. Tous les parents le savent, et c'est ce qu'ils appellent élever leurs enfants. J'entends bien que la politesse n'est pas tout, ni l'essentiel. Il reste qu'être *bien élevé*, dans le langage courant, c'est d'abord être poli, et cela en dit long. Reprendre ses enfants mille fois (que dis-je, mille fois ! beaucoup plus...) pour qu'ils disent « s'il te plaît », « merci », « pardon », aucun de nous ne le ferait — sauf maniaquerie ou snobisme — s'il ne s'agissait que de politesse. Mais le respect s'apprend là, dans ce dressage. Le mot déplaît, je le sais bien ; mais qui pourrait se passer de la chose ? L'amour ne suffit pas pour élever les enfants, ni même pour les rendre aimables et aimants. La politesse ne suffit pas davantage, et c'est pourquoi il faut les deux. Toute l'éducation familiale se joue là, me semble-t-il, entre la plus petite des vertus, qui n'est pas encore morale, et la plus grande, qui déjà ne l'est plus. Reste l'apprentissage de la langue. Mais si la politesse est l'art des signes, comme le voulait Alain[15], apprendre à parler en relève. C'est toujours usage et respect de l'usage, qui n'est bon qu'autant qu'il est respecté. *« Le bon usage »* : ce pourrait-être le titre d'un manuel de savoir-vivre, et c'est celui d'une grammaire (celle de Grevisse), bien fameuse et belle. Faire ce qui se fait, dire ce qui se dit... Il est révélateur qu'on parle dans les deux cas de *correction*, qui n'est qu'une politesse minimale et comme obligée. La vertu ou le style ne viendront que plus tard.

La politesse, donc, n'est pas une vertu, mais comme le simulacre qui l'imite (chez les adultes) ou qui la prépare (chez les enfants). Elle change en cela sinon de nature, du moins de portée, avec l'âge. Essentielle pendant l'enfance, inessentielle dans l'âge adulte. Quoi de pire qu'un enfant mal

---

15. Alain, *Définitions*, Bibl. de la Pléiade, « Les arts et les dieux », p. 1080 (définition de la politesse).

élevé, si ce n'est un adulte méchant ? Or, nous ne sommes plus des enfants. Nous savons aimer, juger, vouloir... Capables de vertu, donc, capables d'amour, dont la politesse ne saurait tenir lieu. Un rustre généreux vaudra toujours mieux qu'un égoïste poli. Un honnête homme incivil, qu'une fripouille raffinée. La politesse n'est qu'une gymnastique de l'expression, disait Alain[16] ; c'est dire assez qu'elle est du corps, et c'est bien sûr le cœur ou l'âme qui importent. Même, il y a des gens chez qui la politesse dérange, par une perfection qui inquiète. « Trop poli pour être honnête », dit-on alors, car l'honnêteté impose parfois de déplaire, de choquer, de heurter. Même honnêtes, d'ailleurs, beaucoup resteront toute leur vie comme prisonniers des bonnes manières, ne se montrant plus aux autres qu'à travers la vitre — jamais totalement transparente — de la politesse, comme ayant confondu une fois pour toutes la vérité et la bienséance. Dans le style BCBG, comme on dit maintenant, il y a beaucoup de cela. La politesse, à la prendre trop au sérieux, est le contraire de l'authenticité. Ceux-là, bon chic bon genre, sont comme de grands enfants trop sages, prisonniers des règles, dupes des usages et des convenances. L'adolescence leur a manqué, par quoi l'on devient homme ou femme — l'adolescence qui renvoie la politesse au dérisoire qui est le sien, l'adolescence qui n'a que faire des usages, l'adolescence qui n'aime que l'amour, la vérité et la vertu, la belle, la merveilleuse, l'incivile adolescence ! Adultes, ils seront plus indulgents, et plus sages. Mais enfin, s'il faut absolument choisir, et immaturité pour immaturité, mieux vaut, moralement parlant, un adolescent prolongé qu'un enfant trop obéissant pour grandir : mieux vaut être trop honnête pour être poli que trop poli pour être honnête !

Le savoir-vivre n'est pas la vie ; la politesse n'est pas la

---

16. Alain, *Quatre-vingt-un chapitres sur l'esprit et les passions*, Bibl. de la Pléiade (« Les passions et la sagesse »), p. 1243.

morale. Mais ce n'est pas rien pourtant. La politesse est une petite chose, qui en prépare de grandes. C'est un rituel, mais sans Dieu ; un cérémonial, mais sans culte ; une étiquette, mais sans monarque. Forme vide, qui ne vaut que par ce vide même. Une politesse pleine d'elle-même, une politesse qui se prend au sérieux, une politesse qui se croit, c'est une politesse dupe de ses manières et qui manque par là aux règles mêmes qu'elle prescrit. La politesse ne suffit pas, et il est impoli d'être suffisant.

La politesse n'est pas une vertu mais une qualité, et une qualité seulement formelle. Prise en elle-même, elle est secondaire, dérisoire, presque insignifiante : à côté de la vertu ou de l'intelligence, elle est comme rien, et c'est ce que la politesse, dans sa réserve exquise, doit aussi savoir exprimer. Que les êtres intelligents et vertueux n'en soient pas dispensés, c'est pourtant assez clair. L'amour même ne saurait se passer totalement de formes. C'est ce que les enfants doivent apprendre de leurs parents, de ces parents qui les aiment tant — quoique trop, quoique mal —, et qui ne cessent pourtant de les reprendre, non sur le fond (qui oserait dire à son enfant : « Tu ne m'aimes pas assez » ?), mais sur la forme. Les philosophes discuteront pour savoir si la forme première, en vérité, n'est pas le tout, et si ce qui distingue la morale de la politesse est autre chose qu'une illusion. Il se pourrait que tout ne soit qu'usage et respect de l'usage — que tout ne soit que politesse. Je n'en crois rien pourtant. L'amour résiste, et la douceur, et la compassion. La politesse n'est pas tout, et elle n'est presque rien. Mais l'homme, aussi, est presque un animal.

2

La fidélité

Le passé n'est plus, l'avenir n'est pas encore : l'oubli et l'improvisation sont faits de nature. Quoi de plus improvisé, à chaque fois, que le printemps ? Et quoi de plus vite oublié ? La répétition elle-même, si frappante, n'est qu'un leurre : c'est parce que les saisons s'oublient qu'elles se répètent, et cela même qui rend la nature toujours neuve est cause qu'elle n'innove que rarement. Toute invention vraie, toute création vraie suppose la mémoire. C'est ce qu'avait vu Bergson, qui dut pour cela inventer une mémoire du monde (la durée) ; mais cette mémoire serait Dieu, et c'est pourquoi elle n'est pas. La nature oublie d'être Dieu, ou Dieu s'oublie dans la nature. S'il y a une histoire de l'univers — et bien sûr il y en a une —, c'est une suite d'improvisations chaotiques ou chanceuses, sans projet (fût-ce celui d'improviser) ni mémoire. Le contraire d'une œuvre, ou qui ne fait œuvre que par rencontre. Un *bœuf* improbable et sans lendemain. Car cela même qui dure ou se répète n'advient qu'en changeant ; et rien ne commence qui ne doive finir. L'inconstance est la règle. L'oubli est la règle. Le réel, d'instant en instant, est toujours neuf ; et cette nouveauté de tout à tout, cette nouveauté pérenne, c'est le monde.

La nature est la grande oublieuse, et c'est en quoi aussi elle est matérielle. La matière est l'oubli même : il n'est mémoire que de l'esprit. C'est donc l'oubli qui aura le der-

nier mot comme il a eu le premier, comme il ne cesse de
l'avoir. Le réel est ce premier mot de l'être, ce perpétuel premier mot. Comment voudrait-il dire quelque chose ? L'en-
fant-roi (le temps) n'est pas bègue pourtant : il ne parle ni ne
se tait, n'invente ni ne répète. Inconstance, oubli, innocence : royauté d'un enfant ! Le devenir est infidèle, et même
les saisons sont volages.

Mais il y a l'esprit ; mais il y a la mémoire. De peu de
poids, de peu de durée : cette fragilité, c'est l'esprit même.
Mortel au cœur des mortels — mais vivant, comme esprit,
par le souvenir qu'il en garde ! L'esprit est mémoire, et peut-
être il n'est que cela. Penser, c'est se souvenir de ses pensées ;
vouloir, c'est se souvenir de ce qu'on veut. Non, certes, qu'on
ne puisse penser que le même, ni vouloir que ce qu'on a
voulu. Mais que serait une invention sans mémoire ? Et une
décision, sans mémoire ? Comme le corps est le présent du
présent, l'esprit l'est du passé, au double sens du mot *présent* :
ce que le passé nous lègue et, en nous, qui demeure. C'est ce
que saint Augustin appelait « le présent du passé », et c'est la
mémoire[1]. L'esprit commence là. L'esprit soucieux, l'esprit
fidèle.

Le souci, qui est la mémoire du futur, se rappelle à nous
suffisamment. C'est sa nature, ou plutôt c'est la nôtre. Qui
oublierait — hors les sages ou les fous — qu'il a un avenir ?
Et qui, hors les méchants, ne se soucierait que du sien ? Les
hommes sont égoïstes, bien sûr, mais moins absolument
qu'on ne le croit parfois : les voilà, même sans enfants, qui se
préoccupent des générations futures, et ce souci est beau. Le
même que ses cigarettes n'angoissent pas s'inquiète d'un trou
dans l'ozone. Insouciant de soi, soucieux des autres. Qui irait
le lui reprocher ? Toujours est-il qu'on n'oublie guère l'avenir

---

1. Saint Augustin, *Confessions*, XI (spécialement chap. 20, p. 269 de la trad.
Trabucco, G.-F., 1964).

(on oublierait plutôt le présent!), et d'autant moins qu'on l'ignore davantage.

Le passé est plus démuni. L'avenir nous inquiète, l'avenir nous hante : son néant fait sa force. Du passé, au contraire, il semble que nous n'ayons plus rien à craindre, plus rien à attendre, et cela sans doute n'est pas tout à fait faux. Epicure en fit une sagesse : dans la tempête du temps, le port profond de la mémoire... Mais l'oubli en est un plus sûr. Si les névrosés souffrent de réminiscence, comme disait Freud, la santé psychique doit bien, en quelque chose, se nourrir d'oubli. « Dieu garde l'homme d'oublier d'oublier! », écrit le poète, et Nietzsche a bien vu aussi de quel côté étaient la vie et le bonheur. « Il est possible de vivre presque sans souvenir et de vivre heureux, comme le démontre l'animal, mais il est impossible de vivre sans oublier. »[2] Dont acte. Mais la vie est-elle le but ? Le bonheur est-il le but ? Du moins cette vie-là et ce bonheur-là ? Faut-il envier l'animal, la plante, la pierre ? Et quand bien même on les envierait, faudrait-il se soumettre à cette envie ? Que resterait-il de l'esprit ? Que resterait-il de l'humanité ? Faut-il ne tendre qu'à la santé ou à l'hygiène ? Pensée sanitaire[3], qui trouve là sa force et ses limites. Quand bien même l'esprit serait une maladie, quand bien même l'humanité serait un malheur, cette maladie, ce malheur sont nôtres — puisqu'ils sont nous, puisque nous ne sommes que par eux. Du passé, ne faisons pas table rase. Toute la dignité de l'homme est dans la pensée ; toute la dignité de la pensée est dans la mémoire. Pensée oublieuse, c'est pensée peut-être, mais sans esprit. Désir oublieux, c'est désir sans doute ; mais sans volonté, sans cœur, sans âme. La science et l'animal en

---

2. Nietzsche, *Considérations intempestives*, II (trad. G. Bianquis, Aubier-Montaigne, 1964, rééd. 1979, p. 207).
3. Selon l'heureuse expression de François George, à propos de Nietzsche : « D'un critère nouveau en philosophie », *L'âme et le corps*, sous la direction de M.-P. Haroche, Plon, 1990.

donnent à peu près l'idée — encore n'est-ce pas vrai de tous les animaux (certains sont fidèles, dit-on) ni, peut-être, de toutes les sciences. Peu importe. L'homme n'est esprit que par la mémoire ; humain, que par la fidélité. Garde-toi, homme, d'oublier de te souvenir ! L'esprit fidèle, c'est l'esprit même.

Je prends le problème de loin, mais c'est qu'il est immense. La fidélité n'est pas une valeur parmi d'autres, une vertu parmi d'autres : elle est ce par quoi, ce pour quoi il y a valeurs et vertus. Que serait la justice, sans la fidélité des justes ? La paix, sans la fidélité des pacifiques ? La liberté, sans la fidélité des esprits libres ? Et que vaudrait la vérité, même, sans la fidélité des véridiques ? Elle ne serait pas moins vraie, certes, mais ce serait vérité sans valeur, d'où nulle vertu ne pourrait naître. Point de santé sans oubli, peut-être ; mais point de vertu sans fidélité. Hygiène ou morale. Hygiène *et* morale. Car il ne s'agit pas de n'oublier rien, ni d'être fidèle à n'importe quoi. Ni santé ne suffit ni sainteté ne s'impose. « Il ne s'agit pas d'être sublime, il suffit d'être fidèle et sérieux. »[4] Nous y voilà. La fidélité est vertu de mémoire, et la mémoire elle-même comme vertu.

Mais quelle mémoire ? Ou mémoire de quoi ? Et à quelles conditions ? Et dans quelles limites ? Il ne s'agit pas, répétons-le, d'être fidèle à n'importe quoi : ce ne serait plus fidélité mais passéisme, opiniâtreté bornée, entêtement, routine, fanatisme... Toute vertu s'oppose à deux excès, rappellerait un aristotélicien : la versatilité en est un, l'opiniâtreté en est un autre, et la fidélité les refuse également. Juste milieu ? Si l'on veut, mais point comme l'entendent les tièdes ou les fri-

---

4. Vladimir Jankélévitch, *L'imprescriptible*, Seuil, 1986, p. 55.

voles (il ne s'agit pas d'être un peu versatile et un peu opiniâtre !). Le centre de la cible en donnerait l'idée, mieux que
le marais de nos assemblées. Ligne de crête, disais-je, entre
deux abîmes[5]. La fidélité n'est ni versatile ni opiniâtre, et
c'est en quoi elle est fidèle.
Vaut-elle alors en elle-même ? Pour elle-même ? Par elle-
même ? Non pas, ou pas seulement. C'est surtout son objet
qui fait sa valeur. On ne change pas d'ami comme de che-
mise, notait à peu près Aristote[6], et il serait aussi ridicule
d'être fidèle à ses vêtements que coupable de ne l'être pas à
ses amis — sauf, comme dit ailleurs le philosophe, « excès de
perversité de leur part »[7]. La fidélité n'excuse pas tout : être
fidèle au pire est pire que le renier. Les SS juraient fidélité à
Hitler ; cette fidélité dans le crime était criminelle. Fidélité au
mal, c'est mauvaise fidélité. Et « la fidélité dans la sottise,
observe Jankélévitch, est une sottise de plus »[8]. C'est ici le
lieu — fidélité d'écolier, même rétif — de citer le Maître plus
longuement :

> « La fidélité est-elle ou n'est-elle pas louable ? C'est "selon",
> autrement dit : cela dépend des valeurs auxquelles on est fidèle.
> Fidèle *à quoi ?* (...) Personne ne dira que le ressentiment soit une
> vertu, bien qu'il reste fidèle à sa haine ou à ses colères ; la
> bonne mémoire de l'affront est une mauvaise fidélité. S'agissant
> de fidélité, l'épithète n'est-elle pas tout ? Et il y a encore une
> fidélité aux petites choses qui est mesquinerie et tenace
> mémoire des vétilles, rabâchage et entêtement. (...) La vertu
> que nous voulons n'est donc pas toute fidélité, mais seulement
> bonne fidélité et grande fidélité. »[9]

5. Voir *supra*, Avant-propos, p. 12.
6. *Ethique à Eudème*, VII, 2, 1237 *b* 37-40 (trad. V. Décarie, Vrin-Presses de
l'Université de Montréal, 1984, p. 164).
7. Aristote, *Ethique à Nicomaque*, IX, 3, 1165 *b* 32-36 (trad. Tricot, Vrin, 1979,
p. 441).
8. V. Jankélévitch, *Traité des vertus*, II : *Les vertus et l'amour*, t. 1, chap. 2, Flammarion, 1986, p. 140.
9. V. Jankélévitch, *ibid.*, p. 140 à 142.

Soit : fidélité aimante, fidélité vertueuse, fidélité volontaire[10]. Il ne suffit pas de se souvenir. On peut oublier sans
être infidèle, d'ailleurs, et être infidèle sans oublier. Mieux,
l'infidélité *suppose* la mémoire : on ne peut être fidèle ou infidèle qu'à ce dont on se souvient (un amnésique ne saurait ni
garder ni trahir sa parole), et c'est en quoi fidélité et infidélité
sont deux formes opposées, l'une vertueuse et l'autre pas, du
souvenir. La fidélité est « la vertu du Même », disait encore
Jankélévitch[11] ; mais dans un monde où tout change, et c'est
le monde, il n'est de *même* que par mémoire et volonté. Nul
ne se baigne deux fois dans le même fleuve, ni n'aime deux
fois la même femme. Pascal : « Il n'aime plus cette personne
qu'il aimait il y a dix ans. Je crois bien : elle n'est plus la
même ni lui non plus. Il était jeune et elle aussi ; elle est tout
autre. Il l'aimerait peut-être encore telle qu'elle était
alors. »[12] La fidélité est la vertu du même, par quoi le même
existe ou résiste.

Pourquoi tiendrais-je ma promesse de la veille, puisque je
ne suis plus le même aujourd'hui ? Pourquoi ? Par fidélité.
C'est là, selon Montaigne, le vrai fondement de l'identité
personnelle : « Le fondement de mon être et de mon identité
est purement moral : il se trouve dans la fidélité à la foi que
je me suis jurée à moi-même. Je ne suis pas réellement le
même qu'hier ; je ne suis le même que parce que je m'*avoue* le
même, parce que je prends à mon compte un certain passé
comme *le mien,* et parce que j'entends, dans l'avenir, reconnaître mon engagement présent comme toujours le mien. »[13]
Pas de sujet moral sans fidélité de soi à soi, et c'est en quoi la

---

10. *Ibid.,* p. 142-143. Dans la fidélité, remarque Jankélévitch au même endroit,
« les stoïciens auraient reconnu la *Constantia sapientis* » (la constance du sage).
11. *Ibid.,* p. 141.
12. *Pensées,* 673-123 (éd. Lafuma).
13. M. Conche, *Montaigne et la philosophie,* éd. de Mégare, 1987, p. 118-119.
Voir aussi Montaigne, *Apologie de Raymond Sebond,* p. 602-603 de l'éd. Villey-Saulnier, rééd. PUF, 1978 (spécialement l'évocation d'Epicharme).

fidélité est due : parce qu'il n'y aurait pas de devoirs autrement ! C'est en quoi aussi l'infidélité est possible : comme la
fidélité est vertu de mémoire, l'infidélité est sa faute (plutôt
que son défaut ou son manque). L'anamnèse n'est pas tout :
la bonne mémoire n'est pas toujours bonne, le souvenir précis
n'est pas toujours aimant ou respectueux. Vertu de mémoire,
c'est plus que mémoire ; fidélité, c'est plus qu'exactitude. La
fidélité est le contraire, non de l'oubli, mais de la versatilité
frivole ou intéressée, du reniement, de la perfidie, de l'inconstance. Il reste vrai pourtant qu'elle s'oppose à l'oubli
— comme toute vertu s'oppose à la pente qu'elle remonte —
que l'infidélité, au contraire, finit par entraîner : on trahit
d'abord ce dont on se souvient, puis on oublie ce qu'on a
trahi... L'infidélité s'abolit ainsi dans son triomphe, quand la
fidélité ne triomphe, toujours provisoirement, qu'en refusant
de s'abolir (ne connaît d'autre triomphe, veux-je dire, que la
perpétuation sans fin du combat contre l'oubli ou le reniement). Fidélité *désespérée*, écrit Jankélévitch[14], et ce n'est pas
moi qui le lui reprocherai. C'est que « la lutte n'est pas égale
entre la marée irrésistible de l'oubli qui, à la longue, sub-
merge toutes choses, et les protestations désespérées mais
intermittentes de la mémoire ; en nous recommandant l'oubli, les professeurs de pardon nous conseillent donc ce qui n'a
nul besoin d'être conseillé : les oublieux s'en chargeront
d'eux-mêmes, ils ne demandent que cela. C'est le passé qui
réclame notre pitié et notre gratitude : car le passé, lui, ne se
défend pas tout seul comme se défendent le présent et l'avenir... »[15] Tel est le devoir de mémoire : pitié et gratitude pour
le passé. Le dur devoir, l'exigeant devoir, l'imprescriptible
devoir d'être fidèle !
Ce devoir connaît évidemment des degrés. Jankélévitch,

---

14. *Les vertus et l'amour*, t. 1, p. 154 (c'est là, pour Jankélévitch, « la fidélité par
excellence »).
15. V. Jankélévitch, *L'imprescriptible*, p. 60.

dans le texte que je viens de citer, pense aux camps de concentration nazis et au martyre du peuple juif. Martyre absolu : devoir absolu. Nous n'avons pas à être fidèles au même titre, ni au même degré, à nos premières amours ou aux champions cyclistes qui enthousiasmèrent notre enfance... La fidélité doit n'aller qu'à ce qui vaut, et proportionnellement — si l'on ose dire, s'agissant de grandeurs par nature non quantifiables — à la valeur de ce qui vaut. Fidélité d'abord à la souffrance, au courage désintéressé, à l'amour... Un doute me vient : la souffrance est-elle donc une valeur ? Non, certes, prise en elle-même, ou bien seulement négative : la souffrance est un mal, et l'on se tromperait en y voyant une rédemption. Mais si la souffrance n'est pas une valeur, toute vie souffrante en est une, par l'amour qu'elle exige ou mérite : aimer celui qui souffre (la charité des chrétiens, la compassion des bouddhistes, la *commiseratio* des spinozistes...) est plus important qu'aimer ce qui est beau ou grand, et la valeur n'est pas autre chose que ce qui mérite d'être aimé. C'est en quoi toute fidélité — et qu'elle soit fidélité à une valeur ou à quelqu'un — est fidélité à l'amour, et par l'amour. Fidélité c'est amour fidèle, l'usage commun ne s'y trompe pas, ou ne s'y trompe qu'en se trompant sur l'amour (s'il le limite, abusivement, aux seules relations de couple). Non que tout amour soit fidèle (ce pourquoi la fidélité ne se réduit pas à l'amour) ; mais toute fidélité est aimante, toujours (fidélité dans la haine, ce n'est pas fidélité mais rancœur ou acharnement), et bonne pour cela, et aimable pour cela. Fidélité, donc, à la fidélité — et aux degrés différents de fidélité !

Quant aux champs particuliers, on n'en finirait pas de les énumérer. Qu'il me soit permis de n'en évoquer, et trop rapidement, que trois : la pensée, la morale, le couple.

Qu'il y ait une fidélité de la pensée, c'est assez clair. On ne pense pas n'importe quoi, puisque penser n'importe quoi ce ne serait plus penser. La dialectique elle-même, si commode aux sophistes, n'est une pensée que par la fidélité à ses lois, à ses exigences, à la contradiction même quelle assume et dépasse. « Il ne faut pas confondre, disait Sartre, la dialectique et le papillotement des idées. » La fidélité est à peu près ce qui les distingue, comme on le voit dans la grande *Logique* de Hegel, tout entière fidèle à son commencement et à son improbable rigueur. Plus généralement, on peut dire qu'une pensée n'échappe au néant ou au bavardage que par l'effort, qui la constitue, de résister à l'oubli, à l'inconstance des modes ou des intérêts, aux séductions du moment ou du pouvoir. Toute pensée, observe Marcel Conche, « risque continuellement de se perdre si nous ne faisons l'effort de la garder. Il n'y a pas de pensée sans mémoire, sans lutte contre l'oubli et le risque d'oubli »[16]. C'est dire qu'il n'y a pas de pensée sans fidélité : pour penser, il faut non seulement se souvenir (ce qui ne permettrait encore que la conscience, et toute conscience n'est pas pensée), mais *vouloir* se souvenir. La fidélité est cette volonté, ou plutôt elle est son acte et sa vertu.

Ne suppose-t-elle pas aussi la volonté de penser toujours ce qu'on se rappelle avoir pensé ? La volonté, donc, non seulement de se souvenir, mais de ne pas changer ? Oui et non. Oui, puisque vouloir se souvenir d'une pensée serait vain si celle-ci ne devait valoir que comme souvenir, comme un bibelot mental ou conceptuel : être fidèle à ses idées, c'est non seulement se souvenir qu'on les a eues, mais vouloir les garder vivantes (vouloir se souvenir, non seulement qu'on les a eues, mais *qu'on les a*). Mais non, pourtant, puisque vouloir les garder à toute force serait refuser de les soumettre, le cas échéant, à l'épreuve de la discussion, de l'expérience ou de la

---

16. M. Conche, *Orientation philosophique*, rééd. PUF, 1990, p. 106.

réflexion : être fidèle à ses pensées plus qu'au vrai, ce serait être infidèle à la pensée comme telle et se condamner, fût-ce pour la bonne cause, à la sophistique. Fidélité au vrai d'abord! C'est où la fidélité se distingue de la foi, et *a fortiori* du fanatisme. Etre fidèle, pour la pensée, ce n'est pas refuser de changer d'idées (dogmatisme), ni les soumettre à autre chose qu'à elles-mêmes (foi), ni les considérer comme des absolus (fanatisme) ; c'est refuser d'en changer sans bonnes et fortes raisons, et — puisqu'on ne peut examiner toujours — c'est tenir pour vrai, jusqu'à nouvel examen, ce qui a une fois été clairement et solidement jugé. Ni dogmatisme, donc, ni inconstance. On a le droit de changer d'idées, mais seulement quand c'est un devoir. Fidélité au vrai d'abord, puis au souvenir de la vérité (à la vérité *gardée*) : telle est la pensée fidèle, c'est-à-dire la pensée.

Quand je dis que la science n'en a cure, qu'on me comprenne bien : ce n'est pas le cas, certes, des savants, ni donc de la science en train de se faire. Mais à la considérer dans ses résultats, la science vit au présent, et ne cesse d'oublier ses premier pas. La philosophie, au contraire, ne cesse de poursuivre les siens, depuis le commencement. Quel physicien relit Newton? Quel philosophe qui ne relise Aristote? La science progresse et oublie; la philosophie médite et se souvient. Qu'est-ce d'ailleurs que la philosophie, sinon une fidélité extrême à la pensée?

Mais venons-en à la morale. Qu'elle ait à voir avec la fidélité, cela fait partie de son essence. C'est de quoi Kant, pourtant, n'eût pas été d'accord : la fidélité est un devoir, aurait-il dit (par exemple entre amis ou entre époux), mais le devoir ne saurait se ramener à la fidélité. La loi morale, étant atemporelle, est toujours devant nous : il s'agit, non d'être fidèle, mais d'obéir. Fidélité à quoi, d'ailleurs? Si c'est à ce que le devoir prescrit, elle est superflue (puisque le devoir, fidélité ou pas, s'impose de lui-même) ; si c'est à autre chose, elle est accessoire (puisque le devoir seul importe absolument). Quant à la fidélité que le devoir impose (fidélité à la parole donnée, fidélité conjugale...), elle n'est pour Kant qu'un cas particulier du devoir, et s'y ramène. La fidélité est soumise à la loi morale, non la loi morale à la fidélité. Oui, s'il y a une loi morale, au sens où Kant l'entend : universelle, absolue, atemporelle, inconditionnelle... S'il y a, donc, une raison pratique, qui commande absolument, sans égard aucun au temps ni à l'espace. Mais que savons-nous d'une telle raison ? Quelle expérience en avons-nous ? Et qui peut y croire, aujourd'hui ? Kant aurait raison s'il y avait une loi morale universelle et absolue, et donc un fondement objectif de la morale. Mais je n'en connais point, et tel est le lot que notre époque nous impose, me semble-t-il, que de devoir être moraux sans plus croire à la vérité (absolue) de la morale. Au nom de quoi, dès lors, être vertueux ? Au nom de la fidélité : par fidélité à la fidélité ! C'est l'esprit juif contre la raison allemande, si l'on veut, et qui peut seul la sauver de la barbarie. Quelle naïveté, objectait Bergson à Kant, que de prétendre fonder la morale sur le culte de la raison, autrement dit, en pratique, sur le respect du principe de non-contradiction[17] ! Cavaillès, en grand logicien qu'il était, dira la même chose. Qu'une morale doive être raisonnable, certes, puisqu'elle doit être universelle (en tout cas universalisable) ; mais aucune raison n'y suffit : « Devant une tendance un peu forte, le principe de non-contradiction ne peut rien, et les plus éclatantes évidences sont ternies. La géométrie n'a jamais sauvé personne. »[18] Il n'y a pas de vertu *more geometrico*. En quoi la barbarie est-elle moins cohérente que la civilisation ? L'avarice, moins logique que la générosité ? Et

---

17. *Les deux sources de la morale et de la religion*, p. 86-90 (p. 1047-1050 de l'éd. du Centenaire, rééd. PUF, 1970).
18. « Education morale et laïcité », *Foi et vie*, n° 2, janvier 1928, p. 8. Voir aussi mon article Jean Cavaillès ou l'héroïsme de la raison, *Une éducation philosophique*, PUF, 1989, p. 287 à 308.

quand bien même elles le seraient, en quoi est-ce un argument contre la barbarie ou l'avarice ? Non, évidemment, qu'il s'agisse de renoncer à la raison : l'esprit n'y survivrait pas. Il s'agit simplement de ne pas confondre la raison, qui est fidélité au vrai, et la morale, qui est fidélité à la loi et à l'amour. Les deux peuvent aller de pair, bien sûr, et c'est ce que j'appelle l'esprit. Mais raison et morale n'en sont pas moins deux, et irréductibles l'une à l'autre. La morale autrement dit n'est pas vraie, mais elle vaut : elle est objet non de connaissance (du moins la connaissance qu'on en peut avoir est incapable d'en exhiber la valeur) mais de volonté. Non atemporelle, mais historique. Non devant nous, mais derrière. S'il n'y a pas de fondement de la morale, s'il ne peut y en avoir, la fidélité est ce qui en tient lieu. Par elle, nous nous soumettons non à l'atemporalité d'une loi morale universelle, mais à l'historicité d'une valeur, à la présence en nous, toujours particulière, du passé, qu'il s'agisse du passé de l'humanité en général (la culture, la civilisation : ce qui nous sépare de la barbarie), ou qu'il s'agisse, en particulier, de notre passé à nous ou de celui de nos parents (le *sur-moi* de Freud, l'éducation de chacun : ce qui sépare notre morale de la morale des autres). Fidélité à la loi, non comme divine mais comme humaine, non comme universelle mais comme particulière (même si elle est universalisable, et doit l'être), non comme atemporelle mais comme historique : fidélité à l'histoire, fidélité à la civilisation et aux Lumières, fidélité à l'humanité de l'homme ! Il s'agit de ne pas trahir ce que l'humanité a fait de soi, qui nous a faits.

La morale commence par la politesse, disais-je[19] ; elle continue — en changeant de nature — par la fidélité. On fait d'abord ce qui se fait ; puis on s'impose ce qui *doit* se faire. On respecte d'abord les bonnes manières, puis les bonnes

_____

19. *Supra,* chap. 1, p. 15 et s.

actions. Les bonnes mœurs, puis la bonté elle-même. Fidélité
à l'amour reçu, à l'exemple admiré, à la confiance manifestée, à l'exigence, à la patience, à l'impatience, à la loi...
L'amour de la mère, la loi du père. Je n'invente rien, et je
schématise beaucoup. Mais chacun là-dessus en sait assez. Le
devoir, l'interdit, le remords, la satisfaction d'avoir bien agi,
la volonté de bien faire, le respect de l'autre... Tout cela
« dépend au plus haut point de l'éducation », comme disait
Spinoza[20], et ce n'est certes pas une raison pour s'en dispenser ! Ce n'est que morale, sans doute, et la morale n'est pas
tout, et la morale n'est pas l'essentiel (l'amour et la vérité
importent davantage). Mais qui, hors le sage ou le saint,
pourrait s'en passer ? Et comment pourrait-elle se passer de
fidélité ? La fidélité est au principe de toute morale : elle est
le contraire du « renversement de toutes les valeurs », lequel
devrait renverser aussi la fidélité, et ne le peut, et se juge par
là. « Nous voulons être les *héritiers* de toute la moralité antérieure, disait Nietzsche, *nous n'entendons pas* commencer sur de
nouveaux frais. Toute notre action n'est que moralité en
révolte contre sa forme antérieure. »[21] Cette révolte et cet
héritage, c'est fidélité encore. Et faut-il même se révolter ? Et
contre qui ? Contre Socrate ? Contre Epictète ? Contre le
Christ des Evangiles ? Contre Montaigne ? Contre Spinoza ?
Qui le pourrait ? Qui le voudrait ? Comment ne pas voir
qu'ils sont pour l'essentiel fidèles, les uns et les autres, aux
mêmes valeurs, auxquelles on ne pourrait renoncer qu'en
renonçant à l'humanité ? « Je ne suis pas venu abolir mais
accomplir... » Parole de fidèle — et plus belle encore sans la
foi, et plus urgente encore sans la foi. Fidélité, non à Dieu,

20. *Ethique*, III, explication de la définition 27 des affections (sauf précision
contraire, je cite Spinoza, dans tout ce traité, d'après la trad. Appuhn des *Œuvres
complètes* (rééd. Garnier-Flammarion, 1964, 1965 et 1966), qu'il m'arrivera parfois
de modifier quelque peu.
21. Nietzsche, *La volonté de puissance*, liv. III, § 498 (trad. G. Bianquis, Gallimard, 1937, t. 2, p. 156).

mais à l'homme, et à l'esprit de l'homme (à l'humanité non comme fait biologique mais comme valeur culturelle). Toutes les barbaries de ce siècle se sont déchaînées au non de l'avenir (le *Reich* de mille ans, les lendemains qui chantent, ou qui devaient chanter, du stalinisme...). On ne m'ôtera pas l'idée qu'on n'y a résisté, moralement, que par fidélité à un certain passé. Le barbare, c'est l'infidèle. Même les lendemains qui chantent ne sont moralement désirables qu'au nom de valeurs fort anciennes ; c'est ce que Marx avait vu et que les marxistes commencent à comprendre. Il n'y a pas de morale de l'avenir. Toute morale, comme toute culture, vient du passé. Il n'est de morale que fidèle.

Pour le couple, c'est une autre histoire. Qu'il y en ait de fidèles et d'autres pas, c'est une vérité de fait, qui ne semble pas, ou plus, atteindre l'essentiel. Du moins si l'on entend par fidélité, en ce sens restreint, l'usage exclusif, et mutuellement exclusif, du corps de l'autre. Pourquoi n'aimerait-on qu'une seule personne ? Pourquoi ne désirerait-on qu'une seule personne ? Etre fidèle à ses idées, ce n'est pas (heureusement !) n'en avoir qu'une ; ni être fidèle en amitié ne suppose qu'on n'ait qu'un seul ami. Fidélité, en ces domaines, n'est pas exclusivité. Pourquoi en irait-il autrement en amour ? Au nom de quoi prétendrait-on à la jouissance exclusive d'autrui ? Que cela soit plus commode ou plus sûr, plus facile à vivre, peut-être au bout du compte plus heureux, c'est possible, et même, tant que l'amour demeure, je le crois volontiers. Mais ni la morale ni l'amour ne m'y semblent principiellement attachés. A chacun de choisir, suivant sa force ou ses faiblesses. A chacun, ou plutôt à chaque couple : la vérité est valeur plus haute que l'exclusivité, et l'amour me semble moins trahi par l'amour (par l'*autre* amour) que par le mensonge. D'autres penseront l'inverse, et moi aussi peut-être à un autre moment. L'essentiel, me semble-t-il, n'est pas là. Il y a des couples libres qui sont fidèles, à leur manière (fidèles à leur amour, fidèles à leur parole, fidèles à leur commune

liberté...). Et tant d'autres, fidèles strictement, fidèles tristement, où chacun des deux préférerait ne l'être pas... C'est
moins la fidélité qui fait problème ici que la jalousie, moins
l'amour que la souffrance. Ce n'est plus mon sujet. Fidélité
n'est pas compassion. Ce sont deux vertus ? Sans doute, mais
justement : elles sont deux. Ne pas faire souffrir est une
chose ; ne pas trahir en est une autre, et c'est ce qu'on appelle
la fidélité.

L'essentiel, c'est de savoir ce qui fait qu'un couple est un
couple. La simple rencontre sexuelle, fût-elle répétée, ne saurait évidemment y suffire. Mais pas non plus la simple coha-
bitation, fût-elle durable. Le couple, au sens où je prends le
mot, suppose et l'amour et la durée. Il suppose donc la fidélité, puisque l'amour ne dure qu'à la condition de prolonger
la passion (trop brève pour faire un couple, tout juste bonne
à le défaire !) par mémoire et volonté. C'est ce que signifie le
mariage sans doute, et que le divorce vient interrompre.
Encore que. Une de mes amies, divorcée puis remariée, me
disait qu'elle restait fidèle, en quelque chose, à son premier
mari. « Je veux dire, m'expliqua-t-elle, à ce que nous avons
vécu ensemble, à notre histoire, à notre amour... Je ne veux
pas renier tout ça. » Aucun couple, à plus forte raison, ne
pourrait durer sans cette fidélité, en chacun, à leur histoire
commune, sans ce mélange de confiance et de gratitude par
quoi les couples heureux, il y en a quelques-uns, deviennent
si émouvants, en vieillissant, et davantage que les amoureux
qui débutent, qui ne font encore, le plus souvent, que rêver
leur amour. Cette fidélité me paraît précieuse, plus que
l'autre, et plus essentielle au couple. Que l'amour s'apaise ou
décline, c'est le plus probable toujours, et il est vain de s'en
affliger. Mais que l'on se sépare ou que l'on continue de vivre
ensemble, le couple ne restera couple que par cette fidélité à
l'amour reçu et donné, à l'amour partagé, et au souvenir
volontaire et reconnaissant de cet amour. Fidélité c'est
amour fidèle, disais-je, et tel est aussi le couple, même

« moderne », même « libre ». La fidélité est l'amour maintenu de ce qui a eu lieu, amour de l'amour, en l'occurrence, amour présent (et volontaire, et volontairement entretenu) de l'amour passé. Fidélité c'est amour fidèle, et fidèle d'abord à l'amour.

Comment te jurerais-je de t'aimer toujours ou de n'aimer personne d'autre ? Qui peut jurer de ses sentiments ? Et à quoi bon, quand il n'y a plus d'amour, en maintenir la fiction, les charges ou les exigences ? Mais ce n'est pas une raison pour renier ou désavouer ce qui fut. Qu'avons-nous besoin, pour aimer le présent, de trahir le passé ? Je te jure, non de t'aimer toujours, mais de rester fidèle toujours à cet amour que nous vivons.

L'amour infidèle, ce n'est pas l'amour *libre* : c'est l'amour oublieux, l'amour renégat, l'amour qui oublie ou déteste ce qu'il a aimé et qui dès lors s'oublie ou se déteste lui-même. Mais est-ce encore de l'amour ?

Aime-moi tant que tu le désires, mon amour ; mais *ne nous oublie pas*.

3

La prudence

La politesse est l'origine des vertus ; la fidélité, leur principe ; la prudence, leur condition. Est-elle elle-même une vertu ? La tradition répond que oui, et c'est ce qu'il faut d'abord expliquer. La prudence est l'une des quatre vertus cardinales de l'Antiquité et du Moyen Age[1]. C'est la plus oubliée peut-être. Elle relève moins de la morale, pour les modernes, que de la psychologie, moins du devoir que du calcul. Kant déjà n'y voyait plus une vertu : ce n'est qu'amour de soi éclairé ou habile, expliquait-il, certes non condamnable, mais sans valeur morale et sans autres prescriptions qu'hypothétiques[2]. Il est

---

1. Avec le courage (ou force d'âme), la tempérance et la justice. Cette classification (où la prudence, en français, est parfois appelée *sagesse*) semble remonter au VIᵉ siècle avant J.-C. On la trouve à peu près chez Platon (voir par ex. *Rép.*, IV, 427 *e* et *Lois,* I, 631 *c*), et elle deviendra classique dans le stoïcisme (voir par ex. Diogène Laërce, VII, 126), puis plus tard (transmise surtout par Cicéron) dans la pensée chrétienne, spécialement chez saint Ambroise, saint Augustin et saint Thomas d'Aquin. Voir à ce propos P. Aubenque, *La prudence chez Aristote,* PUF, 1963, p. 35-36 ; G. Rodis-Lewis, *La morale stoïcienne,* PUF, 1970, p. 72 à 86 ; et saint Thomas, *Somme théologique,* I a II ae, quest. 61 (p. 371 et s. du tome 2 de l'éd. du Cerf, 1984, réimpr. 1993). Voir aussi Alain, Propos du 19 janvier 1935 (« Les quatre vertus », Bibl. de la Pléiade, *Propos,* I, p. 1245-1247), ainsi que la belle définition de la vertu (*Définitions,* dans *Les arts et les dieux,* Bibl. de la Pléiade, p. 1098).

2. Voir par ex. *Fondements de la métaphysique des mœurs,* II, p. 87 de la trad. Delbos-Philonenko (Vrin, 1980), *Critique de la raison pratique,* I, I, chap. 1, scolie 2, p. 37 de la trad. Picavet (PUF, 1971), *La religion dans les limites de la simple raison,* II, p. 82-83 de la trad. Gibelin (Vrin, 1972), et *Doctrine de la vertu,* p. 101 et 132 de la trad. Philonenko (Vrin, 1968). Voir aussi P. Aubenque, La prudence chez Kant, *Revue de métaphysique et de morale,* 1975, p. 156-182.

prudent de veiller à sa santé ; mais qui y verrait un mérite ? La prudence est trop avantageuse pour être morale ; le devoir, trop absolu pour être prudent. Il n'est pas sûr pourtant que Kant soit ici le plus moderne, ni le plus juste. Car le même en concluait que la véracité est un devoir absolu, en toutes circonstances (même, c'est l'exemple qu'il prenait, quand des assassins vous demandent si votre ami qu'ils poursuivent n'est pas réfugié dans votre maison) et quelles que soient ses conséquences : mieux vaut manquer à la prudence qu'à son devoir, fût-ce pour sauver un innocent ou pour se sauver soi[3] ! C'est ce que nous ne pouvons plus accepter, me semble-t-il, faute de croire assez à cet absolu pour lui sacrifier notre vie, nos amis ou nos semblables. Cette éthique de la conviction, comme dira Max Weber, nous effraierait plutôt : que vaut l'absoluité des principes, si c'est au détriment de la simple humanité, du bon sens, de la douceur, de la compassion ? Nous avons appris à nous méfier aussi de la morale, et d'autant plus qu'elle se croit davantage absolue. A l'éthique de la conviction, nous préférons ce que Max Weber appelle une éthique de la responsabilité, laquelle, sans renoncer aux principes (comment le pourrait-elle ?), se préoccupe aussi des conséquences prévisibles de l'action[4]. Une bonne intention peut aboutir à des catastrophes, et la pureté des mobiles, fût-elle avérée, n'a jamais suffi à empêcher le pire. Il serait donc coupable de s'en contenter : l'éthique de la responsabilité veut que nous répondions non seulement de nos intentions ou de nos principes, mais aussi, pour autant que nous puissions les prévoir, des conséquences de nos actes. C'est une éthique de la prudence, et la seule éthique qui vaille. Mieux vaut mentir à la Gestapo que lui abandonner un juif ou un résistant. Au nom de quoi ? Au nom

---

3. Kant, *Sur un prétendu droit de mentir par humanité*, p. 67-73 de la trad. Guillermit (Vrin, 1980).
4. Voir Max Weber, *Le savant et le politique*, trad. franç., rééd. « 10-18 », 1963, p. 172 et s.

de la prudence, qui est la juste détermination (pour l'homme, par l'homme) de ce *mieux*. C'est morale appliquée, et que serait une morale qui ne s'appliquerait pas ? Les autres vertus, sans la prudence, ne pourraient que paver l'Enfer de leurs bonnes intentions. Mais je parlais des Anciens. C'est que le mot est trop chargé d'histoire pour n'être pas sujet à équivoques, et d'ailleurs il a presque disparu du vocabulaire moral contemporain. Cela ne signifie pas que nous n'ayons plus besoin de la chose.

Regardons-y de plus près. On sait que les Latins traduisirent par *prudentia* la *phronèsis* des Grecs et, spécialement, d'Aristote ou des stoïciens. De quoi s'agit-il ? D'une vertu *intellectuelle*, expliquait Aristote, en ceci qu'elle a affaire au vrai, à la connaissance, à la raison : la prudence est la disposition qui permet de délibérer correctement sur ce qui est bon ou mauvais pour l'homme (non en soi mais dans le monde tel qu'il est, non en général mais dans telle ou telle situation), et d'agir, en conséquence, comme il convient[5]. C'est ce qu'on pourrait appeler le bon sens, mais qui serait au service d'une bonne volonté. Ou l'intelligence, mais qui serait vertueuse. C'est en quoi la prudence conditionne toutes les autres vertus : aucune, sans elle, ne saurait ce qu'il faut faire, ni comment atteindre la fin (le bien) qu'elle vise. Saint Thomas a bien montré que, des quatre vertus cardinales, la prudence est celle qui doit diriger les trois autres[6] : la tempérance, le courage et la justice ne sauraient, sans elle, ce qu'il faut faire, ni comment ; ce seraient vertus aveugles ou indéterminées (le juste aimerait la justice sans savoir comment, en pratique, la réaliser, le courageux ne saurait que faire de son courage, etc.), comme la prudence, sans

---

5. Aristote, *Ethique à Nicomaque*, VI, 5, 1140 *a-b*. Voir aussi l'étude magistrale de Pierre Aubenque, *La prudence chez Aristote*, Paris, PUF, 1963.
6. Saint Thomas d'Aquin, *Somme théologique*, I a II ae, quest. 57, art. 5, et quest. 61, art. 2. Voir aussi II a II ae, quest. 47 à 56 (spécialement quest. 47, art. 5 à 8). Voir aussi E. Gilson, *Saint Thomas moraliste*, Vrin, 1974, p. 266 et s.

elles, serait vide ou ne serait qu'habileté. La prudence a quelque chose de modeste ou d'instrumental : elle se met au service de fins qui ne sont pas les siennes et ne s'occupe quant à elle que du choix des moyens[7]. Mais c'est ce qui la rend irremplaçable : aucune action, aucune vertu — en tout cas aucune vertu *en acte* — ne saurait s'en passer[8]. La prudence ne règne pas (la justice vaut mieux, l'amour vaut mieux), mais elle gouverne. Or, que serait un royaume sans gouvernement ? Il ne suffit pas d'aimer la justice pour être juste, ni d'aimer la paix pour être pacifique : il y faut encore la bonne délibération, la bonne décision, la bonne action. La prudence en décide comme le courage y pourvoit.

Les stoïciens y voyaient une science (« la science des choses à faire et à ne pas faire », disaient-ils)[9], ce qu'Aristote avait légitimement refusé puisqu'il n'est science que du nécessaire et prudence que du contingent[10]. La prudence

---

7. C'est en effet sur les moyens, non sur les fins, que nous délibérons : *Ethique à Nicomaque*, III, 5, 1112 *b*, 11-19. Voir aussi saint Thomas, *Somme théologique*, I a II ae, quest. 57, art. 5 : « Pour bien agir, il faut non seulement faire quelque chose, mais encore le faire comme il faut, c'est-à-dire qu'il faut agir d'après un choix bien réglé et non seulement par impulsion ou passion. Mais, comme le choix porte sur des moyens en vue d'une fin, sa rectitude exige deux choses : la fin qui est due, et des moyens adaptés à cette fin. (...) C'est pourquoi il est nécessaire qu'il y ait dans la raison une vertu intellectuelle qui lui donne assez de perfection pour bien se comporter à l'égard des moyens à prendre. Cette vertu est la prudence » (p. 352 du tome 2 de l'éd. du Cerf).

8. Aristote, *op. cit.*, VI, 13, 1144 *a* 6-9 : « La vertu morale assure la rectitude du but que nous poursuivons, et la prudence celle des moyens pour parvenir à ce but » (trad. Tricot, Vrin, 1979, p. 308). Voir aussi X, 8, 1178 *a* 18 (p. 516) : « La rectitude des vertus morales dépend de la prudence ».

9. Voir par ex. le témoignage de Stobée, *Ecl.*, II, 59, 4, dans les *Stoïcorum veterum fragmenta*, III, 262 (cité par P. Aubenque, *op. cit.*, p. 33 et n. 1). Voir aussi la communication de P. Aubenque sur La « phronèsis » chez les stoïciens, *Actes du VIIᵉ Congrès de l'Association Guillaume Budé*, Paris, Les Belles Lettres, 1964, p. 291-292.

10. *Ethique à Nicomaque*, VI, 5 (spécialement p. 285 de la trad. Tricot). Quand nos sciences modernes s'attaquent au hasard, par exemple sous la forme du calcul des probabilités, c'est pour y chercher du nécessaire. Or cela (qui donne encore raison à Aristote) ne vaut qu'au niveau des grands nombres, quand tout choix et toute action doivent s'affronter au singulier.

44

suppose l'incertitude, le risque, le hasard, l'inconnu. Un dieu n'en aurait pas besoin; mais comment un homme pourrait-il s'en passer? La prudence n'est pas une science; elle est ce qui en tient lieu là où la science fait défaut. On ne délibère que là où l'on a le choix, que là, autrement dit, où aucune démonstration n'est possible ou suffisante : c'est alors qu'il faut vouloir, et non seulement la bonne fin, mais les bons moyens qui y mènent! Il ne suffit pas d'aimer ses enfants pour être un bon père, ni de vouloir leur bien pour le faire. Aimer, dirait Coluche, cela ne dispense pas d'être intelligent. Les Grecs le savaient, et mieux que nous peut-être. La *phronèsis* est comme une sagesse pratique : sagesse de l'action, pour l'action, dans l'action. Elle ne tient pas lieu de sagesse pourtant (de vraie sagesse : *sophia*), parce qu'il ne suffit pas non plus de bien agir pour bien vivre, ni d'être vertueux pour être heureux. Aristote a raison, ici, contre presque tous les Anciens[11] : la vertu ne suffit pas plus au bonheur que le bonheur à la vertu. La prudence est pourtant nécessaire à l'un et à l'autre, et la sagesse même ne saurait s'en passer. Sagesse sans prudence, ce serait sagesse folle, et ce ne serait pas sagesse.

Epicure dit peut-être l'essentiel : la prudence, qui choisit (par « la comparaison et l'examen des avantages et des désavantages »)[12] ceux des désirs qu'il convient de satisfaire, et par quels moyens, est « plus précieuse même que la philosophie », et c'est d'elle que « proviennent toutes les autres vertus »[13]. Qu'importe le vrai, si l'on ne sait vivre? Qu'importe la justice, si l'on est incapable d'agir justement? Et pourquoi la voudrait-on, si elle devait ne rien apporter? La prudence est comme un savoir-vivre réel (et non simplement apparent,

11. Voir P. Aubenque, *op. cit.*, p. 78.
12. Epicure, *Lettre à Ménécée*, 130 (trad. M. Conche).
13. *Ibid.*, 132. Voir aussi les *Maximes capitales* V à X, ainsi que la *Sentence vaticane* 71.

comme la politesse), qui serait aussi un art de jouir : il nous arrive de refuser de nombreux plaisirs, explique Epicure, lorsqu'ils doivent entraîner un désagrément plus grand, ou de rechercher telle douleur, si elle permet d'en éviter de pires ou d'obtenir un plaisir plus vif ou plus durable[14]. Ainsi est-ce toujours pour le plaisir que nous allons, par exemple, chez le dentiste ou au travail, mais pour un plaisir le plus souvent différé ou indirect (par l'évitement ou la suppression d'une douleur), que la prudence prévoit ou calcule. Vertu temporelle, toujours, et temporisatrice, parfois. C'est que la prudence tient compte de l'avenir, pour autant qu'il dépend de nous d'y faire face (en quoi elle relève non de l'espérance, mais de la volonté). Vertu présente, donc, comme toute vertu, mais prévisionnelle ou anticipatrice. L'homme prudent est attentif, non seulement à ce qui advient, mais à ce qui peut advenir : il est attentif, et il fait attention. *Prudentia*, remarquait Cicéron, vient de *providere*[15], qui signifie aussi bien *prévoir* que *pourvoir*. Vertu de la durée, de l'avenir incertain, du moment favorable (le *kairos* des Grecs), vertu de patience et d'anticipation. On ne peut vivre dans l'instant. On ne peut aller toujours au plaisir par le plus court chemin. Le réel impose sa loi, ses obstacles, ses détours. La prudence est l'art d'en tenir compte : c'est le désir lucide et raisonnable. Les romantiques feront la fine bouche, qui préfèrent leurs songes. Les hommes d'action savent au contraire qu'il n'est pas d'autre voie, fût-ce pour réaliser l'improbable ou l'exceptionnel. La prudence est ce qui sépare l'action de l'impulsion, le héros de la tête brûlée. Au fond c'est ce que Freud appellera le principe de réalité, ou du moins la vertu qui lui correspond : il s'agit de jouir le plus possible, de souffrir le moins possible, mais en tenant compte des contraintes et des incertitudes du réel, autrement dit (on retrouve la vertu intellec-

14. *Lettre à Ménécée*, 129.
15. *Des lois*, XXIII (p. 149 de la trad. Appuhn, rééd. G.-F., 1965).

tuelle d'Aristote) *intelligemment.* La prudence tient ainsi lieu, chez l'homme, de l'instinct, chez les bêtes — et, disait Cicéron, de la providence, chez les dieux[16].

La *prudence* des Anciens *(phronèsis, prudentia)* va donc bien au-delà du simple évitement des dangers, à quoi la nôtre se réduit à peu près. Les deux sont pourtant liées, et celle-ci relèverait en effet, aux yeux d'Aristote ou d'Epicure, de celle-là. La prudence détermine ce qu'il faut choisir et ce qu'il faut éviter. Or, le danger relève le plus souvent de cette dernière catégorie : de là la prudence, au sens moderne du terme (la prudence comme précaution). Il y a toutefois des risques qu'il faut savoir prendre, des dangers qu'il faut savoir affronter : de là la prudence, au sens ancien (la prudence comme « vertu du risque et de la décision »[17]). La première, loin d'abolir la seconde, en dépend. La prudence n'est ni la peur ni la lâcheté. Sans le courage, elle ne serait que pusillanime, comme le courage, sans elle, ne serait que témérité ou folie.

On observera d'ailleurs que, même en son sens restreint et moderne, la prudence continue de conditionner la vertu. Seuls les vivants sont vertueux, ou peuvent l'être (les morts ne peuvent, au mieux, que l'avoir été) ; seuls les prudents sont vivants, ou le restent. Une imprudence absolue serait mortelle, toujours, dans de très courts délais. Que resterait-il de la vertu ? Et comment pourrait-elle advenir ? Je notais, à propos de la politesse, que l'enfant ne fait pas d'abord la différence entre ce qui est mal (la faute) et ce qui fait mal (la douleur, le danger). Aussi ne distingue-t-il pas la morale de la prudence, l'une et l'autre d'ailleurs soumises pour l'essentiel, et pendant longtemps, à la parole ou au pouvoir des parents. Mais nous avons grandi (grâce à la prudence de nos parents, puis à la nôtre) : cette distinction s'impose mainte-

16. Voir Cicéron, *République,* VI, 1, *De la nature des dieux,* II, 22, 58, et *Des lois,* I, 23. Voir aussi P. Aubenque, *op. cit.,* p. 95.
17. P. Aubenque, *op. cit.,* p. 137.

nant à nous, par quoi morale et prudence se constituent en se différenciant. Les confondre absolument, ce serait une faute ; mais les opposer toujours, c'en serait une autre. La prudence conseille, remarquait Kant, la morale commande[18]. Nous avons donc besoin de l'une et de l'autre, solidairement. La prudence n'est une vertu qu'au service d'une fin estimable (elle ne serait autrement qu'habileté), comme cette fin n'est complètement vertueuse que servie par des moyens adéquats (elle ne serait autrement que bons sentiments). Ce pourquoi, disait Aristote, « il n'est pas possible d'être homme de bien sans prudence, ni prudent sans vertu morale »[19]. La prudence ne suffit pas à la vertu (puisqu'elle ne délibère que sur les moyens, quand la vertu tient aussi à la considération des fins), mais aucune vertu ne saurait s'en passer. L'automobiliste imprudent n'est pas seulement dangereux ; il est aussi — par le peu de cas qu'il fait de la vie d'autrui — moralement condamnable. A l'inverse, qui ne voit que le *safer sex*, qui n'est qu'une sexualité prudente, peut être également (par l'attention qu'il manifeste, fût-on soi-même déjà malade, pour la santé de l'autre) une disposition morale ? Entre adultes consentants, la sexualité la plus libre n'est pas une faute. Mais l'imprudence en est une. En ces temps de sida, des comportements qui ne seraient en eux-mêmes aucunement condamnables peuvent ainsi le devenir, non par les plaisirs qu'ils procurent, qui sont innocents, mais par les risques qu'ils occasionnent ou font courir à autrui. Sexualité sans prudence c'est sexualité sans vertu, ou dont la vertu, en tout cas, est déficiente. Cela se retrouve dans tous les domaines. Le père imprudent, vis-à-vis de ses enfants, peut bien les aimer et vouloir leur bonheur. Quelque chose manque pourtant à sa vertu de père et, sans doute, à son amour. Qu'un drame arrive, qu'il aurait pu éviter, il saura

---

18. *Critique de la raison pratique*, Analytique, chap. I, p. 37 de la trad. Picavet.
19. *Éthique à Nicomaque*, VI, 13, 1144 b 31 (trad. Tricot, p. 313).

bien que, sans en être absolument responsable, il n'en est pas non plus tout à fait innocent. D'abord ne pas nuire. D'abord protéger. C'est la prudence même, sans laquelle toute vertu serait impuissante ou néfaste. J'ai dit déjà que la prudence n'interdit pas le risque, ni n'évite toujours le danger. Voyez l'alpiniste ou le marin : la prudence fait partie de leur métier. Quel risque ? Quel danger ? Dans quelles limites ? Dans quel but ? Le principe de plaisir en dispose, et c'est ce qu'on appelle le désir ou l'amour. Comment ? Par quels moyens ? Avec quelles précautions ? Le principe de réalité en décide, et — quand il décide *au mieux* — c'est ce qu'on appelle la prudence.

« La prudence, disait saint Augustin, est un amour qui choisit avec sagacité.»[20] Mais que choisit-il ? Non certes son objet, le désir y pourvoit, mais les moyens de l'atteindre ou de le protéger. Sagacité des mères et des amantes : sagesse de l'amour fou. Elles font ce qu'il faut, comme il faut, du moins ce qu'elles jugent tel (qui dit vertu intellectuelle dit risque d'erreur), et de ce souci l'humanité — la leur, la nôtre — est issue. L'amour les guide ; la prudence les éclaire.

Puisse-t-elle éclairer aussi l'humanité elle-même ! On a vu que la prudence tenait compte de l'avenir : c'est qu'il serait dangereux et immoral de l'oublier. La prudence est cette paradoxale *mémoire du futur*, ou pour mieux dire (puisque la mémoire, en tant que telle, n'est pas une vertu) cette paradoxale et nécessaire *fidélité à l'avenir*. Les parents le savent, qui veulent préserver celui de leurs enfants — non pour l'écrire à leur place, mais pour leur laisser le droit, et si possible leur donner les moyens, de l'écrire eux-mêmes. L'huma-

---

20. Cité par J.-L. Bruguès OP, *Dictionnaire de morale catholique,* éd. CLD, Chambray-lès-Tours, 1991, art. « Prudence » (p. 346). L'auteur n'indique pas la référence. Il peut s'agir d'une traduction approximative du *De moribus catholicae Ecclesiae,* II, 1, § XV-25 : « *Prudentia, amor ea quibus adjuvatur ab eis quibus impeditur, sagaciter seligens* » (« la prudence est l'amour qui sépare avec sagacité ce qui lui est utile de ce qui lui est nuisible », trad. B. Roland-Gosselin, Desclée, 1936, p. 62-63).

nité doit aussi le comprendre, si elle veut préserver les droits et les chances d'une humanité future[21]. Davantage de pouvoir, davantage de responsabilités : la nôtre n'a jamais été aussi lourde, qui met en jeu non notre existence seulement ou celle de nos enfants, mais (du fait des progrès techniques et de leur redoutable portée) celle de l'humanité tout entière, et pour les siècles des siècles... L'écologie par exemple relève de la prudence, et c'est par quoi elle touche à la morale. On se tromperait en croyant la prudence dépassée : c'est la plus moderne de nos vertus, ou plutôt celle de nos vertus que la modernité rend la plus nécessaire.

Morale appliquée, disais-je, et aux deux sens du terme : c'est le contraire d'une morale abstraite ou théorique, mais le contraire aussi d'une morale négligente. Que cette dernière notion soit contradictoire dit assez combien la prudence est nécessaire, y compris pour protéger la morale du fanatisme (toujours imprudent à force d'enthousiasme), et d'elle-même.

---

21. Voir Hans Jonas, *Le principe responsabilité*, trad. franç., Editions du Cerf, 1990. Voir aussi J.-M. Besnier, *L'humanisme déchiré*, Descartes & Cie, 1993, p. 111 à 121. Remarquons en passant que J.-M. Besnier a évidemment tort (p. 111) de m'opposer, sur ce point, à Hans Jonas. Qu'il n'y ait d'éthique que présente, cela n'empêche pas que toute éthique doive, comme l'exige la prudence, se préoccuper de l'avenir — y compris (surtout aujourd'hui, en raison de la puissance sans précédents de nos techniques) de celui des générations futures. Seuls les vivants peuvent avoir des devoirs ; mais ils en ont aussi, c'est ce que montre le livre de Jonas, vis-à-vis de ceux qui ne vivent pas encore : vis-à-vis de l'humanité à venir, dont nous ne saurions sans culpabilité compromettre l'existence. Pour ce qui me concerne, je n'ai bien sûr jamais pensé que nous devions, ni même que nous pouvions, nous dispenser de tout rapport à l'avenir. J'ai même écrit bien souvent et bien clairement le contraire (voir par ex. *Le mythe d'Icare*, p. 149-150 ; *Vivre*, p. 214-224 ; *Une éducation philosophique*, p. 350-352 ; *L'amour la solitude*, p. 26 ; *Valeur et vérité*, p. 145-146 et 158-160...). Ce que j'ai voulu montrer, contre les séductions de l'espérance et les dangers de l'utopie, c'est simplement que le rapport à l'avenir ne pouvait être politiquement et moralement responsable que dans la mesure où il concernait l'avenir *en tant qu'il dépend de nous* : que dans la mesure, donc, où il était un rapport non d'espérance mais de volonté. Telle est la prudence : volonté actuelle (comme toute volonté) de préparer ou de préserver l'avenir — le sien, autant qu'on peut, et celui des autres, autant qu'on doit.

Combien d'horreurs accomplies au nom du Bien ? Combien de crimes, au nom de la vertu ? C'était pécher contre la tolérance, presque toujours, mais aussi contre la prudence, le plus souvent. Méfions-nous de ces Savonarole, que le Bien aveugle. Trop attachés aux principes pour considérer les individus, trop sûrs de leurs intentions pour se soucier des conséquences...

Morale sans prudence, c'est morale vaine ou dangereuse. « *Caute* », disait Spinoza : « Méfie-toi »[22]. C'est la maxime de la prudence, et il faut se méfier aussi de la morale quand elle néglige ses limites ou ses incertitudes. La bonne volonté n'est pas une garantie, ni la bonne conscience, une excuse. Bref, la morale ne suffit pas à la vertu : il y faut aussi l'intelligence et la lucidité. C'est ce que l'humour rappelle, et que la prudence prescrit.

Il est imprudent de n'écouter que la morale, et il est immoral d'être imprudent.

22. Telle était la devise inscrite sur son cachet.

4

La tempérance

Il ne s'agit pas de ne pas jouir, ni de jouir le moins possible. Ce ne serait pas vertu mais tristesse, non tempérance mais ascétisme, non modération mais impuissance. Contre quoi on ne citera jamais assez ce beau scolie de Spinoza, le plus épicurien peut-être qu'il ait écrit, où se dit si bien l'essentiel : « Seule assurément une farouche et triste superstition interdit de prendre des plaisirs. En quoi, en effet, convient-il mieux d'apaiser la faim et la soif que de chasser la mélancolie ? Telle est ma règle, telle est ma conviction. Aucune divinité, nul autre qu'un envieux, ne prend plaisir à mon impuissance et à ma peine, nul autre ne tient pour vertu nos larmes, nos sanglots, notre crainte et autres marques d'impuissance intérieure. Au contraire, plus grande est la joie dont nous sommes affectés, plus grande la perfection à laquelle nous passons, plus il est nécessaire que nous participions de la nature divine. Il est donc d'un homme sage d'user des choses et d'y prendre plaisir autant qu'on le peut (sans aller jusqu'au dégoût, ce qui n'est plus prendre plaisir). »[1] La tempérance se joue presque toute dans cette parenthèse. C'est le contraire du dégoût, ou de ce qui y mène : il ne s'agit pas de jouir moins, mais de jouir mieux. La tempérance, qui est la modération dans les désirs sensuels, est le gage aussi d'une

1. Spinoza, *Ethique*, IV, scolie de la prop. 45 (trad. Appuhn).

jouissance plus pure ou plus pleine. C'est un goût éclairé, maîtrisé, cultivé. Spinoza, dans le même scolie, continuait ainsi : « Il est d'un homme sage, dis-je, de faire servir à sa réfection et à la réparation de ses forces des aliments et des boissons agréables pris en quantité modérée, comme aussi les parfums, l'agrément des plantes verdoyantes, la parure, la musique, les jeux exerçant le corps, les spectacles et d'autres choses de même sorte dont chacun peut user sans aucun dommage pour autrui. »[2] La tempérance est cette modération par quoi nous restons maîtres de nos plaisirs, au lieu d'en être esclaves. C'est jouissance libre, et qui n'en jouit que mieux : puisqu'elle jouit aussi de sa propre liberté. Quel plaisir de fumer, quand on peut s'en passer ! De boire, quand on n'est pas prisonnier de l'alcool ! De faire l'amour, quand on n'est pas prisonnier de son désir ! Plaisirs plus purs, parce que plus libres. Plus joyeux, parce que mieux maîtrisés. Plus sereins, parce que moins dépendants. Est-ce facile ? Certes pas. Est-ce possible ? Pas toujours, j'en sais quelque chose, ni pour n'importe qui. C'est en quoi la tempérance est une vertu, c'est-à-dire une excellence : elle est cette ligne de crête, dirait Aristote, entre les deux abîmes opposés de l'intempérance et de l'insensibilité[3], entre la tristesse du débauché et celle du peine-à-jouir, entre le dégoût du goinfre et celui de l'anorexique. Quel malheur de subir son corps ! Quel bonheur d'en jouir et de l'exercer !

L'intempérant est un esclave, d'autant plus asservi qu'il transporte partout son maître avec soi. Prisonnier de son corps, prisonnier de ses désirs ou de ses habitudes, prisonnier de leur force ou de sa faiblesse. Epicure avait raison qui, plu-

---

2. *Ibid.*
3. Voir Aristote, *Ethique à Nicomaque*, II, 7, 1107 *b* 4-8, et III, 14, 1119 *a* 5-20. Sur la vertu comme juste milieu (et comme sommet) entre deux vices opposés, l'un par excès l'autre par défaut, voir aussi *Ethique à Nicomaque*, II, 5 et 6 (spécialement 1107 *a* 1-7).

tôt que de tempérance ou de modération *(sophrosunè)*, comme Aristote ou Platon, préférait parler d'indépendance *(autarkeia)*. Mais l'une ne va pas sans l'autre : « Nous regardons l'indépendance comme un grand bien, non pour que absolument nous vivions de peu, mais afin que, si nous n'avons pas beaucoup, nous nous contentions de peu, bien persuadés que ceux-là jouissent de l'abondance avec le plus de plaisir qui ont le moins besoin d'elle, et que tout ce qui est naturel est facile à se procurer, mais ce qui est vain difficile à obtenir. »[4] Dans une société point trop misérable, l'eau et le pain ne manquent presque jamais. Dans la société la plus riche, l'or ou le luxe manquent toujours. Comment serions-nous heureux, puisque nous sommes insatisfaits ? Et comment serions-nous satisfaits, puisque nos désirs sont sans limites ? Epicure faisait un banquet, à l'inverse, d'un peu de fromage ou de poisson séché. Quel bonheur de manger quand on a faim ! Quel bonheur de ne plus avoir faim, quand on a mangé ! Et quelle liberté, que de n'être soumis qu'à la nature ! La tempérance est un moyen, pour l'indépendance, comme celle-ci en est un pour le bonheur. Etre tempérant, c'est pouvoir se contenter de peu ; mais ce n'est pas le *peu* qui importe : c'est le pouvoir, et c'est le contentement.

La tempérance — comme la prudence, et comme toutes les vertus peut-être — relève donc de l'art de jouir : c'est un travail du désir sur lui-même, du vivant sur lui-même. Elle ne vise pas à dépasser nos limites, mais à les respecter. Elle est une occurrence parmi d'autres de ce que Foucault appelait *le souci de soi* : vertu éthique, plutôt que morale[5], et qui relève moins du devoir que du bon sens. C'est la prudence appli-

---

4. Epicure, *Lettre à Ménécée*, 130 (trad. M. Conche). Comparer à ce qu'Aristote écrit de la tempérance : *Ethique à Nicomaque*, III, 13-15. Sur l'*autarkeia* chez Aristote, voir *Eth. à Nic.*, I, 5, 1097 *b* 8 et s.

5. Sur le sens de cette distinction, voir mon article « Morale ou éthique ? », dans *Valeur et vérité*, PUF, 1994, p. 183 à 205. Sur le souci de soi, voir bien sûr M. Foucault, *Histoire de la sexualité*, spécialement les tomes 2 et 3 (Gallimard, 1984).

quée aux plaisirs : il s'agit de jouir le plus possible, le mieux possible, mais par une intensification de la sensation ou de la conscience qu'on en prend, et non par la multiplication indéfinie de ses objets. Pauvre Don Juan, qui a besoin de tant de femmes! Pauvre alcoolique, qui a besoin de tant boire! Pauvre goinfre, qui a besoin de tant manger! Epicure apprenait à prendre plutôt les plaisirs comme ils viennent, aussi faciles à satisfaire, quand ils sont naturels, que le corps à apaiser. Quoi de plus simple qu'étancher une soif? Quoi de plus facile à satisfaire — sauf misère extrême — qu'un ventre ou qu'un sexe? Quoi de plus limité, et de plus heureusement limité, que nos désirs naturels et nécessaires[6]? Ce n'est pas le corps qui est insatiable. L'illimitation des désirs, qui nous voue au manque, à l'insatisfaction ou au malheur, n'est qu'une maladie de l'imagination. Nous avons les rêves plus grands que le ventre, et reprochons absurdement à notre ventre sa petitesse! Le sage au contraire « fixe des bornes au désir comme à la crainte »[7] : ce sont les bornes du corps, et ce sont celles de la tempérance. Mais les intempérants les méprisent ou veulent s'en affranchir. Ils n'ont plus faim? Ils se font vomir. Plus soif? Quelques cacahuètes bien salées — ou l'alcool lui-même — vont y remédier. Plus envie de faire l'amour? Quelque revue pornographique saura bien relancer la machine... Sans doute, mais à quoi bon? Et à quel prix? Les voilà prisonniers du plaisir, au lieu d'en être (par le plaisir lui-même) libérés! Prisonniers du manque, au point qu'il finit, dans la satiété, par leur manquer! Quelle tristesse, disent-ils alors, que de n'avoir ni faim ni soif d'aucune sorte... C'est qu'ils en veulent plus, toujours plus, et ne savent se

---

6. Sur les désirs naturels et nécessaires, et sur ceux qui ne le sont pas, voir Epicure, *Lettre à Ménécée*, § 127 et s., ainsi que la *Maxime capitale* XXIX. Sur la classification des désirs dans l'épicurisme, voir M. Conche, *Epicure, Lettres et maximes*, rééd. PUF, 1987, Introduction, p. 63 à 69.
7. Comme Lucrèce disait d'Epicure : « *Et finem statuit cuppedinis atque timoris* » (*De rerum natura*, VI, 25).

contenter, même, de *trop* ! C'est pourquoi les débauchés sont tristes ; c'est pourquoi les alcooliques sont malheureux ; et quoi de plus sinistre qu'un goinfre repu ? « J'ai trop mangé », dit-il en s'affalant, et le voilà lourd, gonflé, épuisé... « L'intempérance est peste de la volupté, disait Montaigne, et la tempérance n'est pas son fléau : c'est son assaisonnement », qui permet de savourer le plaisir « en sa plus gracieuse douceur »[8]. Ainsi fait déjà le gourmet qui, au contraire du goinfre, préférera la qualité à la quantité. C'est un premier progrès. Mais le sage vise plus haut, plus près de soi ou de l'essentiel : la qualité de son plaisir lui importe plus que celle du mets qui l'occasionne. C'est un gourmet, si l'on veut, mais au second degré, qui serait pourtant le degré primordial : un gourmet de soi, ou plutôt (car le moi n'est qu'un mets comme un autre) de la vie, du plaisir anonyme et impersonnel de manger, de boire, de sentir, d'aimer... Ce n'est pas un esthète : c'est un connaisseur. Il sait qu'il n'est plaisir que du goût, et goût que du désir : « Les mets simples, se dit-il, donnent un plaisir égal à celui d'un régime somptueux, une fois supprimée toute la douleur qui vient du besoin ; et du pain d'orge et de l'eau donnent le plaisir extrême, lorsqu'on les porte à sa bouche dans le besoin. L'habitude donc de régimes simples et non dispendieux est propre à parfaire la santé, rend l'homme actif dans les occupations nécessaires de la vie, nous met dans une meilleure disposition quand nous nous approchons, par intervalles, des nourritures coûteuses, et nous rend sans crainte devant la fortune. »[9] Dans une société développée, comme était celle d'Epicure, comme est la nôtre, ce qui est nécessaire est facile à se procurer ; ce qui ne l'est pas, difficile à obtenir ou à conserver sereinement. Mais qui

8. *Essais*, III, 13, p. 1110 (dans tout ce traité, mes références à Montaigne renvoient à l'éd. Villey-Saulnier, rééd. PUF, 1978, dont je modernise l'orthographe et, parfois, la ponctuation).

9. Epicure, *Lettre à Ménécée*, 130-131.

LA TEMPÉRANCE

sait se contenter du nécessaire ? Qui sait n'aimer le superflu
que lorsqu'il se présente ? Le sage seul, peut-être. La tempérance intensifie son plaisir, quand le plaisir est là, et en tient
lieu, quand il n'y est pas. Il y est donc toujours, ou presque
toujours : quel plaisir d'être vivant ! quel plaisir de ne manquer de rien ! quel plaisir d'être maître de ses plaisirs ! Le
sage épicurien pratique la culture intensive — plutôt qu'extensive — de ses voluptés. Le mieux, non le plus, est ce qui
l'attire et qui suffit à son bonheur. Il vit « le cœur content de
peu », comme dira Lucrèce, d'autant plus assuré de son bien-
être qu'il sait que « de ce peu il n'y a jamais disette »[10], ou
que celle-ci, si elle venait à s'imposer, le guérirait rapidement
d'elle-même, et de tout. Celui à qui la vie suffit, de quoi
pourrait-il manquer ? Saint François d'Assise retrouvera ce
secret, peut-être, d'une pauvreté heureuse. Mais la leçon
vaut surtout pour nos sociétés d'abondance, où l'on meurt et
souffre plus souvent par intempérance que par famine ou
ascétisme. La tempérance est une vertu pour tous les temps,
mais d'autant plus nécessaire qu'ils sont plus favorables. Ce
n'est pas une vertu d'exception, comme est le courage (d'autant plus nécessaire, au contraire, que les temps sont plus difficiles), mais une vertu ordinaire et humble : vertu non d'exception mais de règle, non d'héroïsme mais de mesure. C'est
le contraire du *dérèglement de tous les sens* cher à Rimbaud
C'est pourquoi peut-être notre époque, qui préfère les poètes
aux philosophes et les enfants aux sages, tend à oublier que la
tempérance est une vertu, pour ne plus y voir — *« je fais
attention »*, disent-ils — qu'une hygiène. Pauvre époque, qui
ne sait mettre au-dessus des poètes que les médecins !

Saint Thomas a bien vu que cette vertu cardinale,
quoique moins élevée que les trois autres (la prudence est
plus nécessaire, le courage et la justice plus admirables),

10. Lucrèce, *De rerum natura*, V, 1117-1119.

57

l'emportait souvent sur elles par la difficulté[11]. C'est que la tempérance porte sur les désirs les plus nécessaires à la vie de l'individu (boire, manger) et de l'espèce (faire l'amour), qui sont aussi les plus forts[12] et, partant, les plus difficiles à maîtriser. C'est dire assez qu'il ne saurait être question de les supprimer — l'insensibilité est un défaut[13] —, mais tout au plus, et autant que faire se peut, de les contrôler (au sens où l'on parle en anglais de *self-control*), de les régler (comme on règle un ballet ou un moteur), de les maintenir en équilibre, en harmonie ou en paix. La tempérance est une régulation volontaire de la pulsion de vie, une saine affirmation de notre puissance d'exister, comme dirait Spinoza, et spécialement de la puissance de notre âme sur les impulsions irraisonnées de nos affects ou de nos appétits[14]. La tempérance n'est pas un sentiment : c'est une puissance, c'est-à-dire une vertu[15]. Elle est « la vertu qui surmonte tous les genres d'ivresse », disait Alain[16], et doit donc surmonter aussi — c'est où elle touche à l'humilité — l'ivresse de la vertu[17], et d'elle-même.

---

11. *Somme théologique*, II a II ae, quest. 141, art. 8 (p. 814-815 du tome 3 de l'éd. du Cerf, 1985).

12. *Ibid.*, art. 4 (p. 811).

13. *Somme théologique*, II a II ae, quest. 142, art. 1, p. 815-816. Voir aussi Aristote, *Ethique à Nicomaque*, II, 7, 1107 *b* 4- 8, et III, 14, 1119 *a* 5-21.

14. Voir par ex. *Ethique*, III, scolie de la prop. 56, et V, prop. 42 et scolie.

15. *Ibid.*, et *Ethique*, IV, déf. 8.

16. Alain, *Définitions*, dans *Les arts et les dieux*, Pléiade, p. 1094 (déf. de la tempérance).

17. Voir Montaigne, *Essais*, I, 30 (« De la modération »), et Kant, *Doctrine de la vertu*, Introduction, XVII (p. 81 de la trad. Philonenko, Vrin, 1968).

5

Le courage

De toutes les vertus, le courage est sans doute la plus universellement admirée. Fait bien rare, le prestige dont il jouit semble ne dépendre ni des sociétés ni des époques, et à peine des individus. Partout la lâcheté est méprisée ; partout la bravoure estimée. Les formes en peuvent varier, certes, comme les contenus : chaque civilisation a ses peurs, chaque civilisation ses courages. Mais ce qui ne varie pas, ou guère, c'est que le courage, comme capacité de surmonter la peur, vaille mieux que la lâcheté ou la poltronnerie, qui s'y abandonnent. Le courage est la vertu des héros ; et qui n'admire les héros ?

Cette universalité pourtant ne prouve rien, et serait même suspecte. Ce qui est universellement admiré l'est donc aussi par les méchants et par les imbéciles. Sont-ils si bons juges ? Puis on admire aussi la beauté, qui n'est pas une vertu ; et beaucoup méprisent la douceur, qui en est une. Que la morale soit universalisable, dans son principe, ne prouve pas qu'elle soit universelle, dans son succès. La vertu n'est pas un spectacle, et n'a que faire des applaudissements.

Surtout, le courage peut servir à tout, au bien comme au mal, et ne saurait en changer la nature. Méchanceté courageuse, c'est méchanceté. Fanatisme courageux, c'est fanatisme. Ce courage-là — le courage pour le mal, dans le mal — est-il encore une vertu ? Cela semble difficile à penser. Qu'on puisse admirer en quelque chose le courage d'un assassin ou d'un SS, en quoi cela les rend-il vertueux ? Un peu plus lâches, ils auraient fait moins de mal. Qu'est-ce que cette vertu qui peut servir au pire ? Qu'est-ce que cette valeur qui semble indifférente aux valeurs ?

« Le courage n'est pas une vertu, disait Voltaire, mais une qualité commune aux scélérats et aux grands hommes. »[1] Une excellence, donc, mais qui ne serait en elle-même ni morale ni immorale. Ainsi l'intelligence ou la force : elles aussi admirées, elles aussi ambiguës (elles peuvent servir au mal comme au bien), et par là moralement indifférentes. Je ne suis pas sûr pourtant que le courage ne dise pas plus. Considérons un salaud quelconque : qu'il soit intelligent ou idiot, robuste ou malingre, cela ne change en rien, moralement, sa valeur. Même, à un certain degré, la bêtise pourrait l'excuser, comme aussi, peut-être, tel ou tel handicap physique qui aurait perturbé son caractère. Circonstances atténuantes, dira-t-on : s'il n'avait été idiot et boiteux, aurait-il été si méchant ? L'intelligence ou la force, loin d'atténuer l'ignominie d'un individu, la redoubleraient plutôt, la rendant à la fois plus néfaste et plus coupable. Il n'en va pas ainsi du courage. Si la lâcheté peut servir d'excuse, parfois, le courage, en tant que tel, n'en demeure pas moins éthiquement valorisé (ce qui ne prouve pas, nous le verrons, qu'il soit toujours une vertu) et, me semble-t-il, chez le salaud même. Soient deux SS en tout comparables, mais dont l'un s'avère aussi lâche que l'autre s'avère courageux : le second

---

1. Je ne retrouve pas la référence ; mais, la cherchant, je tombe sur la même idée dans *Rome sauvée, ou Catilina*, V, 3 : « Un courage indompté, dans le cœur des mortels, /Fait ou les grands héros ou les grands criminels » (*Œuvres complètes*, t. 5, Garnier-Frères, 1877, p. 264).

sera plus dangereux, peut-être, mais qui peut dire qu'il sera
davantage coupable ? davantage méprisable ? davantage
haïssable ? Si je dis de quelqu'un : « il est cruel et lâche », les
deux qualificatifs s'additionnent. Si je dis : « il est cruel et
courageux », ils se soustrairaient plutôt. Comment haïr ou
mépriser tout à fait un kamikaze ?
Mais laissons la guerre, qui nous entraînerait trop loin.
Imaginons plutôt deux terroristes, en temps de paix, qui font
exploser chacun un avion de ligne rempli de vacanciers...
Comment ne pas mépriser celui qui le fait du sol, sans courir
lui-même aucun risque, davantage que celui qui reste dans
l'avion et qui meurt, en connaissance de cause, avec les
autres passagers ? Je m'arrête sur cet exemple. On peut supposer chez nos deux individus des motivations semblables,
par exemple idéologiques, comme aussi que leurs actes
auront, concernant les victimes, des conséquences identiques.
Et l'on admettra que ces conséquences sont trop lourdes et
ces motivations trop discutables pour que celles-là puissent
être justifiées par celles-ci : que les deux attentats, autrement
dit, sont moralement condamnables. Mais l'un de nos deux
terroristes y ajoute la lâcheté, s'il sait ne courir aucun risque,
comme l'autre le courage, sachant qu'il va mourir. Qu'est-ce
que cela change ? Rien, répétons-le, pour les victimes. Mais
pour nos poseurs de bombes ? Le courage contre la lâcheté ?
Sans doute, mais est-ce morale ou psychologie ? Vertu, ou
caractère ? Que la psychologie ou le caractère puissent jouer,
et même qu'ils jouent nécessairement, c'est indéniable. Mais
il me semble que s'y ajoute ceci, qui touche à la morale : le
terroriste héroïque atteste au moins, par son sacrifice, de la
sincérité et peut-être du désintéressement de ses motivations.
J'en veux pour preuve que l'espèce d'estime (certes mélan-
gée) que nous pouvons ressentir pour lui serait atténuée,
voire disparaîtrait, si nous apprenions, en lisant par exemple
son journal intime, qu'il n'a accompli son forfait que dans la
conviction qu'il gagnait par là — pensons à tel ou tel fana-

tisme religieux — beaucoup plus qu'il ne perdait, à savoir une éternité de vie bienheureuse. Dans cette dernière hypothèse, l'égoïsme retrouverait ses droits, ou plutôt il ne les aurait jamais perdus, et la moralité de l'acte reculerait d'autant. Nous n'aurions plus affaire qu'à quelqu'un qui est prêt à sacrifier d'innocentes victimes pour son propre bonheur, autrement dit qu'à un salaud ordinaire, certes courageux, s'agissant de cette vie, mais d'un courage intéressé, fût-ce *post mortem,* et dépourvu dès lors de toute valeur morale. Courage égoïste, c'est égoïsme. Imaginons au contraire un terroriste athée : s'il sacrifie sa vie, comment lui supposer des motivations basses ? Courage désintéressé, c'est héroïsme ; et si cela ne prouve rien quant à la valeur de l'acte, cela indique au moins quelque chose quant à la valeur de l'individu.

Cet exemple m'éclaire. Ce que nous estimons, dans le courage, et qui culmine dans le sacrifice de soi, ce serait donc d'abord le risque accepté ou encouru sans motivation égoïste, autrement dit une forme, sinon toujours d'altruisme, du moins de désintéressement, de détachement, de mise à distance du moi ? C'est en tout cas ce qui, dans le courage, semble *moralement* estimable. Quelqu'un vous agresse dans la rue, vous coupant toute retraite possible. Allez-vous vous défendre furieusement, ou plutôt implorer grâce ? C'est une question surtout de stratégie ou, disons, de tempérament. Que l'on puisse trouver la première attitude plus glorieuse ou plus virile, c'est entendu. Mais la gloire n'est pas la morale, ni la virilité la vertu. Qu'en revanche, toujours dans la rue, vous entendiez une femme appeler au secours, parce qu'un voyou veut la violer, il est clair que le courage dont vous ferez ou non preuve, tout en devant quelque chose bien sûr à votre caractère, engagera aussi votre responsabilité proprement morale, autrement dit votre vertu ou votre indignité. Bref, s'il est toujours estimé, d'un point de vue psychologique ou sociologique, le courage n'est vraiment *moralement* estimable que lorsqu'il se met, au moins partiellement, au service d'autrui, que lorsqu'il échappe, peu ou prou, à l'intérêt égoïste immédiat. C'est pourquoi sans doute, et spécialement pour un athée, le courage face à la mort est le courage des courages[2] : parce que le moi n'y peut trouver aucune gratification concrète ou positive. Je dis « immédiat », « concrète » et « positive », car chacun sait bien qu'on ne se débarrasse pas comme cela de l'ego : même le héros est suspect d'avoir cherché la gloire ou fui le remords, autrement dit d'avoir cherché dans la vertu, fût-ce indirectement et à titre posthume, son propre bonheur ou bien-être. On n'échappe pas à l'ego ; on n'échappe pas au principe de plaisir. Mais trouver son plaisir dans le service d'autrui, trouver son bien-être dans l'action généreuse, loin que cela récuse l'altruisme, c'est sa définition même et le principe de la vertu.

L'amour de soi, disait Kant, sans être toujours coupable, est la source de tout mal[3]. J'ajouterais volontiers : et l'amour d'autrui, de tout bien. Mais ce serait creuser trop fortement l'écart qui les sépare. On n'aime autrui, sans doute, qu'en s'aimant soi (ce pourquoi les Ecritures nous disent justement qu'il faut aimer son prochain « comme soi-même »), et l'on ne s'aime soi-même, peut-être, qu'à proportion de l'amour d'abord reçu et intériorisé. Il n'en reste pas moins une différence d'accent, ou d'orientation, entre celui qui n'aime que soi et celui qui aime aussi, parfois même de manière désinté-

2. Comme l'ont vu Aristote (*Ethique à Nicomaque*, III, 9, 1115 *a* et *Ethique à Eudème*, III, 1, 1229 *b*), saint Thomas (*Somme théologique*, II a II ae, quest. 123, art. 4 et 5) et Jankélévitch (*Traité des vertus*, II, 1, *Les vertus et l'amour*, chap. 2, p. 134-135 de l'éd. Champs-Flammarion, Paris, 1986).

3. *La religion dans les limites de la simple raison*, Première partie, Remarque générale (trad. Gibelin, Vrin, 1972, p. 68 et n. 1). Voir aussi *Critique de la raison pratique*, I, scolie 2 du théorème 4 (trad. Picavet, PUF, 1971, p. 35 à 40) et *Fondements de la métaphysique des mœurs*, II (spécialement aux p. 76 et 96 de la trad. Delbos-Philonenko, Vrin, 1980).

ressée, quelqu'un d'autre, entre celui qui n'aime que recevoir ou prendre et celui qui aime aussi donner, bref entre un comportement sordidement égoïste et l'égoïsme sublimé, purifié, libéré (oui : l'égoïsme libéré de l'ego!), qu'on appelle... altruisme ou générosité.

Mais revenons au courage. Ce que je retiens de mes exemples, on en pourrait trouver bien d'autres, c'est donc que le courage, de trait psychologique qu'il est d'abord, ne devient une vertu qu'au service d'autrui ou d'une cause générale et généreuse. Comme trait de caractère, le courage est surtout une faible sensibilité à la peur, soit qu'on la ressente peu, soit qu'on la supporte bien, voire avec plaisir. C'est le courage des casse-cou, des bagarreurs ou des impavides : le courage des « durs », comme on dit dans nos films policiers, et chacun sait que la vertu peut n'y être pas attachée. Est-ce à dire qu'il soit, moralement, tout à fait indifférent ? Ce n'est pas si simple. Même dans une situation où je n'agirais que par égoïsme, on peut estimer que l'action courageuse (par exemple le combat, contre un agresseur, plutôt que la supplication) manifestera davantage de maîtrise, davantage de dignité, davantage de liberté, autant de qualités qui, elles, sont moralement significatives et donneront au courage, comme par rétroaction, quelque chose de leur valeur : sans être toujours moral, dans son essence, le courage est ce sans quoi, sans doute, toute morale serait impossible ou sans effet. Quelqu'un qui s'abandonnerait tout entier à la peur, quelle place pourrait-il faire à ses devoirs ? D'où l'espèce d'estime humaine — je dirais volontiers prémorale, ou quasi morale — dont le courage, même purement physique et même au service d'une action égoïste, reste l'objet. Le courage force le respect. Fascination dangereuse, certes (puisque le courage, moralement, ne prouve rien), mais qui s'explique en ceci peut-être que le courage manifeste au moins une disposition à s'arracher au pur jeu des instincts ou des frayeurs, disons une maîtrise de soi et de sa peur, disposition ou maî-

LE COURAGE

trise qui, sans être toujours morales, sont du moins la condition — non suffisante mais nécessaire — de toute moralité.
La peur est égoïste. La lâcheté est égoïste. Il n'en reste pas
moins que ce courage premier, physique ou psychologique,
n'est pas encore une vertu, ou que cette vertu (cette excellence) n'est pas encore morale. Les Anciens y voyaient la
marque de la virilité (*andreia*, qui signifie courage en grec,
vient, comme d'ailleurs *virtus* en latin, d'une racine qui
désigne l'homme, *anêr* ou *vir*, non comme être générique mais
par opposition à la femme), et plusieurs, encore aujourd'hui,
en resteraient d'accord. « En avoir ou pas », disent-ils vulgai-
rement, ce qui indique au moins que la physiologie, même
fantaisiste, importe ici davantage que la moralité. De ce courage-là (courage physique, courage du guerrier), ne soyons
pas trop dupes. Qu'une femme puisse en faire preuve, c'est
une évidence. Mais cette preuve, moralement, ne prouve
rien. Ce courage-là peut appartenir au salaud autant qu'à
l'honnête homme. Ce n'est qu'une régulation heureuse ou
efficace de l'agressivité : courage pathologique, dirait Kant,
ou passionnel, dirait Descartes[4], certes utile, le plus souvent,
mais utile d'abord à celui qui le ressent, et pour cela
dépourvu en lui-même de toute valeur proprement morale.
Cambrioler une banque ne va pas sans danger ni, partant,
sans courage. Ce n'est pas moral pour autant, ou du moins il
faudrait des circonstances bien particulières (concernant spécialement les motivations de l'acte) pour que cela puisse le
devenir. Comme vertu, au contraire, le courage suppose toujours une forme de désintéressement, d'altruisme ou de générosité. Il n'exclut pas, certes, une certaine insensibilité à la

4. Descartes, *Traité des passions*, II, art. 59, et III, art. 171 ; Kant, *Doctrine de la
vertu*, Introduction, XII, et *Fondements de la métaphysique des mœurs*, I, p. 55-57 et 64-65
de la trad. Delbos-Philonenko. Rappelons que « pathologique », chez Kant, ne
signifie pas anormal ou maladif, mais désigne, conformément à l'étymologie, tout ce
qui relève de la passion *(pathos)* ou, en général, des impulsions sensibles (cf. *Critique
de la raison pure*, p. 541 de la trad. Tremesaygues et Pacaud, PUF, 1963).

65

peur, voire un certain goût pour elle. Mais il ne les suppose pas nécessairement. Ce courage-là n'est pas l'absence de peur : c'est la capacité de la surmonter, quand elle est là, par une volonté plus forte et plus généreuse. Ce n'est plus (ou plus seulement) physiologie : c'est force d'âme, face au danger. Ce n'est plus une passion : c'est une vertu, et la condition de toutes. Ce n'est plus le courage des durs : c'est le courage des doux, et des héros.

Je dis que ce courage est la condition de toute vertu ; et je disais la même chose, on s'en souvient peut-être, de la prudence. Pourquoi non ? Pourquoi les vertus ne seraient-elles conditionnées que par une seule d'entre elles ? Les autres vertus, sans la prudence, seraient aveugles ou folles ; mais sans le courage, elles seraient vaines ou pusillanimes. Le juste, sans la prudence, ne saurait comment combattre l'injustice ; mais sans le courage, il n'oserait s'y employer. L'un ne saurait quels moyens utiliser pour atteindre sa fin ; l'autre reculerait devant les risques qu'ils supposent. L'imprudent et le lâche ne seraient donc vraiment justes (d'une justice en acte, qui est la vraie justice) ni l'un ni l'autre. Toute vertu est courage ; toute vertu est prudence. Comment la peur pourrait-elle remplacer celle-ci ou celui-là ?

C'est ce qu'explique très bien saint Thomas : au même titre que la prudence, quoique différemment, la *fortitudo* (la force d'âme, le courage) est « condition de toute vertu », en même temps, face au danger, que l'une d'entre elles[5]. Vertu générale, donc, et cardinale proprement, puisqu'elle supporte les autres comme un pivot ou un gond *(cardo)*, puisqu'il est requis pour toute vertu, disait Aristote, « d'agir de façon ferme et inébranlable » (c'est ce qu'on peut appeler la force d'âme) ; mais aussi vertu spéciale (que nous appelons *courage,* strictement), qui permet, comme disait

5. *Somme théologique,* II a II ae, quest. 123, art. 2 (p. 735 du tome 3 de l'éd. du Cerf, 1985).

Cicéron, « d'affronter les périls et de supporter les labeurs »[6]. Car le courage, notons-le en passant, est le contraire de la lâcheté, certes, mais aussi de la paresse ou de la veulerie. Est-ce le même courage dans les deux cas ? Sans doute pas. Le danger n'est pas le travail ; la peur n'est pas la fatigue. Mais il faut surmonter, dans les deux cas, l'impulsion première ou animale, qui préférerait le repos, le plaisir ou la fuite. En tant que la vertu est un effort — elle l'est toujours, hors la grâce ou l'amour —, toute vertu est courage, et c'est pourquoi le mot « lâche », remarquait Alain, est « la plus grave des injures »[7] : non que la lâcheté soit le pire, en l'homme, mais parce qu'on ne saurait, sans courage, résister au pire en soi ou en autrui.

Reste à savoir quel rapport le courage entretient avec la vérité. Platon s'est beaucoup interrogé sur ce point, essayant, sans jamais y parvenir de manière satisfaisante, de ramener le courage au savoir (dans le *Lachès* ou le *Protagoras*) ou à l'opinion (dans la *République*) : le courage serait « la science des choses à craindre et de celles qui ne le sont pas », explique-t-il, ou du moins la « sauvegarde constante d'une opinion droite et légitimement accréditée sur les choses qui sont ou ne sont pas à craindre »[8]. C'était oublier que le courage suppose la peur, et se suffit de son affronte-

6. *Ibid.* Les deux citations faites par saint Thomas sont empruntées, pour celle d'Aristote, à l'*Ethique à Nicomaque*, II, 3, 1105 *a* 32, et pour celle de Cicéron à la *Rhétorique, De inventione*, II, 54.

7. *Les Propos d'Alain*, NRF, 1920, p. 131 (c'est un propos superbe, que je ne retrouve pas, mais j'ai peut-être mal cherché, dans les recueils de La Pléiade).

8. Voir le *Lachès*, en entier, le *Protagoras*, 349 *d* - 350 *c* et 358 *d* - 360 *e*, la *République*, IV, 429 *a* - 430 *c*, et les *Lois*, XII, 963 *a* - 964 *d*. Sur le courage chez Platon (et en général dans l'histoire de la philosophie), voir aussi V. Jankélévitch, *Les vertus et l'amour* (*Traité des vertus*, II), chap. 2, ainsi que les articles d'E. Smoes et S. Matton dans le n° 6 de la série « Morales » de la revue *Autrement* (« Le courage », Paris, 1992).

ment. On peut montrer du courage face à un danger illusoire ; et en manquer, face à un danger avéré. La peur commande. La peur suffit. Peur justifiée ou non, légitime ou pas, raisonnable ou déraisonnable ? Ce n'est pas la question. Don Quichotte fait preuve de courage, contre ses moulins, quand la science, si elle rassure souvent, n'a jamais donné de courage à personne. Pas de vertu qui résiste davantage à l'intellectualisme. Combien d'ignorants héroïques ? Combien de savants lâches ? Les sages ? S'ils l'étaient tout à fait, ils n'auraient plus peur de rien (comme on voit chez Epicure ou Spinoza), et tout courage leur serait inutile. Les philosophes ? Qu'il leur faille du courage pour penser, c'est entendu ; mais la pensée n'a jamais suffi à leur en donner. La science ou la philosophie peuvent parfois dissiper des peurs, en dissipant leurs objets ; mais le courage, répétons-le, n'est pas l'absence de peur : c'est la capacité de l'affronter, de la maîtriser, de la surmonter, ce qui suppose qu'elle existe ou devrait exister. Qu'une éclipse par exemple, pour un moderne et grâce au savoir que nous en avons, ne soit plus à craindre, cela ne nous donne, vis-à-vis d'elle, aucun courage : cela nous ôte tout au plus l'occasion d'en faire preuve... ou d'en manquer. Et de même, si nous pouvions nous convaincre avec Epicure que la mort n'est rien pour nous (ou avec Platon, qu'elle est désirable !), nous n'aurions plus besoin de courage pour en supporter l'idée. La science suffit dans un cas, la sagesse ou la foi suffiraient dans l'autre. Mais nous n'avons besoin de courage, précisément, que là où elles ne suffisent pas : ou bien parce qu'elles font défaut, ou bien parce qu'elles sont, concernant notre angoisse, sans pertinence ou sans efficacité. Le savoir, la sagesse ou l'opinion donnent ou retirent à la peur ses objets. Ils ne donnent pas du courage : ils donnent l'occasion de s'en servir ou de s'en dispenser.

C'est ce qu'a bien vu Jankélévitch : le courage n'est pas un savoir mais une décision, non une opinion mais un

acte[9]. C'est pourquoi la raison n'y suffit pas : « Le raisonne-
ment nous dit *ce qu'*il faut faire, s'il faut le faire, mais il ne
nous dit pas *qu'*il faille le faire ; et encore moins fait-il lui-
même ce qu'il dit. »[10] S'il y a un courage de la raison, c'est
en ceci seulement que la raison n'a jamais peur, je veux
dire que ce n'est jamais la raison en nous qui s'effraie ou
s'affole. Cavaillès le savait, comme aussi que la raison ne
suffit pas à agir ou vouloir[11] : il n'y a pas de courage *more
geometrico*, ni de science courageuse. Allez démontrer, sous la
torture, qu'il *ne faut pas* parler ! Cette démonstration serait-
elle possible, d'ailleurs, qui peut croire qu'elle suffise ? La
raison est la même, en Cavaillès (qui ne parla pas...) et en
tout autre. Mais la volonté non ; mais le courage non, qui
n'est que la volonté la plus déterminée et, face au danger
ou à la souffrance, la plus nécessaire.

Toute raison est universelle ; tout courage, singulier. Toute
raison est anonyme ; tout courage, personnel. C'est d'ailleurs
pourquoi il faut du courage pour penser, parfois, comme il en
faut pour souffrir ou lutter : parce que personne ne peut penser
à notre place — ni souffrir à notre place, ni lutter à notre
place —, et parce que la raison n'y suffit pas, parce que la
vérité n'y suffit pas, parce qu'il faut encore surmonter en soi
tout ce qui tremble ou résiste, tout ce qui préférerait une illusion rassurante ou un mensonge confortable. De là ce qu'on
appelle le courage intellectuel, qui est le refus, dans la pensée,
de céder à la peur : le refus de se soumettre à autre chose qu'à la
vérité, que rien n'effraie et fût-elle effrayante.

C'est aussi ce qu'on appelle la lucidité, qui est le courage

---

9. *Op. cit.*, chap. 2, spécialement aux p. 90 à 103 de l'éd. Champs-Flammarion
(1986). Et déjà Aristote : « Socrate n'avait pas raison non plus de dire que le courage est un savoir » (*Grande morale*, I, 20, 1190 *b* 26-32, trad. C. Dalimier, *Les grands
livres d'Ethique*, Arléa, 1992, p. 89).
10. *Ibid.*, p. 110.
11. Voir mon article Jean Cavaillès ou l'héroïsme de la raison, *Une éducation philosophique*, spécialement aux p. 302 à 308.

du vrai, mais à quoi aucune vérité ne suffit. Toute vérité est éternelle ; le courage n'a de sens que dans la finitude et la temporalité — que dans la durée. Un Dieu n'en aurait pas besoin. Ni un sage, peut-être, s'il ne vivait que dans les biens immortels ou éternels qu'évoquent Epicure ou Spinoza[12]. Mais cela ne se peut, et c'est pourquoi, à nouveau, il nous faut du courage. Du courage pour durer et endurer, du courage pour vivre et pour mourir, du courage pour supporter, pour combattre, pour résister, pour persévérer... Spinoza appelle *fermeté d'âme (animositas)* ce « désir par lequel chacun s'efforce de conserver son être sous la seule dictée de la raison »[13]. Mais le courage est dans le désir, non dans la raison ; dans l'effort, non dans la dictée. Il s'agit toujours de persévérer dans son être (c'est ce qu'Eluard appellera *« le dur désir de durer »*), et tout courage est de volonté[14].

Je ne suis pas sûr que le courage soit la vertu du commencement[15], du moins qu'il ne soit que cela, ou essentiellement cela : il en faut autant, et parfois davantage, pour continuer ou maintenir. Mais il est vrai que continuer c'est recommencer toujours, et que le courage, ne pouvant être « ni thésaurisé ni capitalisé »[16], ne continue qu'à cette condition, comme une durée toujours inchoative de l'effort, comme un commencement toujours recommencé, malgré la fatigue, malgré la peur,

12. Epicure, *Lettre à Ménécée,* 135 ; Spinoza, *Ethique,* V. Cela ne veut pas dire (malgré Jankélévitch, *op. cit.,* p. 98-99) qu'il n'y ait, chez Epicure ou Spinoza, pas de place pour le courage, ou pour un autre courage que la pure *aphobia* (l'absence de crainte) du sage : cela veut dire, plutôt, qu'il reste au courage toute la place que la sagesse en nous échoue à occuper...
13. *Ethique,* III, 59, scolie (trad. Pautrat, Seuil, 1988). Voir aussi *Ethique,* IV, prop. 63 et dém.
14. *Ethique,* III, 9 et scolie. Voir aussi *Ethique,* V, scolie de la prop. 10 et prop. 41.
15. Contrairement à ce qu'écrit Jankélévitch (mais pour le nuancer ensuite) au début de son chapitre sur le courage, *op. cit.,* p. 89.
16. Jankélévitch, *op. cit.,* p. 96.

et pour cela toujours nécessaire et toujours difficile... « Il faut donc sortir de la peur par le courage, disait Alain ; et ce mouvement, qui commence chacune de nos actions, est aussi, quand il est retenu, à la naissance de chacune de nos pensées. »[17] La peur paralyse, et toute action, même de fuite, s'en arrache quelque peu. Le courage en triomphe, du moins il s'y essaie, et il est courageux déjà d'essayer. Quelle vertu autrement ? Quelle vie autrement ? Quel bonheur autrement ? Un homme à l'âme forte, lit-on chez Spinoza, « s'efforce de bien faire et de se tenir en joie »[18] : confronté aux obstacles, qui sont innombrables, cet effort est le courage même. Comme toute vertu, le courage n'existe qu'au présent. Avoir eu du courage ne prouve pas qu'on en aura, ni même qu'on en a. C'est toutefois une indication positive et, à la lettre, encourageante. Le passé est objet de connaissance, et pour cela plus significatif, moralement, que l'avenir, qui n'est objet que de foi ou d'espérance — que d'imagination. Vouloir donner demain ou un autre jour, ce n'est pas être généreux. Vouloir être courageux la semaine prochaine ou dans dix ans, ce n'est pas du courage. Ce ne sont que projets de vouloir, que décisions rêvées, que vertus imaginaires. Aristote (ou l'élève qui parle en son nom) évoque plaisamment, dans la *Grande Morale*, ceux « qui font les braves parce que le risque est à courir dans deux ans, et meurent de frayeur quand ils sont face à face et nez à nez avec le danger »[19].

17. *Lettres au Docteur H. Mondor sur le sujet du cœur et de l'esprit*, Bibl. de la Pléiade, « Les arts et les dieux », p. 733.
18. *Éthique*, IV, scolie de la prop. 73.
19. *Grande Morale*, I, 20, 1191 a 33-36 (trad. Dalimier, p. 92), que je cite ici d'après la traduction assez libre de Jankélévitch, *op. cit.*, p. 107. Voir aussi *Éthique à Nicomaque*, III, 9, 1115 a 33-35 et *Rhétorique*, II, 5, 1382 a 25-30. A ce type de personnage, qu'il appelle fanfaron, La Fontaine a consacré une fable, *Le lion et le chasseur*, dont la morale mérite d'être rappelée : « La vraie épreuve de courage /N'est que dans le danger que l'on touche du doigt. /Tel le cherchait, dit-il, qui changeant de langage /S'enfuit aussitôt qu'il le voit » (*Fables*, Ed. de la Nouvelle librairie de France, 1958, t. 1, p. 281).

Héros imaginaires, poltrons réels. Jankélévitch, qui cite ce propos, ajoute à juste titre que « le courage est l'intention de l'instant en instance », que l'instant courageux désigne en cela « notre point de tangence avec l'avenir prochain », bref qu'il s'agit d'être courageux, non demain ou tout à l'heure, mais « séance tenante »[20]. Fort bien. Mais cet instant *en instance*, en contact avec l'avenir prochain ou immédiat, qu'est-ce autre que le présent qui dure ? On n'a pas besoin de courage pour affronter ce qui n'est plus, certes ; mais pas davantage pour surmonter ce qui n'est pas encore. Ni le nazisme ni la fin du monde, ni ma naissance ni ma mort ne sont pour moi objets de courage (l'idée de la mort peut l'être, étant actuelle, comme aussi, à certains égards, l'idée du nazisme ou de la fin du monde ; mais une idée requiert infiniment moins de courage, dans ces domaines, que la chose même !). Quoi de plus ridicule que ces héros par contumace, qui n'affrontent, bien sûr imaginairement, que des dangers forclos ? Toutefois, ajoute Jankélévitch, « il n'y a pas d'air non plus pour la respiration du courage si la menace est déjà toute réalisée et si, rompant le charme du possible, levant les transes de l'incertitude, le danger devenu malheur a cessé d'être un danger »[21]. Est-ce si sûr ? Si c'était vrai, le courage ne serait pas nécessaire, et même serait inutile, contre la douleur, physique ou morale, contre l'infirmité, contre le deuil. Dans quelle situation pourtant en avons-nous davantage besoin ? Celui qui résiste à la torture, comme Cavaillès ou Jean Moulin, qui peut croire que c'est l'avenir d'abord, le danger d'abord, qui mobilisent son courage (quel avenir pire que leur présent ? quel danger pire que la torture ?), et non l'atroce actualité de la souffrance ? On dira que le choix est alors, si choix il y a, de faire cesser ou continuer cette horreur, ce qui, comme tout

20. *Op. cit.*, p. 107.
21. *Op. cit.*, p. 108.

choix, n'a de sens que portant sur l'avenir. Sans doute : le présent est une durée, beaucoup plus qu'un instant, une *distension*, comme disait saint Augustin, toujours issue du passé, toujours tendue vers l'avenir. Et il faut du courage, disais-je, pour durer et endurer, pour supporter sans se rompre cette tension que nous sommes, ou cet écartèlement, entre passé et avenir, entre mémoire et volonté. C'est la vie même, et l'effort de vivre (le *conatus* de Spinoza). Mais cet effort est présent toujours, et difficile le plus souvent. Si c'est l'avenir que l'on craint, c'est le présent que l'on supporte (y compris sa peur présente de l'avenir), et la réalité actuelle du malheur, de la souffrance ou de l'angoisse ne requiert pas moins de courage, dans ce présent qui dure, que la menace du danger ou les transes, comme dit Jankélévitch, de l'incertitude. C'est vrai pour la torture, et pour toute torture. Le cancéreux en phase terminale, croit-on que c'est face à l'avenir seulement, face à la mort seulement, qu'il lui faut du courage ? Et la mère qui a perdu son enfant ? « Soyez courageuse », lui dit-on. Si cela porte sur l'avenir, comme tout conseil, cela ne veut pas dire que le courage soit ici nécessaire contre un danger, un risque ou une menace, mais bien contre un malheur hélas présent, atrocement présent, et qui n'est indéfiniment à venir que parce qu'il est et sera désormais — puisque le passé et la mort sont irrévocables — définitivement présent. Il faut du courage encore pour supporter un handicap, pour assumer un échec ou une erreur, et ces courages, eux aussi, portent d'abord sur le présent qui dure, et sur l'avenir en tant seulement qu'il est, qu'il ne peut être que la continuation de ce présent. L'aveugle a besoin de plus de courage que celui qui voit clair, et pas seulement parce que la vie est pour lui plus dangereuse. J'irai même plus loin. Dans la mesure où la souffrance est pire que la peur, du moins chaque fois qu'elle l'est, il faut plus de courage pour la supporter. Cela dépend bien sûr des souffrances et des peurs. Prenons alors une souffrance extrême : la torture ; et une peur extrême : la peur de la mort, la peur de la torture, l'une ou l'autre imminentes. Qui ne voit qu'il faut plus de courage pour résister à la torture qu'à sa menace, fût-elle parfaitement déterminée et crédible ? Et qui ne préférerait se suicider, malgré la peur, plutôt que souffrir à ce point ? Combien l'ont fait ? Combien on regretté de n'en avoir pas les moyens ? Il peut falloir du courage pour se suicider, et sans doute il en faut toujours. Mais moins pourtant que pour résister à la torture. Si le courage devant la mort est le courage des courages, je veux dire le modèle ou l'archétype de tous, ce n'est pas forcément ni toujours le plus grand. C'est le plus simple, parce que la mort est le plus simple. C'est le plus absolu, si l'on veut, parce que la mort est absolue. Mais ce n'est pas le plus grand, parce que la mort n'est pas le pire. Le pire, c'est la souffrance qui dure, c'est l'horreur qui se prolonge, l'une et l'autre actuelles, atrocement actuelles. Et dans la peur même, qui ne voit qu'il faut du courage pour surmonter l'actualité de l'angoisse, autant, et parfois davantage, que pour affronter la virtualité du danger ?

Bref, le courage n'a pas affaire qu'à l'avenir, qu'à la peur, qu'à la menace : il a affaire aussi au présent, et relève de la volonté, toujours, beaucoup plus que de l'espérance. Les stoïciens le savaient, qui en firent une philosophie. On n'espère que ce qui ne dépend pas de nous ; on ne veut que ce qui en dépend. C'est pourquoi l'espérance n'est une vertu que pour les croyants, quand le courage en est une pour tout homme. Or, que faut-il pour être courageux ? Il suffit de le vouloir[22], autrement dit de l'être en effet. Mais il ne suffit pas de l'espérer, et seuls les lâches s'en contentent.

---

22. Voir Epictète et Marc Aurèle, bien sûr, mais aussi Jankélévitch, *Le Je-ne-sais-quoi et le Presque-rien*, Points-Seuil, 1980, t. 3 : *La volonté de vouloir* (spécialement le chap. 2), ainsi que le *Traité des vertus*, II, 1, p. 125.

Cela nous amène au thème fameux du courage du désespoir.

« C'est dans les affaires les plus dangereuses et les plus désespérées qu'on emploie le plus de hardiesse et de courage », écrivait Descartes[23] ; et si cela n'exclut pas l'espérance, comme il le dit aussi, cela exclut que l'espérance et le courage aient le même objet ou se confondent[24]. Le héros, face à la mort, peut bien espérer la gloire ou la victoire posthume de ses idées. Mais cette espérance n'est pas l'objet de son courage et ne saurait en tenir lieu. Les lâches espèrent la victoire, tout autant que les héros ; et l'on ne fuit jamais, sans doute, que dans l'espoir du salut. Ces espérances ne sont pas le courage, ni ne suffisent, hélas, à en donner. Non, certes, que l'espérance soit toujours quantité négligeable ! Qu'elle puisse renforcer le courage, ou le soutenir, c'est une affaire entendue, et Aristote déjà l'avait souligné : il est plus facile d'être brave au combat quand on espère l'emporter[25]. Mais est-ce plus courageux ? On peut penser le contraire : que parce que l'espérance affermit le courage, en effet, il est surtout nécessaire d'être courageux quand l'espérance fait défaut ; et que le héros véritable sera celui qui oura affronter non seulement le risque, il y en a toujours, mais, le cas échéant, la certitude de la mort ou même, cela peut arriver, de la défaite ultime. C'est le courage des vaincus, et il n'est pas moins grand, quand ils en ont, ni moins méritoire, tant s'en faut, que celui des vainqueurs. Que pouvaient bien espérer les insurgés du ghetto de Varsovie ? Rien pour eux-mêmes, en tout cas, et leur courage n'en fut

23. *Traité des passions*, III, art. 173. Voir aussi, dans les *Principes de la philosophie*, la lettre-dédicace à la princesse Elisabeth : « La peur donne de la dévotion, et le désespoir du courage » (éd. Alquié, t. 3, p. 88, AT, p. 22).
24. *Ibid.*
25. *Ethique à Nicomaque*, III, 11, 1116 a 1-4.

que plus patent et plus héroïque. Pourquoi se battre alors ? Parce qu'il le faut. Parce que le contraire serait indigne. Ou pour la beauté du geste, comme on dit, étant entendu que cette beauté est d'ordre éthique et non esthétique. « Les gens vraiment courageux n'agissent jamais que pour la beauté de l'acte courageux », écrivait Aristote, que « pour l'amour du bien », comme on peut traduire aussi, ou « poussés par le sentiment de l'honneur »[26]. Les passions, que ce soit colère, haine ou espérance, peuvent intervenir aussi et prêter leur concours[27]. Mais le courage, sans elles, est encore possible, et davantage nécessaire, et davantage vertueux.

On a même pu lire chez Aristote que le courage, dans sa forme la plus haute, est « sans espoir »[28], voire « antinomique de l'espérance : par là même qu'il ne nourrit plus aucun espoir, l'homme courageux devant une maladie mortelle l'est davantage que ne l'est le marin dans la tempête ; c'est pourquoi "ceux que soutient l'espoir ne sont plus pour autant de vrais braves", non plus que ceux qui ont la conviction d'être les plus forts, de pouvoir triompher au combat »[29]. Je ne suis pas sûr qu'on puisse aller aussi loin, ou du moins que ce ne soit pas, à partir d'une interprétation quelque peu unilatérale, entraîner Aristote là où j'irais volontiers, pour ma part et au moins abstraitement, mais plus loin, je le crains, que lui ne voulait aller ou ne consen-

---

26. Ce sont les trois traductions, d'ailleurs toutes acceptables, qu'on peut trouver, pour *to kalon prattousin* (*Eth. à Nicomaque*, III, 11, 1116 *b* 30), dans les éditions les plus accessibles en français, à savoir celles, dans l'ordre, de Barhélemy Saint-Hilaire (revue et corrigée par A. Gomez-Muller, Le livre de poche, 1992, p. 138, traduction presque identique chez Gauthier et Jolif, Louvain, 1970, p. 80), Tricot (Vrin, 1979, p. 156) et Voilquin (Garnier-Flammarion, 1965, p. 83). Voir aussi III, 10, 1115 *b* 12-13 et 23.

27. Voir Aristote, *Ethique à Nicomaque*, III, 11, 1116 *b* - 1117 *a* et *passim*.

28. R. A. Gauthier et J. Y. Jolif, *L'Ethique à Nicomaque*, Introduction, traduction et commentaire, Louvain, 1970, II, 1, p. 233-234.

29. Sylvain Matton, art. cité, p. 34-35.

tirait à nous suivre[30]. Peu importe : ce n'est qu'histoire de la philosophie. Qu'il faille du courage pour supporter le désespoir, c'est ce que la vie nous apprend, comme aussi que le désespoir, parfois, peut en donner. Quand il n'y a plus rien à espérer, il n'y a plus rien à craindre : voilà tout le courage disponible, et contre toute espérance, pour un combat présent, pour une souffrance présente, pour une action présente! C'est pourquoi, expliquait Rabelais, « selon la vraie discipline militaire, jamais ne faut mettre son ennemi en lieu de désespoir, parce que telle nécessité lui multiplie sa force et accroit son courage »[31]. On peut tout craindre de

30. Je ne peux m'attarder ici sur les problèmes d'interprétation, et spécialement sur la difficile conciliation de deux passages de l'*Ethique à Nicomaque*, à savoir 1115 *b* 33 - 1116 *a* 3, d'une part, et 1117 *a* 10-27 d'autre part (à lire de préférence, quand on n'est pas helléniste, dans la traduction de Gauthier et Jolif, p. 77 et 81). Il en ressort que « c'est une sorte de pessimiste que le lâche : car il craint tout » ; mais aussi que l'optimiste, s'il ressemble en quelque chose au courageux, n'est pas courageux pour autant : « On n'est pas davantage, parce qu'on est optimiste, courageux ». Bref, l'optimisme ressemble au courage (par l'assurance) tout en s'en distinguant (par sa fragilité). Je ne vois pas que le courage soit pour cela « antinomique de l'espérance » (comme dit S. Matton dans son bel article), et d'ailleurs chacun sait bien que ce n'est pas le cas : les optimistes peuvent être courageux *aussi*. Mais il est vrai qu'il ressort de ces textes, et c'est ce qui m'importe, que courage et espérance sont deux choses non seulement différentes, mais indépendantes — en droit comme en fait — l'une de l'autre (voir à ce propos les pertinentes remarques de Gauthier et Jolif, dans leur commentaire de l'*Ethique à Nicomaque*, Louvain, 1970, II, 1, p. 232-234). Celui qui espère peut certes, *par ailleurs*, être courageux ; mais il ne l'est véritablement qu'à condition que son audace ou sa vaillance ne viennent pas *que* de l'espérance. C'est ce qu'explique très bien la *Grande Morale* (I, 20, 1191 *a* 11-21, p. 91 de la trad. Dalimier) : « Si en privant quelqu'un de quelque chose, son courage ne demeure pas, ce n'est plus un homme courageux » ; celui qui ne fait preuve de bravoure qu' « à cause de l'espérance ou de l'attente d'un bien » n'est donc pas courageux, en vérité, puisque son courage apparent ne survivrait pas à la perte de son espoir. Aristote est ici comme souvent au plus près de l'expérience commune : n'est véritablement courageux, pour lui comme pour nous, que celui qui peut l'être dans la défaite, même certaine, tout autant que dans la victoire, même assurée. Le courage du désespoir n'est donc pas *tout* le courage ; mais il est sa pierre de touche, par quoi le courage se distingue de la simple confiance.

31. *Gargantua*, chap. 43 (p. 168 de l'éd. du Seuil, coll. « L'Intégrale », dont je modernise l'orthographe).

qui ne craint rien. Et que craindraient-ils, s'il n'ont plus
rien à espérer? Les militaires le savent et s'en méfient,
comme aussi les diplomates ou les hommes d'Etat. Toute
espérance donne prise à l'autre; tout désespoir, à soi. Pour
se suicider? Il y a souvent mieux à faire : la mort n'est
qu'une espérance comme une autre. Alain, qui fut soldat, et
soldat courageux, rencontra à la guerre quelques héros véritables. Voici ce qu'il en dit : « Il faut sans doute ne plus
rien espérer pour être tout à fait brave; et j'ai vu de ces
lieutenants et sous-lieutenants d'infanterie qui semblaient
avoir mis le point final à leur vie; leur gaieté me faisait
peur. En cela j'étais de l'arrière; on est toujours à l'arrière
de quelqu'un.»[32] Oui, et point seulement à la guerre. Alain
évoque ailleurs, non plus au combat mais dans une classe,
le courage de Lagneau, son « désespoir absolu », grâce
auquel il pensait « avec joie, sans aucune crainte et sans
aucune espérance »[33]. Tous ces courages se ressemblent, et
nous font peur. Mais que prouve notre peur, sinon que
nous avons besoin de courage? On connaît aussi la formule
fameuse de Guillaume d'Orange : « Il n'est pas besoin d'espérer pour entreprendre, ni de réussir pour persévérer. »
On le disait taciturne; cela ne l'empêcha ni d'agir ni d'oser.
Où a-t-on vu que les optimistes seuls s'y connaissent en
courage? Sans doute est-il plus facile d'entreprendre ou de
persévérer, quand l'espoir ou la réussite sont là. Mais
quand c'est plus facile, on a moins besoin de courage.

Ce qu'Aristote a clairement montré, en tout cas, et par
quoi il faut terminer, c'est que le courage ne va pas sans
mesure. Non, certes, qu'on puisse être trop courageux, ni face

32. *Souvenirs de guerre*, Pléiade, « Les Passions et la sagesse », p. 441.
33. *Souvenirs concernant Jules Lagneau*, chap. 2, Pléiade, « Les passions et la
sagesse », p. 751 et 758. Voir aussi p. 738, 741 et 748.

à un péril trop extrême. Mais en ceci qu'il faut proportionner les risques encourus à la fin recherchée : il est beau de risquer sa vie pour une noble cause, mais déraisonnable de le faire pour des broutilles ou par pure fascination du danger. C'est ce qui distingue le courageux du téméraire, et par quoi le courage — comme toute vertu selon Aristote — se tient au sommet, entre ces deux abîmes (ou au juste milieu, entre ces deux excès) que sont la lâcheté et la témérité : le lâche est trop soumis à sa peur, le téméraire trop insouciant de sa vie ou du danger, pour pouvoir l'un ou l'autre être véritablement (c'est-à-dire vertueusement) courageux[34]. La hardiesse, fût-elle extrême, n'est ainsi vertueuse que tempérée par la prudence : la peur y aide, la raison y pourvoit. « La vertu d'un homme libre se montre aussi grande quand il évite les dangers, écrit Spinoza, que quand il en triomphe : il choisit la fuite avec la même fermeté d'âme, ou présence d'esprit, que le combat. »[35]

Pour le reste il faut rappeler que le courage n'est pas le plus fort, mais le destin ou, c'est la même chose, le hasard. Le courage même en relève (il suffit de vouloir, mais qui choisit sa volonté ?) et y reste soumis. Pour tout homme, il y a ce qu'il peut et ce qu'il ne peut pas supporter : qu'il rencontre ou non, avant de mourir, ce qui va le briser, c'est affaire de chance au moins autant que de mérite. Les héros le savent, quand ils sont lucides : c'est ce qui les rend humbles, vis-à-vis d'eux-mêmes, et miséricordieux, vis-à-vis des autres. Toutes les vertus se tiennent, et toutes tiennent au courage.

---

34. *Ethique à Nicomaque*, II, 7, 1107 *a* 33 - 1107 *b* 4, et III, 9-10, 1115 *a* - 1116 *a* 15 ; *Ethique à Eudème*, III, 1, 1228 *a* 23 - 1229 *b* 26.
35. *Ethique*, IV, prop. 69 et scolie (l'homme libre, selon Spinoza, est celui qui vit sous la seule conduite de la raison).

6

La justice

Avec la justice, nous abordons la dernière des quatre vertus cardinales. Nous aurons besoin des trois autres, tant le sujet est immense. Et d'elle-même, tant il est exposé aux intérêts et aux conflits de tous ordres. De la justice, d'ailleurs, on ne peut s'exempter, quelque vertu qu'on envisage. Parler injustement de l'une d'entre elles, ou de plusieurs, serait les trahir, et c'est pourquoi peut-être, sans tenir lieu d'aucune, elle contient toutes les autres. A fortiori est-elle nécessaire, s'agissant d'elle-même. Mais qui peut se flatter de la connaître ou de la posséder tout à fait ?

« La justice n'existe point, disait Alain ; la justice appartient à l'ordre des choses qu'il faut faire justement parce qu'elles ne sont point. »[1] Il ajoutait : « La justice sera si on la fait. Voilà le problème humain. » Très bien — mais quelle justice ? Et comment la faire, sans savoir ce qu'elle est, ou doit être ?

Des quatre vertus cardinales, la justice est la seule sans doute qui soit bonne absolument. La prudence, la tempérance ou le courage ne sont vertus qu'au service du bien, ou

1. Propos du 2 décembre 1912 (Pléiade, *Propos*, II, p. 280). Voir aussi les *81 chapitres*, IV, 7 et VI, 4 (Pléiade, « Les passions et la sagesse », p. 1184 et 1228).

relativement à des valeurs — par exemple la justice — qui les dépassent ou les motivent. Au service du mal ou de l'injustice, prudence, tempérance et courage ne seraient pas des vertus, mais de simples talents ou qualités, comme dit Kant, de l'esprit ou du tempérament. Il n'est pas inutile, peut-être, de rappeler ce texte fameux :

« De tout ce qu'il est possible de concevoir dans le monde, et même en général hors du monde, il n'est rien qui puisse sans restriction être tenu pour bon, si ce n'est seulement une volonté bonne. L'intelligence, la finesse, la faculté de juger, et les autres *talents* de l'esprit, de quelque nom qu'on les désigne, ou bien le courage, la décision, la persévérance dans les desseins, comme qualités du *tempérament*, sont sans aucun doute à bien des égards choses bonnes et désirables ; mais ces dons de la nature peuvent devenir aussi extrêmement mauvais et funestes si la volonté qui doit en faire usage, et dont les dispositions propres s'appellent pour cela *caractère*, n'est point bonne. »[2]

Kant n'évoque ici que le courage, mais qui ne voit qu'on pourrait en dire autant de la prudence ou de la tempérance ? L'assassin ou le tyran peut pratiquer l'une et l'autre, on en connaît mille exemples, sans être pour cela vertueux en rien. Est-il juste, au contraire, et voilà que son acte, immédiatement, change de sens ou de valeur. On me demandera ce que c'est qu'un juste assassinat, qu'une juste tyrannie... C'est reconnaître au moins la singularité de la justice. Car un assassin prudent ou un tyran sobre n'ont jamais surpris personne.

Bref, la justice est bonne en soi, comme la bonne volonté de Kant[3], et c'est pourquoi celle-ci ne saurait l'ignorer. Faire son devoir, certes ; mais pas au prix de la justice, ni contre elle ! Comment serait-ce possible, d'ailleurs, puisque le devoir la suppose, que dis-je, puisqu'il est la justice même comme

2. *Fondements de la métaphysique des mœurs*, I, p. 55-56 de la trad. Delbos-Philonenko, Vrin, 1980.
3. *Ibid.*, p. 57.

exigence et comme contrainte[4] ? La justice n'est pas une vertu comme une autre. Elle est l'horizon de toutes et la loi de leur coexistence. « Vertu complète », disait Aristote[5]. Toute valeur la suppose ; toute humanité la requiert. Non, pourtant, qu'elle tienne lieu de bonheur (par quel miracle ?) ; mais aucun bonheur n'en dispense.

C'est un problème qu'on trouve chez Kant, et qu'on retrouvera, excusez du peu, chez Dostoïevski, Bergson, Camus ou Jankélévitch : s'il fallait, pour sauver l'humanité, condamner un innocent (torturer un enfant, dit Dostoïevski), faudrait-il s'y résigner ? Non pas, répondent-ils. Le jeu n'en vaudrait pas la chandelle, ou plutôt ce ne serait pas un jeu mais une ignominie. « Car si la justice disparaît, écrit Kant, c'est chose sans valeur que le fait que des hommes vivent sur la Terre. »[6] L'utilitarisme touche ici à sa limite. Si la justice n'était qu'un contrat d'utilité, comme le voulait par exemple Epicure[7], qu'une maximalisation du bien-être collectif, comme le voulaient Bentham ou Mill[8], il pourrait être juste, pour le bonheur de presque tous, d'en sacrifier quelques-uns, sans leur accord et fussent-ils parfaitement innocents et sans défense. Or c'est ce que la justice interdit, ou doit interdire.

---

4. Voir par ex. *Doctrine du droit*, Introduction générale, III et IV (spécialement p. 94 et 98 de la trad. Philonenko, Vrin, 1971).

5. *Ethique à Nicomaque*, V, 3, 1129 *b* 25-31 (trad. Tricot, Vrin, 1979, p. 218-219).

6. Kant, *Doctrine du droit*, II, 1, Remarque E (trad. Philonenko, p. 214). Voir aussi Dostoïevski, *Les frères Karamazov*, II, livre 5, chap. 4 (trad. franç., rééd. folio, 1990, t. 1, p. 343-344) ; Bergson, *Les deux sources de la morale et de la religion*, p. 76 (p. 1039 de l'éd. du Centenaire, PUF, 1970) ; Camus, *L'homme révolté*, II (Bibl. de la Pléiade, p. 465-466) ; et Jankélévitch, *Traité des vertus*, II, 2, chap. 5, p. 47 de l'éd. Champs-Flammarion, 1986.

7. *Maximes capitales* 31 à 38.

8. Bentham, *An introduction to the principles of morals and legislation*, rééd. University of London, 1970 ; Mill, *L'utilitarisme*, trad. franc., Flammarion, 1988 (surtout le chap. 5). Même orientation chez Hume : *Enquête sur les principes de la morale*, section III (trad. Baranger-Saltel, G.-F., 1991, p. 85 à 109) ; voir aussi le *Traité de la nature humaine*, livre III, deuxième partie (trad. Leroy, Aubier, 1983, p. 593 et s.).

Rawls a raison ici, après Kant : la justice vaut plus et mieux que le bien-être ou l'efficacité, et ne saurait — fût-ce pour le bonheur du plus grand nombre — leur être sacrifiée[9]. A quoi d'ailleurs pourrait-on légitimement sacrifier la justice, puisqu'il n'y aurait, sans elle, ni légitimité ni illégitimité ? Et au nom de quoi, puisque même l'humanité, même le bonheur, même l'amour, ne sauraient, sans la justice, valoir absolument ? Etre injuste par amour, c'est être injuste — et l'amour n'est plus que favoritisme ou partialité. Etre injuste pour son propre bonheur ou pour celui de l'humanité, c'est être injuste — et le bonheur n'est plus qu'égoïsme ou confort. La justice est ce sans quoi les valeurs cesseraient d'en être (ce ne seraient plus qu'intérêts ou mobiles), ou ne vaudraient rien. Mais qu'est-elle ? Et que vaut-elle ?

La justice se dit en deux sens : comme conformité au droit (*jus*, en latin) et comme égalité ou proportion. « C'est pas juste », dit l'enfant qui a moins que les autres, ou moins que ce qu'il juge lui revenir ; et il dira la même chose à son camarade qui triche — fût-ce pour rétablir une égalité entre eux — en ne respectant pas les règles, écrites ou non écrites, du jeu qui les unit et les oppose. De même les adultes jugeront-ils injustes aussi bien l'écart trop criant des richesses (c'est en ce sens surtout qu'on parle de justice sociale) que la transgression de la loi (dont la justice, c'est-à-dire ici l'institution judiciaire, aura à connaître et à juger). Le juste, inversement, sera celui qui ne viole ni la loi ni les intérêts légitimes d'autrui, ni le droit (en général) ni les droits (des particu-

9. John Rawls, *Théorie de la justice*, trad. franç., Seuil, 1987 (spécialement les sections 1, 5 et 87). Cet ouvrage important, encore peu lu en France, est un classique de la pensée politique contemporaine. Il a donné lieu, surtout dans le monde anglo-saxon, à de très nombreuses études et discussions : voir à ce propos l'ouvrage très informé de Ph. Van Parijs, *Qu'est-ce qu'une société juste ?*, Seuil, 1991.

liers), bref celui qui ne prend que sa part des biens, explique Aristote, et toute sa part des maux[10]. La justice se joue tout entière dans ce double respect de la *légalité*, dans la Cité, et de l'*égalité*, entre individus : « Le juste est ce qui est conforme à la loi et ce qui respecte l'égalité, et l'injuste ce qui est contraire à la loi et ce qui manque à l'égalité. »[11]

Ces deux sens, quoique liés (il est juste que les individus soient égaux devant la loi), n'en sont pas moins différents. Comme légalité, la justice est de fait, et sans autre valeur que circulaire : « toutes les actions prescrites par la loi sont justes, en (ce) sens », remarquait Aristote[12] ; mais qu'est-ce que cela prouve, si la loi n'est pas juste ? Et Pascal, plus cyniquement : « La justice est ce qui est établi ; et ainsi toutes nos lois établies seront nécessairement tenues pour justes sans être examinées, puisqu'elles sont établies. »[13] Quelle Cité autrement ? Et quelle justice, si le juge n'était tenu de respecter la loi — et la lettre de la loi — davantage que ses propres convictions morales ou politiques ? Le fait de la loi (la *légalité*) importe plus que sa valeur (sa *légitimité*), ou plutôt en tient lieu. Pas d'Etat autrement, pas de droit autrement — donc pas d'Etat de droit. *« Auctoritas, non veritas, facit legem »* : c'est l'autorité, non la vérité, qui fait la loi. Cela, qu'on pouvait lire chez Hobbes[14], gouverne aussi nos démocraties. Les plus nombreux, non les plus justes ou les plus intelligents, l'em-

10. Voir Aristote, *Ethique à Nicomaque*, V, 2 et V, 9 (p. 216 et 246-247 de la trad. Tricot).
11. Aristote, *Ethique à Nicomaque*, V, 2, 1129 *a* 34 (trad. Tricot, p. 216). Voir aussi *Grande Morale*, I, 23, 1193 *b* (trad. Dalimier, *Les grands livres d'éthique*, Arléa, 1992, p. 111 et s.).
12. *Ethique à Nicomaque*, V, 3, 1129 *b* 12 (trad. Tricot, p. 217).
13. *Pensées*, 645-312 (je cite Pascal d'après l'éd. Lafuma des *Œuvres complètes*, Seuil, coll. « L'intégrale », 1963 ; pour les *Pensées*, le second chiffre est celui de l'éd. Brunschvicg). Voir aussi ma préface à Pascal, *Pensées sur la politique*, Rivages Poche, 1992.
14. Dans le texte latin du *Léviathan*, II, chap. 26 (p. 295, note 81 de la trad. Tricaud, Sirey, 1971).

portent et font la loi. Positivisme juridique, dit-on aujourd'hui, aussi indépassable, quant au droit, qu'insuffisant, quant à la valeur. La justice ? Le souverain en décide, et c'est ce qu'on appelle *loi* proprement[15]. Mais le souverain — fût-il le peuple — n'est pas juste toujours. Pascal encore : « L'égalité des biens est juste, mais... »[16] Mais le souverain en a décidé autrement : la loi protège la propriété privée, dans nos démocraties comme du temps de Pascal, et garantit ainsi l'inégalité des richesses. Quand l'égalité et la légalité s'opposent, où est la justice ?

La justice, lit-on chez Platon, est ce qui garde à chacun sa part, sa place, sa fonction, préservant ainsi l'harmonie hiérarchisée de l'ensemble[17]. Serait-il juste de donner à tous les mêmes choses, quand ils n'ont ni les mêmes besoins ni les mêmes mérites ? D'exiger de tous les mêmes choses, quand ils n'ont ni les mêmes capacités ni les mêmes charges ? Mais comment maintenir alors l'égalité, entre hommes inégaux ? Ou la liberté, entre égaux ? On en discutait en Grèce ; on en discute toujours. Le plus fort l'emporte, et c'est ce qu'on appelle la politique : « La justice est sujette à dispute. La force est très reconnaissable et sans dispute. Aussi on n'a pu donner la force à la justice, parce que la force a contredit la justice et a dit qu'elle était injuste, et a dit que c'était elle qui était juste. Et ainsi, ne pouvant faire que ce qui est juste fût fort, on a fait que ce qui est fort fût juste. »[18] C'est un abîme que la démocratie même

---

15. Comme l'ont montré Hobbes (*Léviathan*, II, chap. 26), Spinoza (*Traité politique*, chap. 3 et 4) puis Rousseau (*Contrat social*, II, chap. 6). C'est où convergent positivisme et volontarisme : voir H. Batiffol, *La philosophie du droit*, PUF, coll. « Que sais-je ? », rééd. 1981, p. 11 à 15 et 22 à 24.

16. *Pensées*, 81-299.

17. *République*, IV. Pour une introduction générale aux différentes théories de la justice, depuis Platon jusqu'à Rawls, voir aussi le petit livre, très pédagogique, de Gérard Potdevin, *La justice*, Paris, Quintette, 1993.

18. Pascal, *Pensées*, 103-298.

ne saurait combler : « La pluralité est la meilleure voie, parce qu'elle est visible et qu'elle a la force pour se faire obéir ; cependant c'est l'avis des moins habiles »[19], et des moins justes parfois. Rousseau, très utile mais incertain. Que la volonté générale soit toujours juste, c'est ce que rien ne garantit (sauf à définir la justice par la volonté générale, cercle qui viderait évidemment cette garantie de toute valeur, voire de tout contenu), et qui ne saurait dès lors conditionner sa validité. Tous les démocrates savent cela. Tous les républicains savent cela. La loi est la loi, qu'elle soit juste ou pas. Mais elle n'est donc pas la justice, et c'est ce qui nous renvoie au second sens. Non plus la justice comme fait (la légalité), mais la justice comme valeur (l'égalité, l'équité) ou, nous y voilà, comme vertu.

Ce second point touche à la morale, davantage qu'au droit. Quand la loi est injuste, il est juste de la combattre — et il peut être juste, parfois, de la violer. Justice d'Antigone, contre celle de Créon. Des résistants, contre celle de Vichy. Des justes, contre celle des juristes. Socrate, condamné injustement, refusa le salut qu'on lui proposait dans la fuite, préférant mourir en respectant les lois, disait-il, que vivre en les transgressant[20]. C'était pousser un peu loin l'amour de la justice, me semble-t-il, ou plutôt la confondre abusivement avec la légalité. Est-il juste de sacrifier la vie d'un innocent à des lois iniques ou iniquement appliquées ? Il est clair en tout cas qu'une telle attitude, même sincère, n'est tolérable que pour soi : l'héroïsme de Socrate, déjà discutable dans son principe, deviendrait purement et simplement criminel s'il sacrifiait aux lois tout autre innocent que lui-même. Respecter les lois, oui, ou du moins leur obéir et les défendre. Mais pas au prix de la jus-

19. *Ibid.*, 85-878.
20. Platon, *Criton*, spécialement 48-54.

tice, pas au prix de la vie d'un innocent ! Pour qui pouvait sauver Socrate, même illégalement, il était juste de l'essayer — et seul Socrate pouvait légitimement s'y refuser. La morale passe d'abord, la justice passe d'abord, du moins quand il s'agit de l'essentiel, et c'est à quoi peut-être l'essentiel se reconnaît. L'essentiel ? La liberté de tous, la dignité de chacun, et les droits, d'abord, de l'autre.

La loi est la loi, disais-je, qu'elle soit juste ou pas : aucune démocratie, aucune république ne serait possible si l'on n'obéissait qu'aux lois que l'on approuve. Oui. Mais aucune ne serait acceptable s'il fallait, par obéissance, renoncer à la justice ou tolérer l'intolérable. Question de degrés, qu'on ne peut résoudre une fois pour toutes. C'est le domaine exactement de la casuistique, au bon sens du terme. Il faut parfois prendre le maquis, parfois obéir ou désobéir tranquillement... Le souhaitable est évidemment que lois et justice aillent dans le même sens, et c'est à quoi chacun, en tant que citoyen, est moralement tenu de s'employer. La justice n'appartient à personne, à aucun camp, à aucun parti : tous sont tenus, moralement, de la défendre. Je m'exprime mal. Les partis n'ont pas de morale. La justice est à la garde, non des partis, mais des individus qui les composent ou leur résistent. La justice n'existe pas, et n'est une valeur, même, qu'autant qu'il y a des justes pour la défendre.

Mais qu'est-ce qu'un juste ? C'est le plus difficile peut-être. Celui qui respecte la légalité ? Non pas, puisqu'elle peut être injuste. Celui qui respecte la loi morale ? C'est ce qu'on lit chez Kant, mais qui ne fait guère que reculer le problème : qu'est-ce que la loi morale ? J'ai connu plusieurs justes qui ne prétendaient pas la connaître, ou même qui niaient tout à fait son existence. Voyez Montaigne, dans nos lettres. Si la loi morale existait, d'ailleurs, ou si elle nous était connue, on aurait moins besoin des justes : la justice suffirait. Kant, par exemple, de la justice ou de l'idée qu'il s'en faisait, prétendait déduire la nécessité absolue de la peine de mort, pour tout meurtrier[21] — ce que d'autres justes ont refusé, comme on sait, et refusent. Ces désaccords entre justes sont essentiels à la justice, qui marquent son absence. La justice n'est pas de ce monde, ni d'aucun autre. C'est Aristote qui a raison, contre Platon et contre Kant, du moins c'est ainsi que je le lis : ce n'est pas la justice qui fait les justes ; ce sont les justes qui font la justice. Comment, s'ils ne la connaissent pas ? Par respect de la légalité, on l'a vu, et de l'égalité. Mais la légalité n'est pas la justice ; et comment l'égalité pourrait-elle y suffire ? On cite trop souvent le jugement de Salomon : c'est psychologie, ce n'est pas justice — ou n'est juste, plutôt, que le second jugement, celui qui rend l'enfant à sa vraie mère et renonce ainsi à l'égalité. Quant au premier, qui voulait couper l'enfant en deux, ce ne serait pas justice mais barbarie. L'égalité n'est pas tout. Serait-il juste, le juge qui infligerait à tous les accusés la même peine ? Le professeur qui attribuerait à tous les élèves la même note ? On dira que peines ou notes doivent être, plutôt qu'égales, proportionnées au délit ou au mérite. Sans doute, mais qui en jugera ? Et selon quel barème ? Pour un vol, combien ? Pour un viol ? Pour un meurtre ? Et dans telles circonstances ? Et dans telles autres ? La loi répond à peu près, et les jurys, et les juges. Mais la justice, non. Même chose dans l'enseignement. Faut-il récompenser l'élève travailleur ou l'élève doué ? Le résultat ou le mérite ? Les deux ? Mais comment faire, s'il s'agit d'un concours où l'on ne peut recevoir les uns qu'en refusant les autres ? Et selon quels critères, qui devraient eux-mêmes être évalués ? Selon quelles normes, qui devraient elles-mêmes être jugées ? Les professeurs répondent comme ils peuvent, il faut bien ; mais la justice, non. La justice ne répond pas, la justice ne répond jamais. C'est pourquoi il faut des juges, dans les tribunaux, et des professeurs pour corriger les

---

21. *Doctrine du droit*, II, 1, Remarque E (p. 216 de la trad. Philonenko).

copies... Bien malins ceux qui le font en toute bonne conscience, parce qu'ils *connaissent* la justice ! Les justes sont plutôt ceux qui l'ignorent, me semble-t-il, qui reconnaissent l'ignorer, et qui la font comme ils peuvent, sinon à l'aveugle, ce serait trop dire, du moins dans le risque (hélas, le plus grand n'est pas pour eux) et l'incertitude. C'est ici le lieu de citer Pascal, à nouveau : « Il n'y a que deux sortes d'hommes, les uns justes qui se croient pécheurs, les autres pécheurs qui se croient justes. »[22] Mais on ne sait jamais dans laquelle de ces catégories l'on se range : le saurait-on, que l'on serait déjà dans l'autre !

Il faut pourtant un critère, même approximatif, et un principe, même incertain. Le principe, sans s'y réduire, doit être du côté d'une certaine égalité, ou réciprocité, ou équivalence, entre individus. C'est l'origine du mot *équité* (de *aequus*, égal), qui serait synonyme de *justice*, nous y reviendrons, s'il n'était aussi et surtout sa perfection. C'est encore ce que semble indiquer le symbole de la balance, dont les deux plateaux sont en équilibre et doivent l'être. La justice est la vertu de l'ordre, mais équitable, et de l'échange, mais honnête. Mutuellement avantageux ? C'est bien sûr le cas le plus favorable, peut-être le plus fréquent (quand j'achète une baguette chez mon boulanger, nous y trouvons l'un et l'autre notre compte) ; mais comment garantir qu'il en soit toujours ainsi ? Le garantir, on ne le peut ; mais constater simplement que l'ordre ou l'échange ne seraient pas *justes* autrement. Si je procède à un échange qui m'est désavantageux (par exemple si j'échange ma maison contre une baguette), il faut que je sois fou, mal informé ou contraint, ce qui, dans les trois cas, viderait l'échange non forcément de toute valeur juridique (du moins c'est au souverain d'en décider) mais, clairement, de toute justice. L'échange, pour être juste, doit

22. *Pensées*, 562-534.

s'effectuer entre égaux, ou du moins aucune différence (de fortune, de pouvoir, de savoir...) entre les partenaires ne doit leur imposer un échange qui serait contraire à leurs intérêts ou à leurs volontés libres et éclairées, telles qu'elles s'exprimeraient dans une situation d'égalité. Personne ne s'y trompe — ce qui ne veut pas dire que tout le monde s'y soumette! Profiter de la naïveté d'un enfant, de l'aveuglement d'un fou, de la méprise d'un ignorant ou de la détresse d'un miséreux pour obtenir d'eux, à leur insu ou par la contrainte, un acte contraire à leurs intérêts ou à leurs intentions, c'est être injuste, quand bien même la législation, dans tels ou tels pays ou circonstances, pourrait ne pas s'y opposer formellement. L'escroquerie, le racket et l'usure sont injustes, non moins que le vol. Et le simple commerce n'est juste qu'autant qu'il respecte, entre acheteur et vendeur, une certaine parité, aussi bien dans la quantité d'informations disponibles, concernant l'objet de l'échange, que dans les droits et devoirs de chacun. Disons plus : le vol lui-même peut devenir juste, peut-être, quand la propriété est injuste. Mais quand celle-ci l'est-elle, si ce n'est quand elle bafoue par trop les exigences d'une certaine égalité, au moins relative, entre les hommes? Dire que « la propriété c'est le vol », comme faisait Proudhon, est sans doute exagéré, voire impensable (puisque c'est nier une propriété que le vol pourtant suppose). Mais qui peut jouir en toute justice du superflu quand d'autres meurent de n'avoir pas le nécessaire? « L'égalité des biens serait juste », disait Pascal. Leur inégalité en tout cas ne saurait être absolument juste, qui voue les uns à la misère ou à la mort quand d'autres accumulent richesses sur richesses et plaisirs sur dégoûts.

L'égalité qui est essentielle à la justice est donc moins l'égalité entre les *objets* échangés, laquelle est toujours discutable et presque toujours admissible (il n'y aurait pas échange autrement), qu'entre les *sujets* qui échangent — égalité non pas de fait, bien sûr, mais de droit, ce qui suppose pourtant qu'ils soient tous également informés et libres, du moins pour ce qui touche à leurs intérêts et aux conditions de l'échange. On dira qu'une telle égalité n'est jamais complètement réalisée. Certes, mais les justes sont ceux qui y tendent ; les injustes, qui s'y opposent. Vous vendez une maison, après l'avoir habitée pendant des années : vous la connaissez forcément mieux que tout acheteur possible. Mais la justice est alors d'informer l'acquéreur éventuel de tout vice, apparent ou non, qui pourrait s'y trouver, et même, quoique la loi ne vous y oblige pas, de tel ou tel désagrément du voisinage. Et sans doute nous ne le faisons pas tous, ni toujours, ni complètement. Mais qui ne voit qu'il serait juste de le faire, et que nous sommes injustes en ne le faisant pas ? Un acheteur se présente, à qui vous faites visiter votre maison. Faut-il lui dire que le voisin est un ivrogne, qui hurle après minuit ? Que les murs sont humides en hiver ? Que la charpente est rongée par les termites ? La loi peut le prescrire ou l'ignorer, selon les cas ; mais la justice toujours le commande.

On dira qu'il deviendrait bien difficile, avec une telle exigence, ou bien peu avantageux, de vendre des maisons... Peut-être. Mais où a-t-on vu que la justice soit facile et avantageuse ? Elle n'est telle que pour qui la reçoit ou en bénéficie, et tant mieux pour lui ; mais elle n'est une vertu que chez qui la pratique ou la fait.

Faut-il alors renoncer à son propre intérêt ? Certes pas. Mais il faut le soumettre à la justice, non l'inverse. Sinon ? Sinon contente-toi d'être riche, répond Alain, n'essaye pas d'être juste encore avec[23].

Le principe, donc, c'est bien l'égalité, comme l'avait vu Aristote, mais d'abord et surtout l'égalité des hommes entre eux, telle qu'elle résulte de la loi ou telle qu'elle est moralement présupposée, au moins en droit et fût-ce contre les iné-

---

23. *81 chapitres sur l'esprit et les passions*, VI, 4 (Pléiade, « Les passions et la sagesse », p. 1229-1230).

galités de fait les plus évidentes, les mieux établies (y compris juridiquement), voire les plus respectables. La richesse ne donne aucun droit particulier (elle donne une puissance particulière, mais la puissance, précisément, n'est pas la justice). Le génie ou la sainteté ne donnent aucun droit particulier. Mozart doit payer son pain, comme n'importe qui. Et saint François d'Assise, devant un tribunal vraiment juste, n'aurait ni plus ni moins de droits que quiconque. La justice est l'égalité, mais l'égalité *des droits*, qu'ils soient juridiquement établis ou moralement exigés. C'est ce qu'Alain confirme, après Aristote, et illustre : « La justice, c'est l'égalité. Je n'entends point par là une chimère, qui sera peut-être quelque jour ; j'entends ce rapport que n'importe quel échange juste établit aussitôt entre le fort et le faible, entre le savant et l'ignorant, et qui consiste en ceci, que, par un échange plus profond et entièrement généreux, le fort et le savant veut supposer dans l'autre une force et une science égale à la sienne, se faisant ainsi conseiller, juge et redresseur. »[24] Celui qui vend une voiture d'occasion le sait bien, comme celui qui l'achète, et c'est en quoi, sur la justice, ils sont d'accord, presque toujours, quand bien même aucun des deux ne la respecterait absolument. Comment serait-on injuste, si l'on ne savait ce que justice veut dire ? Or ce qu'ils savent l'un et l'autre, pour peu qu'ils y réfléchissent, c'est que leur transaction ne sera juste que si et seulement si elle est telle que des égaux — en puissance, en savoir, en droits... — *auraient pu* y consentir. Ce conditionnel est bien nommé : la justice est une condition d'égalité, à quoi nos échanges doivent se soumettre.

Cela donne peut-être aussi le critère ou, comme dit Alain, la règle d'or de la justice : « Dans tout contrat et dans tout

---

24. *Ibid.*, VI, 5, p. 1230-1231. Même idée chez Simone Weil (qui fut l'élève d'Alain) : la vertu de justice « consiste, si on est le supérieur dans le rapport inégal des forces, à se conduire exactement comme s'il y avait égalité » (*Attente de Dieu*, Fayard, 1966, rééd. « Le Livre de vie », 1977, p. 129).

échange, mets-toi à la place de l'autre, mais avec tout ce que tu sais, et, te supposant aussi libre des nécessités qu'un homme peut l'être, vois si, à sa place, tu approuverais cet échange ou ce contrat. »[25] Règle d'or, loi d'airain : quelle contrainte plus rigoureuse et plus exigeante ? C'est vouloir n'échanger qu'entre sujets égaux et libres, et c'est en quoi la justice, même comme valeur, touche à la politique autant qu'à la morale. « Est juste, disait Kant, toute action qui permet ou dont la maxime permet à la libre volonté de tout un chacun de coexister avec la liberté de tout autre suivant une loi universelle. »[26] Cette coexistence des libertés sous une même loi suppose leur égalité, au moins de droit, ou plutôt elle la réalise, et elle seule : c'est la justice même, toujours à faire et à refaire[27], et toujours menacée.

Cela touche à la politique, disais-je : postuler des sujets libres et égaux (libres, donc égaux), c'est le principe de toute démocratie véritable, et le creuset des droits de l'homme. C'est en quoi la théorie du contrat social, bien plus que celle du droit naturel, est essentielle à notre modernité. Ce sont deux fictions sans doute, mais l'une présuppose une réalité, ce qui est toujours vain (s'il existait un droit naturel, nous n'aurions pas besoin de *faire* la justice : il suffirait de la rendre), quand l'autre affirme un principe ou une volonté : ce qui est en jeu, dans l'idée de contrat originel, chez Spinoza ou Locke comme chez Rousseau ou Kant, c'est moins l'existence de fait d'un libre accord entre égaux (un tel contrat, nos auteurs le savent bien, n'a jamais existé), que la postulation de droit d'une liberté égale, pour tous les membres d'un corps poli-

---

25. *81 chapitres...*, VI, 4, p. 1230.
26. *Doctrine du droit*, Introduction à la doctrine du droit, C (p. 104 de la trad. Philonenko, que je modernise quelque peu). Voir aussi *Théorie et pratique*, II, p. 289-290 (p. 30 de la trad. Guillermit, Vrin, 1980) : « Le *droit* est la limitation de la liberté de chacun à la condition de son accord à la liberté de tous, en tant que celle-ci est possible selon une loi universelle. »
27. Voir Alain, *op. cit.*, p. 1228.

tique, par quoi des accords sont possibles et nécessaires, qui conjuguent en effet, c'est où l'on retrouve Aristote, l'*égalité* (puisque toute liberté est postulée égale à toute autre) et la *légalité* (puisque ces accords peuvent avoir, sous telle et telle conditions, force de loi). Kant, plus clairement peut-être que Rousseau, Locke ou Spinoza, a bien montré qu'un tel accord originel n'était qu'hypothétique, mais que cette hypothèse était nécessaire à toute représentation non théologique du droit et de la justice :

> « Voici donc un *contrat originaire*, sur lequel seul peut être fondée parmi les hommes une constitution civile, donc entièrement légitime, et constituée une république. Mais ce contrat (...), il n'est en aucune façon nécessaire de le supposer comme un *fait*, et il n'est même pas possible de le supposer tel (...). C'est au contraire une simple Idée de la raison, mais elle a une réalité (pratique) indubitable, en ce sens qu'elle oblige tout législateur à édicter ses lois comme *pouvant* avoir émané de la volonté collective de tout un peuple, et à considérer tout sujet, en tant qu'il veut être citoyen, comme s'il avait concouru à former par son suffrage une volonté de ce genre. Car telle est la pierre de touche de la légitimité de toute loi publique. Si en effet cette loi est de telle nature qu'il soit *impossible* que tout un peuple *puisse* y donner son assentiment (si par exemple elle décrète qu'une classe déterminée de sujets doit avoir héréditairement le privilège de la noblesse), elle n'est pas juste ; mais s'il est seulement *possible* qu'un peuple y donne son assentiment, c'est alors un devoir de tenir la loi pour juste, à supposer même que le peuple se trouve présentement dans une situation ou dans une disposition de sa façon de penser telles que, si on le consultait là-dessus, il refuserait probablement son assentiment. »[28]

---

28. *Théorie et pratique*, II, Corollaire, p. 38-39 de la trad. Guillermit. Voir aussi *Doctrine du droit*, Remarque générale, A (p. 201 de la trad. Philonenko) et § 52 (p. 223). Kant reste ici fidèle à Rousseau, pour qui l'idée de contrat social ne vise pas à expliquer un fait, mais à fonder une légitimité : *Contrat social*, I, 1 (Pléiade, p. 351-352). Quant à Spinoza, dont la problématique est différente, il va aussi gommer de plus en plus toute référence à un contrat historique originel : voir à ce propos A. Matheron, *Individu et communauté chez Spinoza*, Ed. de Minuit, 1969, p. 307 à 330.

Le contrat social, autrement dit, « est la règle, et non pas l'origine, de la constitution de l'Etat : il n'est pas le principe de sa fondation, mais celui de son administration » ; il n'explique pas un devenir, il éclaire un idéal — en l'occurrence « l'idéal de la législation, du gouvernement et de la justice publique »[29]. Hypothèse purement régulatrice, donc, mais nécessaire : le contrat originaire ne permet pas de connaître l' « origine de l'Etat », ni ce qu'il est, mais « ce qu'il doit être »[30]. L'idée de justice, comme cœxistence des libertés sous une loi au moins possible, ne relève pas de la connaissance mais de la volonté (de la raison simplement pratique, dirait Kant). Elle n'est pas un concept théorique ou explicatif, pour une société donnée, mais un guide pour le jugement et un idéal pour l'action.

Rawls ne dira guère autre chose. S'il faut imaginer les hommes dans une « position originelle » où chacun ignorerait la place qui lui est réservée dans la société (c'est ce que Rawls appelle le « voile d'ignorance »), c'est pour se donner les moyens de penser la justice comme équité (et non comme simple légalité ou utilité), ce qui n'est possible qu'à condition de mettre entre parenthèses les différences individuelles et l'attachement de chacun, même justifié, à ses intérêts égoïstes ou contingents[31]. Position purement hypothétique, là encore, et même fictive, mais opératoire en ceci qu'elle permet de libérer, au moins partiellement, l'exigence de justice des intérêts trop particuliers qui nous y portent et avec lesquels, presque invinciblement, nous sommes tentés de la confondre. La position originelle, dirais-je volontiers, est comme le ras-

29. Kant, Réfl., Ak. XVIII, n° 7416, p. 368, et n° 7734, p. 503, cité par Guillermit dans la note 59 de son édition de *Théorie et pratique* (p. 86-87).
30. *Ibid.*
31. Voir *Théorie de la justice*, spécialement les sections 3-4 et 20-30. L'analyse de Rawls se veut expressément d'inspiration kantienne : voir par ex. sa préface, p. 20 de la trad. franç., et, sur son interprétation (parfois discutable mais toujours suggestive) de Kant, la section 40.

semblement supposé d'*égaux sans ego* (puisque chacun y est censé ignorer, non seulement « sa position de classe ou son statut social », mais même son intelligence, sa force ou « les traits particuliers de sa psychologie »[32]), et c'est par quoi elle est éclairante. Le moi est injuste, toujours[33], et l'on ne peut penser la justice, pour cette raison, qu'en mettant le moi hors jeu ou hors d'état, en tout cas, de gouverner le jugement. C'est à quoi aboutit la position originelle, dans laquelle nul n'a jamais vécu, ni ne peut vivre, mais dans laquelle on peut essayer de s'installer, au moins provisoirement et fictivement, pour penser et juger. Un tel modèle revient à court-circuiter l'égoïsme (dans la position originelle, « personne ne connaît sa propre situation dans la société ni ses atouts naturels, c'est pourquoi personne n'a la possibilité d'élaborer des principes pour son propre avantage »[34]), sans pour autant postuler un improbable altruisme (puisque chacun y refuse de sacrifier ses intérêts, même indéterminés, à ceux d'autrui)[35]. Cela en dit long sur ce qu'est la justice : ni égoïsme ni altruisme, mais la pure équivalence des droits attestée ou manifestée par l'interchangeabilité des individus. Il s'agit que chacun compte pour un, comme on dit, mais cela n'est possible — puisque tous les individus réels sont différents et attachés à leurs intérêts propres, qui les opposent — qu'à la condition que chacun puisse se mettre à la place de tout autre, et c'est à quoi aboutit en effet le *voile d'ignorance* qui doit, selon Rawls, caractériser la position originelle : chacun, ignorant qui il sera, ne peut chercher son intérêt que dans l'intérêt de tous et de chacun, et c'est cet intérêt indifférencié (cet intérêt à la fois mutuellement et, par l'artifice du voile d'ignorance, indivi-

---

32. Rawls, *Théorie de la justice*, section 24, p. 168-169 de la trad. franç.
33. Comme Pascal l'avait vu : *Pensées*, 597-455 et 978-100.
34. *Théorie de la justice*, section 24, p. 171.
35. C'est ce que Rawls appelle le désintérêt mutuel (*mutual desinterestedness* : voir *Théorie de la justice*, sections 3, p. 40, et 22, p. 162), et qui suffit à distinguer fort clairement la justice de la charité.

duellement désintéressé!) qu'on peut appeler la justice ou qui permet, en tout cas, de s'en approcher. Il faudrait d'ailleurs se demander si, déjà chez Rousseau, l'aliénation totale de chacun (dans le contrat originel) et la double universalité de la loi (dans la République) n'aboutissaient pas, au moins tendanciellement, à un résultat comparable[36]. Mais cela nous entraînerait trop loin — dans la pensée politique, proprement —, quand il s'agit plutôt de revenir à la morale, c'est-à-dire à la justice, non comme exigence sociale, mais comme vertu.

Les deux sont évidemment liées : l'ego est ce lien, quand on le dénoue. Etre juste, au sens moral du terme, c'est refuser de se mettre au-dessus des lois (par quoi la justice, même comme vertu, reste liée à la légalité) et des autres (par quoi elle reste liée à l'égalité). Qu'est-ce à dire, sinon que la justice est cette vertu par laquelle chacun tend à surmonter la tentation inverse, qui consiste à se mettre plus haut que tout et à tout sacrifier, en conséquence, à ses désirs ou à ses intérêts? Le moi est « injuste en soi, écrit Pascal, en ce qu'il se fait centre de tout »; et « incommode aux autres, en ce qu'il les veut asservir, car chaque moi est l'ennemi et voudrait être le tyran de tous les autres »[37]. La justice est le contraire de cette tyrannie, le contraire donc (mais c'est le cas peut-être de toute vertu) de l'égoïsme et de l'égocentrisme, ou, disons, le refus de s'y abandonner. Aussi est-elle au plus près de l'altruisme ou — c'est le seul altruisme en vérité — de l'amour. Mais au plus près seulement : aimer est trop difficile, surtout s'agissant de notre prochain (nous ne savons guère aimer, et encore, que nos proches), surtout s'agissant des hommes tels qu'ils sont ou

---

36. Voir le *Contrat social*, I, 6 (sur le contrat originel) et II, 6 (sur la généralité de la loi).
37. *Pensées*, 597-455.

tels qu'ils paraissent (Dostoïevski, plus cruel que Lévinas, remarque que beaucoup seraient plus faciles à aimer s'ils n'avaient pas de visage...)[38], aimer est trop exigeant, aimer est trop dangereux, aimer, en un mot, est trop nous demander ! Face à la démesure de la charité, pour laquelle l'autre est tout, face à la démesure de l'égoïsme, pour lequel le moi est tout, la justice se tient dans la mesure que symbolise sa balance, autrement dit dans l'équilibre ou la proportion : à chacun sa part, ni trop ni trop peu, comme dit Aristote[39], et à moi-même — par quoi la justice, malgré sa mesure, ou à cause d'elle, reste pour chacun un horizon presque inaccessible — *comme si j'étais n'importe qui.*

Ce que je suis pourtant, c'est la vérité de la justice, et que les autres, justes ou injustes, se chargeront de me rappeler...

« La justice, lit-on chez Spinoza, est une disposition constante de l'âme à attribuer à chacun ce qui d'après le droit civil lui revient. »[40] Celui-là est appelé juste, autrement dit, « qui a une volonté constante d'attribuer à chacun le sien »[41]. C'est la définition traditionnelle, telle qu'on la trouvait déjà chez Simonide ou saint Augustin[42]. Mais

38. *Les frères Karamazov*, II, V, 4 (« La révolte »), p. 332-333 de la trad. Mongault (rééd. folio, t. 1, 1990).

39. *Ethique à Nicomaque*, V, 7, 1131 *b* 16-20 (p. 231), et 10, 1134 *a-b* (p. 249).

40. *Traité théologico-politique*, chap. 16 (p. 269 de la trad. Appuhn, rééd. G.-F., 1965).

41. *Traité politique*, chap. 2, § 23 (p. 24 de la trad. Appuhn, rééd. G.-F., 1966).

42. Voir à ce propos l'article « Justice » dans l'*Encyclopédie philosophique universelle*, II, *Les notions philosophiques*, PUF, 1990, t. 1, p. 1406-1407. Voir aussi saint Thomas, *Somme théologique*, II a II ae, quest. 58, art. 1 (p. 383-384 du t. 3 de l'éd. du Cerf, Paris, 1985). Saint Thomas part de « la définition des juristes : "La justice est une volonté perpétuelle et constante d'accorder à chacun son droit" », définition qui « est exacte, dit-il, si elle est bien comprise ». Il montrera plus bas, s'appuyant sur saint Ambroise, que « la justice est la vertu qui rend à chacun son dû » (*ibid.*, art. 11, p. 392-393).

qu'est-ce qui est mien ? Rien selon la nature, ce pourquoi la justice suppose une vie sociale politiquement et juridiquement organisée : « Il n'y a rien dans la nature qui puisse être dit la chose de l'un ou de l'autre, mais tout appartient à tous ; par suite, dans l'état naturel, on ne peut concevoir de volonté d'attribuer à chacun le sien, ou d'enlever à quelqu'un ce qui est à lui ; c'est-à-dire que dans l'état naturel il n'y a rien qui puisse être dit *juste* ou *injuste*. »[43] Pour Spinoza comme pour Hobbes, le juste et l'injuste sont des « notions extrinsèques »[44], qui ne décrivent que « des qualités relatives à l'homme en société, non à l'homme solitaire »[45]. Cela n'empêche pas, certes, que la justice soit aussi une vertu[46], mais cette vertu n'est elle-même possible que là où droit et propriété sont établis. Et comment, sinon par le consentement, libre ou contraint, des individus ? La justice n'existe qu'autant que les hommes la veulent, d'un commun accord, et la font. Pas de justice, donc, à l'état de nature, ni de justice naturelle. Toute justice est humaine, toute justice est historique : pas de justice (au sens juridique du terme) sans lois, ni (au sens moral) sans culture — pas de justice sans société.

Mais peut-on concevoir, inversement, une société sans justice ? Hobbes ou Spinoza répondraient que non, et je les suivrais volontiers. Quelle société sans lois et sans un minimum d'égalité ou de proportion ? Même les brigands, on l'a remarqué souvent, ne peuvent former une communauté, fût-elle de malfaiteurs, qu'à la condition de respecter entre eux une certaine justice, au moins, c'est le cas de le dire, distribu-

---

43. *Ethique*, IV, scolie 2 de la prop. 37 ; voir aussi *Traité politique*, II, 23.
44. *Ibid.*
45. Hobbes, *Léviathan*, I, chap. 13, p. 126 de la trad. Tricaud (Sirey, 1971).
46. « Les hommes qui sont gouvernés par la raison, c'est-à-dire ceux qui cherchent ce qui leur est utile sous la conduite de la raison, n'appètent rien pour eux-mêmes qu'ils ne désirent aussi pour les autres hommes, et sont ainsi justes, de bonne foi et honnêtes » (*Ethique*, IV, scolie de la prop. 18).

tive[47]. Comment en irait-il autrement à l'échelle de toute une société ? On trouve pourtant chez Hume une réponse différente, qui donne à penser. Elle s'appuie sur cinq hypothèses, d'inégale valeur, me semble-t-il, mais toutes suggestives et qui méritent examen.

Bien sûr, Hume ne conteste en rien l'utilité, et même la nécessité, de la justice pour toute société réelle. C'est même le fond de la théorie — utilitariste avant la lettre — qu'il en donne : « La nécessité de la justice pour le maintien de la société est l'unique fondement de cette vertu », écrit-il[48], et si l'on peut discuter de cette unicité, on l'a vu et l'on y reviendra, il n'est guère possible de contester cette nécessité. Laquelle de nos sociétés pourrait survivre sans lois, aussi bien juridiques que morales ? Oui, s'agissant de toute société humaine effective. Mais ces sociétés sont si complexes : comment savoir si cette nécessité de la justice est bien, comme le pense Hume, son *unique* fondement ? En essayant, répond Hume, de concevoir des sociétés au moins possibles où cette nécessité n'existerait pas : si la justice y subsiste, au moins comme exigence, c'est que la nécessité ne suffit pas à l'expliquer ; si elle y disparaît, c'est un argument très fort pour conclure que la seule nécessité suffit, dans une société donnée, à expliquer son apparition et à

---

47. On distingue traditionnellement, depuis Aristote, la justice *distributive* et la justice *commutative* (du latin *commutatio*, échange ; Aristote disait « corrective » ou « synallagmatique »). La justice distributive est celle qui répartit richesses ou honneurs entre les membres d'une communauté : elle n'est pas soumise à l'égalité mais à la proportion (il peut être légitime que tel individu ait plus que tel autre, par exemple s'il contribue davantage au bien commun). La justice commutative, au contraire, est celle qui régit les échanges : elle doit respecter l'égalité entre les choses échangées, quelles que soient par ailleurs les différences des individus (voir Aristote, *Éthique à Nicomaque*, V, 5-7, 1130 *b* - 1132 *b*). On retrouve la même idée chez saint Thomas : la justice commutative a pour objet « les échanges mutuels entre deux personnes », explique-t-il, alors que la justice distributive est « appelée à répartir proportionnellement le bien commun de la société » (*Somme théologique*, II a II ae, quest. 61, p. 405).

48. *Enquête sur les principes de la morale*, section III, 2, p. 108-109 de la trad. Baranger-Saltel (G.-F., 1991).

fonder sa valeur. C'est dans cet esprit que Hume, comme je l'annonçais, avance cinq suppositions successives, qui vont toutes supprimer la *nécessité* de la justice et par là-même, entend-il montrer, sa *validité*. Si ces hypothèses étaient recevables et l'inférence justifiée, il faudrait en conclure que l'utilité ou la nécessité publiques sont bien, en effet, « la scule origine de la justice » et « le seul fondement de son mérite »[49].

Ces cinq hypothèses, pour résumer, sont les suivantes : une abondance absolue, un amour universel, une misère ou une violence extrêmes et généralisées (comme à la guerre ou dans l'état de nature de Hobbes), la confrontation à des êtres doués de raison mais trop faibles pour se défendre, enfin une séparation totale des individus, entraînant pour chacun d'entre eux une solitude radicale[50]. Dans ces cinq modèles, veut montrer Hume, la justice, cessant d'être nécessaire ou utile, cesserait aussi de valoir. Or, qu'en est-il ?

La cinquième de ces suppositions est sans doute la plus forte. La justice réglant nos rapports à autrui, elle serait, dans la solitude, sans objet, sans pertinence, sans contenu. Que pourrait-elle valoir, et quel sens y aurait-il à considérer comme vertu une disposition qui ne trouverait jamais aucune occasion de s'exercer ? Non qu'il soit impossible d'être juste ou injuste envers soi-même. Mais cela n'est possible sans doute qu'en référence, même implicite, aux autres. Juger c'est toujours peu ou prou comparer, et c'est en quoi toute justice, même réflexive, est sociale. Point de justice sans société, on l'a vu, et cela donne raison à Hume : point de justice dans l'absolue solitude.

On peut admettre aussi, à la rigueur, la portée de la deuxième hypothèse. Si chaque individu était plein d'amitié,

---

49. *Op. cit.*, section III, 1, p. 85 et s. Je suis ici, parce qu'elle est plus ramassée et plus élégante, l'argumentation de l'*Enquête* ; mais les mêmes thèses se retrouvent, pour l'essentiel, dans le *Traité de la nature humaine*, III, 2.

50. *Enquête sur les principes de la morale*, III, 1, p. 85 à 95.

de générosité et de bienveillance pour ses semblables, il n'aurait plus besoin ni de lois ni de respecter vis-à-vis d'eux un devoir d'égalité : l'amour irait au-delà du simple respect des droits, comme on le voit dans les familles unies, et tiendrait lieu de justice. Je dis « à la rigueur », car il faudrait se demander si cet amour *abolirait* la justice, comme le pense Hume, ou bien nous rendrait justes, comme j'incline à le penser, tout en nous entraînant au-delà. Souvenons-nous de la belle formule d'Aristote : « Amis, on n'a que faire de la justice ; justes, on a encore besoin de l'amitié. »[51] Cela ne signifie pas qu'on soit injuste envers ses amis, mais que la justice alors — qui peut le plus peut le moins — va sans dire, incluse qu'elle est, et dépassée, dans les très douces exigences de l'amitié. L'enjeu toutefois n'est pas considérable : il est vrai que l'amour, surtout s'il était universel et sans limites, n'a guère à se préoccuper d'obligations qu'il satisfait en passant, certes, mais sans s'y arrêter et même (puisque rien ne le pousse à les transgresser) sans s'y sentir soumis. Va, donc, pour l'amour et la solitude.

Les trois autres hypothèses sont bien davantage problématiques.

L'abondance, d'abord. Imaginons que tous les biens possibles s'offrent, en quantité infinie, à quiconque les désire : dans une telle situation, explique Hume,

« la prudente et jalouse vertu de justice ne serait jamais venue à l'esprit de quiconque. Dans quel but partager les biens, si chacun a déjà plus qu'à suffisance ? Pourquoi établir la propriété, là où il est impossible qu'elle soit lésée ? Pourquoi déclarer cet objet *mien*, alors que, si quelqu'un venait à s'en saisir, je n'ai qu'à tendre la main pour m'emparer d'un autre objet d'égale valeur ? La justice, dans ce cas, étant totalement inutile, serait un cérémonial vain et ne pourrait jamais trouver place dans le catalogue des vertus. »[52]

51. *Ethique à Nicomaque*, VIII, 1, 1155 *a*, 26-27 (trad. Gauthier-Jolif, 1958, p. 213).
52. *Op. cit.*, III, 1, p. 86.

LA JUSTICE

Est-ce si sûr, pourtant ? Il n'y aurait plus lieu d'interdire le vol, sans doute, ni donc de garantir la propriété. Mais est-elle, comme Hume semble le penser[53], l'unique objet de la justice ? Est-ce là le seul des droits de l'homme qui puisse être menacé, le seul qui doive être défendu ? Dans une société d'abondance, tel l'âge d'or des poètes ou le communisme de Marx, il serait toujours possible de calomnier son prochain ou de condamner un innocent (le vol serait sans objet peut-être, mais l'assassinat ?), et cela serait tout aussi injuste que dans nos sociétés de pénurie ou (comme dit Rawls, ici d'accord avec Hume) de « rareté relative des ressources »[54]. Si la justice, comme on s'accorde à le penser, est la vertu qui respecte l'égalité des droits et qui accorde à chacun ce qui lui est dû, comment croire qu'elle puisse ne concerner que des propriétés... ou des propriétaires ? Posséder, est-ce là mon seul droit ? Propriétaire, est-ce là ma seule dignité ? Et serons-nous quittes avec la justice, pour la simple raison que nous n'avons jamais volé ?

Je ferais la même remarque, ou une remarque du même genre, à propos de l'extrême misère ou de la généralisation de la violence. « Supposons, écrit Hume, qu'une société en vienne à ne plus pouvoir satisfaire toutes les nécessités ordinaires, au point que la frugalité et l'industrie les plus grandes ne puissent empêcher le plus grand nombre de périr, et l'ensemble de tomber dans une misère complète : on admettra, je crois, aisément que, dans une urgence si pressante, les strictes lois de la justice sont suspendues et font place aux motifs, plus impérieux, de la nécessité et de la préservation de soi. »[55] C'est pourtant ce que l'expérience des camps nazis ou staliniens réfute, me semble-t-il. Tzvetan Todorov, s'appuyant

53. Voir, *ibid*, III, 2, p. 106 (« la propriété, qui est l'objet de la justice... »).
54. *Théorie de la justice*, section 22, p. 160 et 161.
55. *Op. cit.*, III, 1, p. 88. Là encore, Rawls semble d'accord avec Hume : *Théorie de la justice*, section 22, p. 160-161.

sur les témoignages des survivants, a bien montré que, « même au cœur des camps, dans cet extrême de l'extrême, le choix entre le bien et le mal restait possible », et que la « rareté des Justes » ne saurait — sauf à faire le jeu de leurs bourreaux — autoriser qu'on les oublie[56]. Dans les camps comme ailleurs, les différences individuelles étaient aussi des différences éthiques[57]. Certains volaient la ration de leurs codétenus, dénonçaient les fortes têtes aux gardiens, opprimaient les plus faibles, courtisaient les plus forts... Injustice. D'autres organisaient la résistance et la solidarité, partageaient les ressources communes, protégeaient les plus faibles, bref essayaient de rétablir, dans l'horreur généralisée, comme un semblant pourtant de droit ou d'équité... Justice. Qu'elle ait dû changer de formes, on s'en doute, mais sans disparaître pour autant, ni comme exigence, ni comme valeur, ni comme possibilité : dans les camps aussi, il y avait des justes et des salauds, ou plutôt il était possible (méfions-nous des globalisations outrancières et simplificatrices) d'être *plus ou moins juste*, et certains l'ont été, aux dépens souvent de leur vie, héroïquement. Sacha Petcherski, Milena Jesenska, Etty Hillesum, Rudi Massarek, Maxymilien Kolbe, Else Krug, Mala Zimetbaum, Hiasl Neumeier... Faut-il faire comme s'ils n'avaient pas existé ? Et combien d'autres, pour être moins héroïques, ont-ils été malgré tout plus justes qu'ils n'auraient pu l'être, voire même qu'ils n'auraient eu — s'il ne s'était agi que de leur propre survie — intérêt à l'être ? A trop répéter

---

56. T. Todorov, *Face à l'extrême*, Seuil, 1991 (p. 218 et 330 pour les expressions citées).

57. Voir par exemple le beau livre où Robert Antelme tire les leçons de son expérience de déporté (*L'espèce humaine*, Gallimard, 1957, rééd. 1990, spécialement p. 93 : C'est dans les camps, écrit-il, « qu'on aura connu les estimes les plus entières et les mépris les plus définitifs, l'amour de l'homme et l'horreur de lui dans une certitude plus totale que jamais ailleurs. Les SS qui nous confondent ne peuvent pas nous amener à nous confondre. Ils ne peuvent pas nous empêcher de choisir. (...) L'homme des camps n'est pas l'abolition de ces différences. Il est au contraire leur réalisation effective. »

que, dans les camps, toute morale avait disparu, on donne raison à ceux qui voulaient en effet la faire disparaître, et l'on oublie ceux qui ont résisté — à leur niveau, avec leurs moyens — à cette annihilation. Combat de tous les jours, de tous les instants, contre les gardiens, contre les autres détenus, et contre soi. Combien de héros inconnus ? Combien de justes oubliés ? Qui par exemple, sans le témoignage de Robert Antelme, se souviendrait de Jacques, l'étudiant en médecine ?

> « Si on allait trouver un SS et qu'on lui montre Jacques, on pourrait lui dire : "Regardez-le, vous en avez fait cet homme pourri, jaunâtre, ce qui doit ressembler le mieux à ce que vous pensez qu'il est par nature : le déchet, le rebut, vous avez réussi. Eh bien, on va vous dire ceci, qui devrait vous étendre raide si 'l'erreur' pouvait tuer : vous lui avez permis de se faire l'homme le plus achevé, le plus sûr de ses pouvoirs, des ressources de sa conscience et de la portée de ses actes, le plus fort. (...) Avec Jacques, vous n'avez jamais gagné. Vous vouliez qu'il vole, il n'a pas volé. Vous vouliez qu'il lèche le cul aux kapos pour bouffer, il ne l'a pas fait. Vous vouliez qu'il rît pour se faire bien voir quand un meister foutait des coups à un copain, il n'a pas ri." »[58]

Jacques, disait un peu plus haut Robert Antelme, est « ce que dans la religion on appelle un saint »[59]. Et que partout, on appelle un juste.

Pourquoi en irait-il autrement à la guerre ? Qu'elle bouleverse les conditions d'exercice de la justice et rende sa pratique infiniment plus difficile et plus hasardeuse, c'est une évidence : il n'y a pas de guerre juste, si l'on entend par là une guerre qui respecterait comme si de rien n'était les lois et droits ordinaires de l'humanité. Cela n'empêche pas pour-

---

58. *L'espèce humaine*, p. 94. Voir aussi le témoignage de Primo Levi sur son ami Alberto : *Si c'est un homme*, trad. franç., Julliard, rééd. Presses Pocket, 1988, p. 61 et *passim*.

59. *Ibid.*, p. 93.

tant que tel soldat ou officier puisse être, dans une situation donnée, plus juste qu'un autre, ou moins injuste, ce qui suffit à prouver que l'exigence de justice ni sa valeur ne sont, par la guerre, purement et simplement abolies. Hume le reconnaît d'ailleurs, dans un autre passage, laissant entendre que c'est parce que les guerres laissent subsister, même entre ennemis, un intérêt commun ou une utilité partagée[60]. Mais cela ne saurait épuiser l'exigence de justice, puisque celle-ci peut aller à l'encontre de ces intérêts ou de cette utilité ! Rien n'empêche de considérer, par exemple et ne serait-ce qu'à titre d'hypothèse, que la torture ou l'exécution des prisonniers puissent être, dans une guerre, mutuellement avantageuses (chaque armée pourrait y trouver son compte) ; cela suffirait-il à faire que ce soit juste ? Que l'utilité commune renforce l'exigence de justice et soit souvent la motivation la plus forte qui nous pousse à la respecter, on ne peut guère le contester. Mais si elle était le tout de la justice, il n'y aurait plus ni justice ni injustice. Il n'y aurait plus que l'utile et le nuisible, l'intérêt et le calcul : l'intelligence suffirait à la justice, ou plutôt en tiendrait lieu. Mais ce n'est pas le cas, et c'est ce que les justes, même face au pire, nous rappellent.

Quant à la quatrième et dernière hypothèse de Hume, elle fait froid dans le dos, et l'on souffre de voir un si grand génie, et si attachant, écrire ce qu'il écrit :

> « S'il existait une espèce de créatures, vivant parmi les hommes, douées de raison, mais dotées d'une force tellement inférieure, tant physique que mentale, qu'elles seraient incapables de toute résistance, et ne pourraient jamais, même devant la plus flagrante provocation, nous faire sentir les effets de leur ressentiment, je pense que nous serions nécessairement tenus,

---

60. *Op. cit.*, section IV, p. 117 : « Nous pouvons constater qu'il est même impossible aux hommes de s'entretuer sans statuts ni maximes, ni sans une idée de la justice et de l'honneur. La guerre a ses lois, comme la paix (...). L'intérêt commun et l'utilité engendrent infailliblement une norme du bien et du mal entre les parties concernées. »

par les lois de l'humanité, de traiter ces créatures avec douceur ; mais, à proprement parler, nous ne serions obligés par aucun devoir de justice à leur égard, et elles ne pourraient avoir ni droit ni propriété à opposer à de tels maîtres arbitraires. Nos relations avec elles ne pourraient pas être appelées "société", car ce nom suppose un certain degré d'égalité, mais "pouvoir absolu" d'un côté, et "obéissance servile" de l'autre. Tout ce que nous convoitons, elles doivent aussitôt y renoncer ; notre permission est le seul bail par lequel elles tiennent leurs possessions ; notre compassion et notre gentillesse sont les seuls freins qui leur permettent d'infléchir notre vouloir arbitraire. Et, puisque nul inconvénient ne résulte jamais de l'exercice d'un pouvoir si fermement établi par la nature, les contraintes de la justice et de la propriété, étant totalement *inutiles*, n'auraient jamais de place dans une association aussi inégale. »[61]

J'ai voulu citer ce paragraphe en entier, pour ne pas risquer de le trahir. On voit que les qualités personnelles de Hume, et spécialement son humanité, ne sont pas en cause. Mais c'est sur le fond, et philosophiquement, qu'une telle pensée paraît irrecevable. Que la douceur et la compassion soient dues aux faibles, j'en suis évidemment d'accord ; elles figurent d'ailleurs à leur place dans ce traité. Mais comment accepter qu'elles tiennent lieu de justice ou en dispensent ? Pas de justice, écrit Hume, pas même de société, sans « un certain degré d'égalité ». Fort bien, mais à condition d'ajouter que l'égalité en question n'est pas une égalité de fait ou de puissance, mais une égalité *de droits* ! Or, pour avoir des droits, la conscience et la raison suffisent, même virtuelles et même sans aucune force pour se défendre ou attaquer. Les enfants autrement n'auraient pas de droits, ni les infirmes, et finalement (aucun individu n'étant toujours assez fort pour se défendre efficacement) personne n'en aurait.

Imaginons un instant ces individus raisonnables et sans défenses qu'évoque Hume : aurais-je par exemple le *droit*

---

61. *Op. cit.*, section III, 1, p. 93 (c'est Hume qui souligne).

(puisque douceur et compassion sont d'un autre ordre) de les exploiter ou voler à ma guise ? « Telle est manifestement la situation des hommes à l'égard des animaux », écrit Hume[62]. Mais précisément non, puisque les animaux ne sont pas, au sens usuel du terme, « doués de raison »[63] ! Hume le sent bien, qui prend pour cela deux autres exemples, et quels exemples ! « La grande supériorité des Européens civilisés sur les Indiens barbares, écrit-il, nous a invités à nous imaginer dans une telle relation avec eux, et nous a fait rejeter toute obligation de justice, et même d'humanité, dans la manière dont nous les traitons. »[64] Soit, mais était-ce juste ? Leur faiblesse, face aux Européens, était pourtant incontestable, et la justice vis-à-vis d'eux cessait bien, les événements l'ont montré, d'être socialement nécessaire. Cela signifie-t-il qu'aucune justice ne leur était due ? Peut-on admettre que douceur et compassion épuisaient le tout de ce que nous leur devions, ou plutôt (puisqu'ils sont supposés, du fait de leur faiblesse, n'avoir eu aucun droit) de ce que nous ne leur *devions* pas ? On ne peut guère l'accepter, me semble-t-il, sans renoncer à l'idée même de justice.

C'est ce que Montaigne, si proche de Hume sur tant d'autres points, avait su percevoir. La faiblesse des Indiens d'Amérique, loin de nous en exempter, devait les recommander à notre justice (et pas seulement à notre compassion !), et nous sommes coupables, bien lourdement coupables, d'avoir outrepassé nos droits en violant les leurs[65]. La justice, « qui

62. *Ibid.*, p. 93.

63. Ce qui ne veut d'ailleurs pas dire qu'ils n'aient aucun droit : voir à ce propos mon article « Sur les droits des animaux », à paraître dans *Esprit*.

64. *Ibid.*, p. 94.

65. *Essais*, III, 6 (« Des coches »), et *passim*. Remarquons que, chez Montaigne comme chez Pascal (voir les *Pensées* 729-931 et 905-385), la détermination des valeurs est surtout négative. Nous ne savons guère ce que pourrait être une justice idéale ou parfaite, mais reconnaissons clairement l'injustice quand elle est là : « Encore qu'on ne puisse assigner le juste, écrira Pascal, on voit bien ce qui ne l'est pas » (729-931).

distribue à chacun ce qui lui appartient », comme dit Montaigne[66], ne saurait autoriser massacres et pillages. Et si elle fut évidemment « engendrée pour la société et communauté des hommes[67] », rien n'autorise à penser qu'elle ne soit fondée que sur leur propre et exclusive utilité. C'est une hypothèse qu'on ne trouve pas chez Montaigne, mais tout porte à croire qu'il l'aurait acceptée : imaginons une nouvelle Amérique, que nous découvririons sur une autre planète, habitée d'êtres raisonnables, mais doux et sans défenses ; serions-nous prêts à rejouer les conquistadors, à massacrer à nouveau, à piller à nouveau ? Cela se pourrait, si l'intérêt et l'utilité nous y poussaient assez fort. Mais que cela puisse être juste, non.

Le second exemple que prend Hume, d'apparence plus badine, n'est pas moins discutable : « Dans maintes nations, continue-t-il, le sexe féminin est réduit à un esclavage analogue, et on le met dans l'incapacité, face à ses seigneurs et maîtres, de posséder quoi que ce soit. Mais, bien que les hommes, lorsqu'ils sont unis, aient dans tous les pays assez de force physique pour imposer cette sévère tyrannie, cependant la persuasion, l'adresse et les charmes de leurs belles compagnes sont telles que les femmes sont généralement capables de briser cette union, et de partager avec l'autre sexe tous les droits et privilèges de la vie en société[68]. » Je ne conteste la réalité ni de cet esclavage, ni de cette adresse, ni de ces charmes. Mais cet esclavage était-il juste ? Et le serait-il, dans un pays où la loi ne l'interdit pas, voire le prescrit, concernant une femme totalement dépourvue de persuasion, d'adresse ou de charmes ? On ne peut guère le penser, ni que douceur et compassion soient, à l'égard d'une femme laide et maladroite, les seules limites que nous devions — si la législation n'en impose pas de positives — respecter !

---

66. *Essais*, II, 12, p. 499 de l'éd. Villey-Saulnier, rééd. PUF, 1978.
67. *Ibid.*
68. *Op. cit.*, p. 94.

On trouve chez Lucrèce (pourtant lui aussi, comme Epicure, plutôt utilitariste en matière de justice) une idée rigoureusement inverse : la faiblesse des femmes et des enfants, dans les temps préhistoriques, loin de les exclure de la justice, est ce qui la rend nécessaire (mais *moralement* nécessaire) et désirable :

> « Quand ils surent se servir des huttes, de peaux de bêtes et du feu, quand la femme, par les liens du mariage, devint la propriété d'un seul époux, et qu'ils virent croître la descendance née de leur sang, c'est alors que le genre humain commença à perdre peu à peu de sa rudesse. (...) Vénus enleva de leur vigueur ; et les enfants par leurs caresses n'eurent pas de peine à fléchir le naturel farouche de leurs parents. Alors aussi l'amitié commença à nouer ses liens entre voisins, désireux de s'épargner toute violence mutuelle : ils se recommandèrent et les enfants et les femmes, faisant entendre confusément de la voix et du geste qu'il était juste *[aecum]* que tous eussent pitié des faibles. »[69]

La douceur et la compassion ne tiennent pas lieu de justice, ni n'en marquent la fin : elles sont bien plutôt son origine, et c'est par quoi la justice, qui vaut d'abord à l'égard des plus faibles, ne saurait en aucun cas les exclure de son champ ni nous dispenser, vis-à-vis d'eux, du devoir de la respecter. Que la justice soit socialement utile, et même socialement indispensable, c'est une évidence ; mais cette utilité ou cette nécessité sociales ne sauraient limiter tout à fait sa portée. Une justice qui ne vaudrait que pour les forts serait injuste, et cela dit l'essentiel de la justice comme vertu : elle est le respect de l'égalité des droits, non des forces, et des individus, non des puissances.

69. *De rerum natura*, V, 1011-1023 (trad. Ernout). Il se peut que Lucrèce, par l'importance qu'il attache, dans l'émergence de la justice, à la protection des faibles et à la vie affective, se distingue de l'utilitarisme plus strict d'Epicure. Voir à ce propos le commentaire de Léon Robin, *Commentaire du De rerum natura* (en collaboration avec A. Ernout), Les Belles Lettres, 1962, t. 3, p. 138-140.

Pascal, davantage que Hume, est cynique souvent. Mais lui ne transige pas sur l'essentiel : « La justice sans la force est impuissante ; la force sans la justice est tyrannique. »[70]. Ce ne sont pas les plus justes qui l'emportent ; ce sont les plus forts, toujours. Mais cela, qui interdit de rêver, n'interdit pas de se battre. Pour la justice ? Pourquoi non, si nous l'aimons ? L'impuissance est fatale ; la tyrannie est odieuse. Il faut donc « mettre ensemble la justice et la force »[71] : c'est à quoi sert la politique, et qui la rend nécessaire.

Le souhaitable, disais-je, est évidemment que lois et justice aillent dans le même sens. Lourde responsabilité, pour le souverain, et spécialement, dans nos démocraties, pour le pouvoir législatif! On ne saurait pourtant se défausser sur les parlementaires : tout pouvoir est à prendre, ou à défendre, et nul n'obéit innocemment. Mais ce serait se méprendre aussi que de rêver d'une législation absolument juste, qu'il suffirait d'appliquer. Aristote avait déjà montré que la justice ne saurait être tout entière contenue dans les dispositions nécessairement générales d'une législation. C'est pourquoi, en son sommet, elle est équité : parce que l'égalité qu'elle vise ou instaure est une égalité de droit, malgré les inégalités de fait et même, souvent, malgré celles qui naîtraient d'une trop mécanique ou trop intransigeante application de la loi. « L'équitable, explique Aristote, tout en étant juste, n'est pas le juste selon la loi, mais un correctif de la justice légale », lequel permet d'adapter la généralité de la loi à la complexité changeante des circonstances et à l'irréductible singularité des situations concrètes[72]. Si bien que l'homme équitable est juste, et même éminemment, mais au sens où la justice, bien

70. *Pensées*, 103-298. Sur ce que j'entends par cynisme, au sens philosophique du terme, voir mon ouvrage *Valeur et vérité (Etudes cyniques)*, PUF, 1994. Sur la pensée politique de Pascal, voir ma préface à ses *Pensées sur la politique* (Rivages-Poche, 1992).

71. *Ibid.*

72. Voir Aristote, *Ethique à Nicomaque*, V, 14, 1137 *a* 31 - 1138 *a* 3.

davantage que la simple conformité à une loi, est une valeur et une exigence. « L'équitable, disait aussi Aristote, c'est le juste, pris indépendamment de la loi écrite. »[73] A l'homme équitable, la légalité importe moins que l'égalité, ou du moins il sait corriger les rigueurs et les abstractions de celle-là par les exigences autrement plus souples et complexes (puisqu'il s'agit, répétons-le, d'égalité entre individus qui sont tous différents) de celle-ci. Cela peut l'amener fort loin, et aux dépens même de ses intérêts : « Celui qui a tendance à choisir et à accomplir les actions équitables et ne s'en tient pas rigoureusement à ses droits dans le sens du pire, mais qui a tendance à prendre moins que son dû, bien qu'il ait la loi de son côté, celui-là est un homme équitable, et cette disposition est l'équité, qui est une forme spéciale de justice et non pas une disposition entièrement distincte. »[74] Disons que c'est justice appliquée, justice vivante, justice concrète — justice véritable.

Elle ne va pas sans miséricorde (« l'équité, disait Aristote, c'est de pardonner au genre humain »[75]), non qu'on renonce toujours à punir, mais en ceci qu'il faut, pour que le jugement soit équitable, avoir surmonté la haine et la colère.

L'équité ne va pas non plus sans intelligence, ni sans prudence, ni sans courage, ni sans fidélité, ni sans générosité, ni sans tolérance... C'est où elle rejoint la justice, non plus comme vertu particulière, telle que nous l'avons ici considérée, mais comme vertu générale et complète[76], celle qui

---

73. *Rhétorique*, I, 13 (trad. Ruelle-Vanhemelryck, Le Livre de poche, 1991, p. 165).

74. *Ethique à Nicomaque*, V, 14, 1137 *b* 34 - 1138 *a* 3 (p. 268 de la trad. Tricot).

75. Cité et traduit par Jankélévitch, *Traité des vertus*, II, 2, rééd. 1986, p. 79. Jankélévitch, en note, renvoie à la *Grande Morale*, II, 2, mais je ne trouve pas cette idée dans mon édition (trad. C. Dalimier, Arléa, 1992) ; j'en trouve en revanche une formulation voisine dans la *Rhétorique*, I, 13, 17, 1347 *b* (trad. Ruelle-Vanhemelryck, p. 166) : « Une chose équitable, c'est encore d'excuser les actions humaines. »

76. Voir Aristote, *Ethique à Nicomaque*, V, 2-5, 1129 *a* - 131 *a*.

contient ou suppose toutes les autres[77], celle dont Aristote disait si joliment qu'on la considère « comme la plus parfaite des vertus, et (que) *ni l'étoile du soir, ni l'étoile du matin* ne sont ainsi admirables »[78].

Qu'est-ce qu'un juste ? C'est quelqu'un qui met sa force au service du droit, et des droits, et qui, décrétant en lui l'égalité de tout homme avec tout autre, malgré les inégalités de fait ou de talents, qui sont innombrables, instaure un ordre qui n'existe pas mais sans lequel aucun ordre jamais ne saurait nous satisfaire. Le monde résiste, et l'homme. Il faut donc leur résister — et résister d'abord à l'injustice que chacun porte en soi, qui est soi. C'est pourquoi le combat pour la justice n'aura pas de fin. Ce Royaume-là au moins nous est interdit, ou plutôt nous n'y sommes déjà qu'autant que nous nous efforçons d'y atteindre : heureux les affamés de justice, qui ne seront jamais rassasiés !

---

77. *Ibid.*, spécialement V, 3, 1129 *b* 11 - 1130 *a* 13.
78. *Ibid.*, V, 3, 1129 *b* 27-29 (trad. Tricot, p. 219) ; le texte en italique est une citation d'Euripide.

7

La générosité

La générosité est la vertu du don. Il ne s'agit plus « d'attribuer à chacun le sien », comme disait Spinoza à propos de la justice[1], mais de lui offrir ce qui n'est pas sien, ce qui est vôtre, et qui lui manque. Que la justice puisse aussi y trouver son compte, c'est assurément possible (si l'on donne à quelqu'un ce qui, sans lui appartenir encore, sans lui revenir même selon la loi, lui est dû en quelque façon : par exemple si l'on donne à manger à celui qui a faim), mais ce n'est ni nécessaire ni essentiel à la générosité. De là ce sentiment qu'on peut avoir parfois que la justice est plus importante, plus urgente, plus nécessaire, à côté de quoi la générosité serait comme un luxe ou un supplément d'âme. « Il faut être juste avant d'être généreux, disait Chamfort, comme on a des chemises avant d'avoir des dentelles. »[2] Sans doute. Les deux vertus étant d'un registre différent, il n'est pas sûr pourtant que le problème se pose toujours dans ces termes, ni souvent. Certes, justice et générosité concernent l'une et l'autre nos rapports avec autrui (du moins principalement : on peut en avoir besoin aussi pour soi-même) ; mais la générosité est plus subjective, plus singulière, plus affective, plus spontanée, quand la justice, même appliquée, garde en elle quelque

1. Cf *supra*, chap. 6, p. 98.
2. *Maximes et pensées*, chap. 2, § 160 (G.-F., 1968, p. 82).

114

chose de plus objectif, de plus universel, de plus intellectuel ou de plus réfléchi. La générosité semble devoir davantage au cœur ou au tempérament ; la justice, à l'esprit ou à la raison. Les droits de l'homme, par exemple, peuvent faire l'objet d'une déclaration. La générosité, non : il s'agit d'agir, et non en fonction de tel ou tel texte, de telle ou telle loi, mais au-delà de tout texte, au-delà de toute loi, en tout cas humaine, et conformément aux seules exigences de l'amour, de la morale ou de la solidarité.

Je m'arrête sur ce dernier mot. La solidarité devait d'abord figurer dans ce traité, et il n'est pas inutile peut-être d'indiquer brièvement pourquoi j'y ai renoncé, dès lors qu'il fallait choisir (je ne voulais faire qu'un *petit* traité), et pourquoi surtout la justice et la générosité m'ont paru pouvoir avantageusement la remplacer.

Qu'est-ce que la solidarité ? C'est un état de fait avant d'être un devoir ; puis un état d'âme (que l'on ressent ou non) avant d'être une vertu ou plutôt une valeur. L'état de fait est bien indiqué par l'étymologie : être solidaire, c'est appartenir à un ensemble *in solido*, comme on disait en latin, c'est-à-dire « pour le tout »[3]. Ainsi des débiteurs seront dits solidaires, dans le langage juridique, si chacun peut et doit répondre de la totalité de la somme qu'ils ont collectivement empruntée. Cela n'est pas sans rapport avec la *solidité*, d'où vient le mot : un corps solide, c'est un corps où toutes les parties se tiennent (où les molécules, pourrait-on dire aussi bien, sont davantage *solidaires* que dans les états liquides ou gazeux), de telle sorte que tout ce qui arrive à l'une arrive aussi à l'autre ou se répercute sur elle. Bref, la solidarité est d'abord le fait d'une cohésion, d'une interdépendance, d'une communauté d'intérêts ou de destin. Etre solidaires, en ce sens, c'est appartenir à un même ensemble, et partager en

3. *Dictionnaire historique de la langue française,* sous la dir. d'A. Rey, Dictionnaires Le Robert, 1992, article « Solidaire ».

conséquence — qu'on le veuille ou pas, qu'on le sache ou pas — une même histoire. Solidarité objective, dira-t-on : c'est ce qui distingue le galet des grains de sable, et une société d'une multitude.

Comme état d'âme, la solidarité n'est que le sentiment ou l'affirmation de cette interdépendance. Solidarité subjective : « Ouvriers, étudiants, même combat », disions-nous en 1968, ou bien « Nous sommes tous des Juifs allemands », autrement dit la victoire des uns sera la victoire des autres, ou réciproquement, et ce que l'on fait à tel ou tel d'entre nous, fût-il différent (parce qu'il est juif, parce qu'il est allemand...), on nous le fait à tous. Il va de soi que je n'ai rien contre ces sentiments, qui sont nobles. Mais sont-ce pour autant des vertus ? Ou si vertu il y a, est-ce bien de solidarité qu'il s'agit ? Les patrons ou les CRS, en Mai 1968, n'étaient pas moins solidaires entre eux (et sans doute ils l'étaient davantage) qu'ouvriers et étudiants ne pouvaient l'être, et si cela ne condamne ni les uns ni les autres, cela rend la moralité de l'ensemble quelque peu douteuse ou suspecte. Il est rare que vertu soit si bien partagée... Au reste, si la solidarité est communauté d'intérêts (solidarité objective) et prise de conscience de cette communauté (solidarité subjective), elle ne vaut, moralement, que ce que valent les intérêts, qui ne valent guère. De deux choses l'une, en effet : ou bien cette communauté est réelle, effective, et alors, défendant autrui, je ne fais que me défendre moi-même (ce qui certes n'est en rien blâmable, mais qui relève trop de l'égoïsme pour relever de la morale) ; ou bien cette communauté est illusoire, formelle ou idéale, et alors, si je me bats pour autrui, ce n'est plus de solidarité qu'il s'agit (puisque mon intérêt n'est pas en jeu), mais bien de justice (si autrui est opprimé, lésé, spolié...) ou de générosité (s'il ne l'est pas, mais simplement malheureux ou faible). Bref, la solidarité est trop intéressée ou trop illusoire pour être une vertu. Ce n'est qu'égoïsme bien compris ou générosité méconnue. Cela ne l'empêche pas d'être une valeur, mais qui vaut surtout en tant qu'elle échappe au rétrécissement du moi, à l'égoïsme étroit ou borné, disons au solipsisme éthique. C'est l'absence d'un défaut plutôt qu'une qualité. J'en veux pour preuve que la langue résiste, malgré l'abus qu'en font les politiques, à toute tentative de moraliser ou d'absolutiser la solidarité. Si je dis de quelqu'un : « Il est juste, il est généreux, il est courageux, il est tolérant, il est sincère et doux... », chacun comprend que j'énonce ses vertus, qui en font un homme moralement estimable, voire admirable. Si j'ajoute : « Il est solidaire », chacun, devant cet usage intransitif, reste surpris, et me demandera vraisemblablement : « Solidaire... de qui ? »

L'abus qu'on fait du mot, aujourd'hui, me paraît indiquer surtout l'incapacité où nous sommes, bien souvent, d'utiliser ceux qui conviendraient, qui nous font peur. *Solidarité*, remarquent les lexicographes, est devenu « dans le vocabulaire sociopolitique un substitut prudent à *égalité* »[4], comme, ajouterais-je, à *justice* ou *générosité*. Mais qu'importe cette prudence, qui n'est que timidité et mauvaise foi ? Croit-on, parce qu'on supprimera ces mots, qu'il deviendra plus acceptable de manquer de cela — les vertus — qu'ils désignent ? S'imagine-t-on qu'une communauté d'intérêts puisse en tenir lieu ? Triste époque, qui supprime les grands mots pour ne plus voir sa propre petitesse !

S'agissant d'un traité des vertus, et non d'un dictionnaire des idées reçues, j'ai donc laissé la solidarité à l'univers qui est le sien, celui des intérêts convergents ou opposés, des différents corporatismes, fussent-ils planétaires, des *lobbyings* de toutes sortes, fussent-ils légitimes. Que nous soyons tous solidaires, c'est-à-dire tous interdépendants, je n'en crois rien. En quoi votre mort me fait-elle moins vivant ? En quoi votre pauvreté me fait-elle moins riche ? Non seulement la misère

4. *Ibid.*

du Tiers Monde ne nuit pas à la richesse de l'Occident, mais celle-ci n'est possible, directement ou indirectement, qu'à la condition de celle-là, qu'elle exploite ou entraîne. Et que nous habitions tous, en effet, la même Terre, que nous soyons donc, ce qui n'est pas niable, écologiquement solidaires, n'empêche pas que nous soyons aussi, et davantage, économiquement concurrents. Ne nous racontons pas d'histoires. Ce n'est pas de solidarité que l'Afrique ou l'Amérique du Sud ont besoin : c'est de justice et c'est de générosité ! Quant à penser que ceux qui ont du travail, dans nos pays, seraient solidaires de ceux qui n'en ont pas, il suffit de regarder ce que font concrètement les syndicats, dans chaque branche, pour constater que la défense des intérêts ne vaut, en effet, que pour les intérêts *communs*, et qu'aucune solidarité objective (ni donc subjective, puisque celle-ci ne se distingue de la générosité que par celle-là) ne suffira évidemment à régler le problème du chômage, ni même à entreprendre sérieusement de le résoudre. A nouveau, ce n'est pas de solidarité qu'il s'agit (il se pourrait que chômeurs et salariés aient des intérêts divergents, voire opposés), mais de justice et de générosité. Du moins à prendre le problème, comme il convient dans ce petit livre, par son aspect moral ou éthique. C'est peu dire que cet aspect n'est pas tout : ni la politique ni l'économie ne sauraient s'y réduire, ni même absolument s'y soumettre. Mais qu'il ne soit pas tout ne veut pas dire qu'il ne soit rien. La morale ne compte qu'autant que nous le voulons. C'est pourquoi elle compte peu, et un peu.

Mais revenons à la générosité. Que la solidarité puisse la motiver, la susciter, la renforcer, sans doute. Mais elle n'est vraiment généreuse qu'à la condition d'aller au-delà de l'intérêt, même bien compris et même partagé — qu'à la condition, donc, d'aller au-delà de la solidarité ! Si vraiment il était de mon intérêt d'aider, par exemple, les enfants du Tiers Monde, je n'aurais pas besoin pour le faire d'être généreux. Il me suffirait d'être lucide et prudent. « Combattre la faim pour sauver la paix », disait un mouvement catholique dans les années soixante. Cela choquait notre jeunesse et notre générosité, qui trouvaient ce marchandage sordide. Avions-nous tort ? Je ne sais. Toujours est-il que si tel était en effet notre intérêt, nous le ferions, sauf à être idiots, sans avoir besoin pour cela d'être généreux, et donc nous le *ferions* en effet ! Que nous ne le fassions pas, ou si peu, suffit à prouver que tel n'est pas à nos yeux notre intérêt véritable, que nous sommes donc hypocrites quand nous prétendons le contraire, en quoi rien ne prouve que ce soient nos yeux qui soient mauvais, ni la lucidité qui nous manque. C'est le cœur qui est mauvais, puisqu'il est égoïste ; c'est la générosité, plus encore que la lucidité, qui fait défaut.

Sans vouloir tout réduire à une question d'argent, puisqu'on peut donner autre chose, n'omettons pas pourtant ce fait que l'argent a le mérite, il sert même à cela, d'être quantifiable. Aussi autorise-t-il, par exemple, cette question : quel pourcentage de tes revenus consacres-tu à aider de plus pauvres ou de plus malheureux que toi ? Il faut laisser de côté les impôts, puisqu'ils ne sont pas volontaires ; et la famille ou les amis très proches, puisque l'amour, bien davantage que la générosité, suffit à expliquer ce que nous faisons pour eux sans cesser pour autant (puisque leur bonheur est notre bonheur) de le faire aussi pour nous... Je simplifie un peu, et trop. S'agissant des impôts, par exemple, ce peut être un acte de générosité, quand on fait partie des classes moyennes ou aisées, que de voter pour un parti politique qui a annoncé sa ferme intention de les augmenter. Mais la chose est si rare que cette générosité-là n'a que bien peu l'occasion de se manifester ; et les partis, qui ne savent guère annoncer qu'une diminution des impôts, montrent par là le crédit qu'ils accordent à notre générosité ! On me juge pessimiste ;

mais qui ne voit que les hommes politiques le sont davantage, quoi qu'ils disent, et pour de très solides raisons ? Quant à la famille ou aux amis intimes, il en va un peu de même. C'est simplifier à l'excès que de ne vouloir y voir aucune générosité possible ou nécessaire. Quand bien même le bonheur de mes enfants fait le mien, ou le conditionne, il n'en arrive pas moins que leurs désirs s'opposent aux miens, leurs jeux à mon travail, leur enthousiasme à ma fatigue... Autant d'occasions de faire, ou pas, preuve de générosité à leur égard ! Mais tel n'est pas ici mon propos. Je ne voulais que poser la question d'argent dans sa plus grande netteté, et pour cela globaliser, il faut bien, les budgets familiaux. Donc, nous y revoilà : quel pourcentage de vos revenus familiaux consacrez-vous à des dépenses qu'on puisse appeler de générosité, autrement dit à un autre bonheur que le vôtre ou celui de vos intimes ? Chacun répondra, pour son compte. Mon idée est que nous serons presque tous en dessous de 10 %, et même bien souvent, faites le calcul, en dessous de 1 %... J'entends bien que l'argent n'est pas tout. Mais par quel miracle serions-nous davantage généreux dans les domaines non financiers ou non quantifiables ? Pourquoi aurions-nous le cœur plus ouvert que le porte-monnaie ? L'inverse est plus vraisemblable. Comment savoir si le peu que nous donnons, c'est générosité, vraiment, ou bien si c'est le prix de notre confort moral, le petit prix de notre petite bonne conscience ? Bref, la générosité n'est une vertu si grande, et si vantée, que parce qu'elle est très faible, en chacun, que parce que l'égoïsme est le plus fort, toujours, que parce que la générosité ne brille, le plus souvent, que par son absence... « Que le cœur de l'homme est creux et plein d'ordure », disait Pascal[5]. C'est qu'il n'est empli, presque toujours, que de soi.

5. *Pensées*, 139-143 (éd. Lafuma, Seuil, 1963).

Mais faut-il distinguer, comme je le fais, voire opposer, l'amour et la générosité ? « Certes, la générosité peut n'être pas aimante, reconnaît Jankélévitch, mais l'amour, lui, est presque nécessairement généreux, du moins par rapport à l'aimé et dans le temps qu'il aime. »[6] Sans se réduire à l'amour, la générosité tendrait donc, « en sa plus extrême cime », à se confondre avec lui : « Car si l'on peut donner sans aimer, il est pour ainsi dire impossible d'aimer sans donner. »[7] Soit. Mais est-ce amour, alors, ou générosité ? C'est une question de définition, et je ne me battrai pas sur les mots. Pourtant l'idée de me sentir généreux vis-à-vis de mes enfants, ou même de devoir l'être, ne m'est jamais venue. Trop d'amour ici, et trop d'angoisse, pour être dupe. Ce que tu fais pour eux tu le fais pour toi, aussi bien. En quoi as-tu besoin pour cela de vertu ? L'amour suffit, et quel amour ! Comment se fait-il que j'aime tellement mes enfants, et si peu ceux des autres ? C'est que mes enfants sont *miens*, justement, et que je m'aime à travers eux... Générosité ? Guère : ce n'est qu'égoïsme dilaté, transitif, familial. Quant à l'autre amour, celui qui serait libéré de l'ego, celui des saints ou des bienheureux, je ne suis pas sûr non plus que la générosité nous apprenne beaucoup sur lui, ni lui sur elle. N'en va-t-il pas de la générosité comme de la justice ? L'amour ne les dépasse-t-il pas l'une et l'autre, bien davantage qu'il n'y est soumis ? Donner, quand on aime, est-ce faire preuve de générosité ou d'amour ? Même les amants ne s'y trompent pas. Une femme entretenue peut parler de la générosité de ses clients ou protecteurs. Mais une femme aimée ? Mais une femme aimante ? Quant aux saints... Le Christ était-il généreux ? Est-ce là le mot qui convient ? J'en doute fort, et d'ailleurs j'enregistre que cette vertu n'est guère évoquée dans la tradition chrétienne, par exemple chez saint Augustin ou saint Thomas,

6. *Traité des vertus*, II, 2, chap. 6, rééd. Champs-Flammarion, 1986, p. 314.
7. *Ibid.*, p. 327.

pas plus qu'elle ne l'était, notons-le en passant, chez les Grecs ou les Latins. Peut-être est-ce seulement une question de vocabulaire ? Le mot de *generositas* existait bien, en latin, mais pour désigner plutôt l'excellence d'une lignée *(gens)* ou d'un tempérament. Il pouvait pourtant, comme parfois chez Cicéron, traduire la *mégalopsuchia* des Grecs (la grandeur d'âme), plus simplement que le pompeux *magnanimitas* qui en est le décalque savant. Cela sera surtout vrai en français : *magnanimité* n'est guère sorti des écoles, et c'est *générosité* sans doute qui dit le mieux ce que la grandeur peut avoir de proprement moral, et en quoi, en effet, elle est alors une vertu. Ainsi chez Corneille ou, nous y reviendrons, chez Descartes. Dans le langage contemporain, toutefois, la grandeur compte moins que le don, ou elle n'est généreuse que par sa facilité à donner. La générosité apparaît alors à la croisée de deux vertus grecques, qui sont la *magnanimité* et la *libéralité* : le magnanime n'est ni vaniteux ni bas, le libéral n'est ni avare ni prodigue[8], aussi sont-ils généreux toujours, quand ils ne font qu'un.

Mais cela n'est pas encore l'amour, et n'en tient pas lieu.

La générosité est la vertu du don, disais-je. Don d'argent (par quoi elle touche à la libéralité), don de soi (par quoi elle touche à la magnanimité, voire au sacrifice). Mais on ne peut donner que ce qu'on possède, et à condition seulement de n'en être pas possédé. La générosité est en cela indissociable d'une forme de liberté ou de maîtrise de soi, qui sera, chez Descartes, l'essentiel de son contenu. De quoi s'agit-il ? D'une passion et, tout à la fois, d'une vertu. La définition en est

8. Voir Aristote, *Ethique à Nicomaque*, IV, 1-3, 1119 *b* 22 - 1122 *a* 16 (sur la libéralité), et 7-9, 1123 *a* 34 - 1125 *a* 33 (sur la magnanimité). Voir aussi l'*Ethique à Eudème*, III, 4 et 5, ainsi que la *Grande Morale*, I, 23-25.

donnée dans un article fameux du *Traité des passions*, qu'il faut citer en entier :

> « Ainsi je crois que la vraie générosité, qui fait qu'un homme s'estime au plus haut point qu'il se peut légitimement estimer, consiste seulement, partie en ce qu'il connaît qu'il n'y a rien qui véritablement lui appartienne que cette libre disposition de ses volontés, ni pourquoi il doive être loué ou blâmé sinon pour ce qu'il en use bien ou mal ; et partie en ce qu'il sent en soi-même une ferme et constante résolution d'en bien user, c'est-à-dire de ne manquer jamais de volonté pour entreprendre et exécuter toutes les choses qu'il jugera être les meilleures. Ce qui est suivre parfaitement la vertu. »[9]

La rédaction est quelque peu laborieuse, mais le sens est clair. La générosité est à la fois conscience de sa propre liberté (ou de soi-même comme libre et responsable), et ferme résolution d'en bien user. Conscience et confiance, donc : conscience d'être libre, confiance en l'usage qu'on en fera. C'est pourquoi la générosité produit l'estime de soi, qui en est plutôt (cela distingue la générosité cartésienne de la magnanimité aristotélicienne) la conséquence que le principe. Le principe, c'est la volonté et elle seule : être généreux, c'est se savoir libre de bien agir, et se vouloir tel. Volonté toujours nécessaire, pour Descartes, et toujours suffisante si elle est effective. L'homme généreux n'est pas prisonnier de ses affects, ni de soi : maître de lui, au contraire, et pour cela sans excuses et n'en cherchant pas. La volonté lui suffit. La vertu lui suffit. En quoi cela rejoint la générosité au sens ordinaire du terme, c'est ce qu'explique l'article 156 : « Ceux qui sont généreux en cette façon sont naturellement portés à faire de grandes choses, et toutefois à ne rien entreprendre dont ils ne se sentent capables. Et parce qu'ils n'estiment rien de plus grand que de faire du bien aux autres hommes et de mépriser son propre intérêt, pour ce sujet ils sont

---

9. *Les passions de l'âme*, III, art. 153 (« En quoi consiste la générosité »). Sur la double nature, passionnelle et vertueuse, de la générosité, voir l'art. 161.

toujours parfaitement courtois, affables et officieux [serviables] envers un chacun. Et avec cela ils sont entièrement maîtres de leurs passions, particulièrement des désirs, de la jalousie et de l'envie... »[10] La générosité est le contraire de l'égoïsme, comme la magnanimité l'est de la petitesse. Ces deux vertus n'en font qu'une[11], comme ces deux défauts. Quoi de plus étriqué que le moi ? Quoi de plus sordide que l'égoïsme ? Etre généreux, c'est être libéré de soi, de ses petites lâchetés, de ses petites possessions, de ses petites colères, de ses petites jalousies... Descartes voyait là non seulement le principe de toute vertu, mais le souverain bien, pour chacun, lequel ne consiste, disait-il, « qu'en une ferme volonté de bien faire, et au contentement qu'elle produit »[12]. Bonheur généreux, qui réconcilie, disait-il encore, « les deux plus contraires et plus célèbres opinions des anciens », à savoir celle des épicuriens (pour lesquels le souverain bien est le plaisir) et celle des stoïciens (pour lesquels c'est la vertu) [13]. Le Jardin et le Portique, grâce à la générosité, se rejoignent enfin. Quelle vertu plus agréable, quel plaisir plus vertueux, que de jouir de sa propre et excellente volonté ? Où l'on retrouve la grandeur d'âme : être généreux c'est être libre, et c'est la seule grandeur en vérité.

Quant à savoir ce qu'il en est de cette liberté, c'est une autre question, métaphysique plutôt que morale, dont la générosité ne dépend guère. Combien d'avares ont cru au libre arbitre ? Combien de héros n'y crurent pas ? Etre généreux, c'est être capable de vouloir, explique Descartes, et donc de donner, en effet, quand tant d'autres ne savent que désirer, que demander, que prendre... Volonté libre ? Sans doute, puisqu'elle veut ce qu'elle veut ! Quant à savoir si elle

10. *Ibid.*, art. 156. Voir aussi l'art. 187 (« c'est une partie de la générosité que d'avoir de la bonne volonté pour un chacun... »).

11. *Ibid.*, art. 161.

12. Descartes, *Lettre du 20 novembre 1647, à Christine de Suède* (éd. Alquié, Garnier, 1973, t. 3, p. 746).

13. *Ibid.*

aurait pu vouloir autre chose, et même si cette question a un sens (comment pourrait-on vouloir autre chose que ce qu'on veut ?), c'est un problème dont j'ai suffisamment traité ailleurs[14], et qui n'a pas sa place dans un traité des vertus. Qu'une volonté soit ou ne soit pas déterminée, qu'elle soit nécessaire ou contingente (qu'elle soit libre au sens d'Epictète ou au sens de Descartes), elle n'en est pas moins confrontée aux petitesses du moi, et seule capable, hors la grâce ou l'amour, d'en triompher. La générosité est ce triomphe, quand la volonté en est cause.

On pourrait préférer, bien sûr, que l'amour suffise. Mais s'il suffisait, aurions-nous besoin d'être généreux ? L'amour n'est guère en notre pouvoir, ni ne peut l'être. Qui choisit d'aimer ? Que peut la volonté sur un sentiment ? L'amour ne se commande pas[15] ; la générosité, si : il suffit de vouloir. L'amour ne dépend pas de nous, c'est le plus grand mystère, par quoi il échappe aux vertus, par quoi il est une grâce, et la seule. La générosité en dépend, par quoi elle est une vertu, par quoi elle se distingue de l'amour, y compris dans ce geste du don par lequel pourtant elle lui ressemble.

Etre généreux, ce serait donc donner sans aimer ? Oui, s'il est vrai que l'amour donne sans avoir besoin pour cela d'être généreux ! Quelle mère se sent généreuse de nourrir ses enfants ? Quel père, de les couvrir de cadeaux ? Ils se sentiraient plutôt égoïstes de tant faire pour leurs enfants (par amour ? oui, mais l'amour n'excuse pas tout), et si peu pour ceux des autres, fussent-ils infiniment plus malheureux ou plus démunis que les leurs... Donner, quand on aime, est à la

14. Voir mon *Traité du désespoir et de la béatitude*, t. 2 (PUF, 1988), chap. 4, spécialement p. 67 à 93 et 142 à 149.
15. Voir Kant, *Critique de la raison pratique*, Des mobiles de la raison pure pratique (p. 87 de la trad. Picavet, PUF, 1971), et *infra*, notre chap. 18.

portée de n'importe qui. Ce n'est pas vertu : c'est grâce irradiante, c'est trop-plein d'existence ou de joie, c'est effusion heureuse, c'est facilité débordante. Est-ce donner, même, puisque l'on ne perd rien ? La communauté de l'amour rend toutes choses communes : comment pourrait-on y faire preuve de générosité ? De vrais amis, remarquait Montaigne, « ne se peuvent ni prêter ni donner rien », tout étant « commun entre eux », de même que les lois, disait-il, « défendent les donations entre le mari et la femme, voulant inférer par là que tout doit être à chacun d'eux, et qu'ils n'ont rien à diviser et partir [partager] ensemble »[16]. Comment feraient-ils preuve entre eux de générosité ? Que les lois aient changé, je le sais et je m'en réjouis, puisque les couples si souvent doivent survivre à l'amour, ou les individus aux couples. Mais l'amour a-t-il changé aussi à ce point, et l'amitié, que nous ayons besoin de générosité toujours ? « L'union de tels amis étant véritablement parfaite, écrivait encore Montaigne, elle leur fait perdre le sentiment de tels devoirs, et haïr et chasser d'entre eux ces mots de division et de différence : bienfait, obligation, reconnaissance, prière, remerciements, et leurs pareils[17]... » Qui ne voit que la générosité en fait partie, et qu'une amitié véritable n'en a que faire ? Que pourrais-je lui donner, puisque tout ce qui est à moi est à lui ? On m'objectera, et l'on aura raison, que cela ne vaut que pour les amitiés parfaites, comme a vécu Montaigne, semble-t-il, et qu'elles sont si rares... Mais c'est me donner raison, au moins sur l'essentiel : nous n'avons besoin de générosité que faute d'amour, et c'est pourquoi, presque toujours, nous en avons besoin.

La générosité, comme la plupart des vertus, obéit à sa façon au commandement évangélique. Aimer son prochain comme soi-même ? Si nous le pouvions, à quoi bon la généro-

---

16. *Essais*, I, 28 (« De l'amitié »), p. 190 de l'éd. Villey-Saulnier.
17. *Ibid.*

sité ? Nous n'en aurions pas plus besoin qu'avec nous-mêmes justement (qui n'en avons besoin qu'autant, parfois, que nous n'arrivons même plus à nous aimer). Et à quoi bon nous le commander, si nous ne le pouvons pas ? On ne peut ordonner qu'une action. Il s'agit donc non d'aimer, mais d'agir *comme si* nous aimions[18] : avec notre prochain comme avec nos proches, avec un inconnu comme avec nous-mêmes. Non, certes, s'agissant des passions ou de l'affectivité singulière, qui ne sont pas transférables. Mais s'agissant des actions, qui le sont. Par exemple, si tu aimais cet étranger qui souffre ou qui a faim, resterais-tu ainsi sans rien faire pour l'aider ? Si tu aimais ce miséreux, lui refuserais-tu le secours qu'il te demande ? Si tu l'aimais *comme toi même*, que ferais-tu ? La réponse, qui est d'une simplicité cruelle et folle, est la réponse morale, et ce qu'exige — ou ce qu'exigerait — la vertu. L'amour n'a pas besoin de générosité, mais lui seul hélas peut s'en passer sans égoïsme et sans faute.

Nous aimons l'amour, et nous ne savons pas aimer : la morale naît de cet amour et de cette impuissance. Il y a là une imitation des affections, comme pourrait dire Spinoza[19], mais où chacun imite surtout celles qui lui manquent... Comme la politesse est un semblant de vertu (être poli, c'est se conduire comme si l'on était vertueux)[20], toute vertu sans doute — en tout cas toute vertu morale — est un semblant d'amour : être vertueux, c'est agir comme si l'on aimait. Faute d'être vertueux nous faisons semblant, et c'est ce qu'on appelle la politesse. Faute de savoir aimer nous faisons semblant, et c'est ce qu'on appelle la morale. Et les enfants imitent leurs parents, qui imitent les leurs... Le monde est un

18. Sur la conception de la morale ici à l'œuvre, voir mon article « Morale ou éthique ? », dans *Valeur et vérité (Etudes cyniques)*, PUF, 1994, p. 183 à 205.
19. En un autre sens : voir *Ethique*, III, prop. 27, démonstration, scolie et corollaire.
20. Voir, *supra*, notre chapitre 1.

théâtre, la vie est une comédie, où tous les rôles pourtant ne se valent pas, ni tous les acteurs. Sagesse de Shakespeare : la morale est une comédie peut-être, mais point de bonne comédie sans morale. Quoi de plus sérieux, quoi de plus réel, que de rire ou de pleurer ? Nous faisons semblant, mais ce n'est pas un jeu : les règles même que nous respectons nous constituent, pour le meilleur et pour le pire, bien davantage qu'elles ne nous divertissent. Nous jouons un rôle, si l'on veut, mais c'est le nôtre : c'est notre vie, c'est notre histoire. Rien là d'arbitraire ou de contingent. Notre corps nous y porte, par le désir ; notre enfance nous y mène, par l'amour et la loi. Car le désir veut prendre d'abord. Car l'amour veut consommer d'abord, dévorer d'abord, posséder d'abord. Mais la loi l'interdit. Mais l'amour l'interdit, qui donne et qui protège. Freud est moins loin qu'il ne le croyait lui-même, peut-être, d'une certaine inspiration évangélique. Nous avons tété l'amour en même temps que le lait, juste assez pour savoir que lui seul pouvait nous combler (que « sans amour, on n'est rien du tout », comme dit la chanson), et qu'il ne cesserait dès lors, et à jamais, de nous manquer... De là ces vertus parfois, même approximatives, même faibles, qui sont l'hommage que nous rendons à l'amour, quand il n'est pas là, et l'indice qu'il continue de valoir, comme exigence, là même où il fait défaut, qu'il règne, si l'on veut, là où il ne gouverne pas — qu'il commande encore (c'est ce qu'on appelle une valeur), même en son absence !

L'amour nous manque, disais-je, et c'est là, bien souvent, la plus sûre expérience que nous en ayons.

Nous avons fait de ce manque une force, ou plusieurs, et c'est ce qu'on appelle les vertus.

Cela vaut par exemple, et spécialement, pour la générosité. Elle naît, comme exigence, là où l'amour fait défaut, certes, mais point totalement, puisque nous aimons du moins l'amour (« *nondum amabam et amare amabam* »[21] : nous en sommes toujours là), suffisamment en tout cas pour qu'il continue de valoir, comme modèle ou comme commandement, là où, comme sentiment, il échoue à triompher ou à s'épanouir. Et puisque l'on donnerait, si l'on aimait, la générosité nous invite, faute d'amour, à donner à ceux-là même que nous n'aimons pas, et d'autant plus qu'ils en ont davantage besoin ou que nous sommes mieux placés pour les aider. Oui : là où l'amour ne peut nous guider, puisqu'il fait défaut, que l'urgence et la proximité le fassent! C'est ce qu'on appelle à tort la charité (puisque la charité véritable est amour, et la fausse, condescendance ou compassion), et qu'il faut appeler générosité, puisqu'elle dépend en effet de nous, de nous seuls, puisqu'elle est libre en ce sens, puisqu'elle est — contre l'esclavage des instincts, des possessions et des peurs — la liberté même, en esprit et en acte!

L'amour vaudrait mieux, bien sûr, et c'est pourquoi la morale n'est pas tout, ni même l'essentiel. Mais la générosité vaut mieux pourtant que l'égoïsme, et la morale que la veulerie.

Non, certes, que la générosité soit le contraire de l'égoïsme, si l'on entend par là qu'elle lui échapperait totalement. Comment serait-ce possible? Pourquoi serait-ce nécessaire? « Comme la raison ne demande rien qui soit contre la nature, écrit Spinoza, elle demande donc que chacun s'aime lui-même, cherche l'utile propre, ce qui est réellement utile pour lui, désire tout ce qui conduit réellement l'homme à une perfection plus grande et, absolument parlant, que chacun s'efforce de conserver son être, autant

21. « Je n'aimais pas encore, et j'aimais aimer » (saint Augustin, *Confessions*, III, 1).

qu'il est en lui. »[22] On ne sort pas du principe de plaisir, puisqu'on ne sort pas de la réalité. Mais cela ne veut pas dire que tous les plaisirs se valent. La joie décide. L'amour décide[23]. Qu'est-ce alors que la générosité ? « Un désir, répond Spinoza, par lequel un individu, à partir du seul commandement de la raison, s'efforce d'assister les autres hommes et d'établir entre eux et lui un lien d'amitié. »[24] La générosité est en cela, avec la fermeté ou le courage *(animositas)*, l'une des deux occurrences de la force d'âme : « Les actions qui visent seulement l'utilité de l'agent, je les rapporte à la fermeté, explique Spinoza, et celles qui visent également l'utilité d'autrui, à la générosité. »[25] Il y a donc utilité dans les deux cas, et, dans les deux cas, utilité du sujet lui-même. On ne sort pas de l'ego, ou l'on n'en sort qu'à la condition d'assumer d'abord son exigence propre, qui est de persévérer dans son être, le plus possible, le mieux possible, autrement dit « d'agir et de vivre »[26]. Que ce ne soit pas toujours réalisable, qu'il faille parfois mourir, et même qu'il le faille nécessairement, puisque l'univers est le plus fort, c'est ce que chacun sait et que Spinoza ne dément pas. Mais celui qui préfère mourir plutôt que trahir, mourir plutôt que renoncer, mourir plutôt qu'abandonner, c'est son être encore qu'il affirme, c'est sa puissance vitale — son *conatus* — qu'il oppose à la mort ou à l'ignominie, et victorieusement tant qu'il vit, et utilement, tant qu'il combat ou résiste. Que la vertu soit affirmation de soi et recherche de l'utile propre, Spinoza ne cesse de le répé-

22. *Ethique*, IV, scolie de la prop. 18.
23. *Ethique* III et IV, *passim*. Voir aussi les premières pages du *Traité de la réforme de l'entendement*, ainsi que le *Court traité*, II, 5.
24. *Ethique*, III, scolie de la prop. 59 (trad. Appuhn, que je modifie légèrement).
25. *Ibid.* (trad. Pautrat). Sur la fermeté d'âme chez Spinoza, cf *supra*, chap. 5, p. 70.
26. *Ethique*, IV, prop. 21. Voir aussi la prop. 20 et son scolie.

ter[27] ; mais aussi que le Christ, même sur la croix, en est le meilleur exemple[28]. L'utile propre n'est pas le plus grand confort, ni toujours la vie la plus longue : c'est la vie la plus libre, c'est la vie la plus vraie. Il ne s'agit pas de vivre toujours, puisqu'on ne peut, mais de vivre bien. Et comment, sans courage et sans générosité ?

On aura remarqué que la générosité est définie comme désir, non comme joie, ce qui suffit à la distinguer de l'amour ou, comme dit aussi Spinoza, de la charité. Que la joie puisse naître par surcroît, et même qu'elle soit expressément visée, c'est assez clair puisque l'amitié (à quoi tend la générosité) n'est autre chose qu'une joie partagée. Mais précisément, la joie ou l'amour peuvent *naître* de la générosité, non s'y réduire ou se confondre avec elle. Pour faire du bien à celui qu'on aime, on n'a pas besoin du « commandement de la raison », ni, donc, de la générosité : l'amour suffit, la joie suffit[29] ! Mais quand l'amour fait défaut, quand la joie fait défaut ou est trop faible (et quand bien même la compassion n'interviendrait pas, qui nous rend bienveillants)[30], la raison subsiste, qui nous apprend — elle qui n'a pas d'ego et nous libère pour cela de l'égoïsme — que « rien n'est plus utile à l'homme que l'homme »[31], que toute haine est mauvaise[32],

---

27. *Ethique*, IV, prop. 20 à 25 et *passim*.

28. Voir par ex. le *Traité théologico-politique*, chap. 1, et les *Lettres 73, 75* et *78, à Oldenburg*. Voir aussi S. Zac, *Spinoza et l'interprétation de l'écriture*, PUF, 1965 (p. 190 à 199), et surtout A. Matheron, *Le Christ et le salut des ignorants chez Spinoza*, Aubier-Montaigne, 1971. Rappelons en passant, pour éviter tout malentendu, que Spinoza n'a jamais cru ni à la divinité du Christ ni à sa résurrection (voir par ex. les *Lettres 73* et *78*).

29. *Ethique*, III, prop. 19, 21, 25, 28 et 39, avec leurs démonstrations.

30. Voir *Ethique*, III, scolie de la prop. 22, et prop. 27, scolies et corollaires (spécialement le scolie du corollaire 3), ainsi que la déf. 35 des affects. Voir aussi, *infra*, notre chap. 8.

31. *Ethique*, IV, scolie de la prop. 18.

32. *Ethique*, IV, prop. 41 et 45. Voir aussi III, scolies des prop. 11, 13 et 39, ainsi que les définitions 3 et 7 des affects.

enfin que « quiconque est conduit par la raison désire pour les autres ce qu'il désire pour lui-même »[33]. C'est où l'utilité de l'agent rencontre celle d'autrui, et où le désir se fait généreux : il s'agit de combattre la haine, la colère, le mépris ou l'envie — qui ne sont que tristesses et causes de tristesses — par l'amour, quand il est là, ou par la générosité, quand il n'y est pas[34]. Il se peut qu'ici (s'agissant de la distinction entre l'amour et la générosité) je force un peu le texte, qui est équivoque[35]. Mais point son esprit, qui est clair : « la haine doit être vaincue par l'amour »[36], la tristesse par la joie, et

33. *Ethique*, IV, scolie de la prop. 18, prop. 37, et scolie de la prop. 73.

34. *Ethique*, IV, prop. 46, démonstration et scolie. Voir aussi le coroll. 1 de la prop. 45.

35. Le voici : « Qui vit sous la conduite de la raison, s'efforce, autant qu'il peut, de compenser par l'amour ou la générosité, la haine, la colère, le mépris, etc., qu'un autre a pour lui » (*Ethique*, IV, prop. 46 ; voir aussi V, scolie de la prop. 10). Que signifie exactement cet « *amore contra, sive generositate compensare* » ? On pourrait croire que le *sive* indique une identité, comme dans l'expression bien connue « *Deus sive Natura* », même si l'on sait que *sive*, en latin, peut désigner aussi une disjonction ou une alternative. De même et à plus forte raison, dans la démonstration, quand Spinoza écrit « *amore contra compensare conabitur, hoc est generositate* », ne faut-il pas comprendre, comme Appuhn et tous les traducteurs, « par l'amour, *c'est-à-dire* par la générosité » ? Mais *quid* alors de la différence entre ces deux mots ou, plutôt, entre ces deux concepts ? Or, il faut bien qu'il y en ait une, puisque Spinoza, qui n'a guère coutume d'être redondant, utilise les deux et en donne d'ailleurs des définitions expressément différentes (*Ethique*, III, déf. 6 des affects, et scolie de la prop. 59). Quant au *hoc est* de la démonstration (qu'on peut en effet traduire par *c'est-à-dire*), je ne peux le comprendre qu'ainsi : la générosité est identique, non certes à l'amour, mais à *l'effort pour aimer ou pour agir, à défaut, comme si l'on aimait*. C'est d'ailleurs le sens de la définition de la générosité, telle que nous l'avons citée plus haut : non pas une joie ou un amour, rappelons-le, mais « un désir par lequel un individu s'efforce » d'aider son semblable et d'établir avec lui (ce qui suppose qu'elle n'existe pas encore) une relation d'amitié. Bref, et nous retrouvons là la démonstration de la prop. 46, « qui vit sous la conduite de la raison s'efforcera, face à la haine, etc., d'autrui, de la compenser en retour par l'amour, c'est-à-dire *[hoc est]* par la générosité » (trad. Pautrat), non certes que l'amour soit la même chose que la générosité (« dont on verra la définition, rappelle Spinoza, dans le scolie de la prop. 59 de la troisième partie »), mais parce que la générosité est la même chose que cet effort.

36. *Ethique*, IV, scolie de la prop. 73 (qui renvoie aux prop. 37 et 46).

c'est la fonction de la générosité — comme désir, comme vertu — que d'y tendre ou de s'y efforcer. La générosité est désir d'amour, désir de joie et de partage, et joie elle-même puisque le généreux se réjouit de ce désir et aime au moins en lui cet amour de l'amour. On se souvient de la forte définition de Spinoza : « L'amour est une joie qu'accompagne l'idée d'une cause extérieure. »[37] Aimer l'amour, en conséquence, c'est se réjouir à l'idée que l'amour existe, ou qu'il existera[38] ; mais c'est aussi s'efforcer de le faire advenir[39], et c'est la générosité même : être généreux, dirais-je volontiers, c'est s'efforcer d'aimer, et agir en conséquence. La générosité s'oppose ainsi à la haine (et au mépris, et à l'envie, et à la colère, sans doute aussi à l'indifférence...), tout comme le courage s'oppose à la crainte, ou, en général, comme la fermeté d'âme s'oppose à l'impuissance et la liberté à l'esclavage[40]. Ce n'est pas encore le salut, puisque cela ne nous donne ni la béatitude ni l'éternité ; mais ces vertus n'en sont pas moins pour nous « les premières des choses »[41]. Elles relèvent de ce que Spinoza appelle « une conduite droite de la vie »[42], des « règles de vie »[43], des « préceptes de la raison »[44], ou, simplement, « la mora-

---

37. *Ethique*, III, déf. 6 des affects. Cette cause peut aussi être intérieure, et c'est ce qui définit le contentement de soi (*acquiescentia in se ipso*) : *Ethique*, III, scolies des prop. 30 et 55 (voir aussi la prop. 53), et déf. 25 des affects.

38. Puisque « l'homme éprouve par l'image d'une chose passée ou future le même affect de joie ou de tristesse que par l'image d'une chose présente » (*Ethique*, III, prop. 18). C'est que, précise la démonstration, « aussi longtemps que l'homme est affecté de l'image d'une chose, il la considérera comme présente, quand bien même [*tametsi*] elle n'existe pas ».

39. Puisque « celui qui aime s'efforce nécessairement d'avoir présente et de conserver la chose qu'il aime » (*Ethique*, III, scolie de la prop. 13).

40. Voir *Ethique*, III, scolie de la prop. 59, et V, scolies des prop. 10 et 42.

41. *Ethique*, V, prop. 41.

42. *Ethique*, V, scolie de la prop. 10.

43. *Ibid.*

44. *Ibid.*

lité »[45]. Car il n'est pas vrai qu'il faille vivre par-delà le bien et le mal, puisqu'on ne peut[46]. Ni, pourtant, que la morale des tristes ou des censeurs puisse nous convenir[47]. Ce qui se joue ici, c'est une morale de la générosité[48], qui mène à une éthique de l'amour. « Bien faire et se tenir en joie », disait Spinoza[49] : l'amour est le but ; la générosité, le chemin.

La générosité, disait Hume, si elle était absolue et universelle, nous dispenserait de la justice[50] ; et l'on a vu que cela pouvait en effet se concevoir. Il est clair en revanche que la justice, même accomplie, ne saurait nous dispenser de la générosité : aussi cette dernière est-elle socialement moins nécessaire, et humainement, me semble-t-il, plus précieuse.

A quoi bon ces comparaisons, demandera-t-on, puisque

45. *Ethique*, IV, scolie 1 de la prop. 37, et V, prop. 41. La traduction de *pietas* par *moralité*, sur quoi s'accordent la plupart des traducteurs, est fidèle non seulement à la définition qu'en donne Spinoza, laquelle ne fait aucune référence à la religion ni à un quelconque sentiment de piété (« J'appelle *moralité* le désir de faire du bien qui tire son origine de ce que nous vivons sous la conduite de la raison »), mais aussi au sens latin du mot *pietas*, qui concerne l'accomplissement des devoirs, aussi bien envers les dieux (auquel cas on peut le traduire légitimement par *piété*) qu'envers les hommes (auquel cas il correspond en effet assez bien à notre *moralité*).

46. *Ethique*, IV, préface, et scolies des prop. 50 et 58 ; voir aussi, dans la cinquième partie, le scolie de la prop. 10, ainsi que la prop. 41, sa démonstration et son scolie. Sur le rapport Spinoza-Nietzsche, voir mon article « Nietzsche et Spinoza », dans *De Sils-Maria à Jérusalem*, ouvrage collectif sous la dir. de D. Bourel et J. Le Rider, Cerf, 1991, ainsi que les pertinentes remarques de Sylvain Zac, dans *La morale de Spinoza*, PUF, 1972, p. 45 et s.

47. *Ethique*, III, préface, et IV, prop. 18 et scolie.

48. Pour reprendre une expression d'A. Negri, *L'anomalie sauvage, Puissance et pouvoir chez Spinoza*, PUF, 1982, p. 262.

49. *Ethique*, IV, scolies des prop. 50 et 73.

50. Hume, *Enquête sur les principes de la morale*, III, 1, p. 87 ; voir aussi, *supra*, notre chap. 6, p. 101-102.

nous sommes si peu capables et de l'une et de l'autre ? C'est que ce *peu* malgré tout n'est pas rien, qui nous fait sensibles à sa petitesse et désireux, parfois, de l'augmenter... Quelle vertu qui ne soit d'abord, même petitement, un désir de vertu ?

Quant à savoir si la générosité résulte d'un sentiment naturel et premier, comme le voulait Hume, ou bien d'un processus d'élaboration du désir et de l'amour de soi (spécialement par l'imitation des affects et la sublimation des pulsions), comme ont pu le penser Spinoza ou Freud[51], c'est aux anthropologues d'en décider, et cela, moralement, n'importe guère. C'est se tromper sur les vertus que de fonder leur valeur sur leur origine, comme de vouloir, au nom de cette origine, les invalider. Qu'elles viennent toutes de l'animalité, et donc du plus bas (du moins de ce qui nous paraît tel : il est clair que la matière et le vide, d'où tout vient, y compris l'animalité, n'ont ni haut ni bas nulle part), j'en suis personnellement persuadé. Mais c'est dire aussi qu'elles nous élèvent, et c'est pourquoi le contraire de toute vertu, sans doute, est une forme de bassesse.

La générosité nous élève *vers les autres*, pourrait-on dire, et vers nous-mêmes en tant que libérés de notre petit moi. Celui qui ne serait pas du tout généreux, la langue nous avertit qu'il serait bas, lâche, mesquin, vil, avare, cupide, égoïste, sordide... Et nous le sommes tous, mais toutefois pas toujours ni complètement : la générosité est ce qui nous en sépare ou, parfois, nous en libère.

Remarquons pour finir que la générosité, comme toutes les vertus, est plurielle, dans son contenu comme dans les noms qu'on lui prête ou qui servent à la désigner. Jointe au

---

51. Hume, *Enquête sur les principes de la morale*, V, 2 ; Spinoza, *Éthique*, III, prop. 27 et scolie (sur cette espèce de *fonction mimétique*, chez Spinoza, voir aussi mon *Traité du désespoir et de la béatitude*, t. 2, chap. 4, p. 102 à 109) ; Freud, *Malaise dans la civilisation*, et *passim*.

courage, elle peut être héroïsme. Jointe à la justice, elle se fait équité. Jointe à la compassion, elle devient bienveillance. Jointe à la miséricorde, la voilà indulgence. Mais son plus beau nom est son secret, que chacun connaît : jointe à la douceur, elle s'appelle la bonté.

8

La compassion

La compassion a mauvaise presse : on n'aime guère en être l'objet, ni même la ressentir. Cela la distingue fort nettement, par exemple, de la générosité. Compatir c'est souffrir avec, et toute souffrance est mauvaise. Comment la compassion serait-elle bonne ?

Pourtant le langage nous avertit, là encore, de ne pas la rejeter trop vite. Ses contraires, lit-on dans nos dictionnaires, sont dureté, cruauté, froideur, indifférence, sécheresse de cœur, insensibilité... Cela rend la compassion aimable, au moins par différence. Puis son presque synonyme, en tout cas son doublet étymologique, est *sympathie*, qui dit en grec, exactement, ce que *compassion* dit en latin. Cela devrait la recommander à notre attention : en un siècle où la sympathie joue un si grand rôle, comment se fait-il que la compassion soit si mal perçue ? C'est sans doute que l'on préfère les sentiments aux vertus. Mais que penser alors de la compassion, s'il est vrai, comme je vais essayer de le montrer, qu'elle appartient à ces deux ordres ? N'est-ce pas là, dans cette ambiguïté, qu'elle trouve une partie de sa faiblesse et l'essentiel de sa force ?

Mais un mot, d'abord, sur la sympathie. Quelle qualité plus séduisante ? Quel sentiment plus agréable ? Ce mélange déjà est singulier, qui en fait le charme : la sympathie est à la fois une qualité (quand on la suscite, quand on *est* sympathique) et un sentiment (quand on la ressent, quand on *a* de la

sympathie). Et comme cette qualité et ce sentiment se répondent, presque par définition, la sympathie fait entre deux individus, et souvent dans les deux sens, comme une rencontre
heureuse. C'est un sourire de la vie, comme un cadeau du
hasard. Que la sympathie pourtant ne prouve rien, c'est ce que
chacun sait, mais qui n'en prouve pas davantage. Un salaud
peut être sympathique ? Bien sûr, au premier abord, et même
au second. Mais un salaud, on l'a vu, peut aussi être poli,
fidèle, prudent, tempérant, courageux... Et pourquoi pas
généreux, parfois, et juste, à l'occasion ? Cela fait un tri, toutefois, entre les vertus complètes, comme dirait Aristote, celles
qui suffisent à attester de la valeur d'un être, comme la justice
et la générosité (le salaud ne peut être juste ou généreux que de
loin en loin, et cesse alors, au moins de ce point de vue, d'en
être un), et les vertus partielles, celles qui, à les considérer isolément, sont compatibles avec la plupart des vices et des ignomi-
nies. Un salaud peut être fidèle et courageux ; mais s'il était
toujours juste et généreux, ce ne serait plus un salaud. L'hypothèse du salaud sympathique, qui est plus qu'une hypothèse,
prouve donc seulement que la sympathie n'est pas une vertu
complète, ce qui est clair, mais non qu'elle n'est pas une vertu
du tout, ce qui reste à examiner.

Qu'est-ce que la sympathie ? C'est la participation affective aux sentiments d'autrui (être en sympathie c'est sentir
ou ressentir ensemble, ou de la même façon, ou l'un par
l'autre), ainsi que le plaisir ou la séduction qui en résultent.
Dès lors, comme l'a bien vu Max Scheler, la sympathie ne
vaut que ce que valent ces sentiments, s'ils valent quelque
chose, ou en tout cas ne saurait inverser leur valeur. « Partager la joie que quelqu'un éprouve à la vue du mal, (...) partager sa haine, sa méchanceté, sa mauvaise joie — tout cela
n'a certainement rien de moral. »[1] C'est pourquoi la sympa-

1. M. Scheler, *Nature et formes de la sympathie*, I, 1, trad. franç., Payot, 1950,
p. 17.

thie ne saurait, en tant que telle, être une vertu : « La sympathie pure et simple ne tient, comme telle, aucun compte de la valeur et de la qualité des sentiments des autres. (...) Elle est, dans toutes ses manifestations, totalement et par principe indifférente à la valeur. »[2] Sympathiser, c'est sentir ou ressentir avec. Que cela puisse ouvrir à la morale, certes, puisque c'est déjà sortir, au moins partiellement, de la prison du moi. Reste à savoir *avec quoi* l'on sympathise. Participer à la haine d'autrui, c'est être haineux. Participer à la cruauté d'autrui, c'est être cruel. Ainsi celui qui sympathise avec le tortionnaire, participant à sa jouissance sadique, ressentant l'excitation qu'il ressent, partage aussi sa culpabilité ou, à tout le moins, sa malignité. Sympathie dans l'horreur : horrible sympathie !

On comprend tout de suite qu'il en va différemment de la compassion. Elle est pourtant l'une des formes de la sympathie : la compassion c'est la sympathie dans la douleur ou la tristesse[3], c'est la participation, autrement dit, à la souffrance d'autrui. Mais justement : si toutes les souffrances ne se valent pas, s'il y a, même, de mauvaises souffrances (ainsi la souffrance de l'envieux, face au bonheur d'autrui), elles n'en sont pas moins souffrances pour autant, et toute souffrance mérite compassion. Il y a là une asymétrie bien remarquable. Tout plaisir est un bien, mais point toujours, tant s'en faut, un bien moral (la plupart de nos plaisirs sont moralement indifférents), ni même, pensez au plaisir du tortionnaire, un bien moralement acceptable. La sympathie dans le plaisir ne vaut donc que ce que vaut le plaisir en question, ou plutôt, si elle peut parfois valoir davantage (il peut être louable de participer au plaisir, même moralement indifférent, d'autrui : c'est le contraire de l'envie), c'est dans la mesure seulement où ce plaisir n'est pas moralement perverti, c'est-à-dire

2. *Ibid.*, p. 18.
3. Voir M. Scheler, *op. cit.*, I, 9, p. 205 et s.

dominé par la haine ou la cruauté. Toute souffrance au contraire est un mal, et un mal moral, non certes qu'elle soit toujours moralement condamnable (il y a beaucoup de souffrances innocentes, et d'autres vertueuses ou héroïques), mais en ceci qu'elle est toujours moralement regrettable : la compassion est ce regret, ou plutôt ce regret est la forme minimale de la compassion.

« Partager la joie que A éprouve à la vue du mal dont B est victime, demande Max Scheler, est-ce faire preuve d'une attitude morale ? »[4] Bien sûr que non. Mais participer à la souffrance de B, bien sûr que oui !

Est-ce le cas pourtant si la souffrance de B est une souffrance mauvaise, par exemple s'il souffre du bonheur de C ? La compassion répond par l'affirmative, et c'est ce qui la rend si miséricordieuse. Partager la souffrance d'autrui, ce n'est pas l'approuver ni partager ses raisons, bonnes ou mauvaises, de souffrir : c'est refuser de considérer une souffrance, quelle qu'elle soit, comme un fait indifférent, et un vivant, quel qu'il soit, comme une chose. C'est pourquoi dans son principe elle est universelle, et d'autant plus morale qu'elle ne se soucie pas, c'est où elle mène à la miséricorde, de la moralité de ses objets. C'est toujours la même asymétrie, entre plaisir et souffrance. Sympathiser avec le plaisir du tortionnaire, avec sa joie mauvaise, c'est partager sa culpabilité. Mais avoir de la compassion pour sa souffrance ou sa folie, pour tant de haine en lui, tant de tristesse, tant de misère, c'est être innocent du mal qui le ronge, et refuser, à tout le moins, d'ajouter la haine à la haine. Compassion du Christ, pour ses bourreaux ; du Bouddha, pour les méchants. Ces exemples nous écrasent ? Par leur hauteur, sans doute, mais c'est donc aussi que nous la percevons. La compassion est le contraire de la cruauté, qui se réjouit de la souffrance d'au-

4. *Op. cit.*, I, 1, p. 17.

trui, et de l'égoïsme, qui ne s'en soucie pas. Aussi assurément ce sont là deux défauts, aussi assurément la compassion est une qualité. Une vertu ? L'Orient (spécialement l'Orient bouddhiste) répond que oui, et la plus grande de toutes peut-être[5]. Quant à l'Occident, il est plus nuancé, et c'est ce qu'il faut brièvement examiner.

Depuis les stoïciens jusqu'à Hannah Arendt (en passant par Spinoza et Nietzsche), on n'en finirait pas d'évoquer les critiques de la compassion ou, pour utiliser le mot le plus souvent employé par ses détracteurs, de la pitié. Critiques de bonne foi, presque toujours, et légitimes bien souvent. La pitié est une tristesse que l'on ressent face à la tristesse de l'autre : cela ne sauve pas celle-ci, qui demeure, ni ne justifie celle-là, qui s'y ajoute. La pitié ne fait qu'augmenter la quantité de souffrance dans le monde, et c'est ce qui la condamne. A quoi bon entasser tristesse sur tristesse, malheur sur malheur ? Le sage est sans pitié, disaient les stoïciens, puisqu'il est sans chagrin[6]. Non, certes, qu'il ne veuille secourir son prochain ; mais il n'a pas besoin pour cela de la pitié : « Plutôt que de plaindre les gens, pourquoi ne pas les secourir, si on le peut ? Ne pouvons-nous être

---

5. Voir l'article Karunâ (compassion) dans l'*Encyclopédie philosophique universelle*, PUF, 1990, t. II, 2, p. 2848. Voir aussi, pour une introduction, W. Rahula, *L'enseignement du Bouddha*, Seuil, coll. « Points-sagesses », rééd. 1978, p. 69-70 et 104, ainsi que L. Silburn, *Le bouddhisme*, Fayard, 1977 (nombreuses références indiquées en index, à Karunâ).

6. Voir par ex. Diogène Laërce, *Vies et opinions des philosophes*, VII, 123, et Cicéron, *Tusculanes*, III, 10, 21 (Bibl. de la Pléiade, *Les stoïciens*, p. 55 et 302). Cette condamnation de la pitié, qui est une constante du stoïcisme, n'empêchera pas Epictète ou Marc Aurèle d'utiliser positivement le mot (voir par ex. *Entretiens*, I, 18, *Pensées*, II, 13 et VII, 26, Pléiade, *Les stoïciens*, p. 850, 1149 et 1193) ; mais la pitié, au sens où ils l'entendent (comme absence de haine et de colère contre les méchants ou les ignorants), est plus proche de ce que j'appellerai *miséricorde* (voir, *infra*, chap. 9 ; sur la pitié chez Marc Aurèle, voir aussi P. Hadot, *La citadelle intérieure, Introduction aux Pensées de Marc Aurèle*, Fayard, 1992, p. 240).

généreux sans éprouver de la pitié ? Nous ne sommes pas tenus à prendre pour nous les chagrins des autres ; mais, si nous le pouvons, à soulager les autres de leur chagrin. »[7] Action, donc, plutôt que passion, et généreuse plutôt que pitoyable. Oui, quand la générosité existe, et quand elle suffit. Mais autrement ?

Spinoza, dans ces domaines, est bien proche des stoïciens. On cite souvent — que ce soit pour s'en réjouir ou pour s'en offusquer — sa condamnation de la *commiseratio* : « La pitié, chez un homme qui vit sous la conduite de la raison, est en elle-même mauvaise et inutile »[8], ce pourquoi le sage « s'efforce, autant qu'il le peut, de n'être pas touché »[9] par elle. Quelque chose d'essentiel se dit là. La pitié est une tristesse (c'est une tristesse née, par imitation ou identification, de celle d'autrui)[10]. Or c'est la joie qui est bonne, c'est la raison qui est juste : l'amour et la générosité, non la pitié, doivent nous pousser à aider nos semblables, et y suffisent[11]. Du moins ils suffisent chez le sage, c'est-à-dire chez celui, comme dit souvent Spinoza, qui « vit sous la seule conduite de la raison ». C'est à quoi peut-être la sagesse se reconnaît : ce pur accueil du vrai, cet amour sans tristesse, cette légèreté, cette

7. Cicéron, *Tusculanes*, IV, 26 (Pléiade, *Les stoïciens*, p. 350). Même idée chez Epicure : « Sympathisons avec nos amis non par nos pleurs, mais par notre sollicitude » (*Sentences vaticanes*, 66, trad. Voelke ; M. Conche traduit autrement : « Soyons en sympathie avec nos amis non en gémissant, mais en méditant »).
8. *Ethique*, IV, prop. 50 (trad. Misrahi). Appuhn traduit *commiseratio* par *commisération*, ce qui est certes acceptable. Dans la mesure où Spinoza la définit comme étant « une tristesse née du dommage d'autrui » (*Ethique*, III, scolie de la prop. 27), « une tristesse qu'accompagne l'idée d'un mal arrivé à un autre que nous imaginons être semblable à nous » (*Ethique*, III, déf. 18 des affects), la traduction par *pitié* (pour laquelle ont opté la plupart des traducteurs : Guérinot, Caillois, Misrahi, Pautrat...) est tout aussi acceptable et sans doute plus fidèle à l'esprit de la langue : outre que le mot est d'un usage plus courant, il me semble que la tristesse, essentielle à la définition de Spinoza, s'y entend davantage...
9. *Ibid.*, corollaire.
10. *Ethique*, III, scolies des prop. 22 et 27.
11. *Ethique*, IV, prop. 37, 46 et *passim*.

générosité sereine et joyeuse... Mais qui est sage ? Pour tous les autres, et c'est ce qu'on oublie trop souvent, c'est-à-dire pour nous tous (puisque nul n'est sage en entier), la pitié vaut mieux que son contraire et même que son absence : « Je parle ici expressément, précise Spinoza, de l'homme qui vit sous la conduite de la raison. Pour celui qui n'est mû ni par la raison ni par la pitié à être secourable aux autres, on l'appelle justement inhumain, car il ne paraît pas ressembler à un homme. »[12] Si bien que, sans être une vertu, la pitié « est bonne cependant »[13], au même titre d'ailleurs que la honte ou le repentir[14] : parce qu'elle est facteur de bienveillance et d'humanité[15]. Spinoza, quoi qu'on en ait dit, est ici à l'opposé de Nietzsche : il ne s'agit pas de renverser les valeurs ou les hiérarchies[16], mais simplement d'apprendre à pratiquer dans la joie — c'est-à-dire par amour ou par générosité — ce que les honnêtes gens s'efforcent le plus souvent de pratiquer dans la tristesse, c'est-à-dire par devoir ou par pitié. « Il y a une bonté qui assombrit la vie, écrira Alain dans un très spinoziste propos de 1909, une bonté qui est tristesse, que l'on appelle communément pitié, et qui est un des fléaux de l'hu-

12. *Ethique*, IV, scolie de la prop. 50. Voir aussi A. Matheron, comme toujours remarquablement précis et clair, *Individu et communauté chez Spinoza*, Editions de Minuit, 1969, p. 145-148 et surtout p. 156-159.

13. *Ethique*, IV, scolie de la prop. 58 (où il est dit que, « *comme la pitié*, la honte, qui n'est pas une vertu, est bonne cependant ».

14. *Ibid*. Voir aussi S. Zac, *La morale de Spinoza*, PUF, 1959, rééd. 1972, p. 76-77, ainsi que (sur le repentir) A. Matheron, *Le Christ et le salut des ignorants*, p. 111-113.

15. *Ethique*, III, déf. 35 et 43 des affects.

16. Au contraire bien sûr de ce que Nietzsche n'a cessé de prôner : voir par ex. *La généalogie de la morale*, I, 11, ainsi que ce que j'en écrivais dans *Pourquoi nous ne sommes pas nietzschéens*, ouvrage collectif sous la dir. de L. Ferry et A. Renaut, Grasset, 1991, spécialement p. 66-68. Sur le rapport de Nietzsche à Spinoza (que Nietzsche a toujours considéré comme un prédécesseur, mais aussi comme un adversaire, dominé par la peur et le ressentiment), voir également mon article « Nietzsche et Spinoza », dans *De Sils-Maria à Jérusalem (Nietzsche et le judaïsme ; les intellectuels juifs et Nietzsche)*, ouvr. collectif sous la dir. de D. Bourel et J. Le Rider, Cerf, 1991, p. 47 à 66.

main. »[17] Oui. Cela toutefois vaut mieux que cruauté et égoïsme, comme Montaigne et Spinoza l'ont vu, et comme Alain le confirme : « Evidemment la pitié, chez un homme injuste ou tout à fait irréfléchi, vaut mieux qu'une insensibilité de brute. »[18] Cela n'en fait pas encore une vertu : ce n'est que tristesse et passion. « La pitié ne va pas loin », dira encore Alain[19]. C'est pourtant mieux que rien : ce n'est qu'un début, mais c'en est un. C'est où Spinoza est le plus éclairant peut-être. Entre la morale du sage et la morale de tout le monde[20], il y a certes une différence importante quant aux affects mis en œuvre (devoir et pitié d'un côté, amour et générosité de l'autre : tristesse ou joie) ; mais guère, quant aux actions : l'amour libère de la loi mais sans l'abolir, et en l'inscrivant, bien au contraire, « au fond des cœurs »[21]. La loi ? Quelle loi ? La seule que Spinoza ait faite sienne, qui est de justice et de charité[22]. La raison et l'amour y suffisent, chez le sage ; mais la pitié y conduit, chez les autres. Bien présomptueux qui prétendrait s'en passer !

Au reste, je ne suis pas sûr que la pitié ou la tristesse épuisent le tout de ce que j'entends par compassion. Ne peut-il exister aussi une espèce de compassion sinon joyeuse, du moins positive, qui serait moins souffrance subie que disponibilité

---

17. Propos du 5 octobre 1909, *Propos*, I, p. 60 (sauf précision contraire, nos références à Alain renvoient aux quatre volumes de l'éd. de la Pléiade). Sur le rapport d'Alain à Spinoza, voir mon article « Le dieu et l'idole (Alain et Simone Weil face à Spinoza) », dans *Spinoza au XXe siècle*, ouvr. collectif sous la dir. d'O. Bloch, PUF, 1993, p. 13 à 39.

18. Propos du 3 février 1910, *Propos*, II, p. 161.

19. Propos du 5 novembre 1927, *Propos*, I, p. 750.

20. Pour reprendre une distinction proposée par Sylvain Zac, *La morale de Spinoza*, chap. 5. Voir aussi p. 116-117, où S. Zac remarque à juste titre que, de cette morale de tout le monde (et spécialement de sa forme judéo-chrétienne), « Spinoza ne conteste jamais la valeur ».

21. Spinoza, *Traité théologico-politique*, chap. 4 (p. 93 de la trad. Appuhn, G.-F., 1965).

22. *Ibid*, chap. 14. Voir aussi A. Matheron, *Le Christ et le salut des ignorants...*, chap. 2 et 3, et S. Zac, *La morale de Spinoza*, Remarques finales.

attentive, moins tristesse que sollicitude, moins passion que patience et écoute ? C'est peut-être ce que Spinoza visait sous le nom de *misericordia*, que l'on traduit ordinairement par miséricorde, c'est le plus facile, mais qui me paraît plus proche (puisque les notions de faute et de pardon, essentielles à la miséricorde, n'y apparaissent pas) de ce que j'entends par compassion, dont je traduirai ainsi la définition : « La compassion *[misericordia]* est l'amour en tant qu'il affecte l'homme de telle sorte qu'il se réjouisse du bonheur d'autrui et s'attriste de son malheur. »[23] Il est vrai qu'au sens usuel, la compassion vaut plutôt, voire exclusivement, pour le malheur d'autrui, non pour son bonheur. Mais l'hésitation semble exister chez Spinoza, puisque celui-ci nous dit aussi, curieusement, qu'entre la *commiseratio* et la *misericordia*, c'est-à-dire, dans notre traduction, entre la pitié et la compassion, « il ne paraît y avoir aucune différence, sinon peut-être que la pitié a rapport à une affection singulière, la compassion à une disposition habituelle à l'éprouver »[24] — curieusement, disais-je, puisque c'est supposer que la pitié, elle aussi, devrait pouvoir non seulement s'attrister du malheur d'autrui, mais encore, comme la *misericordia*, se réjouir de son bonheur, ce qui excède l'usage ordinaire — et même spinoziste — du mot. Mais après tout qu'importe l'usage, si l'on s'entend sur les définitions ? Ce qui m'éclaire dans celles, parallèles, de la compassion et de la pitié, c'est que la pitié *(commiseratio)* est définie comme tristesse, alors que la compassion *(misericordia)* est définie comme amour, c'est-à-dire, d'abord, comme joie[25]. Cela ne supprime pas la tristesse de la compassion, que chacun peut expérimenter (quand on se réjouit de l'existence de quelqu'un, c'est-à-dire quand on

23. *Ethique*, III, déf. 24 des affects. Voici le texte latin : « *Misericordia est Amor, quatenus hominem ita afficit, ut ex bono alterius gaudeat, et contra ut ex alterius malo contristetur.* »
24. *Ethique*, III, explication de la déf. 18 des affects.
25. *Ethique*, III, déf. 6, 18 et 24 des affects.

l'aime, on est triste de le voir souffrir)[26], mais en change pourtant l'orientation, me semble-t-il, et la valeur. Car l'amour est une joie[27], et quand bien même la tristesse l'emporterait, dans la compassion comme dans la pitié, ce sont du moins tristesses sans haine[28], ou qui ne sont haines que du malheur, non du malheureux, et occupées plutôt à l'aider qu'à le mépriser[29]. La vie est trop difficile et les hommes sont trop malheureux pour qu'un tel sentiment ne soit pas nécessaire et justifié. Mieux vaut une vraie tristesse, ai-je dit bien souvent, qu'une fausse joie. Il faut ajouter : mieux vaut un amour attristé — ce qu'est, exactement, la compassion — qu'une haine joyeuse.

Mieux vaudrait un amour joyeux ? Bien sûr : mieux vaudrait la sagesse ou la sainteté, mieux vaudrait le pur amour, mieux vaudrait la charité ! « La compassion, écrit Jankélévitch, est une charité réactive ou secondaire qui a besoin, pour aimer, de la souffrance de l'autre, qui dépend des guenilles de l'infirme, du spectacle de sa misère. La pitié est à la remorque du malheur : la pitié n'aime son prochain que s'il est pitoyable, la commisération ne sympathise avec l'autre que s'il est miséreux ! Spontanée au contraire est la charité (...) : la charité n'attend pas de rencontrer le prochain en haillons pour découvrir sa misère ; notre prochain, après tout, peut et doit être aimé même s'il n'est pas malheureux... »[30] Oui, sans doute, mais c'est tellement difficile ! Le malheur court-circuite l'envie, par définition, et la pitié

---

26. *Ethique*, III, prop. 21, et scolie de la prop. 22.

27. *Ethique*, III, déf. 6 des affects.

28. *Ethique*, III, coroll. 2 de la prop. 27.

29. *Ibid.*, coroll. 3 : « Si un objet nous inspire de la pitié, nous nous efforcerons, autant que nous le pourrons, de le délivrer de sa misère. » Spinoza, dans tout cela, n'est pas si loin de Descartes : voir le *Traité des passions*, III, art. 185 à 189.

30. V. Jankélévitch, *Traité des vertus*, II, 2, chap. 6, Champs-Flammarion, 1986, p. 168-169.

court-circuite la haine : autant d'obstacles de moins à l'amour, à la proximité déchirante de l'autre ! La compassion, précisément parce qu'elle est réactive, projective, identificatoire, est l'amour le plus bas, peut-être, mais aussi le plus facile. Nietzsche est plaisant, qui veut nous en dégoûter[31]. Comme si nous n'en étions pas dégoûtés à l'avance ! Comme si ce n'était pas notre désir le plus vif, le plus naturel, le plus spontané, que d'en être débarrassé ! Qui n'aurait assez de sa propre souffrance ? Qui ne préférerait oublier celle des autres, ou y être insensible ? Vauvenargues, plus lucide que Nietzsche : « L'avare prononce en secret : Suis-je chargé de la fortune des misérables ? Et il repousse la pitié qui l'importune. »[32] On vivrait mieux sans la pitié, du moins ceux qui vivent bien vivraient mieux. Mais ce confort est-il le but ? Mais cette vie-là est-elle la norme ? A quoi bon philosopher à coups de marteau, si c'est pour nous caresser ainsi, comme le premier démagogue venu, dans le sens du poil ? Schopenhauer est autrement profond, qui voyait dans la compassion le ressort par excellence de la moralité, et l'origine — indépassable, et non susceptible d'un renversement ! — de sa valeur[33]. La compassion s'oppose directement à la cruauté, qui est le plus grand mal, à l'égoïsme, qui est le principe de tous, et nous conduit bien plus sûrement que tel commande-

---

31. Voir par ex. *L'Antéchrist*, § 7 : « On appelle le christianisme la religion de la *compassion*. La compassion est l'opposé des émotions toniques qui élèvent l'énergie du sentiment vital : elle a un effet déprimant. (...) Elle préserve ce qui est mûr pour périr, elle s'arme pour la défense des déshérités et des condamnés de la vie, et, par la multitude des ratés de tout genre qu'elle *maintient* en vie, elle donne à la vie même un aspect sinistre et équivoque. On a osé appeler la compassion une vertu (dans toute morale *aristocratique*, elle passe pour une faiblesse). » Voir aussi *Par-delà le bien et le mal*, § 260, et *La volonté de puissance*, III, 227 (trad. G. Bianquis, Gallimard, 1937, t. 2, p. 80).

32. *Introduction à la connaissance de l'esprit humain*, Réflexions et maximes, 82 (G.-F., 1981, p. 189).

33. *Le fondement de la morale*, surtout aux chap. III et IV, et spécialement aux § 16-19 et 22. Voir aussi *Le monde comme volonté et comme représentation*, IV, 67.

ment religieux ou que telle maxime des philosophes. Peut-on en faire dériver jusqu'aux vertus de justice et de charité, comme le voulait Schopenhauer? Point totalement, me semble-t-il. Mais ce sont vertus ultimes, qui demandent un développement considérable de l'humanité ou de la civilisation. Qui peut savoir si, sans la pitié, elles seraient jamais advenues?

Remarquons en passant, toujours avec Schopenhauer, que la compassion vaut aussi à l'égard des animaux. La plupart de nos vertus ne visent que l'humanité, c'est leur grandeur et leur limite. La compassion, au contraire, sympathise universellement avec tout ce qui souffre : si nous avons des devoirs vis-à-vis des animaux, comme je le crois[34], c'est avant tout par elle, ou en elle, et c'est par quoi la compassion est la plus universelle peut-être de nos vertus. On dira qu'on peut aussi aimer les bêtes, et faire preuve, à leur égard, de fidélité ou de respect. Oui : saint François d'Assise en donne l'exemple, en Occident, et bien d'autres en Orient. Il serait toutefois inconvenant de mettre sur le même plan les sentiments que nous pouvons avoir pour les bêtes avec ceux, évidemment supérieurs et autrement exigeants, que nous devons aux êtres humains. On n'est pas fidèle à ses amis comme à son chien, ni respectueux d'un homme, même inconnu, comme d'un oiseau ou d'un cerf. Concernant la compassion pourtant, cette évidence s'estompe. Qu'est-ce qui est pire : donner une gifle à un enfant ou torturer un chat? Si ce dernier acte est plus grave, comme j'incline à le penser, il faut en conclure aussi que ce malheureux animal, dans l'exemple considéré, mérite davantage notre compassion. La douleur l'emporte ici sur l'espèce, et la compassion sur l'humanisme. La compassion est ainsi cette vertu singulière qui nous ouvre non seulement à toute l'humanité, mais encore à l'ensemble

34. Voir mon article « Sur les droits des animaux », à paraître dans *Esprit*.

des vivants ou, à tout le moins, des souffrants. Une sagesse fondée sur elle, ou nourrie d'elle, serait la plus universelle des sagesses, comme l'a vu Lévi-Strauss[35], et la plus nécessaire. C'est la sagesse du Bouddha, mais c'est celle aussi de Montaigne[36], et c'est la vraie. Sagesse de vivants, sans laquelle toute sagesse humaine serait trop humaine, ou plutôt trop peu. L'humanité, en tant qu'elle est une vertu, est presque un synonyme de la compassion, et cela en dit long sur l'une et l'autre. Qu'on puisse être humain aussi vis-à-vis des bêtes, et qu'on le doive, est la plus claire supériorité que l'humanité puisse s'arroger, à condition d'en rester digne. Manquer totalement de compassion c'est être inhumain, et seul un homme peut l'être. Il y a place ici pour un nouvel humanisme, qui ne serait pas jouissance exclusive d'une essence ou des droits qui y sont attachés, mais perception exclusive — jusqu'à preuve du contraire — d'exigences ou de devoirs que la souffrance de l'autre, quel qu'il soit, nous impose. Humanisme cosmique : humanisme de la compassion.

Schopenhauer cite longuement Rousseau[37], et Lévi-Strauss, comme on sait, s'en réclame expressément[38]. De fait, il est difficile de ne pas l'évoquer, tant il sut dire, et l'un des premiers, l'essentiel — qui rejoint d'ailleurs, du moins aujourd'hui, l'expérience ou la sensibilité communes. Il faut relire le beau passage du *Deuxième discours*, dans lequel Rous-

35. *Anthropologie structurale deux*, Plon, 1973, chap. 2 (spécialement p. 50 à 56).

36. Voir par ex. le très bel essai « De la cruauté » (*Essais*, II, 11 ; voir aussi I, 1, p. 8 de l'éd. Villey-Saulnier : « J'ai une merveilleuse lâcheté vers la miséricorde et la mansuétude. Tant y a qu'à mon avis je serais pour me rendre plus naturellement à la compassion qu'à l'estimation... »). Sur le rapport de Lévi-Strauss au bouddhisme, voir *Tristes tropiques*, p. 471 à 480 ; et sur son rapport à Montaigne : *Histoire de lynx*, Plon, 1991, chap. 18, p. 277 et s.

37. *Le fondement de la morale*, III, 19 (p. 162-164 de la trad. Burdeau, Aubier-Montaigne, 1978). Il s'agit de citations du *Discours sur l'origine de l'inégalité* et de *L'Emile*.

38. *Op. cit.*, p. 45 à 56. Voir aussi *Tristes tropiques*, Plon, 1955, chap. 38, p. 451-454.

seau montre que la pitié est la première de toutes les vertus, et la seule qui soit naturelle[39]. C'est qu'elle est un sentiment avant d'être une vertu, « sentiment naturel », dit Rousseau, d'autant plus fort qu'il dérive sans doute de l'amour de soi (par identification avec autrui) et tempère ainsi, en tout homme, « l'ardeur qu'il a pour son bien-être par une répugnance innée à voir souffrir son semblable »[40]. Compassion sans rivage, ou sans autre rivage que la douleur, puisque tout ce qui souffre, dès lors, est mon semblable en quelque chose. Compatir, c'est communier dans la souffrance ; et cette communauté-là, qui est innombrable, nous impose sa loi, ou plutôt nous la propose, qui est de douceur : « *Fais ton bien avec le moindre mal d'autrui qu'il est possible.* »[41] La pitié est ainsi ce qui nous sépare de la barbarie, comme Mandeville l'avait vu, mais aussi, pour Rousseau, la vertu mère, dont toutes les autres dérivent :

> « Mandeville a bien senti qu'avec toute leur morale les hommes n'eussent jamais été que des monstres, si la Nature ne leur eût donné la pitié à l'appui de la raison : mais il n'a pas vu que de cette seule qualité découlent toutes les vertus sociales qu'il veut disputer aux hommes. En effet, qu'est-ce que la générosité, la clémence, l'humanité, sinon la pitié appliquée aux faibles, aux coupables, ou à l'espèce humaine en général ? La bienveillance et l'amitié même sont, à le bien prendre, des productions d'une pitié constante, fixée sur un objet particulier : car désirer que quelqu'un ne souffre point, qu'est-ce autre chose que désirer qu'il soit heureux ? »[42]

---

39. *Discours sur l'origine et les fondements de l'inégalité parmi les hommes*, I, p. 154 à 157 de l'éd. de la Pléiade (t. 3 des *Œuvres complètes*), dont, dans les citations qui suivent, je moderniserai l'orthographe et la ponctuation.

40. *Ibid.*, p. 154 (et p. 155-156 pour l'identification). Sur la pitié chez Rousseau, il faut lire les belles analyses de Jacques Derrida, dans *De la grammatologie*, Ed. de Minuit, 1967, II, chap. 3, p. 243 à 272.

41. Rousseau, *op. cit.*, p. 156.

42. *Ibid.*, p. 155. Bernard Mandeville, né en Hollande mais vivant en Angleterre (1670-1733), est l'auteur de *La fable des abeilles*, qui fit scandale par sa vision subversive des valeurs morales, qu'il ramène toutes à l'amour-propre et à l'amour de soi. Voir Paulette Carrive, *Bernard Mandeville*, Vrin, 1980.

Je ne sais si on peut aller aussi loin, ni ne souhaite, d'ailleurs, ramener toutes les vertus à une seule. Pourquoi ce privilège de l'unité ? Mais ce dont je suis convaincu, en effet, c'est que la pitié s'oppose au pire, qui est cruauté, et au mal, qui est égoisme. Pas plus que pour la générosité, cela ne prouve qu'elle en soit elle-même totalement exempte. C'est au contraire un lieu commun, depuis Aristote, que de voir dans la pitié « un malheur dont nous sommes témoins (...), lorsque nous présumons qu'il peut nous atteindre nous-mêmes, ou quelqu'un des nôtres »[43]. La pitié ne serait qu'un égoisme projectif, ou transférentiel : ce serait en vérité « ce que l'on craint pour soi (qui) nous inspire de la pitié pour les autres qui l'éprouvent », quand nous comprenons que « la même épreuve pourrait nous atteindre »[44]. Pourquoi non ?

43. Aristote, *Rhétorique*, II, 8, 1385 *b* (p. 218 de la trad. Ruelle-Vanhemelryck, Le Livre de poche, 1991). C'est par quoi la pitié est (avec la crainte) un des ressorts de la tragédie : voir Aristote, *Poétique*, 1449 *b* 27-28, 1452 *a*, 1453 *b*...

44. *Ibid.*, 1386 *a* (p. 221 de la trad. citée). Cette idée fera florès, surtout aux XVIIe et XVIIIe siècles. Voir par ex. La Rochefoucauld, maxime 264 : « La pitié est souvent un sentiment de nos propres maux dans les maux d'autrui ; c'est une habile prévoyance des malheurs où nous pouvons tomber... » Ou Chamfort, *Sur l'art dramatique,* maxime 36 : « La pitié n'est qu'un secret repli sur nous-même, à la vue des maux d'autrui dont nous pouvons être également victimes. » La Bruyère, tout en reprenant la même idée, semble en voir mieux les limites : « S'il est vrai que la pitié ou la compassion soit un retour vers nous-mêmes qui nous met en la place des malheureux, pourquoi tirent-ils de nous si peu de soulagement dans leurs misères ? » (*Caractères*, Du cœur, 48). Vauvenargues, quant à lui, la récuse purement et simplement : « La pitié n'est qu'un sentiment mêlé de tristesse et d'amour ; je ne pense pas qu'elle ait besoin d'être excitée par un retour sur nous-mêmes, comme on le croit. Pourquoi la misère ne pourrait-elle sur notre cœur ce que fait la vue d'une plaie sur nos sens ! N'y a-t-il pas des choses qui affectent immédiatement l'esprit ? L'impression des nouveautés ne prévient-elle pas toujours nos réflexions ? Notre âme est-elle incapable d'un sentiment désintéressé ? » (*Introduction à la connaissance de l'esprit humain*, II, « De la pitié », G.-F., p. 96 ; voir aussi p. 259). Même refus, au XXe siècle, chez Alain : « C'est très mal décrire la pitié si l'on dit que celui qui l'éprouve pense à lui-même et se voit à la place de l'autre. Cette réflexion, quand elle vient, ne vient qu'après la pitié ; par l'imitation du semblable, le corps se dispose aussitôt selon la souffrance, ce qui fait une anxiété d'abord sans nom ; l'homme se demande compte à lui-même de ce mouvement du cœur, qui lui vient comme une maladie... » (Propos du 20 février 1923, Bibl. de la Pléiade, *Propos*, I, p. 469).

Mais aussi : qu'est-ce que cela change ? La pitié qu'on ressent n'en est pas moins réelle, qui subsiste d'ailleurs, notons-le en passant, pour des maux qui ne sauraient nous atteindre. La mort d'un enfant, et la souffrance atroce de ses parents, apitoieront aussi bien le vieillard sans enfant. Sentiment absolument désintéressé ? Je ne sais, et je m'en moque. Mais sentiment réel, et réellement compatissant. Le reste est la petite cuisine du moi, qui ne vaut que ce que valent les cuisines. Autant vouloir condamner l'amour, ou nier son existence, sous prétexte qu'il serait toujours lié à quelque pulsion sexuelle. Freud, concernant l'amour, n'était pas si bête ; pourquoi, concernant la compassion, le serions-nous davantage ?

Quant au rapport de la compassion avec la cruauté, pour être plus paradoxal, il n'est pas non plus impensable : d'abord parce que l'ambivalence se retrouve partout, jusque dans nos vertus, ensuite parce que la pitié peut elle-même susciter ou autoriser la cruauté. C'est ce qu'a montré Hannah Arendt, à propos de la Révolution française (« la pitié, prise comme ressort de la vertu, s'est avérée comme possédant un potentiel de cruauté supérieur à celui de la cruauté elle-même »[45]), et si cela ne condamne absolument ni la pitié ni la révolution, cela justifie, vis-à-vis de l'une et de l'autre, une certaine vigilance : que la pitié nous sépare du pire, ou s'y oppose, n'empêche pas, parfois, qu'elle puisse aussi y mener. La pitié n'est ni une garantie ni une panacée. Mais ce que montre bien Hannah Arendt, c'est que la pitié n'a pu justifier la violence et la cruauté, pendant la Terreur, qu'en raison de son abstraction : par pitié pour les malheureux en général, c'est-à-dire pour le peuple, au sens du XVIIIe siècle, on n'hésita pas à faire quelques malheureux singuliers de plus... C'est ce qui distingue, pour Hannah Arendt, la *pitié* de

---

45. *Essai sur la révolution*, chap. 2, trad. franç. Gallimard, « Tel », spécialement p. 99 à 141 (p. 127-128 pour l'expression citée).

la *compassion* : la compassion, au contraire de la pitié, « ne peut comprendre que le particulier, mais reste sans connaissance du général » ; aussi ne peut-elle « aller plus loin que ce que souffre une personne unique », ni *a fortiori* « être inspirée par les souffrances d'une classe entière »[46]. La pitié est abstraite, globalisante, bavarde. La compassion, concrète, singulière (quand bien même nous aurions, comme Jésus, « la capacité d'éprouver de la compassion pour tous les hommes dans leur singularité, c'est-à-dire sans les assembler en une entité telle que l'humanité souffrante »[47], comme ferait la pitié), volontiers silencieuse[48]. De là la violence de la pitié, sa cruauté parfois, face à la grande douceur de la compassion. Si l'on accepte cette distinction, on pourrait dire que Robespierre et Saint-Just, au nom de la pitié (pour les pauvres en général), ont manqué de compassion (pour les adversaires, ou supposés tels, de la Révolution, en tant qu'individus singuliers). Mais alors cette pitié-là n'est qu'un sentiment abstrait (Spinoza dirait : imaginaire), et c'est bien la compassion qui est une vertu.

Je proposerais volontiers une autre distinction, entre ces deux notions, s'ajoutant (plutôt que se substituant) à celle que suggère Hannah Arendt : la pitié ne va jamais, me semble-t-il, sans une part de mépris ou, à tout le moins, sans le sentiment, chez celui qui la ressent, de sa propre supériorité. *Suave mari magno*[49]... Il y a de la suffisance, dans la pitié, qui souligne l'insuffisance de son objet. J'en veux pour preuve le double sens de l'adjectif *pitoyable*, qui désigne d'abord celui qui est enclin à la pitié, celui qui la ressent, mais aussi, et de plus en plus, celui qui en est l'objet ou la

46. *Ibid.*, p. 121.
47. *Ibid.*, p. 122.
48. *Ibid.*, p. 121-122 (où H. Arendt oppose « la compassion muette de Jésus » à « la pitié éloquente de l'Inquisiteur », dans *Le Grand Inquisiteur* de Dostoïevski).
49. Voir Lucrèce, *De rerum natura*, II, 1-19.

mérite. Or, en ce dernier sens, *pitoyable* est clairement dépréciatif : c'est un synonyme à peu près de *médiocre, lamentable* ou *méprisable* . Rien de tel concernant la compassion : *compatissant* ne se dit que de celui qui l'éprouve, et aucun adjectif passif (comme pourrait être *compatissable*) ne lui correspond. C'est peut-être que la compassion ne suppose, quant à son objet, aucun jugement de valeur déterminé : on peut avoir de la compassion pour ce qu'on admire, comme aussi pour ce qu'on condamne. En revanche il me semble qu'on n'en a jamais que pour ce qu'on respecte au moins quelque peu : ce serait autrement, c'est du moins la distinction que je propose, non plus de la compassion mais de la pitié. Cette distinction me paraît fidèle à l'esprit de la langue. A celui qui souffre, par exemple parce qu'il est gravement malade, nous pouvons faire part de notre compassion ou de notre sympathie. Nous n'oserions lui exprimer notre pitié, qui serait jugée méprisante ou insultante. La pitié s'éprouve de haut en bas[50]. La compassion, au contraire, est un sentiment horizontal : elle n'a de sens qu'entre égaux, ou plutôt, et mieux, elle *réalise* cette égalité entre celui qui souffre et celui, à côté de lui et dès lors sur le même plan, qui partage sa souffrance. Pas de pitié, en ce sens, sans une part de mépris ; pas de compassion sans respect.

C'est peut-être ce que voulait dire Alain, quand il écrivait que « l'esprit n'a point de pitié, et n'en peut avoir ; c'est le respect qui l'en détourne »[51]. Non, certes, que l'esprit soit impitoyable, si l'on entend par là qu'il ne pourrait jamais céder ou plaindre. Mais comment pourrait-il s'apitoyer sur ce qu'il respecte ou vénère ? Ce pourquoi, disait encore Alain, « la pitié est du corps, non de l'esprit »[52] : l'esprit (l'es-

---

50. C'est le cas notamment (et avec quelle hauteur !) chez Descartes : voir l'art. 187 du *Traité des passions*.
51. Propos du 22 juillet 1922, Bibl. de la Pléiade, *Propos*, II, p. 496.
52. *Ibid.*

prit respectueux, l'esprit fidèle) ne peut ressentir, lui, que de la compassion. Ne tombons pas pour autant dans la religion ou le spiritualisme. A parler strictement, ce n'est pas l'esprit qui a de la compassion ou du respect : c'est le respect et la compassion qui *font* l'esprit. Aussi l'esprit naît-il dans la souffrance : la sienne propre, et c'est courage ; celle de l'autre, et c'est compassion.

On évitera donc de confondre la compassion avec la condescendance ou, au sens caricatural que ces mots ont pris, avec les bonnes œuvres, la charité (au sens où l'on *fait* la charité) ou l'aumône. On peut par exemple penser, avec Spinoza, que c'est à l'Etat, non aux particuliers, de s'occuper des miséreux[53] : que mieux vaut en conséquence, contre la misère, *faire de la politique* que *faire la charité*. J'en serais d'accord. Quand bien même je donnerais tout ce que j'ai, jusqu'à me faire aussi pauvre qu'eux, qu'est-ce que cela aura changé, au bout du compte, à la misère ? A problème social, solution sociale. La compassion, comme la générosité, peut ainsi justifier par exemple qu'on se batte pour l'*augmentation* des impôts, et pour leur meilleure utilisation, ce qui serait sans doute plus efficace (et pour beaucoup d'entre nous plus coûteux, donc plus généreux !) que les petites piécettes qu'on donne à droite ou à gauche. Cela ne dispense pas, en revanche, d'avoir à l'égard des pauvres ou des exclus une attitude de proximité fraternelle, de respect, de disponibilité secourable, de sympathie, bref de compassion — laquelle peut d'ailleurs se manifester aussi, puisque la politique ne suffit pas à tout, par une action concrète de bienveillance, au sens de Spinoza[54], ou de solidarité. Chacun fait ici ce qu'il peut, ou plutôt ce qu'il veut, en fonction de ses moyens et du peu de générosité dont

53. *Ethique*, IV, Appendice, chap. 17. Voir aussi A. Matheron, *Individu et communauté...*, p. 157.

54. *Ethique*, III, déf. 35 des affects : « La *bienveillance* est un désir de faire du bien à celui pour qui nous avons de la commisération. »

il est capable. L'ego commande, et décide. Mais point tout seul, et c'est ce que signifie la compassion.

La compassion est un sentiment : en tant que tel, elle se ressent ou non, et ne se commande pas. C'est pourquoi, comme Kant nous le rappelle, elle n'est pas susceptible d'être un devoir[55]. Les sentiments toutefois ne sont pas un destin, qu'on ne pourrait que subir. L'amour ne se décide pas, mais il s'éduque. Ainsi en va-t-il aussi de la compassion : ce n'est pas un devoir que de l'éprouver, mais c'en est un, explique Kant, que de développer en soi la capacité de la ressentir[56]. C'est en quoi la compassion est aussi une vertu, c'est-à-dire, tout à la fois, un effort, une puissance et une excellence. Qu'elle soit l'un et l'autre — sentiment et vertu, tristesse et puissance[57] — explique le privilège que Rousseau et Schopenhauer, à tort ou à raison (sans doute à tort *et* à raison), y ont vu : elle est ce qui permet de passer de l'un à l'autre, de l'ordre affectif à l'ordre éthique, de ce que l'on ressent à ce que l'on veut, de ce que l'on est à ce que l'on doit. On dira

55. *Doctrine de la vertu*, § 34 et 35 (p. 134-135 de la trad. Philonenko, Vrin, 1968).

56. *Ibid.*, § 35 : « Bien que ce ne soit pas en soi un devoir de partager la peine ou bien la joie d'autrui, c'en est un cependant que de participer activement à leur destin, et c'est donc en fin de compte un devoir indirect de cultiver en nous les sentiments naturels (esthétiques) de sympathie (...). Aussi c'est un devoir de ne pas éviter les lieux où se trouvent les malheureux auxquels manque le plus nécessaire, mais de les rechercher, et il ne faut pas fuir les hôpitaux ou les prisons pour débiteurs, etc., afin d'éviter le douloureux sentiment de sympathie, dont on ne pourrait se défendre, car ce sentiment est toutefois bien un mobile implanté en nous par la nature pour faire ce que la représentation du devoir par elle seule n'indiquerait pas. »

57. Cette dernière conjonction, même pour Spinoza, n'est pas contradictoire : voir *Ethique*, III, prop. 37 et démonstration (« plus grande est la tristesse, plus grande est la puissance d'agir par laquelle l'homme s'efforce à son tour d'écarter la tristesse »). Voir aussi le bel article de Laurent Bove, « Spinoza et la question de la résistance », *L'enseignement philosophique*, nº 5, mai-juin 1993, p. 3 et s.

que l'amour aussi accomplit ce passage. Sans doute. Mais l'amour n'est guère à notre portée ; la compassion, si.

La compassion, disais-je, est la grande vertu de l'Orient bouddhiste. On sait que la charité — cette fois au bon sens du terme : comme amour de bienveillance — est la grande vertu, au moins en paroles, de l'Occident chrétien. Faut-il choisir ? A quoi bon, puisque les deux ne s'excluent pas ? S'il le fallait, pourtant, il me semble que l'on pourrait dire ceci : la charité vaudrait mieux, assurément, si nous en étions capables ; mais la compassion est plus accessible, qui lui ressemble (par la douceur) et peut nous y mener. Qui peut être sûr d'avoir jamais connu un mouvement vrai de charité ? De compassion, qui peut en douter ? Il faut commencer par le plus facile, et nous sommes tellement plus doués, hélas, pour la tristesse que pour la joie... Courage à tous, et compassion aussi pour soi.

Ou pour le dire autrement : le message du Christ, qui est d'amour, est plus exaltant ; mais la leçon du Bouddha, qui est de compassion, plus réaliste.

« Aime, et fais ce que tu veux »[58], donc — ou bien compatis, et fais ce que tu dois.

---

58. Pour citer une nouvelle fois la belle formule de saint Augustin, qui résume si bien l'esprit des Evangiles (*Commentaire de la première Epître de saint Jean*, Traité VII, chap. 8, trad. P. Agaësse, SJ, Cerf, coll. « Sources chrétiennes », 1961, p. 328-329).

9

La miséricorde

La miséricorde, au sens où je prends le mot, est la vertu du pardon — ou plutôt, et mieux, sa vérité.

Qu'est-ce en effet que pardonner ? Si l'on entend par là, comme une certaine tradition nous y invite, le fait d'effacer la faute, de la considérer comme nulle et non avenue, c'est un pouvoir que nous n'avons pas, ou une sottise qu'il vaut mieux éviter. Le passé est irrévocable, et toute vérité est éternelle : même Dieu, remarquait Descartes, ne peut faire que ce qui a été fait ne l'ait pas été[1]. Nous ne le pouvons pas davantage, et à l'impossible nul n'est tenu. Quant à oublier la faute, outre que ce serait manquer bien souvent de fidélité, à l'égard des victimes (faut-il oublier les crimes du nazisme ? faut-il oublier Auschwitz et Oradour ?), ce serait aussi une sottise, presque toujours, et manquer par conséquent à la prudence. Tel de vos amis vous a trahi : serait-il intelligent de lui garder votre confiance ? Tel de vos commerçants vous a volé : est-il immoral d'en changer ? Ce serait se payer de mots que de le prétendre, et afficher une vertu bien aveugle ou bien niaise. *Caute*, disait Spinoza, *méfie-toi*[2], et ce n'était pas pécher contre la miséricorde. Ses biographes racontent aussi qu'ayant été poignardé

1. *Lettre à Morus, du 5 février 1649* (éd. Alquié, t. 3, p. 881-882). Même idée chez Aristote : *Éthique à Nicomaque*, VI, 2, 1139 *b* 6-11 (p. 279 de la trad. Tricot).
2. Voir *supra*, chap. 3, p. 51 et note 22.

par un fanatique, il garda toute sa vie son justaucorps percé, pour ne pas oublier cet événement ni, sans doute, cette leçon[3]. Cela ne veut pas dire qu'il n'avait pas pardonné (nous verrons que le pardon, en un certain sens, fait partie des exigences de la doctrine), mais simplement que pardonner n'est pas effacer, que pardonner n'est pas oublier. Alors, qu'est-ce ? C'est cesser de haïr, et telle est la définition, en effet, de la miséricorde : elle est la vertu qui triomphe de la rancune, de la haine justifiée (par quoi elle va plus loin que la justice), de la rancœur, du désir de vengeance ou de punition. La vertu qui pardonne, donc, non en supprimant la faute ou l'offense, ce qu'on ne peut, mais en cessant d'en vouloir, comme on dit, à celui qui nous a offensé ou nui. Ce n'est pas la clémence, qui ne renonce qu'à punir (on peut haïr sans punir, comme punir sans haïr), ni la compassion, qui ne sympathise que dans la souffrance (on peut être coupable sans souffrir, comme souffrir sans être coupable), ni enfin l'absolution, si l'on entend par là le pouvoir — qui ne pourrait être que surnaturel — d'annuler les péchés ou les fautes. Vertu singulière et limitée, donc, assez difficile toutefois, et assez louable, pour en être une. Nous commettons trop de fautes, les uns et les autres, nous sommes trop misérables, trop faibles, trop vils, pour qu'elle ne soit pas nécessaire.

Revenons un instant sur sa différence d'avec la compassion. Celle-ci porte sur une souffrance, on l'a vu, et la plupart sont innocentes. La miséricorde porte sur des fautes, et beaucoup sont indolores. La miséricorde et la compassion sont donc bien deux vertus différentes, qui, quant à leurs objets, ne se recouvrent guère. Il est vrai pourtant qu'on pardonnera plus facilement à celui qui souffre, quand bien même sa souffrance serait sans rapport avec sa faute (et, spécialement, ne serait pas repentir). La miséricorde est le contraire de la rancune, et la

3. *Vie de Spinoza*, par J. Colerus (Bibl. de la Pléiade, p. 1510).

rancune est une haine. Or, nous l'avons vu à propos de la compassion, il est presque impossible de haïr celui qu'on voit souffrir atrocement : la pitié court-circuite la haine, disais-je, et c'est en quoi la compassion, sans se confondre avec elle, peut mener, en effet, à la miséricorde. L'inverse peut être vrai aussi, parfois (on compatit plus facilement quand on a cessé de haïr) ; mais la compassion, qui est plus affective, plus naturelle, plus spontanée, est le premier mouvement, presque toujours. La miséricorde est plus difficile, et plus rare.

C'est qu'il y faut de la réflexion, dont la pitié se passe fort bien. A quoi réfléchit le miséricordieux ? A lui-même, qui a beaucoup péché ? Cela se peut, qui le dissuadera, comme disent les Evangiles[4], de jeter la première pierre... Mais cette miséricorde par identification ne vaut que là où l'identification est possible : que dans les fautes communes, ou qui pourraient le devenir. Ainsi puis-je pardonner au voleur, puisqu'il m'est arrivé de voler (des livres, dans ma jeunesse). Au menteur, puisqu'il m'arrive de mentir. A l'égoïste, puisque je le suis. Au lâche, puisque je pourrais l'être. Mais au violeur d'enfant ? Mais au tortionnaire ? Dès que la faute passe la mesure commune, l'identification perd de sa force, voire de sa plausibilité. Or ce sont ces crimes surtout, et les plus horribles d'entre eux, qui appellent notre miséricorde. A quoi bon le pardon, s'il ne porte que sur des broutilles ? A quoi bon la miséricorde, si elle ne pardonne que ce qui, même sans elle, serait pardonnable ?

Il faut donc autre chose que l'identification, mais quoi ? L'amour ? Quand il existe, et quand il subsiste, après la découverte de la faute, il entraîne évidemment la miséricorde, mais aussi il la laisse sans objet. Pardonner c'est cesser de haïr, c'est renoncer à la vengeance, et c'est pourquoi l'amour n'a même pas à pardonner, qui l'a toujours déjà fait, qui le fera toujours, qui n'existe qu'à cette condition. Com-

4. *Evangile selon saint Jean*, VIII, 1-11.

ment cesser de haïr, quand on ne hait point ? Comment pardonner, quand on n'a nulle rancune en soi à vaincre ? L'amour est miséricordieux, mais comme il respire, et sans que ce soit en lui vertu spécifique. « On pardonne tant que l'on aime », disait La Rochefoucauld[5]. Mais tant que l'on aime, ce n'est pas de la miséricorde : c'est de l'amour. Les parents savent cela, et les enfants aussi parfois. Amour infini ? Non pas, puisqu'on ne peut. Mais inconditionnel, et supérieur, semble-t-il, à toute faute possible, à toute offense possible. « Qu'est-ce que tu ne me pardonnerais pas ? », demande le petit garçon à son père. Et le père ne trouve pas. Non, même le pire. Les parents n'ont pas à pardonner aux enfants : l'amour leur tient lieu de miséricorde. C'est aux enfants à pardonner aux parents, s'ils le peuvent, ou quand ils le pourront. Pardonner quoi ? Trop d'amour et d'égoïsme, trop d'amour et de bêtise, trop d'angoisse et de malheur... Ou bien trop peu d'amour, et le pardon n'en sera pas moins nécessaire. Qu'est-ce autre que devenir adulte ? J'aime beaucoup la formule d'Oscar Wilde, dans *Le portrait de Dorian Gray* : « Les enfants commencent par aimer leurs parents ; devenus grands, ils les jugent ; quelquefois, ils leur pardonnent. » Heureux les enfants qui peuvent pardonner à leurs parents : heureux les miséricordieux !

Pour le reste, je veux dire sorti de la famille, nous sommes si peu capables d'amour, surtout face aux méchants, qu'il est improbable que la miséricorde puisse en naître. Comment pourrions-nous aimer nos ennemis, ou même les supporter, sans leur pardonner d'abord ? Comment l'amour pourrait-il résoudre un problème qui ne se pose que du fait de son absence ? Car aimer, nous ne savons pas, et aimer les méchants encore moins. C'est bien pourquoi, de miséricorde, nous avons tant besoin ! Non parce que l'amour est là, mais parce qu'il n'y

5. Maxime 330.

est pas, parce qu'il n'y a que la haine, parce qu'il n'y a que la colère ! Comment aimerait-on les salauds ? Quant aux bons, ils n'ont que faire de notre miséricorde, ni nous n'en avons besoin à leur égard. L'admiration suffit, et vaut mieux.

A nouveau, il faut donc autre chose. Non point un sentiment d'abord, par quoi la miséricorde est plus difficile que la compassion. Le corps se projette dans la souffrance de l'autre, et veut épargner celui qui souffre : pitié. Mais le corps veut punir, mais le corps veut venger : colère, rancune, haine. Il pourrait y renoncer peut-être, si l'adversaire souffrait, si la pitié venait au secours de la miséricorde. Mais autrement ? Il y faut plus ou moins qu'une sensation, plus ou moins qu'un sentiment : une idée. Comme la prudence, la miséricorde est vertu intellectuelle, du moins intellectuelle d'abord et longtemps. Il s'agit de comprendre quelque chose. Quoi ? Que l'autre est méchant, s'il l'est, ou qu'il se trompe, s'il se trompe, ou qu'il est fanatique ou dominé par ses passions, si passions ou idées le dominent, enfin qu'il serait bien en peine, dans tous les cas, d'agir à l'inverse de ce qu'il est (par quel miracle ?) ou de devenir soudain bon, doux, raisonnable et tolérant... Pardonner : accepter. Non pour cesser de combattre, bien sûr, mais pour cesser de haïr. « Je meurs sans haine en moi pour le peuple allemand... »[6] Sans haine pour ses propres bourreaux ? C'est plus difficile, et l'histoire ne le dit pas. Qui ne voit pourtant qu'il est plus libre qu'eux ? Oui : même enchaîné, plus libre que ses meurtriers qui sont esclaves ! C'est ce que le pardon enregistre ou exprime, par quoi il rejoint la générosité (dans *pardon* il y a *don*) : c'est comme une surabondance de liberté, qui voit trop celle qui

6. Comme disait devant le peloton d'exécution nazi, en février 1944, l'un des vingt-trois fusillés de « l'affiche rouge », du moins si l'on en croit la reconstitution poétique (mais qui s'appuie ici sur les lettres des fusillés) qu'en fait Aragon dans « Strophes pour se souvenir » : poème de fidélité — il est écrit en 1955 — et de miséricorde (*Le roman inachevé*, Gallimard, 1956, rééd. 1975, p. 227-228).

fait défaut aux coupables pour leur en vouloir absolument, et qui leur fait cette grâce de les comprendre, de les excuser, de leur pardonner d'exister et d'être ce qu'ils sont... Quel salaud a choisi librement de l'être ? Innocent ? Disons plutôt que ce n'est pas sa faute s'il est coupable, qu'il est prisonnier de sa haine, de sa bêtise, de son aveuglement, qu'il n'a pas choisi d'être ce qu'il est, ni son corps, ni son histoire, que personne ne choisirait librement d'être à sa place, d'être aussi mauvais, aussi méchant, que tout cela a des causes, que ce serait faire un grand honneur à ce salaud que de l'imaginer libre ou incompréhensible (pourquoi pas surnaturel, tant que vous y êtes ?), que ce serait se faire du tort à soi-même que de le haïr, qu'il suffit de le combattre ou de lui résister tranquillement, sereinement, joyeusement si l'on peut, et de lui pardonner, si l'on ne peut pas, oui, qu'il s'agit de vaincre au moins la haine en soi, à défaut de pouvoir la vaincre en lui, d'être maître au moins de soi, à défaut de pouvoir le maîtriser, de remporter au moins cette victoire-là, sur le mal, sur la haine, de ne pas en rajouter, de ne pas être complice en même tant que victime, de se tenir au plus près du bien, qui est amour, au plus près de l'amour, qui est miséricorde, au plus près de la miséricorde, qui est compassion. Soit, et comme disait Epictète : « Homme, s'il faut absolument que le mal chez autrui te fasse éprouver un sentiment contraire à la nature, que ce soit la pitié plutôt que la haine. »[7] Ou bien, et comme disait Marc Aurèle : « Instruis-les, ou supporte-les. »[8] Ou encore, et comme disait le Christ : « Père, pardonne-leur : ils ne savent ce qu'ils font. »[9]

Jankélévitch, qui cite ce dernier propos, le trouve un peu

7. *Entretiens*, I, 18 (9), Bibl. de la Pléiade, *Les stoïciens*, p. 850. Voir aussi I, 28 (9), p. 871, et II, 22 (36), p. 948.

8. *Pensées*, VIII, 59, Bibl. de la Pléiade, *Les stoïciens*, p. 1211. Voir aussi II, 13 (p. 1149), V, 28 (p. 1176), VI, 27 (p. 1183), VII, 63 (p. 1198), VIII, 17 (p. 1203-1204), IX, 42 (p. 1220-1221), XI, 18 (p. 1236-1238)...

9. *Evangile selon saint Luc*, XXIII, 34 (trad. *Bible de Jérusalem*, Cerf, 1973).

trop « socratique » pour son goût. S'ils ne savent pas ce qu'ils font, leur faute est une erreur, non un crime : y a-t-il matière, même, à pardonner[10] ? Toute erreur est involontaire : elle mérite correction plutôt que châtiment, excuse plutôt que pardon. Mais à quoi bon, alors, la miséricorde ? Nul n'est méchant volontairement, disait Socrate[11] : c'est ce qu'on appelle l'intellectualisme socratique, pour lequel le mal n'est qu'une erreur. Mais ce n'est qu'une erreur, sans doute, sur le mal. Le mal est dans la volonté, non dans l'ignorance. Dans le cœur, non dans l'intelligence ou l'esprit. Dans la haine, non dans la bêtise. Le mal n'est pas une erreur, qui n'est rien : le mal est égoïsme, méchanceté, cruauté... C'est pourquoi d'ailleurs il appelle le pardon, dont l'erreur n'a que faire. « On *excuse* l'ignorant, mais on *pardonne* au méchant. »[12] Seule la volonté est coupable, seule elle peut l'être : elle est l'unique objet légitime de la rancune, et donc de la miséricorde. On n'en veut pas à la pluie qui tombe, ni à la foudre qui frappe, et l'on n'a rien en conséquence à leur pardonner. Nul n'est méchant involontairement, et seuls les méchants peuvent relever du pardon. Le pardon ne s'adresse qu'à la liberté, comme il ne peut naître que d'une liberté : libre grâce, pour une libre faute.

Oui, mais quelle liberté ? Liberté d'agir, bien sûr : c'est la volonté qui est coupable, et une action ne l'est qu'à la condition d'être volontaire. Un danseur vous marche sur le pied, sans le vouloir : ce n'est pas méchanceté, c'est maladresse. Il vous présente ses excuses, que vous acceptez volontiers : ce n'est pas pardon, c'est politesse. Il n'y a lieu de pardonner qu'à celui qui l'a fait exprès, comme on dit, qu'à celui, donc, qui a fait ce qu'il voulait, qu'à celui, autrement dit, qui a agi

10. V. Jankélévitch, *Le Pardon*, Aubier, 1967, p. 98-99.

11. Voir par ex. Platon, *Protagoras*, 358 *c-d*, *Ménon*, 77 *b* - 78 *b*, *Timée*, 86 *d-e*, *Lois*, V, 731 *c* et 734 *b*, IX, 860 *d*... Cette thèse fameuse, qui est un lieu commun de la sagesse grecque, sera reprise spécialement par les stoïciens.

12. V. Jankélévitch, *Traité des vertus*, III (*L'innocence et la méchanceté*), p. 167 de l'éd. Champs-Flammarion (1986). Voir aussi *Le Pardon*, chap. 2.

librement. Liberté d'action : être libre, en ce sens, c'est faire ce que l'on veut. Quant à savoir s'il était libre, non seulement de le faire, mais aussi de le vouloir, s'il aurait pu, donc, vouloir autre chose, c'est une question indécidable, qui ne porte plus sur la liberté d'action, que chacun peut constater, mais sur la liberté de la volonté (le libre arbitre), qui est hors preuves et (puisqu'on ne pourrait l'expérimenter qu'à la condition de vouloir autre chose que ce que l'on veut) hors expérience. De cette liberté-là, les Anciens, sauf parfois Platon, ne se sont guère préoccupés. C'est qu'ils ne cherchaient pas un coupable absolu, pour un châtiment éternel. Cela ne les empêchait pas, je viens de le rappeler à propos des stoïciens, d'opposer la pitié à la colère, la justice à la vengeance, enfin la miséricorde à la rancune. Faudrait-il, sous prétexte que nous nous préoccupons davantage de notre culpabilité, que nous devenions incapables de pardonner ? Comment soumettre une décision à une question indécidable ?

Pas plus qu'à propos de la générosité, je ne veux traiter ici du problème du libre arbitre. La vertu ne saurait dépendre de telle ou telle thèse métaphysique. Je dirai simplement ceci : que le méchant ait choisi librement de l'être ou qu'il le soit nécessairement devenu (en raison de son corps, de son enfance, de son éducation, de son histoire...), il n'en est pas moins méchant, et responsable au moins, puisqu'il a agi volontairement, de ses actes. Aussi peut-on le punir, s'il le faut, et le haïr, même, si l'on veut. Ce sont toutefois deux choses différentes. Le châtiment peut être justifié par son utilité, sociale ou individuelle, voire par une certaine idée que l'on se fait de la justice (« Il a tué, il est juste de le tuer... »). Mais la haine ? Ce n'est que tristesse en plus, et non sur le coupable mais sur qui la ressent[13]. A quoi bon ? Surtout, si le

---

13. Spinoza, *Ethique*, III, déf. 7 des affects : « La *haine* est une tristesse qu'accompagne l'idée d'une cause extérieure. » Voir aussi Descartes, *Traité des passions*, II, art. 140.

méchant est ce qu'il est, et qu'il le soit librement ou pas, sa méchanceté même est une manière d'excuse : soit par les causes qui la font advenir, si c'est méchanceté déterminée, soit par cet amour du mal, par cette volonté intrinsèquement mauvaise, bref par elle-même, si c'est méchanceté libre. Est-ce sa faute s'il est méchant ? Oui, dira-t-on, puisqu'il a choisi de l'être ! Mais l'aurait-il choisi, s'il ne l'était déjà ? Car supposer qu'il ait choisi le mal alors qu'il préférait le bien, c'est le supposer fou et l'innocenter encore par là. Bref, chacun est coupable de ses actes, et quand bien même il serait coupable aussi de soi (ayant choisi librement d'être ce qu'il est), cela ne fait que confirmer sa méchanceté, s'il fait le mal pour le mal, ou son mauvais cœur, comme dit Kant, s'il ne fait le mal que par égoïsme (pour son bien à soi)[14]. La miséricorde n'annule pas cette volonté mauvaise, ni ne renonce à la combattre : elle refuse de la partager, d'ajouter de la haine à sa haine, de l'égoïsme à son égoïsme, de la colère à sa violence. La miséricorde laisse la haine aux haineux, la méchanceté aux méchants, la rancune aux mauvais. Non parce que ceux-ci ne seraient pas vraiment haineux, méchants ou mauvais (quand bien même ils le seraient du fait de tel ou tel déterminisme, comme je le crois, aucun déterminisme ne saurait annuler cela même qu'il produit), mais *parce qu'ils le sont.* C'est ce qu'a bien vu Jankélévitch : « Ils sont méchants, mais précisément pour cette raison il faut leur pardonner — car ils sont encore plus malheureux que méchants. Ou mieux c'est leur méchanceté elle-même qui est un malheur ; l'infini malheur d'être méchant ! »[15]

Il reste qu'on pardonnera pourtant plus facilement quand on aura conscience des causes qui pèsent sur un acte ou, surtout, sur une personnalité. Quoi de plus atroce, quoi

---

14. Sur cette distinction, voir Kant, *La religion dans les limites de la simple raison*, I, 3, p. 58 de la trad. Gibelin, Vrin, 1972.

15. *Le Pardon*, p. 209.

de plus impardonnable, que de martyriser un enfant? Toutefois, quand on apprend que tel parent bourreau est (comme c'est souvent le cas) un ancien enfant martyr, quelque chose change dans le jugement que nous avons sur lui : cela ne supprime pas l'horreur de la faute mais aide à la comprendre et, dès lors, à la pardonner. Comment savoir si élevé comme lui, dans la peur et la violence, nous n'aurions pas évolué comme lui? Et quand bien même cela ne serait pas, c'est (puisqu'on suppose que les circonstances, elles, auraient été identiques) que nous sommes différents de ce qu'il est : mais a-t-il choisi de l'être? Et nous, de ne l'être pas? Comment choisirait-on ce qu'on est, d'ailleurs, puisque tout choix le suppose et en dépend? Comment l'existence précéderait-elle l'essence, qui ne serait existence de rien — qui ne serait, donc, qu'inexistence? Cette liberté-là ne serait qu'un néant, c'est ce qui donne raison à Sartre, et qui le réfute.

Mais voilà que je me laisse entraîner à parler de cela, le libre arbitre, que je voulais laisser de côté. Disons plutôt ceci. Il se peut qu'il y ait deux façons de pardonner, selon qu'on croit ou pas au libre arbitre du coupable : pure grâce, comme dirait Jankélévitch, si l'on y croit, ou connaissance vraie, comme dirait Spinoza, si l'on n'y croit pas. Mais les deux se rejoignent en ceci — qui est la miséricorde même — que la haine disparaît, et que la faute, sans être oubliée ni justifiée, est acceptée pour ce qu'elle est : une horreur à combattre, un malheur à plaindre, une réalité à supporter, un homme enfin, si l'on peut, à aimer. Ceux qui ont lu mes précédents livres savent qu'au libre arbitre, pour ma part, je n'ai jamais pu croire, mais ce n'est pas le lieu, ici, de m'en expliquer[16]. Qu'il me suffise d'évoquer la grande idée de Spinoza,

---

16. Voir surtout *Vivre*, chap. 4, spécialement p. 67 à 89 et 142 à 149. Voir aussi mon article « L'âme machine, ou ce que peut le corps », dans *Valeur et vérité*, spécialement p. 124 à 127.

dont chacun fera ce qu'il voudra : les hommes se détestent d'autant plus qu'ils se figurent être libres, et d'autant moins qu'ils se savent nécessaires ou déterminés[17]. C'est par quoi la raison apaise, c'est par quoi la connaissance est miséricordieuse. « Juger, disait Malraux, c'est évidemment ne pas comprendre, puisque, si l'on comprenait, on ne pourrait plus juger. » Disons plutôt qu'on ne pourrait plus haïr, et c'est tout ce que demande — ou plutôt tout ce que propose — la miséricorde.

Tel est le sens de l'une des plus fameuses formules de Spinoza : « Ne pas railler, ne pas pleurer, ne pas détester, mais comprendre. »[18] C'est la miséricorde même[19], sans autre grâce ici que celle de la vérité. Est-ce encore un pardon ? Point tout à fait, puisque là où l'on comprend, il n'y a plus vraiment à pardonner (la connaissance, comme l'amour, rend le pardon à la fois nécessaire et superflu). Excuse ? Je ne me battrai pas sur les mots. Tout s'excuse, si l'on veut, puisque tout a ses causes. Mais il ne suffit pas de le savoir : le pardon *réalise* cette idée, qui ne serait sans lui qu'une abstraction. On n'en veut pas à la pluie qui tombe ou à la foudre qui frappe, disais-je, et l'on n'a rien en conséquence à leur pardonner. N'en va-t-il pas de même du méchant, finalement, et n'est-ce pas là le vrai miracle — qui n'en est pas un — de la miséricorde ? Que le pardon s'y abolit dans l'instant même qu'il se donne ? Que la haine se dissout dans la vérité ?

17. Voir par ex. *Ethique*, III, prop. 49, dém. et scolie, et IV, scolies des prop. 50 et 73.

18. *Traité politique*, I, 4 (p. 12 de la trad. Appuhn, dont je m'écarte ici quelque peu).

19. Au sens où je prends le mot, qui n'est pas celui, rappelons-le, que lui donne ordinairement Spinoza, lequel correspond davantage à notre *compassion* (voir *supra*, notre chap. 8, spécialement p. 145). Notons toutefois qu'il arrive aussi à Spinoza d'utiliser *miséricorde [misericordia]* au sens que je lui donne : voir par ex. le *Traité théologico-politique*, chap. 14, p. 244 de la trad. Appuhn (G.-F., 1965). D'autres fois, *misericordia* est surtout le contraire de la vengeance : *Traité politique*, I, 5 (où Appuhn, notons-le, traduit *misericordia* par *pitié*), et *Ethique*, IV, chap. 13 de l'Appendice.

L'homme n'est pas un empire dans un empire : tout est réel, tout est vrai, le mal comme le bien, et c'est pourquoi il n'y a ni bien ni mal, hors l'amour ou la haine que nous y mettons. C'est en quoi la miséricorde de Dieu, comme dirait Spinoza[20], est vraiment infinie : parce qu'elle est la vérité même, qui ne juge pas. En ces régions qu'approchent les sages, les mystiques et les saints, nul ne peut habiter en permanence. Mais la miséricorde y tend ; mais la miséricorde y mène. C'est le point de vue de Dieu, si l'on veut, au cœur de l'homme : grande paix de la vérité, grande douceur de l'amour et du pardon ! Mais l'amour l'emporte sur le pardon, ou le pardon s'emporte lui-même dans ce don de l'amour. Pardonner c'est cesser de haïr, c'est donc cesser aussi de pouvoir pardonner : quand le pardon est achevé, quand il est complet, quand il n'y a plus que la vérité et l'amour, il n'y a plus de haine à faire cesser, et le pardon s'abolit dans la miséricorde. Ce pourquoi je disais en commençant que la miséricorde était moins la vertu du pardon que sa vérité : elle le réalise, mais en supprimant son objet (non la faute : la haine) ; elle l'accomplit, mais en l'abolissant. Le sage spinoziste, en un sens, n'a rien à pardonner : non parce qu'il ne peut pas subir d'injustice ou d'agression, mais parce qu'il n'est jamais conduit par la pensée du mal ni trompé par l'illusion du libre arbitre[21]. Sa sagesse n'en est pas moins miséricordieuse pour autant, et même elle l'est davantage : puisque la haine disparaît bel et bien, qui emporte avec elle toute idée de culpabilité absolue (qui serait responsabilité non de l'acte, mais de l'être), puisque l'amour, même, redevient possible. C'est pourquoi, en un autre sens, il pardonne tout. Tous inno-

20. Du moins quand il utilise le langage quelque peu anthropomorphique du *Traité théologico-politique* (chap. 14, p. 244 de la trad. Appuhn).
21. *Éthique*, I, Appendice, et IV, prop. 64, dém. et coroll. Voir aussi B. Rousset, La possibilité philosophique du pardon (Spinoza, Kant, Hegel), dans les Actes du colloque sur *Le Pardon*, M. Perrin (éd.), Beauchesne, « Le Point théologique », n° 45, 1987, p. 188-189.

cents? Tous aimables? Non, certes, au même titre! Si les œuvres des gens de bien et celles des méchants font également partie de la nature et découlent de ses lois, explique Spinoza, elles n'en diffèrent pas moins « les unes des autres, non seulement en degré, mais par leur essence : bien qu'en effet un rat aussi bien qu'un ange, la tristesse comme la joie, dépendent de Dieu [c'est-à-dire de la nature], un rat ne peut cependant pas être une espèce d'ange, non plus que la tristesse une espèce de joie »[22]. La miséricorde n'entraîne ni l'abolition de la faute, qui demeure, ni les différences de valeur, qu'elle suppose et manifeste, ni, faut-il le rappeler, les nécessités du combat[23]. Mais supprimant la haine, elle dispense de lui chercher des justifications. Apaisant la colère et le désir de vengeance, elle permet la justice et, s'il le faut, le châtiment serein[24]. Enfin elle rend envisageable que les méchants, faisant partie du réel, soient offerts aussi à notre connaissance, à notre compréhension et — c'est du moins l'horizon que la miséricorde laisse entrevoir — à notre amour. Tout ne se vaut pas, certes, mais tout est vrai, et le salaud autant que l'honnête homme. Miséricorde à tous : paix à tous, et dans le combat même!

L'imagination résiste, et la haine. On résisterait à moins. « Si Spinoza avait été contemporain des exterminations massives, dit fortement Robert Misrahi, il n'y aurait pas eu de spinozisme. Spinoza rescapé d'Auschwitz n'aurait pas pu dire : *"Humanas actiones non ridere, non lugere, neque detestari, sed intelligere."* A partir d'ici, comprendre n'est plus pardonner. Ou mieux, on ne peut plus comprendre; il n'y a plus rien à comprendre. Car les abîmes de la méchanceté pure sont

22. *Lettre 23, à Blyenbergh* (trad. Appuhn, t. 4, p. 220).
23. Sur tout cela, je me suis expliqué ailleurs : voir *Vivre*, chap. 4, spécialement p. 84 à 93.
24. *Ethique*, IV, prop. 45 et coroll. 1 ; *Traité théologico-politique*, chap. 7, p. 144-145 de la trad. Appuhn.

incompréhensibles. »[25] Est-ce si sûr pourtant ? N'est-ce pas faire un singulier crédit à ces brutes, que de les supposer inexplicables ou incompréhensibles ? Quoi ? Einstein, Mozart ou Jean Moulin seraient explicables, et les SS non ? La vie serait rationnelle, et la haine pas ? L'amour pourrait se comprendre, et point la cruauté ? A trop voir dans les camps un irrationnel absolu, on donne raison (certes sur ce seul point, mais n'est-ce pas déjà trop ?) aux irrationalistes qui les ont construits ou préparés. Que vaudrait la raison, si elle ne pouvait comprendre que ceux qui la suivent ou s'y soumettent ? Que le nazisme ne soit pas *raisonnable*, ce qui est bien clair, n'empêche pas qu'il soit *rationnel*, comme tout réel : que la raison ne puisse l'approuver n'empêche pas qu'elle puisse le connaître et l'expliquer. Que font d'autre nos historiens ? Et comment, autrement, le combattre ?

C'est où il importe surtout de distinguer l'oubli de la miséricorde. Qu'on puisse *tout* pardonner, c'est ce que la tradition atteste et que les Modernes, même les plus fidèles, sont prêts à accepter :

> « Le pardon ne demande pas si le crime est digne d'être pardonné, si l'expiation a été suffisante, si la rancune a assez duré... Il n'y a pas de faute si grave qu'on ne puisse, en dernier recours, la pardonner. Rien n'est impossible à la toute-puissante rémission ! Le pardon, en ce sens, peut tout. Là où le péché abonde, dit saint Paul, le pardon surabonde. (...) S'il y a des crimes tellement monstrueux que le criminel de ces crimes ne peut même pas les expier, il reste toujours la ressource de les pardonner, le pardon étant fait précisément pour ces cas désespérés ou incurables. »[26]

25. V. Jankélévitch, *Le Pardon*, p. 92, qui renvoie en note à R. Misrahi, dans *La conscience juive face à l'Histoire : le Pardon* (Congrès juif mondial, 1965), p. 286, et au *Traité politique* de Spinoza, I, 4 (dont la citation latine, que je viens moi-même d'évoquer au début du paragraphe précédent, est traduite ainsi par Appuhn : « Ne pas tourner en dérision les actions des hommes, ne pas pleurer sur elles, ne pas les détester, mais en acquérir une connaissance vraie »).

26. V. Jankélévitch, *Le Pardon*, p. 203.

Cela n'autorise évidemment pas à *oublier* le crime, ni nos devoirs de fidélité à l'égard des victimes, ni les exigences du combat contre les criminels d'aujourd'hui ou les zélateurs de ceux d'hier. Jankélévitch s'en est assez bien expliqué, ou plutôt trop bien, pour qu'il soit nécessaire de s'y attarder[27]. Un problème pourtant demeure, comme une plaie ouverte[28] : peut-on pardonner, et le faut-il, à ceux qui n'ont jamais demandé pardon ? Non, répond Jankélévitch :

> « Le repentir du criminel, et surtout son remords, donnent seuls un sens au pardon, de même que le désespoir donne seul un sens à la grâce. (...) Le pardon n'est pas destiné aux bonnes consciences bien contentes, ni aux coupables irrepentis (...). Le pardon n'est pas fait pour les porcs et pour leurs truies. Avant qu'il puisse être question de pardon, il faudrait d'abord que le coupable, au lieu de contester, se reconnaisse coupable, sans plaidoyers ni circonstances atténuantes, et surtout sans accuser ses propres victimes : c'est la moindre des choses ! Pour que nous pardonnions, il faudrait d'abord, n'est-ce pas ?, qu'on vienne nous demander pardon. (...) Pourquoi pardonnerions-nous à ceux qui regrettent si peu et si rarement leurs monstrueux forfaits ? (...) Car si les crimes inexpiés sont précisément ceux qui ont besoin d'être pardonnés, les criminels irrepentis, eux, sont précisément ceux qui n'en ont pas besoin. »[29]

Eux, non, sans doute. Mais nous ? La haine est une tristesse, toujours, et c'est la joie qui est bonne. Non, certes, qu'il faille se réconcilier avec les brutes, ni tolérer leurs exactions. Mais avons-nous besoin de les haïr pour les combattre ? Ni, non plus, qu'il faille oublier le passé. Mais avons-nous besoin de la haine pour nous en souvenir ? Il ne s'agit pas de remettre les péchés, ce qu'on ne peut, répétons-le, et d'ailleurs ce qu'on ne doit (seules les victimes pourraient s'y croire autorisées, mais les victimes ici font défaut : puisqu'on les a

27. Voir *Le Pardon*, p. 204 et s., ainsi que *L'Imprescriptible*, Seuil, 1986.
28. Voir *L'Imprescriptible*, p. 14-15.
29. *Le Pardon*, p. 204-205 (il s'agit évidemment, dans le contexte, des criminels nazis). Voir aussi *L'Imprescriptible*, p. 50 et s., ainsi que le *Traité des vertus*, III, p. 172.

tuées). Il s'agit de supprimer la haine, autant qu'on peut, et de combattre dès lors la joie au cœur, quand elle est possible[30], ou la miséricorde en l'âme, quand la joie est impossible ou serait déplacée : il s'agit d'aimer ses ennemis, si l'on peut, ou de leur pardonner, si l'on ne peut pas[31].

Le Christ ou saint Étienne ont donné l'exemple, si l'on en croit la tradition, de ce pardon sans préalable et sans conditions[32] : de ce pardon qui n'attend pas que le méchant le soit moins (puisqu'il regretterait de l'avoir été) pour lui pardonner, de ce pardon qui est vraiment un don, et non pas un échange (mon pardon contre ton repentir), de ce pardon inconditionnel, de ce pardon en pure perte, si l'on veut, mais qui est pourtant, contre la haine, la plus grande victoire, et la seule peut-être, de ce pardon qui n'oublie pas mais qui comprend, qui n'efface pas mais qui accepte, de ce pardon qui ne renonce ni au combat ni à la paix, ni à soi ni à l'autre, ni à la lucidité ni à la miséricorde ! Que ces exemples nous dépassent, j'en suis on ne peut plus d'accord. Mais cela empêche-t-il qu'ils nous éclairent ?

Non pourtant que les Ecritures puissent tenir lieu de sagesse, ni qu'elles aient réponse à tout, ni que je les approuve pour ma part (même laissant de côté la religion) en entier. Je ne suis guère disposé à tendre l'autre joue, et préfère, contre la violence, le glaive à la faiblesse[33]. Aimer ses ennemis, cela suppose qu'on en ait (comment aimerait-on ce qui n'existe pas ?). Mais qu'on en ait, cela ne suppose pas

---

30. « Qui veut venger ses offenses par une haine réciproque, vit assurément misérable. Qui, au contraire, cherche à combattre victorieusement la haine par l'amour, combat certes dans la joie et la sécurité... » (Spinoza, *Ethique*, IV, scolie de la prop. 46).

31. *Ethique*, IV, prop. 46, dém. et scolie ; Appendice, chap. 13 et 14.

32. *Evangile selon saint Luc*, XXIII, 34 ; *Actes des apôtres*, VII, 60. Voir aussi la belle figure de Mgr Bienvenu, dans *Les misérables* (spécialement I, 2, 12).

33. Comparer de ce point de vue, dans *L'Evangile selon saint Matthieu*, les versets V, 39, et X, 34.

nécessairement qu'on les haïsse. L'amour est une joie, non une impuissance ou un abandon : aimer ses ennemis, ce n'est pas cesser de les combattre ; c'est les combattre joyeusement.

La miséricorde est la vertu du pardon, et son secret, et sa vérité. Elle n'abolit pas la faute mais la rancune, non le souvenir mais la colère, non le combat mais la haine. Elle n'est pas encore l'amour mais ce qui en tient lieu, quand il est impossible, ou ce qui le prépare, quand il serait prématuré. Vertu de second ordre, si l'on veut, mais de première urgence, et pour cela tellement nécessaire ! Maxime de la miséricorde : là où tu ne peux aimer, cesse au moins de haïr.

On remarquera que la miséricorde peut porter sur des fautes autant que sur des offenses. Une telle hésitation est bien révélatrice de notre petitesse, qui condamne toujours ce qui nous condamne, pour laquelle toute offense est une faute, pour laquelle tout affront est coupable. C'est ainsi, et c'est à savoir. Miséricorde à tous, et à soi-même.

Parce que la haine est une tristesse, la miséricorde (comme le travail du deuil, auquel elle ressemble et dont peut-être elle dépend : pardonner c'est faire le deuil de sa haine), parce que la haine est une tristesse, donc, la miséricorde est du côté de la joie : sans être joyeuse encore, et c'est le pardon, ou en l'étant déjà, et c'est l'amour. Vertu médiatrice, ou de transition. A la fin pourtant, pour qui peut y atteindre, il n'y a plus rien à pardonner : la miséricorde triomphe dans cette paix (adieu la haine ! adieu la colère !) où le pardon culmine et s'abolit. Miséricorde infinie, comme est le mal, ou qui devrait l'être, et pour cela hors de notre portée sans doute. Mais c'est une vertu déjà que de s'y efforcer : la miséricorde est ce chemin, qui inclut jusqu'à ceux qui y échouent. Pardonne-toi, mon âme, tes haines et tes colères.

Peut-on se pardonner à soi ? Bien sûr : puisqu'on peut se haïr, et cesser de se haïr. Quelle sagesse autrement ? Quel bonheur autrement ? Quelle paix ? Il faut bien se pardonner de n'être que soi... Et se pardonner aussi, quand on le peut sans injustice, que la haine parfois soit trop forte, ou la souffrance, ou la colère, pour que l'on puisse pardonner à tel ou tel de ses ennemis... Heureux les miséricordieux, qui combattent sans haine ou haïssent sans remords !

10

La gratitude

La gratitude est la plus agréable des vertus ; non, pourtant, la plus facile. Pourquoi le serait-elle ? Il est des plaisirs difficiles ou rares, qui n'en sont pas moins agréables pour autant. Peut-être le sont-ils davantage. Dans le cas de la gratitude, toutefois, l'agrément surprend moins que la difficulté. Qui ne préfère recevoir un cadeau plutôt qu'un coup ? Remercier, plutôt que pardonner ? La gratitude est un second plaisir, qui en prolonge un premier : comme un écho de joie à la joie éprouvée, comme un bonheur en plus pour un plus de bonheur. Quoi de plus simple ? Plaisir de recevoir, joie d'être joyeux : gratitude. Que ce soit une vertu dit pourtant assez qu'elle ne va pas de soi, qu'on en peut manquer, et qu'il y a quelque mérite en conséquence — malgré le plaisir ou peut-être à cause de lui — à la ressentir. Mais pourquoi ? La gratitude est un mystère, non par le plaisir qu'on y éprouve, mais par l'obstacle qu'on y vainc. C'est la plus agréable des vertus, et le plus vertueux des plaisirs.

On m'objectera la générosité : plaisir d'offrir, dit-on... Que ce soit un argument publicitaire doit pourtant nous rendre vigilants. S'il était si agréable de donner, aurions-nous besoin des publicitaires pour y penser ? Si la générosité était un plaisir, ou plutôt si elle n'était que cela, ou surtout cela, en manquerions-nous à ce point ? Donner ne va pas sans perte, par quoi la générosité s'oppose à l'égoïsme, et le surmonte. Mais recevoir ? La gratitude ne nous enlève rien : c'est don en retour, mais sans perte et presque sans objet. La gratitude n'a rien à donner, que ce plaisir d'avoir reçu. Quelle vertu plus légère, plus lumineuse, on voudrait dire plus mozartienne, et pas seulement parce que Mozart nous l'inspire, mais parce qu'il la chante, parce qu'il l'incarne, parce qu'il y a en lui cette joie, cette reconnaissance éperdue pour on ne sait quoi, pour tout, cette générosité de la gratitude, oui, quelle vertu plus heureuse et plus humble, quelle grâce plus facile et plus nécessaire que de *rendre grâce,* justement, dans un sourire ou un pas de danse, dans un chant ou un bonheur ? Générosité de la gratitude... Cette dernière expression, que je dois à Mozart, m'éclaire : si la gratitude nous fait défaut si souvent, n'est-ce pas encore par incapacité à donner, plutôt qu'à recevoir, par égoïsme plutôt que par insensibilité ? Remercier, c'est donner ; rendre grâce, c'est partager. Ce plaisir que je te dois, ce n'est pas pour moi seul. Cette joie, c'est la nôtre. Ce bonheur, c'est le nôtre. L'égoïste peut se réjouir de recevoir. Mais sa jouissance même est son bien, qu'il garde pour lui seul. Ou s'il la montre, c'est plus pour faire des envieux que des heureux : il exhibe son plaisir, mais c'est *son* plaisir. Que d'autres y soient pour quelque chose, il l'a déjà oublié. Que lui font les autres ? C'est pourquoi l'égoïste est ingrat : non parce qu'il n'aime pas recevoir, mais parce qu'il n'aime pas reconnaître ce qu'il doit à autrui, et que la gratitude est cette reconnaissance, parce qu'il n'aime pas rendre, et que la gratitude rend grâce en effet, parce qu'il n'aime pas partager, parce qu'il n'aime pas donner. Que donne la gratitude ? Elle se donne elle-même : comme un écho de joie, disais-je, par quoi elle est amour, par quoi elle est partage, par quoi elle est don. C'est plaisir sur plaisir, bonheur sur bonheur, gratitude sur générosité... L'égoïste en est incapable, qui ne connaît que ses propres satisfactions, que son propre bonheur, sur quoi il veille comme l'avare sur sa cassette. L'ingratitude n'est pas incapacité à recevoir, mais incapacité à rendre — sous forme de joie, sous forme d'amour — un peu de la joie reçue ou ressentie. C'est pourquoi l'ingratitude est si fréquente. Nous absorbons la joie comme d'autres la lumière : trou noir de l'égoïsme.

La gratitude est don, la gratitude est partage, la gratitude est amour : c'est une joie qu'accompagne l'idée de sa cause, comme dirait Spinoza[1], quand cette cause est la générosité de l'autre, ou son courage, ou son amour. Joie en retour : amour en retour. Au sens propre elle ne peut donc porter que sur des vivants. Il y a lieu toutefois de se demander si toute joie reçue, quelle qu'en soit la cause, ne peut pas être l'objet de cette joie en retour qu'est la gratitude. Comment ne pas savoir gré au soleil d'exister? A la vie, aux fleurs, aux oiseaux? Aucune joie ne me serait possible sans le reste de l'univers (puisque, sans le reste de l'univers, je n'existerais pas). C'est en quoi toute joie, même purement intérieure ou réflexive (l'*acquiescentia in se ipso* de Spinoza)[2], a une cause extérieure, qui est l'univers, Dieu ou la nature : qui est tout. Nul n'est cause de soi, ni donc (en dernière instance) de sa joie. Toute chaîne de causes, et il en existe une infinité, est infinie : tout se tient, et nous tient, et nous traverse. Tout amour, poussé à sa limite, devrait donc tout aimer : tout

---

1. Rappelons une nouvelle fois la référence : *Ethique,* III, déf. 6 des affects (« L'amour est une joie qu'accompagne l'idée d'une cause extérieure »).

2. C'est-à-dire, littéralement, *le repos* (mais agréable et confiant) *en soi-même,* que Spinoza définit comme « une joie née de ce que l'homme se considère lui-même et sa puissance d'agir » (*Ethique,* III, déf. 25 des affects). Les traducteurs le rendent légitimement par *contentement de soi* (Appuhn), *satisfaction intime* (Guérinot), *satisfaction intérieure* (Caillois), *satisfaction de soi* (Pautrat, Misrahi). C'est comme une gratitude de soi à soi. Epicure dirait que c'est le plaisir en repos de l'âme, quand il n'a d'autre cause en l'individu que l'individu lui-même. Je dirais volontiers : c'est le plaisir en repos de soi en soi. On pourrait traduire aussi, me semble-t-il, par *confiance en soi* ou, simplement, par *amour de soi* (qu'on ne confondra pas, alors, avec l'amour-propre, *philautia*). Voir aussi *Ethique,* IV, prop. 52, dém. et scolie, ainsi que (sur l'amour-propre) le scolie de la prop. 55 du livre III.

amour devrait être amour de tout (plus nous aimons les choses singulières, pourrait dire Spinoza, plus nous aimons Dieu)[3], et cela ferait comme une gratitude universelle, non certes indifférenciée (comment aurait-on la même gratitude pour les oiseaux et pour les serpents, pour Mozart et pour Hitler ?), mais globale en ceci du moins qu'elle serait gratitude pour le tout, dont elle n'exclurait rien, dont elle ne refuserait rien, même le pire (gratitude *tragique,* donc, au sens de Nietzsche)[4], puisque le réel est à prendre ou à laisser, puisque le tout du réel est l'unique réalité.

Cette gratitude est gratuite, en ceci qu'on ne saurait exiger d'elle, ou pour elle, quelque paiement que ce soit. La reconnaissance est peut-être un devoir, en tout cas une vertu, mais ce ne saurait être un droit, remarque Rousseau, que de l'exiger ou que d'exiger quoi que ce soit en son nom[5]. Ne confondons pas la gratitude et les renvois d'ascenseur. Il n'en reste pas moins que l'amour veut du bien à l'aimé, presque nécessairement, du moins s'il est amour de l'autre plutôt que de soi, de bienveillance, donc, plutôt que de concupiscence. Nous y reviendrons dans notre dernier chapitre. Disons seulement que la gratitude est en cela portée à agir, à son tour, en faveur de qui la suscite, non certes pour échanger un service contre un service (ce ne serait plus gratitude mais troc)[6], mais parce que l'amour veut donner de la joie à qui le réjouit, par quoi la gratitude nourrit la générosité, presque toujours, qui nourrit la gratitude. De là un « amour réciproque », comme dit Spinoza, et un « zèle d'amour », qui caractérisent aussi la gratitude : « La *reconnaissance* ou *grati-*

---

3. Cf. *Ethique,* V, prop. 24.

4. Voir par ex. *La volonté de puissance,* IV, § 462, 463 et 464 (trad. G. Bianquis, 1937, t. 2, p. 343-345).

5. *Discours sur l'origine et les fondements de l'inégalité parmi les hommes,* II, p. 182 de l'éd. de la Pléiade (« la reconnaissance est bien un devoir qu'il faut rendre, mais non pas un droit qu'on puisse exiger »).

6. *Ethique,* IV, scolie de la prop. 71.

tude est le désir ou le zèle d'amour par lequel nous nous efforçons de faire du bien à celui qui nous en a fait en vertu d'un
pareil sentiment d'amour envers nous. »[7] C'est où l'on passe
de la gratitude simplement affective, comme dira Kant[8], à la
gratitude active : de la joie en retour à l'action en retour.
Pour ma part, et malgré Spinoza, j'y verrais moins une définition (pour cette raison par exemple qu'on peut avoir de la
gratitude pour un mort, à qui on ne saurait faire du bien)
qu'une conséquence, mais peu importe. Ce qui est sûr, c'est
que la gratitude se distingue de l'ingratitude précisément en
ceci qu'elle sait voir en l'autre (et non, comme l'amour-
propre, uniquement en soi-même)[9] la cause de sa joie : par
quoi l'ingratitude est mauvaise[10], par quoi la gratitude est
bonne, et rend bon.

La force de l'amour-propre explique ainsi la rareté ou la
difficulté (« tout ce qui est beau est difficile autant que
rare... »[11]) de la gratitude : chacun, de l'amour reçu, préfère
tirer gloire, qui est amour de soi, plutôt que reconnaissance,
qui est amour de l'autre[12]. « L'orgueil ne veut pas devoir,
écrit La Rochefoucauld, et l'amour-propre ne veut pas
payer. »[13] Comment ne serait-il pas ingrat, s'il ne sait aimer
que soi, admirer que soi, célébrer que soi ? Il y a de l'humilité
dans la gratitude, et l'humilité est difficile. Une tristesse ?

---

7. *Éthique*, III, déf. 34 des affects (trad. A. Guérinot, Editions d'art E. Pelletan,
Paris, 1930 ; signalons que cette excellente traduction, presque aussi belle que celle
d'Appuhn et parfois plus précise, vient d'être rééditée par les Ed. IVREA, Paris,
1993). Voir aussi, *ibid.*, les prop. 39 et 41, ainsi que le scolie de la prop. 41 (où se
trouve l'expression « amour réciproque »).

8. *Doctrine de la vertu*, « Du devoir de reconnaissance », p. 132 de la trad. Philonenko.

9. *Éthique,* III, scolie de la prop. 41.

10. *Éthique,* IV, scolie de la prop. 71.

11. *Éthique,* V, dernier scolie.

12. *Éthique*, III, scolie de la prop. 41. C'est pourquoi « les hommes sont beaucoup plus disposés à la vengeance qu'à rendre des bienfaits » *(ibid.)*.

13. Maxime 228.

C'est ce que dit Spinoza, et nous y reviendrons dans le prochain chapitre. Ce que la gratitude enseigne, pourtant, c'est qu'il existe aussi une humilité joyeuse, ou une joie humble, parce qu'elle sait qu'elle n'est pas sa propre cause, ni son propre principe, et qu'elle ne s'en réjouit que davantage (quel plaisir de dire merci!), parce qu'elle est amour, et non de soi d'abord ni surtout, parce qu'elle se sait débitrice si l'on veut, ou plutôt (puisqu'il n'y a rien à rembourser) parce qu'elle se sait comblée, au-delà de toute espérance et antérieurement à toute attente, par l'existence de cela même qui la suscite, qui peut être Dieu, quand on y croit, qui peut être le monde, qui peut être un ami, un inconnu, qui peut être n'importe quoi, parce qu'elle se sait l'objet d'une grâce, voilà, qui est l'existence peut-être, ou la vie, ou tout, et qu'elle rend, sans savoir à qui ni comment, parce qu'il est bon de rendre grâce, de se réjouir de sa joie et de son amour, dont les causes toujours nous dépassent, qui nous contiennent, qui nous font vivre, qui nous emportent. Humilité de Bach, humilité de Mozart, tellement différentes l'une de l'autre (le premier rend grâce, avec un génie sans égal, le second, dirait-on, est la grâce même...), mais l'une et l'autre bouleversantes de gratitude heureuse, de simplicité vraie, de puissance presque surhumaine, avec cette sérénité, même dans l'angoisse ou la souffrance, de qui se sait effet, non principe, et contenu dans cela même qu'il chante et qui le fait être et qui l'entraîne... Clara Haskil, Dinu Lipatti ou Glenn Gould ont su exprimer cela, me semble-t-il, du moins dans leurs meilleurs moments, et cette joie que nous avons à les écouter dit l'essentiel de la gratitude, qui est la joie elle-même en tant qu'elle est reçue, en tant qu'elle est imméritée (oui, même pour les meilleurs!), en tant qu'elle est grâce, et prise toujours (et partie prenante pourtant) dans une grâce plus haute, qui est d'exister, que dis-je, qui est l'existence même, qui est l'être même, et le principe de toute existence, et le principe de tout être, et de toute joie, et de tout amour...

Oui, cela qu'on peut lire dans l'*Ethique* de Spinoza s'entend aussi dans la musique, et dans celles de Bach et de Mozart, me semble-t-il, mieux que dans toute autre (chez Haydn on entend davantage la politesse et la générosité, chez Beethoven le courage, chez Schubert la douceur, chez Brahms la fidélité...), et c'est dire assez à quelle hauteur la gratitude se situe : vertu de sommet, et pour les géants bien davantage que pour les nains. Cela ne saurait toutefois nous en dispenser : rendons grâce à la grâce, et à ceux-là d'abord qui la révèlent en la célébrant !

Nul homme n'est cause de soi : l'esprit, disait Claude Bruaire, est « en dette de son être »[14]. Mais non, pourtant, puisque nul n'a *demandé* à être (c'est l'emprunt, non le don, qui fait la dette), puisque nul d'ailleurs, d'une telle dette, ne saurait s'acquitter. La vie n'est pas dette : la vie est grâce, l'être est grâce, et c'est la plus haute leçon de la gratitude.

La gratitude se réjouit de ce qui a eu lieu, ou de ce qui est : elle est ainsi l'inverse du regret ou de la nostalgie (qui souffrent d'un passé qui ne fut pas, ou qui n'est plus), comme aussi de l'espérance ou de l'angoisse, qui désirent ou craignent (désirent *et* craignent !) un avenir qui n'est pas encore, qui ne sera peut-être jamais, et qui les torture pourtant de son absence... Gratitude ou inquiétude. La joie de ce qui est ou fut, contre l'angoisse de ce qui pourrait être. « La vie de l'insensé, disait Epicure, est ingrate et inquiète : elle se porte tout entière vers l'avenir. »[15] Aussi vivent-ils en vain, incapables d'être jamais rassasiés, d'être jamais satisfaits, d'être

14. C. Bruaire, *L'être et l'esprit*, PUF, coll. « Epiméthée », 1983, p. 60. Voir aussi la p. 198.

15. Cité par Sénèque, *Lettres à Lucilius*, 15, 9 (491 Us). Voir aussi la *Sentence vaticane* 69 (« L'ingratitude de l'âme rend le vivant avide à l'infini des variétés dans le genre de vie »), et les remarques très éclairantes de M. Conche, dans son édition des *Lettres et maximes* d'Epicure, rééd. PUF, 1987, p. 52-53.

jamais heureux : ils ne vivent pas, ils se disposent à vivre, comme disait Sénèque[16], ils espèrent vivre, comme disait Pascal[17], puis ils regrettent ce qu'ils ont vécu ou, plus souvent, ce qu'ils n'ont pas vécu... Le passé comme l'avenir leur manque. Le sage, au contraire, se réjouit de vivre, certes, mais aussi d'avoir vécu. La gratitude *(charis)* est cette joie de la mémoire, cet amour du passé — non la souffrance de ce qui n'est plus, ni le regret de ce qui n'a pas été, mais le souvenir joyeux de ce qui fut. C'est le temps retrouvé, si l'on veut (« la gratitude de ce qui a été », dit Epicure)[18], dont on comprend qu'il rende l'idée de la mort indifférente, comme dira Proust, puisque cela que nous avons vécu, la mort même, qui nous prendra, ne saurait nous le prendre : ce sont biens immortels, dit Epicure[19], non parce que l'on ne meurt pas, mais parce que la mort ne saurait annuler ce que l'on a vécu, ce que l'on a fugitivement et définitivement vécu. La mort ne nous privera que de l'avenir, qui n'est pas. La gratitude nous en libère, par le savoir joyeux de ce qui fut. La reconnaissance est une connaissance (alors que l'espérance n'est qu'une imagination) ; c'est par quoi elle touche à la vérité, qui est éternelle, et l'habite. Gratitude : jouissance d'éternité.

Cela ne nous rendra pas le passé, objectera-t-on à Epicure, ni ce que nous avons perdu... Sans doute, mais qui le peut ? La gratitude n'annule pas le deuil ; elle l'accomplit : « Il faut guérir les malheurs par le souvenir reconnaissant de

---

16. *Lettres à Lucilius,* 45, 13 *(« non vivunt, sed victuri sunt »).*

17. *Pensées,* 47-172 (éd. Lafuma).

18. Epicure, *Lettre à Ménécée,* 122 (trad. M. Conche). Cette dernière expression semble indiquer (car elle serait autrement pléonastique) que la gratitude, pour Epicure comme pour nous, peut porter aussi sur le présent — même si, chez Epicure, du moins dans les textes de lui qui nous ont été conservés, elle paraît essentiellement liée à la mémoire. Mais qu'est-ce que la conscience, sinon une mémoire au présent, et du présent ?

19. *Lettre à Ménécée,* 135.

ce que l'on a perdu, et par le savoir qu'il n'est pas possible de rendre non accompli ce qui est arrivé. »[20] Quelle plus belle formulation du travail du deuil ? Il s'agit d'accepter ce qui est, donc aussi ce qui n'est plus, et de l'aimer comme tel, dans sa vérité, dans son éternité : il s'agit de passer de la douleur atroce de la perte à la douceur du souvenir, du deuil à accomplir au deuil accompli (« le souvenir reconnaissant de ce que l'on a perdu »), de l'amputation à l'acceptation, de la souffrance à la joie, de l'amour déchiré à l'amour apaisé. « Doux est le souvenir de l'ami disparu », disait Epicure[21] : la gratitude est cette douceur même, quand elle devient joyeuse. Pourtant la souffrance est la plus forte d'abord : « Comme c'est atroce qu'il soit mort ! » Comment pourrions-nous l'accepter ? C'est pourquoi le deuil est nécessaire, c'est pourquoi il est difficile, c'est pourquoi il est douloureux. Mais la joie revient malgré tout : « Comme c'est bien qu'il ait vécu ! » Travail du deuil : travail de la gratitude.

Que la gratitude soit un devoir, comme le pensaient Kant et Rousseau[22], je n'en suis pas persuadé. Au reste, je ne crois pas trop aux devoirs. Mais qu'elle soit une vertu, c'est-à-dire une excellence, cela est attesté par l'évidente bassesse de qui en est incapable, et atteste de notre médiocrité à tous, qui en manquons. Comme la haine survit mieux que l'amour ! Comme la rancune est plus forte que la gratitude ! Il se peut même que celle-ci s'inverse parfois en celle-là, tant l'amour-propre est susceptible : l'ingratitude envers son bienfaiteur,

20. Epicure, *Sentences vaticanes*, 55. Sur la notion de deuil, voir aussi mon article « Vivre, c'est perdre », dans le n° 128 de la revue *Autrement,* coll. « Mutations » *(Deuils).*

21. Cité par Plutarque, *Contre Epicure,* 28 (fr. 213 Us.), trad. Solovine, *Epicure, Doctrines et maximes,* Hermann, 1965, p. 139.

22. Rousseau : cf. *supra,* n. 5 ; Kant, *Doctrine de la vertu,* § 32 (p. 132-133 de la trad. Philonenko).

écrit Kant, « est un vice à la vérité extrêmement détestable au jugement de chacun, quoique l'homme ait si mauvaise réputation sous ce rapport qu'on ne tient pas pour invraisemblable qu'il soit possible de se faire un ennemi par des bienfaits marqués »[23]. Grandeur de la gratitude : petitesse de l'homme.

Sans compter que la reconnaissance elle-même peut parfois être suspecte. La Rochefoucauld n'y voyait qu'intérêt déguisé[24], et Chamfort remarquait à juste titre qu' « il y a une sorte de reconnaissance basse »[25]. C'est servilité déguisée, égoïsme déguisé, espérance déguisée. On ne remercie que pour en avoir davantage (on dit « merci », on pense « encore » !). Ce n'est pas gratitude, c'est flatterie, obséquiosité, mensonge. Ce n'est pas vertu, c'est vice. D'ailleurs, même sincère, la reconnaissance ne saurait nous dispenser d'aucune autre vertu, ni justifier quelque faute que ce soit. Vertu seconde, sinon secondaire, qu'il faut tenir à sa place : la justice ou la bonne foi peuvent autoriser un manquement à la gratitude, non la gratitude un manquement à la justice ou à la bonne foi. Il m'a sauvé la vie : dois-je pour cela m'imposer un faux témoignage en sa faveur, et faire condamner un innocent ? Bien sûr que non ! Ce n'est pas être ingrat que de n'oublier pas, pour ce qu'on doit à tel individu, ce qu'on doit à tous les autres, et à soi-même. Il n'est pas ingrat, écrit Spinoza, « celui de qui les dons d'une courtisane ne font pas l'instrument docile de sa lubricité, ceux d'un voleur un receleur de ses larcins, ou toute autre chose semblable. Car celui-là, au contraire, montre qu'il est doué de constance d'âme, qui ne souffre d'être corrompu par aucun présent, soit pour

---

23. *Doctrine de la vertu*, § 36 (p. 136-137 de la trad. Philonenko).
24. Du moins chez « la plupart des hommes », pour qui elle n'est « qu'une secrète envie de recevoir de plus grands bienfaits » (Maxime 298). Voir aussi les maximes 223 à 226.
25. Maxime 564.

sa propre perte, soit pour la perte commune. »[26] Gratitude n'est pas complaisance. Gratitude n'est pas corruption.

La gratitude est joie, répétons-le, la gratitude est amour : c'est par quoi elle touche à la charité, qui serait comme « une gratitude inchoative, une gratitude sans cause, une gratitude inconditionnelle, tout comme la gratitude est une charité seconde ou hypothétique »[27]. Joie sur joie : amour sur amour. La gratitude est en cela le secret de l'amitié, non par le sentiment d'une dette, puisqu'on ne doit rien à ses amis, mais par surabondance de joie commune, de joie réciproque, de joie partagée. « L'amitié mène sa danse autour du monde, disait Epicure, nous enjoignant à tous de nous réveiller pour rendre grâce. »[28] *Merci d'exister,* se disent-ils l'un à l'autre, et au monde, et à l'univers. Cette gratitude-là est bien une vertu : puisque c'est le bonheur d'aimer, et le seul.

---

26. *Ethique,* IV, scolie de la prop. 71 (trad. Appuhn et Guérinot). Voir aussi la prop. 70, sa démonstration et son scolie.

27. V. Jankélévitch, *Traité des vertus,* II, 2, p. 250. Voir aussi I, p. 112 et s.

28. Epicure, *Sentences vaticanes,* 52, que je retraduis en m'appuyant surtout sur Jean Bollack, Les maximes de l'amitié, dans les *Actes du VIIIe Congrès de l'Association Guillaume-Budé,* Les Belles Lettres, 1969, p. 232 (« L'amitié mène sa danse autour du monde, nous enjoignant à tous de nous réveiller pour la louange »). Voici quelques-unes des traductions les plus usuelles : « L'amitié fait le tour du monde et nous convie tous à nous réveiller pour la vie heureuse » (Solovine) ; « L'amitié mène joyeusement sa ronde autour du monde. Comme un héraut, elle nous lance, à tous, l'appel : "Réveillez-vous pour vous féliciter les uns les autres" » (Festugière) ; « L'amitié mène sa ronde autour du monde habité, comme un héraut nous appelant tous à nous réveiller pour nous estimer bienheureux » (Conche) ; « L'amitié mène sa ronde autour du monde : elle nous appelle tous à nous réveiller pour une commune félicitation » (Rodis-Lewis). Le mot grec qui fait surtout problème est *makarismos* (de la même famille que *makarios,* heureux, bienheureux), qui peut signifier l'action d'estimer, de vanter ou d'envier le bonheur d'autrui (Bailly), mais donc aussi, dans la réciprocité de l'amitié, une commune et réciproque action de grâce.

11

L'humilité

L'humilité est une vertu humble : elle doute même d'être une vertu ! Qui se vanterait de la sienne montrerait simplement qu'il en manque.

Cela toutefois ne prouve rien : d'aucune vertu l'on ne doit se vanter, ni même être fier, et c'est ce qu'enseigne l'humilité. Elle rend les vertus discrètes, comme inaperçues d'elles-mêmes, presque déniées. Inconscience ? C'est plutôt une conscience extrême des limites de toute vertu, et de soi. Cette discrétion est la marque — elle-même discrète — d'une lucidité sans faille et d'une exigence sans faiblesses. L'humilité n'est pas le mépris de soi, ou c'est un mépris sans méprise. Elle n'est pas ignorance de ce qu'on est, mais plutôt connaissance, ou reconnaissance, de tout ce qu'on n'est pas. C'est sa limite, puisqu'elle porte sur un néant. Mais c'est en quoi aussi elle est humaine : « Tant sage qu'il voudra, mais enfin c'est un homme : qu'est-il plus caduc, plus misérable et plus de néant ? »[1] Sagesse de Montaigne : sagesse de l'humilité. Il est absurde de vouloir dépasser l'homme, ce qu'on ne peut, ce qu'on ne doit[2]. L'humilité

1. Montaigne, *Essais*, II, 2, p. 345-346 de l'éd. Villey-Saulnier (PUF).
2. *Essais*, II, 12, p. 604 de l'éd. Villey-Saulnier ; voir aussi III, 13, p. 1115-1116 (remarquons qu'il s'agit là des conclusions, respectivement, du plus long et du dernier des essais de Montaigne : les derniers mots de Montaigne sont d'une humilité apaisée et joyeuse).

est vertu lucide, toujours insatisfaite d'elle-même, mais qui le serait plus encore de ne pas l'être. C'est la vertu de l'homme qui sait n'être pas Dieu.

Ainsi est-elle la vertu des saints, quand les sages, hors Montaigne, semblent parfois en être dépourvus. Pascal n'a pas tout à fait tort, qui critique la *superbe* des philosophes. C'est que certains ont pris au sérieux leur divinité, de quoi les saints ne sont pas dupes. « *Divin, moi ?* » Il faudrait ignorer Dieu, ou s'ignorer soi. L'humilité refuse au moins la seconde de ces deux ignorances, et c'est en quoi d'abord elle est une vertu : elle relève de l'amour de la vérité, et s'y soumet. Etre humble, c'est aimer la vérité plus que soi.

C'est en quoi aussi toute pensée digne de ce nom suppose l'humilité : la pensée humble, c'est-à-dire la pensée, s'oppose en cela à la vanité, qui ne pense pas mais qui se croit. On dira que cette humilité ne dure guère... Mais la pensée non plus. De là les orgueilleux systèmes.

L'humilité, elle, penserait plutôt sans se croire : elle doute de tout et, spécialement, d'elle-même. Humaine, trop humaine... Qui sait si elle n'est pas le masque d'un très subtil orgueil ?

Mais essayons d'abord de la définir.

« L'humilité, écrit Spinoza, est une tristesse née de ce que l'homme considère son impuissance ou sa faiblesse. »[3] Cette humilité-là est moins une vertu qu'un état : c'est un affect, dit Spinoza, autrement dit un état d'âme. Quiconque imagine sa propre impuissance, son âme « est attristée par cela même »[4]. C'est notre expérience à tous, et il serait abusif d'en faire une force. Or la vertu, pour Spinoza, n'est rien

---

3. *Ethique,* III, déf. 26 des affects (rappelons que, sauf précision contraire, je cite Spinoza d'après la traduction Appuhn, qu'il m'arrive parfois de corriger).
4. *Ethique,* III, prop. 55 (voir aussi le scolie).

d'autre : vertu c'est force d'âme, et joyeuse toujours ! L'humilité n'est donc pas une vertu[5], et le sage n'en a que faire.

Il se pourrait pourtant que ce ne fût qu'une question de mots. Non seulement parce que l'humilité, pour Spinoza, sans être une vertu, est pourtant « plus utile que dommageable »[6] (elle peut aider qui la pratique à « vivre enfin sous la conduite de la raison », et les Prophètes ont eu raison de la recommander)[7], mais aussi, et surtout, parce que Spinoza envisage expressément un autre affect, positif, qui correspond exactement à notre humilité vertueuse : « Que si nous supposons un homme concevant son impuissance parce qu'il connaît quelque chose de plus puissant que lui-même, et par cette connaissance délimite sa propre puissance d'agir, nous ne concevons alors rien d'autre, sinon que cet homme se connaît lui-même distinctement, c'est-à-dire que sa puissance d'agir est secondée. »[8] Cette humilité-là est bien une vertu, car c'est une plus grande force, pour l'âme, que de se connaître soi adéquatement (le contraire de l'humilité est l'orgueil, et tout orgueil est ignorance) tout en connaissant une autre chose plus grande. Sans tristesse ? Pourquoi non, si l'on cesse de n'aimer que soi ?

On évitera donc, malgré certains traducteurs, de confondre l'humilité avec la *micropsuchia* d'Aristote, qu'il faut rendre plutôt par *bassesse* ou *petitesse*. De quoi s'agit-il ? On se souvient que toute vertu, pour Aristote, est un sommet entre deux abîmes. Ainsi en est-il de la magnanimité ou grandeur d'âme : qui s'en éloigne par excès tombe dans la vanité ; qui par défaut, dans la bassesse. Etre bas, c'est se priver de ce dont on est digne, c'est méconnaître sa valeur réelle, au point de s'interdire, faute de s'en croire jamais capable, toute

5. *Ethique,* IV, prop. 53.
6. *Ethique,* IV, scolie de la prop. 54.
7. *Ibid.*
8. *Ethique,* IV, démonstration de la prop. 53. Sur la différence entre « l'humilité vertueuse » et « l'humilité vicieuse », voir aussi Descartes, *Traité des passions,* III, art. 155 et 159.

action un peu haute[9]. Cette petitesse correspond assez bien à ce que Spinoza, la distinguant de l'humilité *(humilitas)*, appelle *abjectio*, qu'on traduit ordinairement par mésestime ou mépris de soi, mais que Bernard Pautrat eut raison, me semble-t-il, de traduire par *bassesse* : « La bassesse *(abjectio)* est de faire de soi, par tristesse, moins de cas qu'il n'est juste »[10]. Que cette bassesse puisse naître de l'humilité, c'est entendu[11], et c'est alors ce qui rend cette dernière vicieuse. Mais il n'y a là aucune fatalité : on peut être triste de son impuissance sans l'exagérer pour cela, et même, c'est ce que j'appelle l'humilité vertueuse, en trouvant dans cette tristesse un surcroît de force pour la combattre. On dira que cela sort du spinozisme. Je n'en suis pas certain[12], et bien sûr je m'en moque. Que la tristesse soit une force en nous, parfois, ou qu'elle puisse mobiliser celle dont nous disposons, voilà ce que l'expérience enseigne, me semble-t-il, ce que Spinoza d'ailleurs reconnaît[13], et qui importe davantage que les sys-

9. *Ethique à Nicomaque,* IV, 9. Cela explique, sans le justifier tout à fait, que Tricot, suivant en cela saint Thomas et l'étymologie, traduise *micropsuchia* (littéralement : petite âme) par « pusillanimité », qui, s'il signifie bien « petite âme » en latin, n'a guère ce sens en français moderne : l'homme pusillanime manque de courage ou d'audace ; l'homme bas, de fierté ou de dignité.

10. Spinoza, *Ethique,* III, déf. 29 des affects (trad. B. Pautrat, Seuil, 1988).

11. *Ethique,* III, explication de la déf. 28 des affects.

12. On pourrait sans doute dire de l'humilité, *mutatis mutandis,* ce qu'Alexandre Matheron écrit du repentir : « cette connaissance vraie du mal nous sensibilise à la vérité libératrice » (*Le Christ et le salut des ignorants chez Spinoza,* Paris, Aubier, 1971, p. 113). L'humilité, même comme tristesse, peut aider chacun à se déprendre de soi : c'est un antidote contre le narcissisme. D'ailleurs, au moins autant que le repentir, elle fait partie du message prophétique (comme Spinoza le rappelle : *Eth.,* IV, 54, scolie) et évangélique (le Christ, « maître doux et humble de cœur » : Mt, 11, 29), dont Spinoza, comme on sait, se veut expressément l'héritier.

13. « Plus grande est la tristesse, plus grande est la partie de la puissance d'agir de l'homme à laquelle elle s'oppose nécessairement ; donc plus grande est la tristesse, plus grande est la puissance d'agir par laquelle l'homme s'efforce à son tour d'écarter la tristesse » (*Ethique,* III, dém. de la prop. 37). Il y a là de quoi penser une « dynamique de la résistance » : voir à ce propos le bel article de Laurent Bove, Spinoza et la question de la résistance, *L'enseignement philosophique,* mai-juin 1993, n° 5, p. 3 à 20.

tèmes. Il y a un courage du désespoir, et un courage aussi de l'humilité. Au reste, on ne choisit pas. Mieux vaut une vraie tristesse qu'une fausse joie.

L'humilité, comme vertu, est cette tristesse vraie de n'être que soi. Et comment serait-on autre chose ? La miséricorde vaut aussi pour soi, qui tempère l'humilité d'un peu de douceur. Qu'il faille se contenter de soi, voilà ce qu'enseigne la miséricorde. Mais en être content, qui le pourrait, sans vanité ? Miséricorde et humilité vont de pair, et se complètent. S'accepter soi — mais ne pas se raconter d'histoires.

« Le contentement de soi, écrit Spinoza, est en réalité l'objet suprême de notre espérance. »[14] Disons que l'humilité est son désespoir, et tout sera dit.

Tout ? Point encore, pourtant. Il se pourrait même que l'essentiel n'ait pas été abordé. L'essentiel ? La *valeur* de l'humilité. Vertu, ai-je dit. Mais de quelle importance ? De quel rang ? De quelle dignité ?

On voit le problème : si l'humilité est digne de respect ou d'admiration, n'est-ce pas à tort qu'elle est humble ? Et si elle a raison de l'être, comment aurait-on raison de l'admirer ? Il semble que l'humilité soit une vertu contradictoire, qui ne pourrait se justifier que par sa propre absence, ou valoir qu'à ses dépens.

« Je suis très humble » : autocontradiction performative.

« Je manque d'humilité » : c'est un premier pas vers elle.

Mais comment un sujet peut-il valoir en se dévalorisant ?

On rejoint là, au fond, la double critique, kantienne et nietzschéenne, de l'humilité. Voyons un peu les textes. Dans la *Doctrine de la vertu,* Kant oppose légitimement ce qu'il appelle la « fausse humilité » (ou bassesse) au devoir de res-

14. *Ethique,* IV, scolie de la prop. 52.

pecter en soi la dignité de l'homme comme sujet moral : la *bassesse* est le contraire de l'*honneur,* explique-t-il, et celle-là est aussi sûrement un vice que celui-ci est une vertu[15]. Kant s'empresse évidemment d'ajouter qu'il existe aussi une véritable humilité *(humilitas moralis),* dont il donne cette belle définition : « La conscience et le sentiment de son peu de valeur morale *en comparaison avec la loi* est l'humilité. »[16] Loin d'attenter à la dignité du sujet, cette dernière humilité la suppose (il n'y aurait aucune raison de soumettre à la loi un individu qui ne serait pas capable d'une telle législation intérieure : l'humilité implique l'élévation) et la confirme (se soumettre à la loi est une exigence de la loi même : l'humilité est un devoir).

Il reste que Kant maintient celle-ci dans de très strictes limites, fort en deçà, soit dit en passant, des habitudes chrétiennes (ou bien seulement catholiques ?), et même, me semble-t-il, d'une certaine disposition spirituelle dont les mystiques, et pas seulement en Occident, attestent la généralité et — pour qui du moins prend au sérieux ce qu'ils ont à nous dire — la valeur. « S'agenouiller ou se prosterner jusqu'à terre, même pour se rendre sensible l'adoration des choses célestes, est contraire à la dignité humaine », écrit Kant[17], et cela est beau. Mais est-ce vrai ? Qu'on ne doive être ni servile ni courtisan, c'est une évidence. Mais faut-il pour cela — et contre les traditions spirituelles les plus hautes et les mieux avérées — condamner aussi, par exemple, la mendicité[18] ? Saint François d'Assise ou le Bouddha ont-ils péché contre l'humanité ? Qu'il soit « dans tous les cas indigne d'un homme de s'humilier et de se courber devant

15. *Doctrine de la vertu,* introduction de la première partie (trad. Philonenko, Vrin, 1968, p. 92-93).
16. *Ibid.,* deuxième section, § 11 (p. 109 de la trad. franç.).
17. *Ibid.,* § 12 (p. 111).
18. Comme fait Kant : *ibid.,* p. 111.

un autre »[19], on peut à la rigueur l'admettre. Mais, outre que l'humilité n'est pas l'humiliation et n'en a que faire (l'humiliation n'est bonne qu'aux orgueilleux ou aux pervers), faut-il pour autant prendre tout à fait au sérieux, s'agissant de soi, cette *sublimité,* comme dit Kant, de notre constitution morale ? N'est-ce pas précisément manquer d'humilité, de lucidité — et d'humour ? L'homme empirique *(homo phaeno-menon, animal rationale)* n'a guère d'importance, explique Kant, mais considéré comme personne *(homo noumenon),* c'est-à-dire comme sujet moral, il possède une dignité absolue : « son peu de valeur en tant qu'*homme animal* ne peut nuire à sa dignité comme *homme raisonnable* »[20]. Soit. Mais qu'en reste-t-il, si les deux ne font qu'un ? Les matérialistes sont plus humbles, qui n'oublient jamais l'animal en eux. Fils de la terre *(humus,* d'où vient *humilité),* et indignes à jamais du ciel qu'ils s'inventent. Et même s'agissant de « la comparaison de soi avec d'autres hommes »[21] : est-il vraiment coupable ou bas de s'incliner devant Mozart, Cavaillès ou l'abbé Pierre ? « Celui qui se transforme en ver de terre ne doit pas se plaindre par la suite qu'on lui marche dessus », écrit fièrement Kant[22]. Mais celui qui se transforme en statue — fût-ce à la gloire de l'Homme ou de la Loi —, doit-il se plaindre si l'on suspecte en lui la pose ou la froideur ? Mieux vaut le mendiant sublime, qui lave les pieds du pécheur.

Quant à Nietzsche, on n'en finirait pas de le suivre et de le reprendre : il a raison sur tout, tort sur tout, et ce qu'il dit de l'humilité n'échappe pas à ce maelström. Qu'il y ait dans l'humilité, souvent, une bonne part de nihilisme ou de ressentiment, qui peut le contester ? Combien ne s'accusent eux-mêmes que pour mieux accuser le monde ou la vie — et s'ex-

19. *Ibid.*
20. *Op. cit.,* p. 108-109.
21. Et non plus avec la Loi : *ibid.,* § 11, p. 110.
22. *Ibid.,* Questions casuistiques (p. 111).

cuser par là ? Combien ne se nient que par incapacité d'affirmer — et de faire ! — quoi que ce soit ? Oui. « Ceux que l'on
croit être le plus pleins de mésestime d'eux-mêmes et d'humilité sont généralement le plus pleins d'ambition et d'envie »,
disait déjà Spinoza[23]. Oui encore. Mais est-ce le cas de tous ?
Il y a une humilité chez Cavaillès, chez Simone Weil, chez
Etty Hillesum — et même chez Pascal ou Montaigne ! —, à
coté de quoi c'est la grandeur nietzschéenne qui sent l'en-
flure. Nietzsche reprend la même image que Kant, celle du
ver de terre : « Le ver se recroqueville quand on marche dessus. Cela est plein de sagesse. Par là il amoindrit la chance de
se faire de nouveau marcher dessus. Dans le langage de la
morale : *l'humilité.* »[24] Mais est-ce là le tout de l'humilité ?
Est-ce là l'essentiel ? Croit-on, avec ce genre de psychologie,
rendre compte de l'humilité d'un saint François d'Assise ou
d'un saint Jean de La Croix ? « Les plus généreux ont coutume d'être les plus humbles », écrit Descartes, et celui-là
n'avait guère d'un ver de terre[25]. On ne saurait pas davantage voir dans l'humilité l'envers seulement de je ne sais
quelle haine de soi. Ne confondons pas l'humilité et la mauvaise conscience, l'humilité et le remords, l'humilité et la
honte. Il s'agit de juger non ce qu'on a fait, mais ce qu'on est.
Et nous sommes si peu... Y a-t-il même matière à jugement ?
Le remords, la mauvaise conscience ou la honte supposent
qu'on aurait pu faire autrement, et mieux. L'humilité consta-
terait plutôt qu'on ne peut mieux être. « Peut mieux faire » :
cette formule du maître accuse avant d'encourager, et c'est
ce que dit aussi le remords. L'humilité dirait plutôt : « Est ce

23. *Éthique,* III, définition 29 des affects, explication. Voir aussi *Éthique,* IV,
Appendice, chap. 22 (ainsi que Descartes, *Traité des passions,* art. 159).
24. *Le crépuscule des idoles,* Maximes et pointes, aph. 31.
25. *Traité des passions,* III, art. 155 ; voir aussi la condamnation de l'orgueil, à
l'art. 157. Sur l'humilité dans la tradition chrétienne, on se reportera au bel article
de Jean-Louis Chrétien, dans le n° 8 de la série « Morales » de la revue *Autrement*
(*L'humilité,* 1992), p. 37 à 52.

qu'il peut ». Trop humble pour s'accuser ou s'excuser. Trop lucide pour s'en vouloir tout à fait. Encore une fois, humilité et miséricorde vont ensemble — et le courage n'a que faire d'encouragements. Le remords est une erreur (parce qu'il suppose le libre arbitre : les stoïciens et Spinoza le récusent pour cela) avant d'être une faute. L'humilité, un savoir avant d'être une vertu. Triste savoir ? Si l'on veut. Mais plus utile à l'homme qu'une joyeuse ignorance. Mieux vaut se mépriser que se méprendre.

Sans les confondre l'une et l'autre, on pourrait appliquer à l'humilité, et *a fortiori* (car elle ne suppose pas l'illusion du libre arbitre, ni le même redoublement de souffrance), ce que Spinoza dit de la honte : « Bien qu'il soit triste, en réalité, l'homme qui a honte de ce qu'il a fait est cependant plus parfait que l'impudent qui n'a aucun désir de vivre honnêtement. »[26] Même triste, l'homme humble est cependant plus parfait que l'impudent prétentieux. C'est ce que chacun sait (mieux vaut l'humilité du brave homme que l'arrogance satisfaite du salaud), et qui donne tort à Nietzsche. L'humilité est vertu d'esclave, dit-il ; les maîtres, « altiers et fiers », n'en ont que faire : toute humilité leur est méprisable[27]. Admettons. Mais le mépris n'est-il pas plus méprisable que l'humilité ? Et la « glorification de soi-même », à quoi l'aristocrate se reconnaît[28], est-elle compatible avec cette lucidité dont par ailleurs Nietzsche, et à juste titre, fait la vertu philosophique par excellence ? « Je me connais trop pour me glorifier de quoi que ce soit, objecterait l'homme humble : j'ai plutôt besoin de toute la miséricorde dont je suis capable pour pouvoir seulement me supporter... » Quoi de plus ridicule que de jouer au surhomme ? A quoi bon cesser de croire en Dieu, si c'est pour être à ce point dupe de soi ? L'humilité,

26. *Ethique*, IV, scolie de la proposition 58.
27. *Par-delà le bien et le mal,* aph. 260.
28. *Ibid.*

c'est l'athéisme à la première personne : l'homme humble est athée de soi, comme l'incroyant l'est de Dieu. Pourquoi prétendre briser toutes les idoles, si c'est pour glorifier la dernière (le moi!), si c'est pour célébrer son propre culte? « Humilité égale vérité », dira Jankélévitch[29] : combien cela est plus vrai, et plus humble, que la *glorification* nietzschéenne! Sincérité et humilité sont sœurs : « L'impitoyable et lucide sincérité, la sincérité sans illusions est pour le sincère une continuelle leçon de modestie; et vice versa la modestie favorise l'exercice de l'autoscopie sincère. »[30] C'est aussi l'esprit de la psychanalyse (« sa majesté le moi », comme dit Freud, y perd son trône), par quoi surtout elle est estimable. Il faut aimer la vérité, ou s'aimer soi. Toute connaissance est une blessure narcissique.

Faut-il alors se haïr, comme voulait Pascal? Certes pas : ce serait manquer à la charité, à quoi chacun a droit (y compris soi-même), ou plutôt qui donne à chacun, au-delà de tout droit, l'amour qu'il ne mérite pas mais qui l'illumine, comme une grâce injustifiable et due, gratuite et nécessaire — le peu d'amour vrai, même nous concernant (mais alors il ne porte plus sur l'ego : il le traverse), dont parfois nous sommes capables!

Aimer son prochain comme soi-même, et soi-même comme un prochain : « Là où est l'humilité, disait saint Augustin, là aussi la charité. »[31] C'est que l'humilité mène à l'amour, comme Jankélévitch l'a rappelé[32], et tout amour vrai, sans doute, la suppose : sans l'humilité, le moi occupe tout l'espace disponible, et ne voit l'autre que comme objet (de concupiscence, non d'amour!) ou comme ennemi. L'hu-

---

29. *Traité des vertus*, II, 1, chap. 4 (« L'humilité et la modestie »), p. 286.
30. *Ibid.*, p. 285.
31. Cité par le *Vocabulaire de théologie biblique*, art. « Humilité », Ed. du Cerf, 1971, p. 555.
32. *Op. cit.*, par ex. p. 287 et 401.

milité est cet effort, par quoi le moi essaie de se libérer des illusions qu'il se fait sur lui-même et — parce que ces illusions le constituent — par quoi il se dissout. Grandeur des humbles. Ils vont au fond de leur petitesse, de leur misère, de leur néant : là où il n'y a plus rien, où il n'y a plus que tout. Les voilà seuls et nus, comme n'importe qui : exposés sans masque à l'amour et à la lumière.

Mais l'amour sans illusions ni concupiscence — la charité —, en sommes-nous seulement capables ?

Ce n'est pas le lieu d'en décider. Mais quand bien même nous ne le serions pas, reste la compassion, qui est son visage le plus humble et son approximation quotidienne.

Dans son chapitre sur l'humilité, Jankélévitch observe à juste titre que « les Grecs n'ont presque pas connu cette vertu »[33]. Peut-être est-ce faute de s'être donné un Dieu assez grand pour que la petitesse de l'homme y paraisse comme il faut ? Il n'est pas sûr pour autant qu'ils aient été dupes toujours de leur grandeur (Jankélévitch se trompe, me semble-t-il, comme Pascal, sur « l'orgueil stoïcien »[34] : il y a aussi une humilité, chez Épictète, par quoi l'ego sait n'être pas Dieu, et n'être rien) ; mais peut-être avaient-ils moins de narcissisme à combattre, ou moins d'illusions à dissiper. Toujours est-il que ce Dieu-là (le nôtre : celui des juifs, des chrétiens et des musulmans), et qu'on y croie ou pas, est maintenant pour chacun, par différence, une terrible leçon d'humilité. Les Anciens se définissaient comme mortels : la mort seule, pensaient-ils, les séparaient du divin. Nous n'en sommes plus là, et savons maintenant que l'immortalité même serait incapable (et pour cela sans doute insupportable) de faire de nous autre chose, hélas, que ce que nous

33. *Ibid.*, p. 289.
34. *Ibid.*, p. 308-309.

sommes... Qui n'aspire parfois à mourir, pour être libéré de soi ?

L'humilité est en cela, peut-être, la plus religieuse des vertus. Comme on voudrait s'agenouiller dans les églises ! Pourquoi se le refuser ? Je ne parle que pour moi : c'est qu'il faudrait m'imaginer qu'un Dieu m'a créé — et de cette prétention au moins je suis libéré. Nous sommes si peu de chose, si faibles, si misérables... L'humanité fait une création tellement dérisoire : comment s'imaginer qu'un Dieu ait voulu *cela* ?

C'est ainsi que l'humilité, née de religion, peut mener à l'athéisme.

Croire en Dieu, ce serait péché d'orgueil.

12

La simplicité

L'humilité manque parfois de simplicité, par ce redoublement de soi à soi qu'elle suppose. Se juger, c'est se prendre bien au sérieux. Le simple ne se pose pas tant de questions sur lui-même. Parce qu'il s'accepte comme il est ? C'est déjà trop dire. Il ne s'accepte ni ne se refuse. Il ne s'interroge pas, ne se contemple pas, ne se considère pas. Il ne se loue ni ne se méprise. Il est ce qu'il est, simplement, sans détours, sans recherche, ou plutôt — car *être* lui paraît un trop grand mot pour si petite existence — il fait ce qu'il fait, comme chacun d'entre nous, mais ne voit pas là matière à discours, à commentaires, ni même à réflexion. Il est comme les oiseaux de nos forêts, léger et silencieux toujours, même quand il chante, même quand il se pose. Le réel suffit au réel, et cette simplicité est le réel même. Ainsi, le simple : c'est un individu réel, réduit à sa plus simple expression. Le chant ? Le chant, parfois ; le silence, plus souvent ; la vie, toujours. Le simple vit comme il respire, sans plus d'efforts ni de gloire, sans plus d'effets ni de honte. La simplicité n'est pas une vertu, qui s'ajouterait à l'existence. C'est l'existence même, en tant que rien ne s'y ajoute. Aussi est-elle la plus légère des vertus, la plus transparente, et la plus rare. C'est le contraire de la littérature : c'est la vie sans phrases et sans mensonges, sans exagération, sans grandiloquence. C'est la vie insignifiante, et c'est la vraie.

La simplicité est le contraire de la duplicité, de la complexité, de la prétention. C'est pourquoi elle est si difficile. La conscience n'est-elle pas double, toujours, qui ne sait être conscience que de quelque chose ? Le réel n'est-il pas complexe, toujours, qui n'est réel que par l'entrelacement en lui des causes et des fonctions ? Tout homme n'est-il pas prétentieux, toujours, dès qu'il s'efforce de penser ? Quelle autre simplicité que la bêtise ? que l'inconscience ? que le néant ?

L'homme simple peut ne pas se poser ces questions. Cela ne saurait les annuler, ni nous suffire à les résoudre. Simplicité n'est pas niaiserie. Mais ces questions ne sauraient pas davantage annuler la simplicité de tout, ni la vertu qui s'y attache. Intelligence n'est pas encombrement, complication, snobisme. Que le réel soit complexe, certes, et d'une complexité infinie sans doute. On n'en aura jamais fini de décrire ou d'expliquer un arbre, une fleur, une étoile, un caillou... Cela ne les empêche pas d'être simplement ce qu'ils sont (oui : très simplement et très exactement ce qu'ils sont, sans aucune faute, sans aucune duplicité, sans aucune prétention !), ni n'oblige quiconque à se perdre dans cet infini de la description ou de la connaissance. Complexité de tout : simplicité de tout. « La rose est sans pourquoi, fleurit parce qu'elle fleurit, n'a souci d'elle-même, ne désire être vue... »[1] Quoi de plus compliqué qu'une rose, pour qui veut la comprendre ? Quoi de plus simple, pour qui ne veut rien ? Complexité de la pensée : simplicité du regard. « Tout est plus simple qu'on ne peut l'imaginer, disait Goethe, et en même temps plus enchevêtré qu'on ne saurait le concevoir. »[2] Com-

1. Angelus Silesius, *Le pèlerin chérubinique*, 289. On trouvera ce distique dans l'édition bilingue de R. Munier, Paris, Arfuyen, 1993, p. 64-65 ; mais je le cite ici d'après la traduction — à mon avis plus belle — qu'en donne A. Préau, dans sa traduction de Heidegger, *Le principe de raison*, chap. 5 (Gallimard, coll. « Tel », 1983, p. 103).
2. *Sentences en prose*, trad. Lichtenberger, *La sagesse de Goethe*, La Renaissance du livre, 1930.

plexité des causes : simplicité de la présence. Complexité du réel : simplicité de l'être. « Le contraire de l'être n'est pas le néant, écrit Clément Rosset, mais le double. »[3] Le contraire du simple n'est pas le complexe, mais le faux.

La simplicité en l'homme — la simplicité comme vertu — n'a pas davantage à nier la conscience ou la pensée. Elle se reconnaît plutôt à cette capacité qu'elle a, sans les annuler, de passer outre, de s'en libérer, de ne pas en être dupe ni prisonnière. Que toute conscience soit double, puisqu'elle est conscience d'un objet (intentionnalité) et de la conscience qu'elle en prend (réflexivité), soit. Mais cela ne prouve rien contre la simplicité du réel, ni de la vie, ni même de la conscience pure, préréflexive et antéprédicative, sans laquelle aucune prédication ni aucune réflexion ne seraient possibles. Simplicité n'est pas inconscience, simplicité n'est pas bêtise : l'esprit simple n'est pas un simple d'esprit ! La simplicité constitue plutôt « l'antidote de la réflexivité »[4] et de l'intelligence, qui leur évite de s'en accroire, de se perdre en elles et d'y perdre le réel, de se prendre au sérieux, de faire écran, de faire obstacle finalement à cela même qu'elles prétendent révéler ou dévoiler. La simplicité apprend à se déprendre, ou plutôt elle est cette déprise de tout, et de soi-même : « Lâcher prise, comme dit Bobin, accueillir ce qui vient, sans rien garder en propre... »[5] Simplicité est nudité, dépossession, pauvreté. Sans autre richesse que tout. Sans autre trésor que rien. Simplicité est liberté, légèreté, transparence. Simple comme l'air, libre comme l'air : la simplicité est l'air de la pensée, comme une fenêtre ouverte au grand souffle du monde, à l'infinie et silencieuse présence de tout... Quoi de

3. *Le philosophe et les sortilèges,* Editions de Minuit, 1985, p. 52. Voir aussi *Le réel et son double,* Gallimard, 1976, rééd. 1984.

4. Comme l'a bien vu Michel Dupuy, dans l'article « Simplicité » du monumental *Dictionnaire de spiritualité ascétique et mystique,* sous la dir. de M. Viller, SJ, Paris, Beauchesne, 1990 (pour le tome 14), p. 921.

5. *L'éloignement du monde,* Lettres vives, 1993, p. 12.

plus simple que le vent ? Quoi de plus aérien que la simplicité ?

Intellectuellement, ce n'est pas autre chose peut-être que
le bon sens, qui est le jugement droit, quand il n'est pas
encombré par ce qu'il sait ou croit, mais ouvert d'abord au
réel, à la simplicité du réel, et comme toujours neuf en chacune de ses opérations. C'est la raison, quand elle n'est pas
dupe d'elle-même : raison lucide, raison incarnée, raison
minimale, si l'on veut, mais qui est la condition de toutes.
Entre deux démonstrations, entre deux hypothèses, entre
deux théories, les scientifiques ont coutume de privilégier la
plus simple : c'est parier sur la simplicité du réel, plutôt que
sur la force de notre esprit. Ce choix, qui est sans preuve, est
pourtant de bon sens. Il m'est arrivé bien souvent de regretter que les philosophes, surtout contemporains, fassent ordinairement le choix inverse, préférant le plus compliqué, le
plus obscur, le plus contourné... Cela les protège contre toute
réfutation, et rend leurs théories aussi invraisemblables
qu'ennuyeuses. Complication, non du réel, mais de la pensée : mauvaise complication. Mieux vaut « une vérité simple
et naïve », comme disait Montaigne[6], proportionnée certes à
la complexité du réel, quand il le faut, mais sans lui ajouter
les embrouillements de notre esprit ni la confondre avec eux.
L'intelligence est l'art de ramener le plus complexe au plus
simple, non l'inverse. Intelligence d'Epicure, intelligence de
Montaigne, intelligence de Descartes... Et intelligence,
aujourd'hui, de nos savants. Quoi de plus simple qu'$E = mc^2$?
Simplicité du réel, même complexe ; clarté de la pensée,
même difficile. « Aristophane le grammairien n'y entendait
rien, écrit Montaigne, de reprendre en Epicure la simplicité

---

6. *Essais,* I, 26, p. 169 de l'éd. Villey-Saulnier. Cela vaut aussi, et *a fortiori,*
pour l'expression : « Le parler que j'aime, c'est un parler simple et naïf, tel sur le
papier qu'à la bouche, un parler succulent et nerveux, court et serré, non tant déli-
cat et peigné comme véhément et brusque... » (*ibid.,* p. 171).

de ses mots et la fin de son art oratoire, qui était la perspi-cuité [clarté] de langage seulement. »[7] Pourquoi faire com-pliqué quand on peut faire simple, long quand on peut faire bref, obscur quand on peut faire clair ? Et que vaut une pen-sée qui ne le peut ? On prête à nos sophistes une obscurité affectée. Je n'en crois rien. C'est la profondeur qu'ils affec-tent, à quoi l'obscurité est nécessaire. Une eau peu profonde ne peut faire illusion qu'à la condition d'être trouble... Leurs arguments seraient plus convaincants, s'ils étaient plus clairs. Mais s'ils étaient convaincants, auraient-ils besoin d'être obscurs ?

Cela n'est pas d'aujourd'hui. La scolastique est éternelle, ou plutôt chaque époque a la sienne. Toute génération a ses sophistes, ses faiseurs, ses précieux ridicules, ses cuistres. Des-cartes, contre ceux de son temps, sut dire l'essentiel, qui vaut aussi contre les nôtres : « Leur façon de philosopher est fort commode, pour ceux qui n'ont que des esprits fort médio-cres ; car l'obscurité des distinctions et des principes dont ils se servent est cause qu'ils peuvent parler de toutes choses aussi hardiment que s'ils les savaient, et soutenir tout ce qu'ils en disent contre les plus subtils et les plus habiles, sans qu'on ait moyen de les convaincre. »[8] L'obscurité protège. La complexité protège. A quoi Descartes oppose les principes « très simples et très évidents » dont il se sert, qui rendent sa philosophie compréhensible par tous, et discutable par tous. On ne pense pas pour se protéger. La simplicité est aussi une vertu intellectuelle.

Mais c'est d'abord une vertu morale, voire spirituelle. Transparence du regard, pureté du cœur, sincérité du dis-cours, droiture de l'âme ou du comportement... Il semble qu'on ne puisse l'approcher qu'indirectement, par autre chose qu'elle-même. Car la simplicité n'est pas la pureté,

7. Montaigne, *ibid.*, p. 172.
8. *Discours de la méthode,* VI, AT, 70-71 (p. 642 de l'éd. Alquié).

n'est pas la sincérité, n'est pas la droiture... Par exemple, remarque Fénelon, « on voit beaucoup de gens qui sont sincères sans être simples : ils ne disent rien qu'ils ne croient vrai, ils ne veulent passer que pour ce qu'ils sont, mais ils craignent sans cesse de passer pour ce qu'ils ne sont pas ; ils sont toujours à s'étudier eux-mêmes, à compasser [mesurer comme avec un compas] toutes leurs paroles et toutes leurs pensées, et à repasser tout ce qu'ils ont fait dans la crainte d'avoir trop fait ou trop dit. »[9] Bref, il s'occupent trop d'eux-mêmes, fût-ce pour de bonnes raisons, et c'est là le contraire de la simplicité. Non, certes, qu'il faille s'empêcher de penser à soi. « En voulant être simple, écrit Fénelon, on s'éloignerait de la simplicité. »[10] Il s'agit de n'affecter rien, pas même la simplicité. Mieux vaut être simplement égoïste qu'affecter la générosité. Mieux vaut être simplement volage qu'affecter la fidélité. Non pas, encore une fois, que la simplicité se réduise à la sincérité, à l'absence d'hypocrisie ou de mensonge. C'est plutôt l'absence de calcul, d'artifices, de composition. Mieux vaut un simple mensonge qu'une sincérité calculée. « Ces gens-là sont sincères, reprend Fénelon, mais ils ne sont pas simples ; ils ne sont point à leur aise avec les autres, et les autres ne sont point à leur aise avec eux ; on n'y trouve rien d'aisé, rien de libre, rien d'ingénu, rien de naturel ; on aimerait mieux des gens moins réguliers et plus imparfaits, qui fussent moins composés. Voilà le goût des hommes, et celui de Dieu est de même : il veut des âmes qui ne soient point occupées d'elles, et comme toujours au miroir pour se composer. »[11] La simplicité est spontanéité, coïncidence immédiate à soi-même (y compris à cela en soi qu'on ignore), improvisation joyeuse, désintéressement, détachement, dédain de

---

9. *Lettres et opuscules spirituels,* XXVI, « Sur la simplicité », Bibl. de la Pléiade, t. 1, 1983, p. 677.
10. *Ibid.,* p. 683.
11. *Ibid.,* p. 677.

prouver, de l'emporter, de paraître... De là cette impression de liberté, de légèreté, d'ingénuité heureuse. « La simplicité, écrit Fénelon, est une droiture de l'âme qui retranche tout retour inutile sur elle-même et sur ses actions. [...] Elle est libre dans sa course, parce qu'elle ne s'arrête point pour se composer avec art »[12]. Elle est insouciante, mais non sans soin : elle s'occupe du réel, non de soi. C'est le contraire de l'amour-propre. Fénelon encore : « Comme on est intérieurement dépris de soi-même par le retranchement de tous les retours volontaires, on agit plus naturellement. [...] Cette vraie simplicité paraît quelquefois un peu négligée et moins régulière, mais elle a un goût de candeur et de vérité qui se fait sentir, je ne sais quoi d'ingénu, de doux, d'innocent, de gai, de paisible, qui charme quand on le voit de près et de suite avec des yeux purs. »[13] La simplicité est oubli de soi, c'est en quoi elle est une vertu : non le contraire de l'égoïsme, comme la générosité, mais le contraire du narcissisme, de la prétention, de la suffisance. On dira que la générosité vaut mieux. Oui, tant que l'ego demeure et domine. Mais toute générosité n'est pas simple (quelle suffisance chez Descartes !), quand l'absolue simplicité est généreuse toujours (quelle générosité chez saint François !). C'est que le moi n'est rien que l'ensemble des illusions qu'il se fait sur lui-même : le narcissisme n'est pas l'effet de l'ego, mais son principe. La générosité le surmonte ; la simplicité le dissout. La générosité est un effort ; la simplicité, un repos. La générosité est une victoire ; la simplicité, une paix. La générosité est une force ; la simplicité, une grâce.

Jankélévitch a bien vu que toute vertu, sans elle, manquerait de l'essentiel[14]. Que vaudrait une gratitude affectée,

12. *Ibid.*, p. 677 et 679.
13. *Ibid.*, p. 686.
14. *Traité des vertus*, III *(L'innocence et la méchanceté)*, p. 404 et s. de l'éd. Champs-Flammarion, 1986.

une humilité apprêtée, un courage qui ne serait que pour la montre ? Ce ne serait ni gratitude, ni humilité, ni courage. Modestie sans simplicité, c'est fausse modestie. Sincérité sans simplicité, c'est exhibitionnisme ou calcul. La simplicité est la vérité des vertus : chacune n'est elle-même qu'à la condition d'être libérée du souci de paraître, et même du souci d'être (oui : libérée de soi !), qu'à la condition, donc, d'être sans recherche, sans artifice, sans prétention. Celui qui n'est courageux qu'en public, généreux qu'en public, vertueux qu'en public, n'est pas vraiment courageux, n'est pas vraiment généreux, n'est pas vraiment vertueux. Et celui qui n'est simple qu'en public (cela arrive : certains tutoient le premier venu, qui se vouvoient eux-mêmes devant la glace) est simplement maniéré. « La simplicité affectée, disait La Rochefoucauld, est une imposture délicate. »[15] Toute vertu, sans la simplicité, est donc pervertie, comme vidée d'elle-même, comme remplie de soi. Inversement une simplicité vraie, sans les supprimer, rend les défauts plus supportables : être simplement égoïste, simplement lâche, simplement infidèle, cela n'a jamais empêché personne d'être séduisant ou sympathique. Alors que l'imbécile prétentieux, l'égoïste faux-jeton ou le lâche m'as-tu-vu sont insupportables, tout comme le bellâtre qui joue au romantique ou qui étale ses bonnes fortunes. La simplicité est la vérité des vertus, et l'excuse des défauts. C'est la grâce des saints, et le charme des pécheurs.

Qu'elle n'excuse pas tout est pourtant assez clair, et au vrai c'est moins une excuse qu'une séduction. Mais qui voudrait l'utiliser comme telle manquerait à la simplicité.

Le simple est celui qui ne fait pas semblant, qui ne fait pas attention (à soi, à son image, à sa réputation), qui ne calcule

15. *Maximes et réflexions,* 289.

pas, qui est sans ruse et sans secret, sans idées de derrière, sans programme, sans projet... Vertu d'enfance ? Je n'y crois pas trop. Plutôt l'enfance comme vertu, mais une enfance retrouvée, reconquise, comme libérée d'elle-même, de cette imitation des adultes, de cette impatience de grandir, de ce grand sérieux de vivre, de ce gros secret d'être soi... La simplicité ne s'apprend que peu à peu. Voyez Clara Haskil, dans Mozart ou dans Schumann. Aucun enfant jamais ne jouera comme cette vieille dame les *Variations en ut majeur* (« Ah, vous dirai-je maman ») ou les *Scènes d'enfants,* avec cette grâce, cette poésie, cette légèreté, cette innocence... C'est l'enfance de l'esprit, à quoi les enfants n'ont guère accès le plus souvent.

Que le même mot puisse désigner aussi une forme de bêtise dit assez ce que nous pensons de l'intelligence, et l'usage ordinaire que nous en faisons. Mais cela ne saurait cacher l'essentiel, qui est la simplicité elle-même, comme vertu et comme grâce. L'esprit des Evangiles souffle là. « Regardez les oiseaux du ciel : ils ne sèment ni ne moissonnent ni ne recueillent en des greniers, et votre Père céleste les nourrit !... Observez les lys des champs, comme ils poussent : ils ne peinent ni ne filent... »[16] Qu'on ne puisse toujours vivre comme cela, c'est ce que la prudence rappelle. Vertu intellectuelle, contre vertu spirituelle. Qui ne voit que la prudence est plus nécessaire, et la simplicité, plus haute ? Le Père céleste nourrit bien mal ses enfants, et il est prudent de ne point vivre comme un oiseau. Mais sage aussi de n'en point oublier tout à fait la sagesse, qui est de simplicité. Sagesse de poète : « Nous allons ici et là, à la recherche d'une joie partout en miettes, et le sautillement du moineau est notre seule chance de goûter à Dieu éparpillé sur terre. »[17] Tout est simple pour Dieu ; tout est divin pour les simples. Même le travail, même l'effort. « Ne vous inquiétez pas du lende-

---

16. *Evangile selon saint Matthieu,* VI, 26-28 (voir aussi Luc, XII, 22-27).
17. Christian Bobin, *L'éloignement du monde,* p. 37.

main : demain s'inquiétera de lui-même. A chaque jour suffit sa peine... »[18] Il n'est pas interdit de semer, ni de moissonner. Mais pourquoi s'inquiéter de la moisson, quand on sème ? Pourquoi regretter les semailles, quand on moissonne ? La simplicité est vertu présente, vertu actuelle, c'est en quoi aucune vertu n'est réelle qu'à la condition d'être simple. Il n'est pas interdit de faire des projets, des programmes, des calculs... Mais la simplicité, donc aussi la vertu, est ce qui leur échappe. Rien n'est grave, rien n'est compliqué, que l'avenir. Rien n'est simple, que le présent.

La simplicité est oubli de soi, de son orgueil et de sa peur : c'est quiétude contre inquiétude, joie contre souci, légèreté contre sérieux, spontanéité contre réflexion, amour contre amour-propre, vérité contre prétention... Le moi y subsiste, certes, mais comme allégé, purifié, libéré (« *délié de soi*, comme dit Bobin, *dépris de tout royaume* »)[19]. Il y a bien longtemps, même, qu'il a renoncé à chercher son salut, qu'il ne se soucie plus de sa perte. La religion est trop compliquée pour lui. La morale, même, est trop compliquée pour lui. A quoi bon ces retours perpétuels sur soi ? On n'en finirait pas de s'examiner, de se juger, de se condamner... Nos meilleurs actions sont suspectes ; nos meilleurs sentiments, équivoques. Le simple le sait, et s'en moque. Il ne s'intéresse pas assez pour se juger. La miséricorde lui tient lieu d'innocence, ou l'innocence, peut-être, de miséricorde. Il ne se prend ni au sérieux ni au tragique. Il suit son bonhomme de chemin, le cœur léger, l'âme en paix, sans but, sans nostalgie, sans impatience. Le monde est son royaume, qui lui suffit. Le présent est son éternité, qui le comble. Il n'a rien à prouver, puisqu'il ne veut rien paraître. Ni rien à chercher, puisque tout est là. Quoi de plus simple que la simplicité ? Quoi de plus léger ? C'est la vertu des sages, et la sagesse des saints.

18. *Evangile selon saint Matthieu,* VI, 34.
19. *Eloge du rien,* Fata Morgana, 1990, p. 15.

13

La tolérance

C'est un sujet de dissertation qui fut proposé plusieurs fois au baccalauréat : « Juger qu'il y a de l'intolérable, est-ce toujours faire preuve d'intolérance ? » Ou bien, sous une forme différente : « Etre tolérant, est-ce tout tolérer ? » La réponse, dans les deux cas, est évidemment non, du moins si l'on veut que la tolérance soit une vertu. Celui qui tolérerait le viol, la torture, l'assassinat, faudrait-il le juger vertueux ? Qui verrait, dans cette tolérance du pire, une disposition estimable ? Mais si la réponse ne peut être que négative (ce qui, pour un sujet de dissertation, est plutôt une faiblesse), l'argumentation n'est pas sans poser un certain nombre de problèmes, qui sont de définitions et de limites, et qui peuvent occuper suffisamment nos lycéens, j'imagine, durant les quatre heures de l'épreuve... Une dissertation n'est pas un sondage d'opinion. Il faut répondre, certes, mais la réponse ne vaut que par les arguments qui la préparent et qui la justifient. Philosopher, c'est penser sans preuves (s'il y avait des preuves, ce ne serait plus de la philosophie), mais point penser n'importe quoi (penser n'importe quoi, d'ailleurs, ce ne serait plus penser), ni n'importe comment. La raison commande, comme dans les sciences, mais sans vérification ni réfutation possibles. Pourquoi ne pas se contenter, alors, des sciences ? Parce qu'on ne peut : elles ne répondent à aucune des questions essentielles que nous nous posons, ni même à celles qu'elles nous posent. La question « Faut-il faire des mathématiques ? » n'est pas susceptible d'une réponse mathématique. La question « Les sciences sont-elles vraies ? » n'est pas susceptible d'une réponse scientifique. Et pas davantage, cela va de soi, les questions portant sur le sens de la vie, l'existence de Dieu ou la valeur de nos valeurs... Or, comment y renoncer ? Il s'agit de penser aussi loin qu'on vit, donc le plus loin qu'on peut, donc plus loin qu'on ne sait. La métaphysique est la vérité de la philosophie, même en épistémologie, même en philosophie morale ou politique. Tout se tient, et nous tient. Une philosophie est un ensemble d'opinions raisonnables : la chose est plus difficile, et plus nécessaire, qu'on ne le croit.

On dira que je m'éloigne de mon sujet. C'est que je ne fais pas une dissertation. L'école ne peut durer toujours, et c'est tant mieux. Au reste il n'est pas sûr que, de la tolérance, je me sois tellement éloigné. Philosopher, disais-je, c'est penser sans preuves. C'est où aussi la tolérance intervient. Quand la vérité est connue avec certitude, la tolérance est sans objet. Le comptable qui se trompe dans ses calculs, on ne saurait tolérer qu'il refuse de les corriger. Ni le physicien, quand l'expérience lui donne tort. Le droit à l'erreur ne vaut qu'*a parte ante* ; une fois l'erreur démontrée, elle n'est plus un droit et n'en donne aucun : persévérer dans l'erreur, *a parte post,* n'est plus une erreur mais une faute. C'est pourquoi les mathématiciens n'ont que faire de la tolérance. Les démonstrations suffisent à leur paix. Quant à ceux qui voudraient empêcher les scientifiques de travailler ou de s'exprimer (ainsi l'Eglise, contre Galilée), ce n'est pas la tolérance d'abord qui leur fait défaut ; c'est l'intelligence, et c'est l'amour de la vérité. D'abord connaître. Le vrai prime et s'impose à tous, qui n'impose rien. Les scientifiques ont besoin, non de tolérance, mais de liberté.

Qu'il s'agisse de deux choses différentes, c'est ce que l'expérience suffit à attester. Aucun scientifique ne demandera, ni même n'accepterait, qu'on tolère ses erreurs, une fois qu'elles sont connues, ni ses incompétences, dans la spécialité qui est la sienne, une fois qu'elles sont avérées. Mais aucun non plus n'accepterait qu'on lui dicte ce qu'il doit penser. Pas d'autre contrainte pour lui que l'expérience et la raison : pas d'autre contrainte que la vérité au moins possible, et c'est ce qu'on appelle la liberté de l'esprit. Quelle différence avec la tolérance ? C'est que celle-ci (la tolérance) n'intervient qu'à défaut de connaissance ; celle-là (la liberté de l'esprit) serait plutôt la connaissance même, en tant qu'elle nous libère de tout, et de nous-mêmes. La vérité n'obéit pas, disait Alain ; c'est en quoi elle est libre, quoique nécessaire (ou *parce que* nécessaire), et rend libre. « La Terre tourne autour du Soleil » : accepter ou pas cette proposition ne relève aucunement, d'un point de vue scientifique, de la tolérance. Une science n'avance qu'en corrigeant ses erreurs ; on ne saurait donc lui demander de les tolérer.

Le problème de la tolérance ne se pose que dans les questions d'opinion. C'est pourquoi il se pose si souvent, et presque toujours. Nous ignorons plus que nous ne savons, et tout ce que nous savons dépend, directement ou indirectement, de quelque chose que nous ignorons. Qui peut prouver absolument que la Terre existe ? Que le Soleil existe ? Et quel sens y a-t-il, s'ils n'existent ni l'un ni l'autre, à affirmer que celle-là tourne autour de celui-ci ? La même proposition qui ne relève pas de la tolérance, d'un point de vue scientifique, peut en relever, d'un point de vue philosophique, moral ou religieux. Ainsi la théorie évolutionniste de Darwin : ceux qui demandent qu'on la tolère (ou, *a fortiori*, ceux qui demandent qu'on l'interdise) n'ont pas compris en quoi elle est scientifique[1] ; mais

---

1. Ce qui ne veut pas dire qu'elle est vraie, mais simplement qu'il doit être possible, si elle est fausse, de le montrer (voir K. Popper, *La logique de la découverte scientifique*, trad. franç., Payot, 1973) ; ni qu'elle n'est que, ou totalement, scientifique (voir K. Popper, *La quête inachevée*, trad. franç., Presses Pocket, rééd. 1989, chap. 37), mais simplement qu'une part en elle échappe à l'opinion — donc aussi à la tolérance.

ceux qui voudraient l'imposer autoritairement comme vérité absolue de l'homme et de sa genèse feraient bien preuve, pourtant, d'intolérance. La Bible n'est ni démontrable ni réfutable : il faut donc y croire, ou tolérer qu'on y croie. C'est où l'on retrouve notre problème. S'il faut tolérer la Bible, pourquoi pas *Mein Kampf* ? Et si l'on tolère *Mein Kampf*, pourquoi pas le racisme, la torture, les camps ? Une telle tolérance universelle serait bien sûr moralement condamnable : parce qu'elle oublierait les victimes, parce qu'elle les abandonnerait à leur sort, parce qu'elle laisserait se perpétuer leur martyre. Tolérer, c'est accepter ce qu'on pourrait condamner, c'est laisser faire ce qu'on pourrait empêcher ou combattre. C'est donc renoncer à une part de son pouvoir, de sa force, de sa colère... Ainsi tolère-t-on les caprices d'un enfant ou les positions d'un adversaire. Mais ce n'est vertueux que pour autant qu'on prenne sur soi, comme on dit, qu'on surmonte pour cela son propre intérêt, sa propre souffrance, sa propre impatience. La tolérance ne vaut que contre soi, et pour autrui. Il n'y a pas tolérance quand on n'a rien à perdre, encore moins quand on a tout à gagner à supporter, c'est-à-dire à ne rien faire. « Nous avons tous assez de force, disait La Rochefoucauld, pour supporter les maux d'autrui. »[2] Peut-être, mais nul n'y verrait tolérance. Sarajevo était, dit-on, ville de tolérance ; l'abandonner aujourd'hui (décembre 1993) à son destin de ville assiégée, de ville affamée, de ville massacrée, ne serait pour l'Europe que lâcheté. Tolérer, c'est prendre sur soi : la tolérance qui prend sur autrui n'en est plus une. Tolérer la souffrance des autres, tolérer l'injustice dont on n'est pas soi-même victime, tolérer l'horreur qui nous épargne, ce n'est plus de la tolérance : c'est de l'égoïsme, c'est de l'indifférence, ou pire. Tolérer Hitler, c'était se faire son complice, au moins par

_____
2. *Maximes et réflexions*, 19.

omission, par abandon, et cette tolérance était déjà de la collaboration. Plutôt la haine, plutôt la fureur, plutôt la violence, que cette passivité devant l'horreur, que cette acceptation honteuse du pire ! Une tolérance universelle serait tolérance de l'atroce : atroce tolérance !

Mais cette tolérance universelle serait aussi contradictoire, du moins en pratique, et pour cela non seulement moralement condamnable, comme on vient de le voir, mais politiquement condamnée. C'est ce qu'ont montré, dans des problématiques différentes, Karl Popper et Vladimir Jankélévitch. Poussée à la limite, la tolérance « finirait par se nier elle-même »[3], puisqu'elle laisserait les mains libres à ceux qui veulent la supprimer. La tolérance ne vaut donc que dans certaines limites, qui sont celles de sa propre sauvegarde et de la préservation de ses conditions de possibilité. C'est ce que Karl Popper appelle « *le paradoxe de la tolérance* » : « Si l'on est d'une tolérance absolue, même envers les intolérants, et qu'on ne défende pas la société tolérante contre leurs assauts, les tolérants seront anéantis, et avec eux la tolérance. »[4] Cela ne vaut que tant que l'humanité est ce qu'elle est, conflictuelle, passionnelle, déchirée, mais c'est pourquoi cela vaut. Une société où une tolérance universelle serait possible ne serait plus humaine, et d'ailleurs n'aurait plus besoin de tolérance.

Au contraire de l'amour ou de la générosité, qui n'ont pas de limites intrinsèques ni d'autre finitude que la nôtre, la tolérance est donc essentiellement limitée : une tolérance infinie serait la fin de la tolérance ! Pas de liberté pour les ennemis de la liberté ? Ce n'est pas si simple. Une vertu ne saurait se cantonner dans l'intersubjectivité vertueuse : celui qui

---

3. V. Jankélévitch, *Traité des vertus,* II, 2, p. 92 de l'éd. Champs-Flammarion (1986).
4. *La société ouverte et ses ennemis,* trad. franç., Seuil, 1979, t. 1, n. 4 du chap. 7 (p. 222).

n'est juste qu'avec les justes, généreux qu'avec les généreux, miséricordieux qu'avec les miséricordieux, etc., n'est ni juste ni généreux ni miséricordieux. Pas davantage n'est tolérant celui qui ne l'est qu'avec les tolérants. Si la tolérance est une vertu, comme je le crois et comme on l'accorde ordinairement, elle vaut donc par elle-même, y compris vis-à-vis de ceux qui ne la pratiquent pas. La morale n'est ni un marché ni un miroir. Il est vrai, certes, que les intolérants n'auraient aucun titre à se plaindre qu'on soit intolérant à leur égard. Mais où a-t-on vu qu'une vertu dépend du point de vue de ceux qui en manquent ? Le juste doit être guidé « par les principes de la justice, et non par le fait que l'injuste ne peut se plaindre »[5]. De même le tolérant, par les principes de la tolérance. S'il ne faut pas tout tolérer, puisque ce serait vouer la tolérance à sa perte, on ne saurait non plus renoncer à toute tolérance vis-à-vis de ceux qui ne la respectent pas. Une démocratie qui interdirait tous les partis non démocratiques serait trop peu démocratique, tout comme une démocratie qui leur laisserait faire tout et n'importe quoi le serait trop, ou plutôt trop mal, et par là condamnée : puisqu'elle renoncerait à défendre le droit par la force, quand il le faut, et la liberté par la contrainte. Le critère n'est pas moral, ici, mais politique. Ce qui doit déterminer la tolérabilité de tel ou tel individu, de tel ou tel groupe ou comportement, n'est pas la tolérance dont ils font preuve (car alors il eût fallu interdire tous les groupes extrémistes de notre jeunesse, et leur donner raison par là), mais leur dangerosité effective : une action intolérante, un groupe intolérant, etc., doivent être interdits si, et seulement si, ils menacent effectivement la liberté ou, en général, les conditions de possibilité de la tolérance. Dans une République forte et stable, une manifestation contre la démocratie, contre la tolérance ou contre la

---

5. J. Rawls, *Théorie de la justice*, II, 4, section 35, p. 256 de la trad. franç., Seuil, 1987.

liberté ne suffit pas à les mettre en péril : il n'y a donc pas lieu de l'interdire, et ce serait manquer de tolérance que de le vouloir. Mais que les institutions soient fragilisées, que la guerre civile menace ou ait commencé, que des groupes factieux menacent de prendre le pouvoir, et la même manifestation peut devenir un danger véritable : il peut alors être nécessaire de l'interdire, de l'empêcher, même par la force, et ce serait manquer de fermeté ou de prudence que de renoncer à l'envisager. Bref, cela dépend des cas, et cette « casuistique de la tolérance », comme dit Jankélévitch[6], est l'un des problèmes majeurs de nos démocraties. Après avoir évoqué le paradoxe de la tolérance, qui fait qu'on l'affaiblit à force de vouloir l'étendre à l'infini, Karl Popper ajoute ceci :

> « Je ne veux pas dire par là qu'il faille toujours empêcher l'expression de théories intolérantes. Tant qu'il est possible de les contrer par des arguments logiques et de les contenir avec l'aide de l'opinion publique, on aurait tort de les interdire. Mais il faut revendiquer le *droit* de le faire, même par la force si cela devient nécessaire, car il se peut fort bien que les tenants de ces théories se refusent à toute discussion logique et ne répondent aux arguments que par la violence. Il faudrait alors considérer que, ce faisant, ils se placent hors la loi et que l'incitation à l'intolérance est criminelle au même titre que l'incitation au meurtre, par exemple. »[7]

Démocratie n'est pas faiblesse. Tolérance n'est pas passivité.

Moralement condamnable et politiquement condamnée, une tolérance universelle ne serait donc ni vertueuse ni viable. Ou pour le dire autrement : il y a bien de l'intolérable, même et surtout pour le tolérant ! Moralement : c'est la souffrance d'au-

6. *Op. cit.*, p. 93.
7. *Op. cit*, p. 222. Voir aussi le texte déjà cité de Rawls, spécialement aux p. 254-256.

trui, c'est l'injustice, c'est l'oppression, quand on pourrait les empêcher ou les combattre par un mal moindre. Politiquement : c'est tout ce qui menace effectivement la liberté, la paix ou la survie d'une société (ce qui suppose une évaluation, toujours incertaine, des risques), donc aussi tout ce qui menace la tolérance, dès lors que cette menace n'est pas simplement l'expression d'une position idéologique (laquelle pourrait être tolérée), mais bien d'un danger réel (lequel doit être combattu, et par la force s'il le faut). Cela laisse place à la casuistique, dans le meilleur des cas, et à la mauvaise foi, dans le pire[8] — cela laisse place à la démocratie, à ses incertitudes et à ses risques, qui valent mieux pourtant que le confort et les certitudes d'un totalitarisme.

Qu'est-ce que le totalitarisme ? C'est le pouvoir total (d'un parti ou de l'Etat) sur le tout (d'une société). Mais si le totalitarisme se distingue de la simple dictature ou de l'absolutisme, c'est surtout par sa dimension idéologique. Le totalitarisme n'est jamais le seul pouvoir d'un homme ou d'un groupe : c'est aussi, et peut-être d'abord, le pouvoir d'une doctrine, d'une idéologie (souvent à prétention scientifique), d'une « vérité », ou prétendue telle. A chaque type de gouvernement son principe, disait Montesquieu : comme une monarchie fonctionne à l'honneur, une république à la vertu et un despotisme à la crainte, le totalitarisme, ajoute Hannah Arendt, fonctionne à l'idéologie ou (vu de l'intérieur) à la « vérité »[9]. C'est en quoi tout totalitarisme est intolérant : parce que la vérité ne se discute pas, ne se vote pas, et n'a que faire des préférences ou des opinions de chacun. C'est comme une tyrannie du vrai. Et c'est en quoi aussi toute

---

8. Voir Jankélévitch, *op. cit.*, p. 93.

9. Montesquieu, *L'esprit des lois*, III, 1-9 ; Hannah Arendt, *Les origines du totalitarisme*, t. 3 : *Le système totalitaire*, chap. 4 (« Idéologie et terreur : un nouveau type de régime »), p. 203 et s. de la trad. franç., Seuil, coll. « Points Politique », 1972. Sur le cas particulier du stalinisme, voir aussi *Le mythe d'Icare*, chap. 2.

intolérance tend au totalitarisme ou, en matière religieuse, à l'intégrisme : on ne peut prétendre imposer son point de vue qu'au nom de sa vérité supposée, ou plutôt c'est à cette condition seulement que cette imposition peut se prétendre légitime. Une dictature qui s'impose par la force est un despotisme ; si elle s'impose par l'idéologie, un totalitarisme. On comprend que la plupart des totalitarismes seront aussi des despotismes (il faut bien que la force, en cas de besoin, vienne au secours de l'Idée...), et que, dans nos sociétés modernes, qui sont des sociétés de communication, la plupart des despotismes tendront au totalitarisme (il faut bien que l'Idée donne raison à la force). Endoctrinement et système policier vont de pair. Toujours est-il que la question de la tolérance, qui ne fut pendant longtemps qu'une question religieuse, tend à envahir le tout de la vie sociale, ou plutôt, car c'est bien sûr l'inverse qu'il faut dire, voici que le sectarisme, de religieux qu'il fut d'abord, devient au vingtième siècle omniprésent et multiforme, sous la domination cette fois de la politique bien davantage que de la religion : de là le terrorisme, quand le sectarisme est dans l'opposition, ou le totalitarisme, quand il est au pouvoir. De cette histoire, qui fut la nôtre, nous sortirons peut-être. Ce dont nous ne sortirons pas, en revanche, c'est de l'intolérance, c'est du fanatisme, c'est du dogmatisme. Ils renaissent toujours, à chaque « vérité » nouvelle. Qu'est-ce que la tolérance ? Alain répondait : « Un genre de sagesse qui surmonte le fanatisme, ce redoutable amour de la vérité. »[10]

Faut-il alors cesser d'aimer le vrai ? Ce serait faire un beau cadeau au totalitarisme, et s'interdire presque de le combattre ! « Le sujet idéal du règne totalitaire, remarquait Hannah Arendt, n'est ni le nazi convaincu, ni le communiste convaincu, mais l'homme pour qui la distinction entre fait et

---

10. *Définitions*, Pléiade, *Les arts et les dieux*, p. 1095 (définition de la tolérance).

fiction (*i.e.* la réalité de l'expérience) et la distinction entre vrai et faux (*i.e.* les normes de la pensée) n'existent plus. »[11] La sophistique fait le jeu du totalitarisme : si rien n'est vrai, qu'opposer à ses mensonges ? s'il n'y a pas de faits, comment lui reprocher de les masquer, de les déformer, et qu'opposer à sa propagande ? Car le totalitarisme, s'il prétend à la vérité, ne peut s'empêcher, à chaque fois que la vérité déçoit son attente, d'en inventer une autre, plus docile. Je ne m'y attarde pas : ces faits sont bien connus. Le totalitarisme commence en dogmatisme (il prétend que la vérité lui donne raison et justifie son pouvoir) et finit en sophistique (il appelle « vérité » ce qui justifie son pouvoir en lui donnant raison)... D'abord la « science », puis le bourrage de crâne. Qu'il s'agisse de fausses vérités ou de fausses sciences (ainsi le biologisme nazi ou l'historicisme stalinien), c'est assez clair, mais l'essentiel au fond n'est pas là. Un régime qui s'appuierait sur une science véritable — imaginons par exemple une tyrannie des médecins — n'en serait pas moins totalitaire dès lors qu'il prétendrait gouverner au nom de ses vérités : parce que la vérité ne gouverne jamais, ni ne dit ce qu'il faut faire, ni ce qu'il faut interdire. La vérité n'obéit pas, ai-je rappelé après Alain, et c'est par quoi elle est libre. Mais pas davantage elle ne commande, et c'est par quoi nous le sommes. Il est vrai que nous mourrons : cela ne condamne pas la vie, ni ne justifie l'assassinat. Il est vrai que nous mentons, que nous sommes égoïstes, infidèles, ingrats... Cela ne nous excuse pas, ni ne donne tort à ceux, parfois, qui sont fidèles, généreux ou reconnaissants. Disjonction des ordres : le vrai n'est pas le bien ; le bien n'est pas le vrai. La connaissance ne saurait donc tenir lieu de volonté, ni pour les peuples (aucune science, même vraie, ne saurait remplacer la démocratie), ni pour les individus (aucune science, même vraie, ne saurait

11. *Op. cit.*, p. 224.

tenir lieu de morale)[12]. C'est où le totalitarisme échoue, au moins théoriquement : parce que la vérité, contrairement à ce qu'il prétend, ne saurait lui donner raison ni justifier son pouvoir. Il est vrai pourtant qu'une vérité ne se vote pas ; mais pas davantage elle ne gouverne : tout gouvernement peut donc être soumis à un vote, et le doit.

Loin qu'il faille, pour être tolérant, renoncer à aimer la vérité, c'est au contraire cet amour même — mais désillusionné — qui nous fournit nos principales raisons de l'être. La première de ces raisons, c'est qu'aimer la vérité, surtout dans ces domaines, c'est aussi reconnaître qu'on ne la connaît jamais absolument ni en toute certitude. Le problème de la tolérance, on l'a vu, ne se pose que dans les questions d'opinion. Or, qu'est-ce qu'une opinion, sinon une croyance incertaine ou, en tout cas, sans autre certitude que subjective ? Le catholique peut bien, subjectivement, être certain de la vérité du catholicisme. Mais s'il est intellectuellement honnête (s'il aime la vérité plus que la certitude), il doit reconnaître qu'il est incapable d'en convaincre un protestant, un athée ou un musulman, même cultivés, intelligents et de bonne foi. Chacun, aussi convaincu qu'il puisse être d'avoir raison, doit donc admettre qu'il est hors d'état de le prouver, et dès lors sur le même plan que tel ou tel de ses adversaires, tout aussi convaincus que lui et tout aussi incapables de le convaincre... La tolérance, comme force pratique (comme vertu), se fonde ainsi sur notre faiblesse théorique, c'est-à-dire sur l'incapacité où nous sommes d'atteindre l'absolu. C'est ce qu'avaient vu Montaigne, Bayle, Voltaire : « C'est mettre ses conjectures à bien haut prix, disait le premier, que d'en faire cuire un homme tout vif » ; « l'évidence est une qualité relative », disait le second ; et le troisième, comme en point d'orgue : « Qu'est-ce que la tolérance ? C'est l'apanage de l'humanité. Nous sommes

12. Sur tout cela, que je ne peux ici qu'esquisser, voir *Valeur et vérité (études cyniques)*, PUF, 1994.

tous pétris de faiblesses et d'erreurs ; pardonnons-nous réciproquement nos sottises, c'est la première loi de la nature. »[13] C'est
où la tolérance touche à l'humilité, ou plutôt en découle,
comme celle-ci de la bonne foi : aimer la vérité jusqu'au bout,
c'est accepter aussi le doute à quoi, pour l'homme, elle aboutit.
Voltaire encore : « Nous devons nous tolérer mutuellement,
parce que nous sommes tous faibles, inconséquents, sujets à la
mutabilité, à l'erreur. Un roseau couché par le vent dans la
fange dira-t-il au roseau voisin couché dans un sens contraire :
"Rampe à ma façon, misérable, ou je présenterai requête pour
qu'on t'arrache et qu'on te brûle" ? »[14] Humilité et miséricorde
vont ensemble, et cet ensemble, quant à la pensée, mène à la
tolérance.

La seconde raison tient davantage à la politique qu'à la
morale, et aux limites de l'Etat plutôt qu'à celles de la
connaissance. Quand bien même il aurait accès à l'absolu, le
souverain serait hors d'état de l'imposer à quiconque : parce
qu'on ne saurait forcer un individu à penser autrement qu'il
ne pense, ni à croire vrai ce qui lui paraît faux. C'est ce
qu'avaient vu Spinoza et Locke[15], et que confirme, au
XXe siècle, l'histoire des différents totalitarismes. On peut
empêcher un individu d'exprimer ce qu'il croit, mais non de
le penser. Ou bien il faut supprimer la pensée elle-même, et

---

13. Montaigne, *Essais*, III, 11, p. 1032 de l'éd. Villey-Saulnier ; Bayle, *De la
tolérance (Commentaire philosophique sur ces paroles de Jésus-Christ « Contrains-les d'entrer »)*, p. 189 de l'éd. Gros, Presses Pocket, 1992 ; Voltaire, *Dictionnaire philosophique*,
art. « Tolérance », p. 362-363 de l'éd. Pomeau, G.-F., 1964 (voir aussi, du même
auteur, le *Traité sur la tolérance*, spécialement les chap. 21, 22 et 25, p. 132 et s. de
l'éd. Pomeau, G.-F., 1989). Cette idée reste bien sûr parfaitement actuelle : voir
K. Popper, *Conjectures et réfutations*, p. 36-37 de la trad. franç., Payot, 1985.

14. *Dictionnaire philosophique*, p. 368. Sur l'idée de tolérance au XVIIIe siècle,
voir E. Cassirer, *La philosophie des Lumières*, IV, 2, p. 223-247 de la trad. franç.
(Fayard, rééd. « Agora », 1986).

15. Spinoza, *Traité théologico-politique* (surtout le chap. 20) ; Locke, *Lettre sur la
tolérance* (rééditée récemment, avec une longue et très riche introduction de
J.-F. Spitz, G.-F., 1992).

affaiblir d'autant l'Etat... Il n'y a pas d'intelligence sans liberté du jugement, ni de société prospère sans intelligence. Il faut donc, pour un Etat totalitaire, se résigner à la bêtise ou à la dissidence, à la pauvreté ou à la critique... L'histoire récente des pays de l'Est montre que ces écueils, entre lesquels il peut certes naviguer longtemps, vouent pourtant le totalitarisme à un naufrage aussi imprévisible, dans ses formes, que difficile, à plus ou moins long terme, à éviter... L'intolérance rend bête, comme la bêtise rend intolérant. C'est une chance pour nos démocraties, qui explique peut-être une partie de leur force, qui en a surpris plus d'un, ou la faiblesse finalement des Etats totalitaires. Ni l'une ni l'autre n'auraient surpris Spinoza, qui faisait, du totalitarisme, cette description anticipée : « Posons, écrivait-il, que cette liberté [du jugement] peut être comprimée et qu'il est possible de tenir les hommes dans une dépendance telle qu'ils n'osent pas proférer une parole, sinon par la prescription du souverain ; encore n'obtiendra-t-il jamais qu'ils n'aient de pensées que celles qu'il aura voulu ; et ainsi, par une conséquence nécessaire, les hommes ne cesseraient d'avoir des opinions en désaccord avec leur langage, et la bonne foi, cette première nécessité de l'Etat, se corromprait ; l'encouragement donné à la détestable adulation et à la perfidie amènerait le règne de la fourberie et la corruption de toutes les relations sociales... »[16] Bref, l'intolérance de l'Etat (donc aussi ce que nous appelons, nous, le totalitarisme) ne peut à terme que l'affaiblir, par l'affaiblissement du lien social et de la conscience de chacun. Dans un régime tolérant, au contraire, la force de l'Etat fait la liberté de ses membres, comme leur liberté fait sa force : « Ce qu'exige avant tout la sécurité de l'Etat », conclut Spinoza, c'est bien sûr que chacun soumette son action aux lois du souverain (du peuple, donc, dans une

16. *Traité théologico-politique*, chap. 20, p. 332 de l'éd. Appuhn, rééd. G.-F., 1965.

démocratie), mais aussi « que pour le reste il soit accordé à chacun de penser ce qu'il veut et de dire ce qu'il pense »[17]. Qu'est-ce autre que la laïcité ? Et qu'est-ce que la laïcité, sinon la tolérance instituée ?

La troisième raison, c'est celle que j'ai évoquée d'abord ; mais elle est peut-être, dans notre univers spirituel, la plus récente comme la moins communément acceptée : il s'agit du divorce (ou, disons, de l'indépendance réciproque) entre la vérité et la valeur, entre le vrai et le bien. Si c'est la vérité qui commande, comme le croient Platon, Staline ou Jean-Paul II, il n'est d'autre vertu que de s'y soumettre. Et puisque la vérité est la même pour tous, tous doivent se soumettre également aux mêmes valeurs, aux mêmes règles, aux mêmes impératifs : une même vérité pour tous, donc une même morale, une même politique, une même religion pour tous ! Hors de la vérité, point de salut, et hors de l'Eglise ou du Parti, point de vérité... Le dogmatisme pratique, qui pense la valeur comme une vérité, aboutit ainsi à la bonne conscience, à la suffisance, au rejet ou au mépris de l'autre — à l'intolérance. Tous ceux qui ne se soumettent pas à « la vérité sur le bien et sur le mal moral », écrit par exemple Jean-Paul II, « vérité établie par la "Loi divine", *norme universelle et objective de la moralité* »[18], tous ceux-là, donc, vivent dans le péché, et s'il faut certes les plaindre et les aimer, on ne saurait reconnaître leur droit à en juger autrement : ce serait tomber dans le subjectivisme, le relativisme ou le scepticisme[19], et oublier par là « qu'il n'y a de liberté ni en dehors de la vérité ni contre elle »[20]. Comme la vérité ne dépend pas de nous, la morale n'en dépend pas davantage : « la vérité morale », comme dit Jean-Paul II[21],

17. *Ibid.*, p. 336 de l'éd. Appuhn.
18. *Veritatis splendor (la splendeur de la vérité)*, encyclique de Jean-Paul II, trad. franç., Mame/Plon, 1993, p. 95 (c'est Jean-Paul II qui souligne).
19. Voir par ex., *ibid.*, les p. 4, 133, 156, 163, 172.
20. *Ibid.*, p. 150.
21. Par ex. p. 146 et 149. Voir aussi p. 157, 170 et 180.

s'impose à tous et ne saurait dépendre ni des cultures, ni de l'histoire, ni d'une quelconque autonomie de l'homme ou de la raison[22]. Quelle vérité ? Bien sûr la « vérité révélée », telle que l'Eglise, et elle seule, la transmet[23] ! Tous les couples catholiques qui utilisent pilules ou préservatifs auront beau faire, tous les homosexuels auront beau faire, tous les théologiens modernistes auront beau faire, cela n'y changera rien : « Le fait que certains croyants agissent sans suivre les enseignements du Magistère ou qu'ils considèrent à tort comme moralement juste une conduite que leurs pasteurs ont déclarée contraire à la Loi de Dieu, ne peut pas être un argument valable pour réfuter la vérité des normes morales enseignées par l'Eglise. »[24] Et pas davantage ne saurait l'être la conscience individuelle ou collective : « *C'est la voix de Jésus-Christ, la voix de la vérité sur le bien et le mal qu'on entend dans la réponse de l'Eglise.* »[25] La vérité s'impose à tous, donc aussi la religion (puisqu'elle est la *vraie* religion), donc aussi la morale (puisque la morale « est fondée sur la vérité »)[26]. C'est une philosophie de poupées russes : il faut obéir à la vérité, donc à Dieu, donc à l'Eglise, donc au Pape... L'athéisme ou l'apostasie, par exemple, sont des péchés mortels, c'est-à-dire des péchés qui, sauf repentance, entraînent « la condamnation éternelle »[27]. Voilà donc votre serviteur, sans parler de ses autres errements, qui sont innombrables, déjà damné deux fois... C'est ce que Jean-Paul II appelle « la certitude réconfortante de la foi chrétienne »[28]. *Veritatis terror !*

Je ne veux pas m'attarder sur cette encyclique, qui n'a

22. *Ibid.*, surtout aux § 35-37 (contre l'autonomie) et 53 (contre le relativisme culturel et historique).

23. *Ibid.*, par ex. aux § 29, 37 et 109-117.

24. *Ibid.*, p. 172.

25. *Ibid.*, p. 180 (c'est Jean-Paul II qui souligne).

26. *Ibid.*, p. 157. Voir aussi p. 152-153.

27. *Ibid.*, p. 109 à 112.

28. *Ibid.*, p. 182.

guère d'importance. Comme les circonstances historiques ôtent toute plausibilité (au moins en Occident et à court ou moyen terme) à je ne sais quel retour à l'inquisition ou à l'ordre moral, les positions de l'Eglise, même intolérantes, doivent bien sûr être tolérées. On a vu que seule la dangerosité d'une attitude (et non la tolérance ou l'intolérance dont elle fait preuve) devait déterminer qu'on la tolère ou pas : heureuse époque que la nôtre, et heureux pays, où même les Eglises ont cessé d'être dangereuses ! Le temps n'est plus où ils pouvaient brûler Giordano Bruno, supplicier Calas ou guillotiner (à dix-neuf ans !) le chevalier de La Barre... Au reste, je n'ai pris cette encyclique que comme exemple, pour montrer que le dogmatisme pratique mène toujours, fût-ce sous une forme atténuée, à l'intolérance. Si les valeurs sont vraies, si elles sont connues, on ne saurait ni les discuter ni les choisir, et ceux qui ne partagent pas les nôtres ont donc tort : aussi ne méritent-ils pas d'autre tolérance que celle qu'on peut avoir, parfois, pour les ignorants ou pour les imbéciles. Mais est-ce encore de la tolérance ?

Pour qui reconnaît que valeur et vérité sont deux ordres différents (celle-ci relevant de la connaissance, celle-là du désir), il y a dans cette disjonction, au contraire, une raison supplémentaire d'être tolérant : quand bien même nous aurions accès à une vérité absolue, en effet, cela ne saurait obliger tout le monde à respecter les mêmes valeurs, ni donc à vivre de la même façon. La connaissance, qui porte sur l'être, ne dit rien sur le devoir-être : la connaissance ne juge pas, la connaissance ne commande pas ! La vérité s'impose à tous, certes, mais n'impose rien. Quand bien même Dieu existerait, pourquoi faudrait-il l'approuver toujours ? Et quel titre aurais-je, qu'il existe ou non, à imposer mon désir, ma volonté ou mes valeurs à ceux qui ne les partagent pas ? Il faut des lois communes ? Sans doute, mais dans les domaines seulement qui nous sont communs ! Que m'importent les bizarreries érotiques de tel ou tel, si elles sont pratiquées entre adultes consentants? Quant aux lois communes, si elles sont bien sûr nécessaires (pour empêcher le pire, pour protéger les faibles...), c'est à la politique et à la culture d'y veiller, lesquelles sont toujours relatives, conflictuelles, évolutives, et non à je ne sais quelle vérité absolue qui s'imposerait à nous et que nous pourrions légitimement, dès lors, imposer à autrui. La vérité est la même pour tous, mais le désir non, mais la volonté non. Cela ne veut pas dire que nos désirs et nos volontés ne puissent jamais nous rapprocher : ce serait bien surprenant, puisque nous avons même corps, pour l'essentiel, même raison (la raison, si elle n'est pas le tout de la morale, y joue bien sûr un rôle important) et, de plus en plus, même culture... Cette rencontre des désirs, cette communion des volontés, ce rapprochement des civilisations, quand ils ont lieu, ne sont pas le résultat d'une connaissance ; ils sont un fait de l'histoire, un fait du désir, un fait de civilisation. Que le christianisme ait joué là un rôle majeur, c'est ce que chacun sait, qui n'excuse pas l'Inquisition, certes, mais que l'Inquisition ne saurait pas davantage effacer. *« Aime, et fais ce que tu veux... »* Peut-on garder cette morale de l'amour sans le dogmatisme de la Révélation ? Pourquoi non ? A-t-on besoin de connaître absolument la vérité pour l'aimer ? A-t-on besoin d'un Dieu pour aimer son prochain ? *Veritatis amor, humanitatis amor...* Contre la splendeur de la vérité (pourquoi faudrait-il qu'elle soit splendide ?), contre la pesanteur des dogmes et des Églises, la douceur de la tolérance...

On peut se demander, pour finir, si ce mot de *tolérance* est bien celui qui convient : il y a en lui quelque chose de condescendant, voire de méprisant, qui dérange. On se souvient de la boutade de Claudel : « La tolérance ? Il y a des maisons pour ça ! » Cela en dit long sur Claudel, et sur la tolérance. Tolérer les opinions d'autrui, n'est-ce pas déjà les considérer comme inférieures ou fautives? On ne peut tolérer, en toute rigueur, que ce qu'on aurait le droit d'empêcher : si les opinions sont libres, comme elles doivent l'être, elles ne relèvent donc pas de la tolérance! De là un nouveau paradoxe de la tolérance, qui semble en invalider la notion. Si les libertés de croyance, d'opinion, d'expression et de culte sont de droit, elles n'ont pas lieu d'être tolérées, mais simplement respectées, protégées, célébrées. Seule « l'insolence d'un culte dominateur », remarquait déjà Condorcet, put « nommer tolérance, c'est-à-dire une permission donnée par des hommes à d'autres hommes »[29], ce qu'on aurait dû considérer plutôt comme le respect d'une liberté commune. Cent ans plus tard, le *Vocabulaire* de Lalande atteste encore, au début de ce siècle, de très nombreuses réticences. Le respect de la liberté religieuse « est très mal appelé tolérance, écrivait par exemple Renouvier, car il est stricte justice et obligation entière ». Réticence aussi chez Louis Prat : « Il ne faudrait pas dire *tolérance*, mais respect ; sinon, la dignité morale est atteinte... Le mot de tolérance implique trop souvent dans notre langue l'idée de politesse, quelquefois de pitié, quelquefois d'indifférence ; il est peut-être cause que l'idée du respect dû à la liberté loyale de penser est faussée dans la plupart des esprits. » Réticence encore chez Emile Boutroux : « Je n'aime pas ce mot de *tolérance* ; parlons de respect, de sympathie, d'amour... »[30] Toutes ces remarques sont justifiées, mais n'ont rien pu contre l'usage. J'observe d'ailleurs que l'adjectif *respectueux*, en français, n'évoque guère le respect de la liberté d'autrui, ni même de sa dignité, mais plutôt une espèce de déférence ou de considération qu'on peut juger suspecte, bien

29. *Esquisse d'un tableau historique des progrès de l'esprit humain*, VIII, p. 129 de l'éd. Prior, Vrin, 1970.

30. Toutes ces citations sont extraites du toujours précieux *Vocabulaire technique et critique de la philosophie* de Lalande, *Bulletin de la Société française de philosophie*, 1902-1923, rééd. PUF, 1968, p. 1133-1136 (art. « Tolérance »). On trouve des réticences du même type dans le chapitre déjà cité de Jankélévitch (p. 86 et s.).

souvent, et qui n'aurait guère sa place dans un traité des vertus... *Tolérant,* au contraire, s'est imposé, dans le langage courant aussi bien que philosophique, pour désigner la vertu qui s'oppose au fanatisme, au sectarisme, à l'autoritarisme, bref... à l'intolérance. Cet usage ne me paraît pas sans raison : il reflète, dans la vertu même qui la surmonte, l'intolérance de chacun. En toute rigueur, disais-je, on ne peut tolérer que ce qu'on aurait le droit d'empêcher, de condamner, d'interdire. Mais ce *droit* que nous n'avons pas, nous avons le sentiment, presque toujours, de l'avoir. N'avons-nous pas raison de penser ce que nous pensons ? Et si nous avons raison, comment les autres n'auraient-ils pas tort ? Et comment la vérité pourrait-elle accepter — sinon par *tolérance* en effet — l'existence ou la continuation de l'erreur ? Le dogmatisme toujours renaît, qui n'est qu'un amour illusoire et égoïste de la vérité. Aussi appelons-nous *tolérance* ce qui, si nous étions plus lucides, plus généreux, plus justes, devrait s'appeler respect, en effet, ou sympathie, ou amour... C'est donc le mot qui convient, puisque l'amour fait défaut, puisque la sympathie fait défaut, puisque le respect fait défaut. Ce mot de *tolérance* ne nous gêne que parce que — pour une fois ! — il n'est pas en avance, ou pas trop, sur ce que nous sommes. « Vertu mineure », disait Jankélévitch[31]. C'est qu'elle nous ressemble. « Tolérer n'est évidemment pas un idéal, remarquait déjà Abauzit, ce n'est pas un maximum, c'est un minimum. »[32] Bien sûr, mais c'est mieux que rien ou que son contraire ! Que le respect ou l'amour vaillent mieux, c'est entendu. Si le mot de *tolérance* s'est pourtant imposé, c'est sans doute que d'amour ou de respect chacun se sent trop peu capable, s'agissant de ses adversaires — or c'est vis-à-vis d'eux, d'abord, que joue la tolérance... « En attendant le beau jour

---

31. *Op. cit.,* p. 86 et 94.

32. F. Abauzit, dans la discussion de la Société française de philosophie, *Vocabulaire* de Lalande, p. 1134. Même idée chez Jankélévitch, *op. cit.,* p. 87.

où la tolérance deviendra aimante, conclut Jankélévitch, nous dirons que la tolérance, la prosaïque tolérance est ce qu'on peut faire de mieux ! La tolérance — si peu exaltant que soit ce mot — est donc une solution passable ; en attendant mieux, c'est-à-dire en attendant que les hommes puissent s'aimer, ou simplement se connaître et se comprendre, estimons-nous heureux qu'ils commencent par se supporter. La tolérance est donc un moment provisoire. »[33] Que ce provisoire soit fait pour durer, c'est assez clair : devrait-il cesser, qu'il faudrait craindre que la barbarie, plutôt que l'amour, ne lui succède ! Petite vertu, elle aussi, la tolérance joue peut-être, dans la vie collective, le même rôle que la politesse, dans la vie interpersonnelle[34] : ce n'est qu'un commencement, mais c'en est un.

Sans compter qu'il faut parfois tolérer ce qu'on ne veut ni respecter ni aimer. L'irrespect n'est pas toujours une faute, tant s'en faut, et certaines haines sont bien proches d'être des vertus. Il y a de l'intolérable, on l'a vu, qu'il faut combattre. Mais il y a aussi du tolérable qui est pourtant méprisable et détestable. La tolérance dit tout cela, ou du moins elle l'autorise. Cette petite vertu nous convient : elle est à notre portée, ce qui n'est pas si fréquent, et certains de nos adversaires, nous semble-t-il, ne méritent guère davantage...

Comme la simplicité est la vertu des sages et la sagesse des saints, la tolérance est sagesse et vertu pour ceux — nous tous — qui ne sont ni l'un ni l'autre.

Petite vertu, mais nécessaire. Petite sagesse, mais accessible.

---

33. *Op. cit.*, p. 101-102.
34. Cf. *supra*, chap. 1, p. 15 et s. L'expression de « petite vertu », que j'utilisais à propos de la politesse, est utilisée par Jankélévitch à propos de la tolérance (*op. cit.*, p. 86).

14

La pureté

De toutes les vertus, si c'en est une, la pureté est peut-être la plus difficile à appréhender, à saisir. Il faut bien que nous en ayons pourtant l'expérience : que saurions-nous autrement de l'impur ? Mais c'est une expérience d'abord étrangère, et douteuse. La pureté des jeunes filles, ou de certaines d'entre elles, m'a toujours fortement touché. Comment savoir si elle était vraie ou feinte, ou plutôt si elle n'était pas une autre impureté que la mienne, qui ne la bouleversait à ce point que par sa différence, comme deux couleurs se rehaussent à proportion de leur contraste, certes, mais n'en sont pas moins couleurs l'une et l'autre ? Moi qui n'ai rien tant aimé que la pureté, rien tant désiré que l'impur, se pourrait-il que j'ignore ce qu'elle est ou ce qu'ils sont ? Pourquoi non ? Il en va peut-être de la pureté comme du temps selon saint Augustin : si personne ne me demande ce qu'elle est, je le sais ; mais si on me le demande et que je veuille l'expliquer, je ne le sais plus[1]. La pureté est une évidence et un mystère.

Je parlais des jeunes filles. Le fait est que la pureté, au moins de nos jours, se donne d'abord dans le registre sexuel. Par différence ? C'est à voir. Les jeunes filles auxquelles je

---

1. Cf. *Confessions*, XI, 14.

pense, dont plusieurs ont illuminé mon adolescence, n'étaient pas moins sexuées que les autres bien sûr, ni moins désirables (elles l'étaient parfois davantage), ni même, peut-être bien, moins désirantes. Mais elles avaient cette vertu, nous y voilà, ou elles semblaient l'avoir, d'habiter dans la clarté ce corps sexué et mortel, comme lumière dans la lumière, comme si l'amour ni le sang ne pouvaient les souiller. D'ailleurs, comment le pourraient-ils ? C'est la pureté du vivant, et la vie même. Cela battait dans les veines comme un éclat de rire.

D'autres jeunes filles, on s'en doute, et d'autres l'ont éprouvé, et tous peut-être, me séduisaient au contraire par je ne sais quelle impureté suggérée. Elles semblaient habiter la nuit plutôt que le jour : elles arrêtaient la lumière, comme font certains hommes, ou plutôt la réfléchissaient (ce que les hommes ne savent guère faire), et voyaient clair pourtant en elles comme en vous. Elles semblaient vivre de plain-pied avec le désir des hommes, cette violence, cette crudité, cette fascination pour l'obscène ou l'obscur, avec juste ce qu'il faut de perversion joyeuse et ce rien de vulgarité qui attire les hommes ou qui les rassure...

Plus tard elles vieilliront les unes et les autres, et se distingueront moins. Ou bien seulement par la quantité d'amour dont elles seront capables : l'amour n'a que faire de la pureté, ou plutôt est la seule pureté qui vaille. Les femmes en savent plus que les jeunes filles, c'est pourquoi elles nous effraient davantage.

Mais revenons à la pureté. Le mot, en latin comme en français, a d'abord un sens matériel : ce qui est pur, c'est ce qui est propre, sans tache, sans souillure. L'eau pure, c'est l'eau sans mélange, l'eau qui n'est que de l'eau. On remarquera que c'est donc une eau morte, et cela en dit long sur la vie et sur une certaine nostalgie de la pureté. Tout ce qui vit salit, tout ce qui nettoie tue. Ainsi mettons-nous du chlore dans nos piscines. La pureté est impossible : on n'a le choix qu'entre différentes sortes d'impuretés, et c'est ce qu'on appelle l'hygiène. Comment en ferait-on une morale? On parle de purification ethnique, en Serbie : cette horreur suffit à condamner ceux qui s'en réclament. Il n'y a pas de peuples purs, ni impurs. Tout peuple est un mélange, et tout organisme, et toute vie. La pureté — du moins cette pureté-là — est du côté de la mort ou du néant. L'eau est pure quand elle est sans germes, sans chlore, sans calcaire, sans sels minéraux, sans rien d'autre que de l'eau. C'est donc une eau qui n'existe jamais, ou bien seulement dans nos laboratoires. Eau morte, et mortifiante (sans odeur ni saveur!), et mortifère si on ne buvait qu'elle. Encore n'est-elle pure qu'à son niveau. Les atomes d'hydrogène pourraient protester contre ce mélange qu'on leur impose, cette impureté de l'oxygène... Et pourquoi pas le noyau, en chacun d'eux, contre l'impureté de l'électron? Il n'y a que le néant qui soit pur, or le néant n'est rien : l'être est une tache dans l'infini du vide, et toute existence est impure.

Oui. Il reste que toutes les religions, ou peu s'en faut, se sont donné cette distinction entre ce que la loi impose ou autorise, qui est pur, et ce qu'elle interdit ou sanctionne, qui est impur. Le sacré, c'est d'abord ce qui peut être profané, et ce n'est que cela peut-être. Inversement, la pureté est l'état qui permet de s'approcher des choses sacrées sans les souiller et sans s'y perdre. De là tous ces interdits, tous ces tabous, tous ces rites de purification... C'est la surface, et c'est un commencement. Il faudrait avoir la vue bien courte pour réduire tout cela à l'hygiène, à la prudence, à la prophylaxie. Que les interdits alimentaires, par exemple dans le judaïsme, aient pu avoir aussi ce rôle, soit. Mais s'il n'y avait que cela, notre dette vis-à-vis du peuple juif ne serait pas ce qu'elle est — énorme, décisive, à jamais ineffaçable —, et la diététique tiendrait avantageusement lieu, comme le voulait Nietzsche, de morale. Qui peut y croire? Est-ce là tout ce que nous avons gardé du monothéisme? Est-ce là notre seul souci, notre seule exigence? Le maintien de notre petite santé? de notre petite propreté? de notre petite intégrité? La belle affaire! Le bel idéal! Les vrais maîtres, évidemment, ont toujours dit le contraire. L'essentiel n'est pas dans les rites, mais dans ce que les rites suggèrent ou engendrent. Il s'agit bien de manger kascher ou non! Le sain n'est pas le saint. Le propre n'est pas le pur. Loin qu'on doive replier le rituel sur l'hygiénique, il conviendrait plutôt, en l'un et l'autre, de discerner ce qui les dépasse et, au fond, les justifie. De fait, c'est ce qui advient dans toute religion vivante. On apprend vite à donner à ces prescriptions extérieures un sens surtout — voire exclusivement — symbolique ou moral. Le rite a une fonction pédagogique plutôt qu'hygiénique, et d'une pédagogie spirituelle plutôt que sanitaire : la pureté cultuelle, comme on dit, est un premier pas vers la pureté morale, voire vers une autre pureté, tout intérieure, auprès de laquelle la morale même paraîtrait superfétatoire ou sordide. La morale ne vaut que pour les coupables; la pureté, chez les purs, est ce qui en tient lieu ou en dispense.

On dira que la morale est donc plus nécessaire, et j'en serai d'accord; voire que cette pureté n'est qu'un mythe, et je ne peux bien sûr pas prouver le contraire. Ne faisons pas la part trop belle toutefois à Pascal et à ses pareils, à tous ceux qui veulent nous enfermer dans la chute ou le péché. La pureté n'est pas l'angélisme. Il y a une pureté du corps, une innocence du corps, et dans la jouissance même : *pura voluptas*, disait Lucrèce[2], le pur plaisir, auprès de quoi c'est la morale qui est obscène. Je ne sais comment se débrouillent les confesseurs. Sans doute ils ont renoncé à interroger, à juger, à condamner. Ils savent bien que l'impureté serait de leur côté, presque toujours, et que les amants n'ont que faire de leur morale.

2. *De rerum natura*, IV, vers 1075 et 1081.

N'allons pas trop vite pourtant, ni trop loin. Toutes les femmes violées, quand elles osent raconter, font état de ce sentiment d'avoir été salies, souillées, humiliées. Et combien d'épouses, si elles disaient la vérité, avoueraient ne se soumettre qu'à contrecœur à l'impureté importune ou brutale de l'homme? A contrecœur : tout est dit. Seul le cœur est pur, ou peut l'être ; seul il purifie. Rien n'est pur ou impur de soi. La même salive fait le crachat ou le baiser ; le même désir fait le viol ou l'amour. Ce n'est pas le sexe qui est impur : c'est la force, la contrainte (Simone Weil : « l'amour n'exerce ni ne subit la force ; c'est là l'unique pureté »[3]), tout ce qui humilie ou avilit, tout ce qui profane, tout ce qui abaisse, tout ce qui est sans respect, sans douceur, sans égards. La pureté, inversement, n'est pas dans je ne sais quelle ignorance ou absence du désir (ce serait là une maladie, non une vertu) : elle est dans le désir sans faute et sans violence, dans le désir accepté, le désir partagé, le désir qui élève et célèbre ! Je sais bien que le désir s'exalte aussi, et parfois davantage, dans la transgression, la violence, la culpabilité. Eh bien voilà : la pureté est le contraire de cette exaltation-là. C'est la douceur du désir, la paix du désir, l'innocence du désir. Voyez comme nous sommes chastes après l'amour. Voyez comme nous sommes purs, parfois, dans le plaisir. Nul n'est innocent ni coupable absolument : c'est ce qui donne tort aux « contempteurs du corps », comme disait Nietzsche[4], autant qu'à ses adorateurs trop zélés ou trop satisfaits. La pureté n'est pas une essence. La pureté n'est pas un attribut, qu'on aurait ou pas. La pureté n'est pas absolue, la pureté n'est pas pure : la pureté, c'est une certaine façon de ne pas voir le mal là où, en effet, il ne se trouve pas. L'impur voit le mal partout, et en jouit. Le pur ne voit le mal nulle part, ou plutôt là seulement où il se trouve, où il en souffre : dans

---

3. *La pesanteur et la grâce*, p. 69 de l'éd. 10/18 (réimpr. 1979).
4. *Ainsi parlait Zarathoustra*, I.

l'égoïsme, dans la cruauté, dans la méchanceté... Est impur tout ce qu'on fait de mauvais cœur, ou le cœur mauvais. C'est pourquoi nous sommes impurs, presque toujours, et c'est pourquoi la pureté est une vertu : le moi n'est pur que quand il est purifié de soi. L'ego salit tout ce qu'il touche : « Prendre puissance sur, c'est souiller, écrit Simone Weil, posséder, c'est souiller »[5]. Au contraire, « aimer purement, c'est consentir à la distance »[6], autrement dit à la non-possession, à l'absence de pouvoir et de contrôle, à l'acceptation joyeuse et désintéressée. « Tu seras aimé, se disait à soi-même Pavese dans son *Journal*, le jour où tu pourras montrer ta faiblesse sans que l'autre s'en serve pour affirmer sa force. » C'était vouloir être aimé purement, autrement dit être aimé.

Il y a l'amour qui prend, et c'est l'impur. Il y a l'amour qui donne ou qui contemple, et c'est la pureté.

Aimer, aimer vraiment, aimer purement, ce n'est pas prendre : aimer, c'est regarder, c'est accepter, c'est donner et perdre, c'est se réjouir de ce qu'on ne peut posséder, c'est se réjouir de ce qui nous manque (ou qui manquerait si on voulait le posséder), de ce qui nous fait infiniment pauvres, et c'est le seul bien, et c'est la seule richesse. Pauvreté absolue de la mère, au lit de son enfant : elle ne possède rien, puisqu'il est tout et qu'elle ne le possède pas. « Mon trésor », murmure-t-elle... Et elle se sent démunie comme jamais. Pauvreté de l'amant, pauvreté du saint : ils ont mis tout leur bien dans cela qu'on ne peut posséder, qu'on ne peut consommer, ils se sont fait royaume et désert pour un dieu absent. Ils aiment en pure perte, comme on dit, et c'est l'amour même, ou le seul qui soit pur. Qui n'aimerait que dans l'espoir d'un gain, d'un profit, d'un avantage ? L'égoïsme est encore de l'amour, certes, mais c'est un amour

---

5. *La pesanteur et la grâce*, p. 71.
6. *Ibid.*

impur, et « la source de tout mal », disait Kant[7] : nul ne fait le mal pour le mal, mais seulement pour son plaisir, qui est un bien. Ce qui corrompt « la pureté des mobiles », comme disait encore Kant, ce n'est pas le corps, ni je ne sais quelle volonté maligne (qui voudrait le mal pour le mal), mais « le cher moi », auquel on ne cesse de se heurter[8]... Non, bien sûr, qu'on n'ait le droit de s'aimer soi : comment pourrait-on autrement (à supposer qu'on le puisse) aimer son prochain *comme soi-même*? Le moi n'est pas haïssable, ou il ne l'est que par égoïsme. Le mal n'est pas de s'aimer soi : c'est de n'aimer *que* soi, c'est d'être indifférent à la souffrance de l'autre, à son désir, à sa liberté, c'est d'être prêt à lui faire du mal pour se faire du bien, à l'humilier pour se faire plaisir, c'est de vouloir en jouir au lieu de l'aimer, en jouir au lieu de s'en réjouir, donc, ou ne se réjouir que de sa propre jouissance et n'aimer, là encore, que soi[9]... C'est l'impureté première, et la seule peut-être. Non excès d'amour, mais défaut d'amour. Ce n'est pas par hasard, ni seulement par pudibonderie, que la sexualité a été considérée comme le lieu privilégié de cette impureté-là. Y règne en maître ce que les scolastiques appelaient l'amour de concupiscence (aimer l'autre pour son bien à soi), qu'ils opposaient à l'amour de bienveillance ou d'amitié (aimer l'autre pour son bien à lui). Aimer l'autre comme un objet, donc, vouloir le posséder, le consommer, en jouir,

---

7. *La religion dans les limites de la simple raison*, première partie, Remarque générale, p. 68 de la trad. Gibelin, Vrin, 1972.

8. Voir, *ibid.*, cette même Remarque générale (spécialement p. 56-57 et 68-69 de la trad. Gibelin), ainsi que les *Fondements de la métaphysique des mœurs*, passim.

9. Cf. Spinoza, *Ethique*, III, déf. 6 des affections : « L'amour est une joie qu'accompagne l'idée d'une cause extérieure. » Celui qui ne se réjouit que de posséder l'autre ne l'aime donc pas : il n'aime que la *possession* de l'autre (s'il se réjouit à l'idée non que l'autre existe, mais qu'il lui appartienne !), il n'aime que la jouissance qu'il en a, et n'aime donc que soi. On ne tirera de là, évidemment, aucune condamnation de la sexualité en tant que telle : voir à ce propos la belle mise au point d'Alexandre Matheron, « Spinoza et la sexualité », *Anthropologie et politique au XVIIe siècle (Etudes sur Spinoza)*, Paris, Vrin, 1986, p. 201-230.

comme on aime une viande ou un vin, autrement dit ne l'aimer que pour soi : c'est Eros, l'amour qui prend ou qui dévore, et Eros est un dieu égoïste. Ou bien aimer l'autre, véritablement, comme un sujet, comme une personne, le respecter, le défendre, fût-ce contre le désir qu'on en a : c'est Philia ou Agapè[10], l'amour qui donne et qui protège, l'amour d'amitié, l'amour de bienveillance, l'amour de charité, si l'on veut, le pur amour, nous y voilà, et la seule pureté, et le seul dieu. Qu'est-ce que le pur amour ? Fénelon l'a dit très clairement : c'est l'amour désintéressé, comme on a pour ses amis, ou comme on devrait avoir (Fénelon voit bien que beaucoup d'amitiés « ne sont qu'un amour-propre subtilement déguisé », mais aussi que nous n'en avons pas moins « cette idée de l'amitié pure », et qu'elle seule peut nous satisfaire : qui accepterait de n'être aimé, ou de n'aimer, que par intérêt ?), l'amour « sans aucune espérance », comme il dit aussi, l'amour libéré de soi (« en sorte qu'on s'oublie et qu'on se compte pour rien, afin d'être tout à lui »)[11], bref ce que saint Bernard appelait « un amour sans tache ni mélange de recherche personnelle »[12] : c'est l'amour même et la pureté des cœurs purs.

C'est le moment de rappeler que la pureté ne se dit pas seulement dans le registre sexuel. Un artiste, un militant, un

---

10. Sur *érôs, philia* et *agapè*, voir, *infra*, notre chap. 18. Rappelons que ces trois mots signifient *amour*, en grec, mais en trois sens différents : *érôs* c'est le manque ou la passion amoureuse, *philia* c'est l'amitié, enfin *agapè* c'est l'amour désintéressé du prochain (ce qu'on traduira en latin par *caritas*, en français par *charité*). Conformément à l'usage, j'écris *éros* sans accent sur le o, quand il s'agit du mot français (il figure ainsi dans nos dictionnaires), avec accent *(érôs)* quand il s'agit de la transcription du mot grec.

11. Toutes ces citations sont extraites des *Lettres et opuscules spirituels*, XXIII, « Sur le pur amour », p. 656-671 du volume de la Pléiade (Fénelon, *Œuvres*, t. 1, Paris, Gallimard, 1983).

12. *De diligendo Deo*, chap. XIV, § 28, cité par V. Jankélévitch, *Traité des vertus*, II, 2, chap. VI, p. 230 de l'éd. Champs-Flammarion (1986).

savant peuvent aussi être des purs, chacun dans son domaine. Or, dans ces trois domaines, et quelles que soient par ailleurs leurs différences, le pur c'est celui qui fait preuve de désintéressement, celui qui se donne tout entier à une cause, sans y chercher ni l'argent ni la gloire, celui « qui s'oublie et qui se compte pour rien », comme disait Fénelon, et cela confirme que la pureté, dans tous ces cas, est le contraire de l'intérêt, de l'égoïsme, de la convoitise, de tout le sordide du moi. On remarquera en passant qu'on ne peut pas aimer purement l'argent, et cela en dit long sur l'argent, et sur la pureté. Rien de ce qu'on peut posséder n'est pur. La pureté est pauvreté, dépossession, abandon. Elle commence où s'arrête le moi, où il ne va pas, où il se perd. Disons-le en une formule : l'amour pur, c'est le contraire de l'amour-propre. S'il y a un « pur plaisir » dans la sexualité, comme le voulait Lucrèce et comme il nous arrive de l'expérimenter, c'est que la sexualité se libère parfois, et nous libère, de cette prison du narcissisme, de l'égoïsme, de la possessivité : le plaisir n'est pur, lui aussi, que quand il est désintéressé, que quand il échappe à l'ego, et c'est pourquoi dans la passion il n'est jamais pur, explique Lucrèce[13], et c'est pourquoi « la Vénus vagabonde »[14] (la liberté sexuelle) ou « la Vénus maritale »[15] (le couple) sont plus pures, bien souvent, que nos folles et exclusives et dévorantes passions... La jalousie montre assez ce qu'il entre de haine ou d'égoïsme dans l'état amoureux[16]. On comprend qu'aucun sage jamais (quand bien même il y suc-

13. *De rerum natura*, IV, 1058 sq. Le plaisir est pur, aux yeux des épicuriens, quand il n'est pas mélangé de souffrance, de frustration ou d'angoisse — ce que la passion interdit.

14. *Ibid.*, 1071 *(volgivaga Venere)*.

15. Comme disait Montaigne (*Essais*, III, 5, p. 849 de l'éd. Villey), mais c'est une expression que Lucrèce ne refuserait pas : voir par ex. *De rerum natura*, IV, 1278 sq. De même on trouve chez Montaigne (III, 9, 975) l'expression d' « amitié maritale », qui ne pourrait que réjouir un disciple d'Epicure.

16. Voir Spinoza, *Ethique*, III, prop. 35, dém. et scolie.

combe!) ne s'y soit trompé : ce n'est pas le tout de l'amour, et si c'est souvent sa forme la plus violente, comme chacun peut l'éprouver, ce n'est ni la plus pure ni la plus haute. Voyez le portrait qu'en fait Platon, dans le *Phèdre*, avant de le sauver par la religion[17]. Eros est un dieu noir, comme disait Pieyre de Mandiargues, Eros est un dieu jaloux, un dieu possessif, égoïste, concupiscent : Eros est un dieu impur.

Il est plus facile d'aimer purement ses amis ou ses enfants : parce qu'on en attend moins, parce qu'on les aime assez pour n'en rien attendre, pour n'en rien espérer, ou en tout cas pour ne pas soumettre son amour à cela qu'on en attend ou qu'on en espère. C'est ce que Simone Weil appelle l'amour chaste : « Tout désir de jouissance se situe dans l'avenir, dans l'illusoire. Au lieu que si l'on désire seulement qu'un être existe, il existe : que désirer alors de plus ? L'être aimé est alors nu et réel, non voilé par de l'avenir imaginaire... Ainsi, dans l'amour, il y a chasteté ou manque de chasteté selon que le désir est dirigé ou non vers l'avenir. »[18] Simone Weil, qui ne cherche pas à plaire, ajoute ceci, qui choquera quelques jobards, mais qui donne à penser : « En ce sens, et à condition qu'il ne soit pas dirigé vers une pseudo-immortalité conçue sur le modèle de l'avenir, l'amour qu'on voue aux morts est parfaitement pur. Car c'est le désir d'une vie finie qui ne peut plus rien donner de nouveau. On désire que le mort ait existé, et il a existé. »[19] C'est le deuil parfaitement réussi, quand il n'y a plus que la douceur et la joie du souvenir, que l'éternelle vérité de ce qui a eu lieu, quand il n'y a plus que l'amour et la gratitude. Mais le présent est éternel tout autant ; en ce sens, pourrait-on ajouter, et à condition qu'il ne soit pas dirigé vers une pseudo-consommation conçue sur le modèle de l'avenir, l'amour

---

17. *Phèdre*, premier discours de Socrate, 237 *a* - 241 *d*.
18. *La pesanteur et la grâce*, p. 71.
19. *Ibid.*, p. 71-72.

qu'on voue aux corps, aux corps vivants, peut parfois, lui aussi, être parfaitement pur : c'est le désir d'une vie présente et parfaite. On désire que ce corps existe, et il existe. Que demander de plus ? Je sais bien que le plus souvent, ce n'est pas si simple : le manque s'y mêle, et la violence, et l'avidité (combien croient désirer une femme quand ils ne désirent que l'orgasme ?), tout l'obscur du désir, tout ce jeu trouble et troublant autour de la transgression, de la profanation (le sacré, disais-je, c'est ce qui peut être profané : le corps humain est sacré), cette fascination — exclusivement humaine ! — pour la bête en soi et en l'autre, ce jeu entre vie et mort, entre plaisir et douleur, entre sublime et indignité, bref tout ce qu'il y a de proprement érotique, plutôt que d'aimant (plutôt que d'agapique !), dans deux corps qui s'affrontent ou se cherchent... Mais cela n'est impur, ou ne paraît tel, qu'en référence à autre chose : la bestialité ne fait rêver que les humains, la perversion n'attire que par la loi qu'elle transgresse, l'indignité que par le sublime qu'elle bafoue... Eros serait impossible, ou en tout cas n'aurait rien d'érotique, sans Philia ou Agapè (il n'y aurait plus que la pulsion toute bête : quel ennui !), et je crois volontiers, avec Freud, que l'inverse est vrai aussi. Que saurions-nous de l'amour sans le désir ? Et que vaudrait le désir sans l'amour ? Sans Eros, point de Philia, point d'Agapè. Mais sans Philia ou Agapè, nulle valeur pour Eros. Il faut donc s'habituer à les habiter ensemble, ou à habiter l'abîme qui les sépare. C'est habiter l'homme, qui n'est ni ange ni bête, mais la rencontre impossible et nécessaire entre les deux. « Le bas ventre, disait Nietzsche, est cause que l'homme ait quelque peine à se prendre pour un dieu. » Tant mieux : c'cst à cette condition seulement qu'il est humain, et qu'il le reste. La sexualité est aussi une leçon d'humilité, qu'on ne se lasse pas d'approfondir. Comme la philosophie, à côté, paraît bavarde et présomptueuse ! Comme la religion paraît niaise ! Le corps nous en apprend plus que les livres, et les livres ne valent qu'à la condition de ne pas mentir sur le corps. La pureté n'est pas la pudibonderie. « L'extrême pureté, écrit Simone Weil, peut contempler et le pur et l'impur ; l'impureté ne peut ni l'un ni l'autre : le premier lui fait peur, le second l'absorbe. »[20] Le pur, lui, n'a peur de rien : il sait que « rien n'est impur en soi »[21] ou (mais cela revient au même) que « tout est pur pour les purs »[22]. C'est en quoi, comme disait encore Simone Weil, « la pureté est le pouvoir de contempler la souillure »[23]. C'est la dissoudre (puisque rien n'est impur en soi) dans la pureté du regard : les amants font l'amour dans le plein jour, et l'obscénité même est un soleil.

Résumons-nous. Etre pur c'est être sans mélange, et c'est pourquoi la pureté n'existe pas ou n'est pas humaine. Mais l'impureté en nous n'est pas non plus absolue, ni égale, ni définitive : se savoir impur suppose au moins une certaine idée, ou un certain idéal, de la pureté, dont l'art parfois nous parle (voyez Dinu Lipatti, dans Mozart ou Bach, voyez Vermeer, voyez Eluard...), et que notre vie parfois approche (voyez l'amour que vous avez pour vos enfants, pour vos amis, pour vos morts...). Cette pureté-là n'est pas une essence éternelle ; c'est le résultat d'un travail de purification — de sublimation, dirait Freud —, par quoi l'amour advient en se libérant de soi : le corps est le creuset, le désir est la flamme (qui « consume tout ce qui n'est pas le pur or », disait Fénelon)[24], et ce qui reste — s'il reste quelque chose — c'est, parfois, et libéré de toute espérance, « un acte d'amour pur et pleinement désintéressé »[25]. La pureté n'est pas une chose, ni

20. Simone Weil, *op. cit.*, p. 124.
21. Saint Paul, *Epître aux Romains*, XIV, 14.
22. Saint Paul, *Epître à Tite*, I, 15.
23. *Op. cit.*, p. 124.
24. *Op. cit.*, p. 672.
25. Fénelon, *ibid.*, p. 662.

même une propriété du réel : elle est une certaine modalité
de l'amour, ou elle n'est rien.
Une vertu ? Sans doute, ou ce qui permet à l'amour
d'en être une, et de tenir lieu de toutes. On ne confondra
donc pas la pureté avec la continence, la pudibonderie ou
la chasteté. Il y a pureté à chaque fois que l'amour cesse
d'être « mélangé d'intérêt »[26], ou plutôt (puisque la pureté
n'est jamais absolue) dans la mesure seulement où l'amour
fait preuve de désintéressement : on peut aimer purement le
vrai, la justice ou la beauté, et aussi, pourquoi pas, cet
homme ou cette femme qui est là, qui se donne, et dont
l'existence (bien plus que la possession!) suffit à me
combler. La pureté, c'est l'amour sans convoitise[27]. Ainsi
aime-t-on la beauté d'un paysage, la fragilité d'un enfant,
la solitude d'un ami, et, parfois, jusqu'à celui ou celle que
tout notre corps continue pourtant de convoiter. Il n'y a
pas de pureté absolue, mais pas non plus d'impureté totale
ou définitive. Il arrive que l'amour, le plaisir ou la joie nous
libèrent quelque peu de nous-même, de notre avidité, de
notre égoïsme, il se peut même (il nous semble l'avoir parfois expérimenté ou pressenti) que l'amour purifie l'amour,
jusqu'à ce point peut-être où le sujet se perd et se sauve,
quand il n'y a plus que la joie, quand il n'y a plus que
l'amour (l'amour « libéré de toute appartenance », dit
Christian Bobin), quand il n'y a plus que tout, et la pureté
de tout. « La béatitude, disait Spinoza, n'est pas le prix de
la vertu, mais la vertu elle-même ; et cet épanouissement
n'est pas obtenu par la réduction de nos appétits sensuels,
mais c'est au contraire cet épanouissement qui rend possible

26. Fénelon, *ibid.*, p. 663.
27. C'est encore une idée qu'on trouve chez Simone Weil, et qui résume toutes
les autres : voir à ce propos les articles d'Aimé Forest (« Simone Weil et l'idée de
purification ») et de Georges Charot (« Simone Weil ou la rencontre de la pureté et
de l'amour ») dans le n° VI, 3, des *Cahiers Simone Weil* (septembre 1983). Voir aussi
Attente de Dieu, p. 40 (Fayard, 1966, rééd. « Livre de vie », 1977).

la réduction de nos appétits sensuels. »[28] C'est la dernière proposition de l'*Ethique*, et cela dit assez le chemin qui nous en sépare.

Mais ce chemin, fût-il de turpitudes, est pur déjà au regard pur.

28. *Ethique*, V, prop. 42.

15

La douceur

La douceur est une vertu féminine. C'est pourquoi peut-être elle plaît surtout chez les hommes.

On m'objectera que les vertus n'ont pas de sexe, ce qui est vrai. Mais cela ne nous dispense pas, nous, d'en avoir un, qui marque tous nos gestes, tous nos sentiments, et jusqu'à nos vertus. La virilité, quoi que l'étymologie puisse suggérer, n'en est pas une, ni le principe d'aucune. Mais il y a une manière plus ou moins virile, ou plus ou moins féminine, d'être vertueux. Le courage d'un homme n'est pas celui d'une femme, ni sa générosité, ni son amour. Voyez Simone Weil ou Etty Hillesum : aucun homme jamais n'écrira, ni ne vivra, ni n'aimera comme cela... Il n'y a que la vérité qui soit absolument universelle, et donc asexuée. Mais la vérité n'a pas de morale, ni de sentiments, ni de volonté... Comment serait-elle vertueuse ? Il n'est vertu que du désir, et quel désir qui ne soit sexué ? « Il y a un peu de testicule, disait Diderot, au fond de nos raisonnements les plus sublimes et de notre tendresse la plus épurée. »[1] *Testicule* se disait alors pour les ovaires aussi bien ; mais cela n'annule pas, de l'un à l'autre, toute différence... S'il n'est de valeur que pour le désir, comme je le crois, et par lui, il est normal que toutes nos valeurs soient

---

1. Lettre à Falconet, de juillet 1767, cité par Ch. Guyot, *Diderot par lui-même*, Seuil, 1957, p. 37.

sexuées[2]. Non, certes, au sens où elles seraient, pour chacune d'entre elles, réservées à l'un des deux sexes, ce qu'à Dieu ne plaise, mais en ceci plutôt que chaque individu aura, en fonction de ce qu'il est, homme ou femme, telle ou telle façon, plutôt masculine ou plutôt féminine (et le sexe biologique n'y suffit pas), de les vivre ou d'en manquer... Quel désastre, remarque Todorov, « si tout le monde s'alignait sur les valeurs masculines »[3]! Ce serait le triomphe de la guerre, même juste, et des idées, même généreuses. Il y manquerait l'essentiel, qui est l'amour (on ne m'ôtera pas de l'idée que l'amour, pour l'individu comme pour l'espèce, commence par la mère), qui est la vie et qui est la douceur. Qu'on ne m'objecte pas, par pitié, que les femmes ont aussi des idées : je ne suis pas sans l'avoir remarqué. Mais j'ai cru remarquer aussi qu'elles en étaient souvent moins dupes que les hommes, et cela bien sûr est à leur avantage. Peu d'entre elles, à ce que je crois, auraient consenti à écrire la *Critique de la raison pure* ou la grande *Logique* de Hegel, pour des raisons qui tiennent, me semble-t-il, à ce qui rend ces livres, tout géniaux qu'ils demeurent, si pesants et si ennuyeux : ils supposent un sérieux intellectuel, une foi dans les idées, une idolâtrie du concept, qu'un peu de féminité rend improbables, même chez un homme, et presque risibles, s'ils n'étaient à ce point mortifères. Quoi de plus pauvre qu'une abstraction, quoi de plus mort, et quoi de plus ridicule que de la prendre tout à fait au sérieux ?

Quant à la violence féminine, je ne suis pas, là encore, sans l'avoir parfois rencontrée. Mais qui pourra croire que c'est par hasard seulement que la quasi-totalité des crimes de sang sont accomplis par des hommes ? Que les petits garçons, presque seuls, jouent à la guerre ? Et que les hommes,

2. Comme l'a bien vu Tzvetan Todorov, réfléchissant sur la morale à partir de l'expérience des camps de concentration, *Face à l'extrême*, Seuil, 1991, p. 328 à 330.
3. *Ibid.*, p. 329.

presque seuls, la font et y trouvent, parfois, du plaisir ? On me dira que cela tient à la culture, autant ou davantage qu'à la nature. Peut-être, mais que m'importe ? Je n'ai jamais dit que féminité ou masculinité fussent exclusivement biologiques. La différence sexuelle est trop essentielle, trop omniprésente, pour ne pas s'expliquer toujours à la fois par le corps et par l'éducation, par la culture en même temps que par la nature. Mais la culture, c'est du réel aussi. « On ne naît pas femme, on le devient » ? C'est évidemment moins simple que cela. On naît femme, ou homme, et puis l'on devient ce que l'on est. La virilité n'est ni une vertu ni une faute. Mais c'est une force, comme la féminité est une richesse (y compris chez les hommes), et une force aussi, mais différente. Tout est sexué en nous — à la vérité près, j'y insiste —, et c'est tant mieux. Quelle différence plus riche et plus désirable ?

Mais revenons à la douceur. Ce qu'elle a de féminin, ou qui paraît tel, c'est un courage sans violence, une force sans dureté, un amour sans colère. C'est ce qu'on entend si bien chez Schubert, c'est ce qu'on lit si bien chez Etty Hillesum. La douceur est d'abord une paix, réelle ou souhaitée : c'est le contraire de la guerre, de la cruauté, de la brutalité, de l'agressivité, de la violence... Paix intérieure, et la seule qui soit une vertu. Souvent trouée d'angoisse et de souffrance (Schubert), parfois illuminée de joie et de gratitude (Etty Hillesum), mais toujours dépourvue de haine, de dureté, d'insensibilité... « S'aguerrir et s'endurcir sont deux choses différentes », remarquait Etty Hillesum en 1942[4]. La douceur est ce qui les distingue. C'est amour en état de paix, même à la guerre, d'autant plus fort quand il est aguerri, et d'autant plus doux. L'agressivité est une faiblesse, la colère est une faiblesse, la violence même, quand elle n'est plus maîtrisée, est une faiblesse. Et qu'est-ce qui peut maîtriser la violence, la

---

4. *Une vie bouleversée (Journal, 1941-1943)*, trad. franç., Seuil, 1985, p. 185 ; voir aussi p. 186.

colère, l'agressivité, si ce n'est la douceur ? La douceur est une force, c'est pourquoi elle est une vertu : c'est force en état de paix, force paisible et douce, pleine de patience et de mansuétude. Voyez la mère, avec son enfant (« la douceur est toute sa foi »[5]). Voyez le Christ ou le Bouddha, avec tous. La douceur est ce qui ressemble le plus à l'amour, oui plus encore que la générosité, plus encore que la compassion. Elle ne se confond d'ailleurs ni avec l'une ni avec l'autre, quoiqu'elle les accompagne le plus souvent. La compassion souffre de la souffrance d'autrui ; la douceur refuse de la produire ou de l'augmenter. La générosité veut faire du bien à l'autre ; la douceur refuse de lui faire du mal. Cela semble au bénéfice de la générosité, et l'est peut-être. Combien de générosités importunes pourtant, combien de bonnes actions envahissantes, écrasantes, brutales, qu'un peu de douceur eût rendues plus légères et plus aimables ? Sans compter que la douceur rend généreux, puisque c'est faire du mal à autrui que de ne pas lui faire le bien qu'il demande ou qu'on pourrait. Et qu'elle va au-delà de la compassion, puisqu'elle l'anticipe, puisqu'elle n'a pas besoin de cette douleur de la douleur... Plus négative peut-être que la toute affirmative générosité, mais plus positive aussi que la toute réactive compassion, la douceur se tient dans l'entre-deux, sans rien qui pèse ou qui pose, sans rien qui force ou qui agresse. Je citais, à propos de la pureté, la si remarquable formule de Pavese, dans son *Journal* : « Tu seras aimé le jour où tu pourras montrer ta faiblesse, sans que l'autre s'en serve pour affirmer sa force. » C'était vouloir être aimé purement, disais-je ; c'était vouloir aussi être aimé avec douceur, c'est-à-dire être aimé. Douceur et pureté vont ensemble, presque toujours, puisque la violence est le mal premier, l'obscénité première, puisque le mal fait mal, puisque l'égoïsme corrompt tout, qui est

5. Comme disait merveilleusement Camus, à propos de sa propre mère (*Le premier homme*, Gallimard, 1994, p. 154 ; voir aussi p. 283 : « Sa mère *est* le Christ »).

avide, indélicat, brutal... Quelle délicatesse au contraire, quelle douceur, quelle pureté, dans la caresse de l'amante! Toute la violence de l'homme vient y mourir, toute la brutalité de l'homme, toute l'obscénité de l'homme... « Ma douceur », dit-il, et c'est un mot d'amour, et le plus vrai peut-être, et le plus doux...

Si les valeurs sont sexuées, remarque Todorov, tout individu est nécessairement hétéroclite, imparfait, incomplet : nous ne pouvons trouver que dans l'androgynie ou le couple le chemin d'une humanité plus accomplie et par là plus humaine[6]. L'homme n'est sauvé du pire, presque toujours, que par la part de féminité qu'il porte en lui. Voyez le beauf, qui en est dépourvu, voyez nos trains de bidasses, toute l'horreur des hommes entre eux, toute cette violence, toute cette vulgarité... Je ne sais si l'on peut en dire autant des femmes, si elles ont besoin au même titre d'une part de masculinité. « La femme, disait Rilke, plus près de l'humain que l'homme... » Que l'androgynie, chez les femmes aussi, puisse être une richesse, un charme, une force, certes. Mais une nécessité ? Mais une vertu ? On confond trop souvent la féminité avec l'hystérie, qui n'est (et chez les hommes même) que sa caricature pathologique. L'hystérique veut séduire, être aimé, paraître... Ce n'est pas douceur, ce n'est pas amour : c'est narcissisme, artifice, agressivité détournée, prise de pouvoir (« l'hystérique, disait Lacan, cherche un maître sur qui régner »), séduction, en effet, mais au sens où la séduction égare ou abuse... C'est la guerre amoureuse, et le contraire de l'amour. C'est l'art de la conquête, et le contraire du don. C'est l'art de la parade, et le contraire de la vérité. La dou-

6. *Op. cit.*, p. 330. « Devrais-je préciser, ajoute Todorov, que le couple dont je parle peut être formé de deux hommes ou de deux femmes, et que, d'autre part, sa stabilité n'est pas en question ici ? » L'humanité est sexuée, et bisexuée ; mais cette différence traverse chacun d'entre nous, comme on sait, et n'impose évidemment aucun comportement sexuel particulier.

ceur est à l'inverse : c'est accueil, c'est respect, c'est ouverture. Vertu passive, vertu de soumission, d'acceptation ? Peut-être, et plus essentielle encore pour cela. Quelle sagesse sans passivité ? Quel amour sans passivité ? Quelle action, même, sans passivité ? Cela, qui peut surprendre ou choquer un occidental, serait en Orient une évidence. C'est peut-être que l'Orient est femme, comme le suggère quelque part Lévi-Strauss[7], ou moins dupe en tout cas des valeurs de la virilité. L'action n'est pas l'activisme, n'est pas l'agitation, n'est pas l'impatience. La passivité, inversement, n'est pas l'inaction ou la paresse. Se laisser porter par le courant, dit Prajnânpad, nager avec lui, en lui, plutôt que s'épuiser contre les flots ou se laisser emporter[8]... La douceur se soumet au réel, à la vie, au devenir, à l'à peu près du quotidien : vertu de souplesse, de patience, de dévouement, d'adaptabilité... Le contraire du « mâle prétentieux et impatient », comme dit Rilke, le contraire de la rigidité, de la précipitation, de la force butée ou obstinée. L'effort ne suffit pas à tout. L'action ne suffit pas à tout. « Par une nécessité de nature, disait Thucydide, tout être exerce toujours tout le pouvoir dont il dispose. » La douceur est l'exception qui confirme cette règle : c'est pouvoir sur soi, contre soi s'il le faut. L'amour est retrait, montre Simone Weil, refus d'exercer sa force, son pouvoir, sa violence : l'amour est douceur et don[9]. C'est le

7. *Tristes tropiques*, Plon, 1955, rééd. 1973, p. 473.

8. Sur Svâmi Prajnânpad (1891-1974), qui est l'un des maîtres spirituels de notre temps, voir surtout S. Prakash, *L'expérience de l'unité*, trad. franç., Paris, Ed. L'originel, 1986. Voir aussi ma préface au t. 2 de sa correspondance (*Les yeux ouverts*, L'originel, 1989), ainsi que (sur la passivité) les p. 177 à 179 du t. 1 (*L'art de voir*, L'originel, 1988). On pourra lire aussi, pour une présentation plus universitaire, mais riche et précise, les trois volumes de D. Roumanoff, *Svâmi Prajnânpad*, La Table Ronde, 1989, 1990 et 1991, ainsi que, pour une présentation plus libre et plus personnelle, les différents ouvrages d'Arnaud Desjardins (qui fut l'introducteur de Prajnânpad en France), publiés presque tous à La Table Ronde.

9. Voir par ex. *Attente de Dieu*, Fayard, 1966, rééd. Livre de vie, 1977, p. 126 à 132, ainsi que *La pesanteur et la grâce, passim*.

contraire du viol, c'est le contraire du meurtre, c'est le contraire de la prise de pouvoir ou de contrôle. C'est Eros libéré de Thanatos, et de soi. Vertu surnaturelle, disait Simone Weil, mais je n'en crois rien : voyez cette chatte, avec ses petits, voyez ce chien qui joue avec des enfants... L'humanité n'invente pas la douceur. Mais elle la cultive, mais elle s'en nourrit, et c'est ce qui rend l'humanité plus humaine.

Le sage, disait Spinoza, agit « avec humanité et douceur » *(humaniter et benigne)* [10]. Cette douceur, c'est la *bénignité* de Montaigne, que nous devons même aux bêtes, disait-il, voire aux arbres et aux plantes[11]. C'est le refus de faire souffrir, de détruire (quand ce n'est pas indispensable), de saccager. C'est respect, protection, bienveillance. Ce n'est pas encore la charité, qui aime son prochain comme soi-même, ce qui supposerait, comme l'avait vu Rousseau, que nous adoptions cette « maxime sublime » : « Fais à autrui comme tu veux qu'on te fasse »[12]. La douceur ne vise pas si haut. C'est une espèce de bonté naturelle ou spontanée, dont la maxime, « bien moins parfaite mais plus utile peut-être que la précédente », serait plutôt celle-ci : « *Fais ton bien avec le moindre mal d'autrui qu'il est possible.* »[13] Cette maxime de la douceur, moins élevée sans doute que celle de la charité, moins exigeante, moins exaltante, est aussi plus accessible, plus utile en effet par là, et plus nécessaire. On peut vivre

10. *Ethique*, IV, scolie 1 de la prop. 37 (trad. Appuhn).
11. *Essais*, II, 11, p. 435 de l'éd. Villey-Saulnier.
12. *Discours sur l'origine de l'inégalité*, I, Pléiade, p. 156. Comme le remarque en note J. Starobinski, il y a là une référence implicite aux Evangiles selon saint Matthieu, VII, 12, et saint Luc, VI, 31.
13. Rousseau, *ibid.* Cette maxime, selon Rousseau, est inspirée par la pitié, ce qui se peut ; mais elle ne saurait absolument se confondre avec elle : la pitié suppose la souffrance de l'autre, quand la douceur, si elle l'anticipe, vise plutôt à l'éviter. C'est comme une compassion sans objet, et libérée par là de la souffrance (une compassion non réactive).

sans charité, toute l'histoire de l'humanité le prouve. Mais sans un minimum de douceur, non.

Les Grecs, et spécialement les Athéniens, se vantaient d'avoir apporté la douceur au monde[14]. C'est qu'ils y voyaient le contraire de la barbarie, et donc un synonyme à peu près de la civilisation. L'ethnocentrisme ne date pas d'hier. Il est vrai pourtant que notre civilisation en tout cas est grecque, et que notre douceur nécessairement doit quelque chose à la leur. Or, qu'est-ce que la douceur *(praotès)*, pour un Grec ancien ? La même chose que pour nous : le contraire de la guerre (les premiers exemples attestés sont ceux du verbe, qui signifie *apaiser*)[15], le contraire de la colère, le contraire de la violence ou de la dureté. C'est moins une vertu d'abord que la rencontre de plusieurs, ou leur source commune :

« Au niveau le plus modeste, la douceur désigne la gentillesse des manières, la bienveillance que l'on témoigne envers autrui. Mais elle peut intervenir dans un contexte beaucoup plus noble. Se manifestant envers les malheureux, elle devient proche de la générosité ou de la bonté ; envers les coupables elle devient indulgence et compréhension ; envers les inconnus, les hommes en général, elle devient humanité et presque charité. Dans la vie politique, de même, elle peut être tolérance, ou encore clémence, selon qu'il s'agit des rapports envers des citoyens, ou des sujets, ou encore des vaincus. A la source de ces diverses valeurs, il y a cependant une même disposition à accueillir autrui comme quelqu'un à qui l'on veut du bien — dans toute la mesure du moins où on peut le faire sans manquer à quelque autre devoir. Et le fait est que les Grecs ont eu le sentiment de cette unité, puisque toutes ces valeurs si diverses peuvent à l'occasion être désignées par le mot *praos.* »[16]

---

14. Voir le beau livre très savant de Jacqueline de Romilly, *La douceur dans la pensée grecque*, Paris, Les Belles Lettres, 1979.

15. J. de Romilly, *op. cit.*, p. 38.

16. J. de Romilly, *op. cit.*, p. 1.

Aristote en fera une vertu à part entière[17], qui sera le juste milieu dans la colère, entre ces deux défauts que sont l'irascibilité et la mollesse : l'homme doux tient le milieu entre « l'homme colérique, difficile et sauvage », et l'homme « servile et sot » à force d'impassibilité ou de placidité excessive[18]. Car il y a de justes et nécessaires colères, comme il y a de justes guerres et des violences justifiées : la douceur en décide et en dispose. Aristote est embarrassé pourtant, qui voit bien que sa vertu de *praotès* « penche dangereusement dans le sens du manque »[19]. Si l'homme doux est celui « qui est en colère pour les choses qu'il faut et contre les personnes qui le méritent, et qui en outre l'est de la façon qui convient, au moment et aussi longtemps qu'il faut »[20], et pas plus souvent, plus longtemps ni davantage, cela ne règle pas la question des critères ni des limites. Le doux n'est dit tel que parce qu'il l'est plus que ses concitoyens, et qui sait alors où il va s'arrêter ? Qui va juger de l'objet, de la portée et de la durée légitimes d'une colère ? La douceur peut s'opposer ici, et s'opposera en effet, à la magnanimité, comme la fierté grecque à l'humilité judéo-chrétienne : « Endurer d'être bafoué, ou laisser avec indifférence insulter ses amis, est le fait d'une âme vile », écrit Aristote[21]. Le maître d'Alexandre, non plus que son élève,

17. Malgré les réticences de Platon, qui, à la douceur, préférait la justice et la connaissance : voir les analyses, riches et nuancées, de J. de Romilly, *op. cit.*, p. 176 et s. Epicure, comme d'habitude, sera du côté d'Aristote : sur la « légendaire douceur d'Epicure », voir A.-J. Voelke, *Les rapports avec autrui dans la philosophie grecque d'Aristote à Panétius*, Vrin, 1961, p. 98 à 101, ainsi que la *Sentence vaticane* 36 (attribuée à Hermarque).

18. *Ethique à Eudème*, II, 3, 1220 *b* 35 sq., et III, 3, 1231 *b* 5-27 (trad. Décarie, p. 89-90 et 131-132). Voir aussi, bien sûr, l'*Ethique à Nicomaque*, IV, 11, 1125 *b* 26 - 1126 *b* 9 (trad. Tricot, p. 196-199), ainsi que les commentaires de J. de Romilly, *op. cit.*, p. 189 à 196.

19. Comme dit J. de Romilly (*op. cit.*, p. 195) et comme Aristote le reconnaît (*Ethique à Nicomaque*, IV, 11, 1125 *b* 31 - 1126 *a* 2).

20. *Ethique à Nicomaque*, IV, 11, 1125 *b* 32-34.

21. *Ibid.*, 1126 *a* 7-8.

n'était porté à tendre l'autre joue[22]... Il y a un extrémisme de la douceur, qu'on peut juger méprisable ou sublime, selon le point de vue qu'on adopte, et comme une tentation évangélique. Lâche? Non pas, puisque la douceur n'est douceur qu'à la condition de ne rien devoir à la peur. Simplement il faut choisir ici entre deux logiques, celle de l'honneur et celle de la charité, et nul n'ignore de quel côté penche la douceur...

Faut-il alors, par douceur, prôner la non-violence? Ce n'est pas si simple, puisque la non-violence, poussée à l'extrême, nous interdirait de combattre efficacement la violence criminelle ou barbare, non seulement quand elle nous vise, ce que la charité pourrait encore admettre ou justifier, mais quand elle vise autrui, par exemple quand elle massacre ou opprime des innocents sans défense, ce que la charité ni la justice ne sauraient tolérer. Qui ne se battrait, pour sauver un enfant? Qui n'aurait honte de ne pas le faire? « La non-violence n'est bonne, écrit fort bien Simone Weil, que si elle est efficace. »[23] C'est dire que le choix n'est pas de principe, mais de circonstance. A efficacité égale ou supérieure, la non-violence est bien sûr préférable, c'est ce que rappelle la douceur et que Gândhi, en Inde, avait compris. Mais calculer l'efficacité respective de tel ou tel moyen est l'affaire de la prudence, qu'on ne saurait sacrifier, quand autrui est en jeu, sans manquer à la charité. Comment faire, par exemple, si une femme est attaquée devant moi? « Use de la force, répond Simone Weil, à moins que tu ne sois tel que tu puisses la défendre, avec autant de probabilité de succès, sans vio-

---

22. Contrairement bien sûr à l'enseignement évangélique, dont on oublie trop souvent l'extrême radicalité : « Vous avez entendu qu'il a été dit : *Œil pour œil et dent pour dent*. Eh bien! moi je vous dis de ne pas tenir tête au méchant : au contraire, quelqu'un te donne-t-il un soufflet sur la joue droite, tends-lui encore l'autre; veut-il te faire un procès et prendre ta tunique, laisse-lui même ton manteau... » (*Évangile selon saint Matthieu*, V, 38-40, trad. « Bible de Jérusalem », Ed. du Cerf, 1973).

23. *La pesanteur et la grâce*, « La violence », p. 90 de la rééd. 10-18 (1979).

lence. »[24] Cela dépend bien sûr des individus, des situations, et, ajoute Simone Weil, « cela dépend aussi de l'adversaire »[25]. La non-violence contre les troupes britanniques, soit. Mais contre Hitler et ses *panzerdivisions* ? La violence vaut mieux que la complicité, que la faiblesse devant l'horreur, que la mollesse ou la complaisance devant le pire.

On ne confondra donc pas les *pacifiques*, qui aiment la paix et sont prêts à la défendre, y compris par la force, avec les *pacifistes*, qui refusent toute guerre, quelle qu'elle soit et contre qui que ce soit. C'est ériger la douceur en système, ou en absolu, et s'interdire de défendre vraiment, du moins dans certaines situations, cela même — la paix — dont on se réclame. Ethique de conviction, dirait Max Weber, mais irresponsable parfois à force d'être convaincue... Il n'y a pas de valeur absolue, ou la douceur en tout cas ne saurait en être une, pas de système de la morale, pas de vertu suffisante. L'amour même ne justifie pas tout, n'excuse pas tout : il ne tient pas lieu de prudence, il ne tient pas lieu de justice ! *A fortiori* la douceur n'est-elle bonne qu'à la condition de ne pas sacrifier les exigences de la justice et de l'amour, qui se doivent d'abord aux plus faibles, faut-il le rappeler, et aux victimes davantage qu'aux bourreaux.

Dans quels cas alors a-t-on moralement le droit (voire le devoir) de se battre et, spécialement, de tuer ? Exclusivement quand c'est nécessaire pour empêcher un mal plus grand, par exemple plus de morts, ou plus de souffrances, ou plus de violences... On dira que chacun pourra en juger à sa façon, et qu'un tel principe, dès lors, n'offre aucune garantie. Mais comment y en aurait-il ? Il n'y a que des cas particuliers, que des cas singuliers, et nul ne peut décider à notre place. La peine de mort, par exemple, peut-elle être justifiée ? Pourquoi non, si elle était efficace ? Le problème est moins moral, dans

24. *Ibid.*, p. 90.
25. *Ibid.*, p. 91.

ces domaines, que technique et politique. Si la peine de mort contre les assassins d'enfants pouvait sauver davantage d'enfants (par un éventuel effet dissuasif, et l'impossibilité de toute récidive), ou même autant, ou même un peu moins, qu'elle n'entraînerait d'exécutions effectives, chez les criminels, qui pourrait trouver à y redire ? Ou bien il faut faire du respect de la vie humaine un absolu, comme on dit, et à nouveau pourquoi non ? Mais alors il faut condamner aussi l'avortement, et tout avortement : pourquoi protégerait-on davantage un assassin d'enfant qu'un enfant en gestation ? Mais alors on n'avait pas le droit de tuer les nazis, pendant la dernière guerre, et les juges de Nuremberg sont coupables, qui firent exécuter Goering, Ribbentrop et plusieurs de leurs pareils. L'absolu est l'absolu, qui ne saurait, par définition, dépendre des circonstances ni des individus. Pour moi, qui ne crois à nul absolu (quoi de plus relatif que la vie, et la valeur de la vie ?), le problème est tout d'opportunité, tout de mesure, tout d'efficacité, je l'ai dit, et concerne moins la douceur, pour le coup, que la prudence — ou la douceur, plutôt, sous le contrôle de la prudence et de la charité. Il ne s'agit pas d'abord de punir : il s'agit d'empêcher. Concernant la peine de mort, dans les affaires de droit commun, je n'ai guère d'avis, ni n'y attache beaucoup d'importance : l'enfermement à vie, ou même durant vingt ou trente ans, vaut-il tellement mieux ? Marcel Conche propose là-dessus une solution raisonnable, qui m'agréerait assez[26]. J'y renvoie. Mais on ne me fera pas dire qu'il ne faut jamais tuer, en aucun cas, ni qu'un Hitler, si on l'avait pris vivant, ou tel de ses successeurs, dût finir ses jours en prison. Elles sont trop mal gar-

---

26. Non pas l'*abolition* de la peine de mort, mais sa *suspension*, qui « pourrait être levée, par exemple, si l'on avait affaire à nouveau à des ennemis publics du type de ceux qui furent jugés à Nuremberg » : *Le fondement de la morale*, chap. 29 et 30, p. 124 à 130, Ed. de Mégare, 1982, rééd. PUF, 1993 (la pagination est la même dans les deux éditions ; la citation qu'on vient de lire se trouve p. 130, n. 1).

dées, trop peu sûres, et les victimes — passées et à venir — ont le droit d'exiger davantage.

Problème politique, disais-je, ou technique. Cela ne règle pas la question morale. Si l'on admet qu'il peut parfois être légitime de tuer, quand c'est pour combattre un mal plus grand, la valeur individuelle de l'acte n'en variera pas moins, comme toujours et même dans une situation supposée commune (par exemple à la guerre), en fonction des individus. C'est à chacun d'en juger, pour son compte, mais comment ? Il faudrait un critère. Simone Weil, avec sa rigueur habituelle, en propose un, qui est plein de douceur et d'exigence :

« Guerre. Maintenir intact en soi l'amour de la vie ; ne jamais infliger la mort sans l'accepter pour soi.

Au cas où la vie de X... serait liée à la sienne propre au point que les deux morts doivent être simultanées, voudrait-on pourtant qu'il meure ? Si le corps et l'âme tout entière aspirent à la vie et si pourtant, sans mentir, on peut répondre oui, alors on a le droit de tuer. »[27]

De cette douceur, bien peu seront capables, et eux seuls pourront être violents, parfois, en toute innocence. Pour nous, qui n'en sommes pas là, qui en sommes très loin, cela ne veut pas dire que la violence ne soit jamais justifiée (elle l'est, quand son absence serait pire), mais simplement qu'elle n'est jamais innocente.

Heureux les doux[28] ? Ils n'en demandent pas tant. Mais eux seuls, n'était la miséricorde, pourraient l'être innocemment.

Pour les autres la douceur vient limiter la violence, autant qu'elle peut, au minimum nécessaire ou acceptable.

Vertu féminine, par quoi seule l'humanité est humaine.

---

27. *Op. cit*, p. 91.
28. Comme dit la seconde béatitude : *Evangile selon saint Matthieu*, V, 4.

16

La bonne foi

Un mot me manque ici, pour désigner, parmi toutes ces vertus, celle qui régit nos rapports à la vérité. J'ai pensé d'abord à *sincérité*, puis à *véracité* ou *véridicité* (qui serait mieux mais que l'usage n'a guère retenu), avant de songer, un temps, à *authenticité*... Je retiens finalement *bonne foi*, sans méconnaître que cela peut excéder l'usage ordinaire du mot. Mais c'est de bonne foi, n'en ayant trouvé de meilleur.

Qu'est-ce que la bonne foi ? C'est un fait, qui est psychologique, et une vertu, qui est morale. Comme fait, c'est la conformité des actes et des paroles à la vie intérieure, ou de celle-ci à elle-même. Comme vertu, c'est l'amour ou le respect de la vérité, et la seule foi qui vaille. Vertu *alèthéiogale*[1] : parce qu'elle a la vérité même pour objet.

Non, certes, que la bonne foi vaille comme certitude, ni même comme vérité (elle exclut le mensonge, non l'erreur), mais en ceci que l'homme de bonne foi dit ce qu'il croit, même s'il se trompe, comme il croit ce qu'il dit. C'est par quoi la bonne foi est une foi, au double sens du terme, c'est-à-dire une croyance en même temps qu'une fidélité. C'est croyance fidèle, et fidélité à ce qu'on croit. Du moins tant qu'on le croit vrai. On a vu, à propos de la fidélité,

1. De *alèthéia* (*vérité*, en grec), et par opposition bien sûr à la vertu *théologale* — parce qu'elle aurait Dieu pour objet — qu'est la foi dans la tradition chrétienne.

qu'elle devait être fidèle au vrai d'abord : cela définit assez bien la bonne foi. Etre de bonne foi, ce n'est pas toujours dire la vérité, puisqu'on peut se tromper, mais c'est dire au moins la vérité sur ce qu'on croit, et cette vérité, quand bien même la croyance serait fausse, n'en serait pas moins vraie pour autant. C'est ce qu'on appelle aussi la sincérité (ou la véracité, ou la franchise...), et le contraire du mensonge, de l'hypocrisie, de la duplicité, bref de toutes les formes, privées ou publiques, de mauvaise foi. Mais il y a plus, c'est du moins une distinction que je propose, dans la bonne foi que dans la sincérité. Etre sincère, c'est ne pas mentir à autrui ; être de bonne foi, c'est ne mentir ni à autrui ni à soi. La solitude de Robinson, dans son île, le dispensait d'être sincère (du moins jusqu'à l'arrivée de Vendredi), et rendait cette vertu, même, sans objet. La bonne foi n'en restait pas moins nécessaire, en tout cas louable, et due. A qui ? A soi, et cela suffit.

La bonne foi est une sincérité à la fois transitive et réflexive. Elle règle, ou elle devrait régler, nos rapports à autrui aussi bien qu'à nous-même. Elle veut, entre les hommes comme à l'intérieur de chacun d'entre eux, le maximum de vérité possible, d'authenticité possible, et le minimum, en conséquence, de truquages ou de dissimulations. Il n'y a pas de sincérité absolue, mais pas non plus d'amour ou de justice absolus : cela n'interdit pas d'y tendre, de s'y efforcer, de s'en approcher parfois quelque peu... La bonne foi est cet effort, et cet effort est déjà une vertu. Vertu intellectuelle, si l'on veut, puisqu'elle porte sur la vérité, mais qui met en jeu (puisque tout est vrai, jusqu'à nos erreurs, qui sont vraiment fausses, jusqu'à nos illusions, qui sont vraiment illusoires) la totalité d'un individu, corps et âme, sagesse et folie. C'est la vertu de Montaigne, et son premier mot : « *C'est ici un livre de bonne foi, lecteur...* »[2] C'est aussi, ou ce devrait être,

---

2. Telle est en effet la première phrase du premier paragraphe des *Essais* (l'extraordinaire avertissement au lecteur), p. 3 de l'éd. Villey-Saulnier.

la vertu par excellence des intellectuels en général et des philosophes en particulier. Ceux qui en manquent par trop, ou qui s'en prétendent libérés, ne sont plus dignes de ces noms qui les flattent et qu'ils discréditent. La pensée n'est pas seulement un métier, ni un divertissement. C'est une exigence : exigence humaine, et la première vertu peut-être de l'espèce. On n'a pas assez remarqué que l'invention du langage ne crée en elle-même aucune vérité (puisqu'elles sont toutes éternelles), mais amène ceci, qui est neuf : la possibilité, non seulement de la ruse ou du leurre, comme chez les animaux, mais du mensonge. *Homo loquax : homo mendax.* L'homme est un animal qui peut mentir, et qui ment. C'est ce qui rend la bonne foi logiquement possible, et moralement nécessaire.

On dira que la bonne foi ne prouve rien, et j'en suis d'accord. Combien de salauds sincères, combien d'horreurs accomplies de bonne foi ? Et quoi de moins hypocrite, souvent, qu'un fanatique ? Les Tartuffe sont légion, mais moins nombreux peut-être, et moins dangereux, que les Savonarole et leurs disciples. Un nazi de bonne foi est un nazi : que nous fait sa sincérité ? Un salaud authentique est un salaud : que nous fait son authenticité ? Pas plus que la fidélité ou le courage, la bonne foi n'est une vertu suffisante ou complète. Elle ne tient pas lieu de justice, ni de générosité, ni d'amour. Mais que serait une justice de mauvaise foi ? Que seraient un amour ou une générosité de mauvaise foi ? Ce ne serait plus justice, ni amour, ni générosité, ou bien corrompus à force d'hypocrisie, d'aveuglement, de mensonge. Aucune vertu n'est vraie, ou n'est vraiment vertueuse, sans cette vertu de vérité. Vertu sans bonne foi c'est mauvaise foi, et ce n'est pas vertu.

« La sincérité, disait La Rochefoucauld, est une ouverture de cœur qui nous montre tels que nous sommes ; c'est un amour de la vérité, une répugnance à se déguiser, un désir de se dédommager de ses défauts et de les diminuer même par le mérite de les avouer. »[3] C'est le refus de tromper, de dissimuler, d'enjoliver, refus qui n'est parfois lui-même qu'un artifice, qu'une séduction comme une autre, mais point toujours, ce que même La Rochefoucauld concède[4], par quoi l'amour de la vérité se distingue de l'amour-propre, qui le dupe souvent, certes, mais qu'il surmonte parfois. Il s'agit d'aimer la vérité plus que soi. La bonne foi, comme toutes les vertus, est le contraire du narcissisme, de l'égoïsme aveugle, de l'asservissement de soi à soi. C'est par quoi elle touche à la générosité, à l'humilité, au courage, à la justice... Justice dans les contrats et les échanges (tromper l'acquéreur d'un bien qu'on vend, par exemple en ne l'avertissant pas de tel ou tel vice caché, c'est être de mauvaise foi, et c'est être injuste), courage de penser et de dire, humilité devant le vrai, générosité devant l'autre... La vérité n'appartient pas au moi : c'est le moi qui lui appartient, ou qu'elle contient, et qu'elle traverse, et qu'elle dissout. Le moi est mensonger toujours, illusoire toujours, mauvais toujours. La bonne foi s'en déprend, c'est par quoi elle est bonne.

Faut-il alors tout dire ? Non pas, puisqu'on ne peut. Le temps manque, et la décence l'interdit, et la douceur l'interdit. Sincérité n'est pas exhibitionnisme. Sincérité n'est pas sauvagerie. On a le droit de se taire, et même il le faut très souvent. La bonne foi n'interdit pas le silence mais le mensonge (ou le silence seulement quand il serait mensonger), et encore point toujours, nous y reviendrons. Véracité n'est pas niaiserie. Il reste que la vérité est « la première et fondamentale partie de la vertu », comme disait Montaigne[5], qui conditionne toutes les autres et n'est conditionnée, dans son

---

3. « Réflexions diverses », 5 (De la confiance), *Maximes et réflexions*, Le livre de poche, 1965, p. 141.
4. Maxime 62.
5. *Essais*, II, 17, p. 647 de l'éd. Villey-Saulnier.

principe, par aucune. La vérité n'a pas besoin d'être généreuse, aimante ou juste pour être vraie, ni pour valoir, ni pour être due, alors qu'amour, générosité ou justice ne sont des vertus qu'à la condition d'abord d'être vraies (d'être vraiment ce qu'elles paraissent), qu'à la condition donc d'être de bonne foi. La vérité n'obéit pas, fût-ce à la justice, fût-ce à l'amour, la vérité ne sert pas, ni ne paye, ni ne console. C'est pourquoi, continue Montaigne, « il la faut aimer pour elle-même »[6]. Point de bonne foi autrement : « Celui qui dit vrai parce qu'il y est d'ailleurs obligé et parce qu'il sert, et qui ne craint point de dire mensonge, quand il n'importe à personne, n'est pas véritable suffisamment. »[7] Non pas tout dire, donc, mais ne dire — sauf devoir supérieur — que le vrai, ou que l'on croit tel. Il y a place ici pour une forme de casuistique, au bon sens du terme, qui n'égarera pas ceux qui sont de bonne foi. Qu'est-ce que la casuistique ? C'est l'étude des *cas de conscience*, autrement dit des difficultés morales qui résultent, ou qui peuvent résulter, de l'application d'une règle générale (par exemple : « Il ne faut pas mentir ») à des situations singulières, souvent plus riches ou plus équivoques que la règle elle-même, qui n'en demeure pas moins. La règle est bien énoncée par Montaigne, et c'est une règle de bonne foi : « Il ne faut pas toujours dire tout, car ce serait sottise ; mais ce qu'on dit, il faut qu'il soit tel qu'on le pense, autrement c'est méchanceté. »[8] Nous allons revenir sur les exceptions, mais elles ne valent, comme exceptions, que par la règle qu'elles supposent, et qu'elles ne sauraient annuler. La bonne foi est cette vertu qui fait de la vérité une valeur (c'est-à-dire, puisqu'il n'y a pas de valeur en soi, un objet d'amour, de respect, de volonté...), et qui s'y soumet. Fidélité au vrai d'abord, sans quoi toute fidélité n'est

6. *Ibid.*
7. *Ibid.*, p. 647-648.
8. *Ibid.*, p. 648.

qu'hypocrisie. Amour de la vérité d'abord, sans quoi tout amour n'est qu'illusion ou mensonge. La bonne foi est cette fidélité, la bonne foi est cet amour, en esprit et en acte. Disons mieux : la bonne foi est l'amour de la vérité, en tant que cet amour commande nos actes, nos paroles, et jusqu'à nos pensées. C'est la vertu des véridiques.

Qu'est-ce qu'un véridique ? C'est celui, expliquait Aristote, qui « aime la vérité » et qui refuse pour cela le mensonge, aussi bien par excès que par défaut, par affabulation que par omission.[9] Il se tient « dans un juste milieu », entre vantardise et dissimulation, entre forfanterie et secret, entre fausse gloire et fausse modestie[10]. C'est « un homme sans détours, sincère à la fois dans sa vie et dans ses paroles, et qui reconnaît l'existence de ses qualités propres, sans y rien ajouter ni retrancher »[11]. Une vertu ? Bien sûr : « En elle-même la fausseté est une chose basse et répréhensible, et la sincérité une chose noble et digne d'éloge. »[12] Heureux Grecs, nobles Grecs, pour qui cette évidence n'était ni dépassée ni dépassable ! Encore que. Ils avaient aussi leurs sophistes, comme nous avons les nôtres, que cette naïveté, comme ils disent, fera sourire. Tant pis pour eux. Que vaut une pensée, si ce n'est par la vérité qu'elle contient ou cherche ? J'appelle *sophistique* toute pensée qui se soumet à autre chose qu'à la vérité, ou qui soumet la vérité à autre chose qu'à elle-même. La philosophie est son contraire, dans la théorie, comme la bonne foi, dans la pratique. Il s'agit de vivre et de penser, autant qu'on peut, *en vérité*, fût-ce au prix de l'angoisse, de la désillusion ou du malheur. Fidélité au vrai d'abord : mieux vaut une vraie tristesse qu'une fausse joie.

9. *Ethique à Nicomaque*, IV, 13, 1127 *a* 13 - 1127 *b* 32 (p. 202-206 de la trad. Tricot).

10. *Ibid.* Voir aussi II, 7, 1108 *a* 19-22 (p. 111), ainsi que l'*Ethique à Eudème*, III, 7, 1233 *b* 38 - 1234 *a* 4 (p. 141 de la trad. Décarie).

11. *Ethique à Nicomaque*, IV, 13, 1127 *a* 23-25 (p. 203).

12. *Ibid.*, 1127 *a* 29-30 (p. 203).

Que la bonne foi ait surtout à faire avec la vantardise, puisqu'elle lui résiste, c'est ce qu'Aristote a bien vu[13], et qui confirme son opposition au narcissisme ou à l'amour-propre. A l'amour de soi ? Non, certes, puisque le véridique est aimable, puisque l'amour de soi est un devoir, puisque ce serait mentir que de feindre, vis-à-vis de soi-même, une impossible indifférence[14]. Mais l'homme véridique s'aime comme il est, comme il se connaît, et non comme il voudrait paraître ou être vu. C'est ce qui distingue l'amour de soi de l'amour-propre, ou la magnanimité, comme dit Aristote, de la vanité. L'homme magnanime « se soucie davantage de la vérité que de l'opinion publique, il parle et agit au grand jour, car le peu de cas qu'il fait des autres lui permet de s'exprimer avec franchise. C'est pourquoi aussi il aime à dire la vérité, sauf dans les occasions où il emploie l'ironie, quand il s'adresse à la masse. »[15] On dira que cette magnanimité manque de charité, ce qui est vrai ; mais point à cause de la véracité qu'elle comporte. Mieux vaut une vraie grandeur qu'une fausse humilité. Et qu'elle se soucie trop d'honneur, ce qui est vrai aussi[16] ; mais jamais au prix du mensonge. Mieux vaut une vraie fierté qu'une fausse gloire.

Le véridique se soumet à *la norme de l'idée vraie donnée*, comme dirait Spinoza, *ou possible*, comme j'ajouterais volontiers : il dit ce qu'il sait ou croit être vrai, jamais ce qu'il sait

---

13. *Ibid.*, surtout 1127 *b* 22-32 (p. 205-206).

14. Sur l'amour de soi de l'homme vertueux (opposé à l'égoïsme du méchant), voir *Ethique à Nicomaque*, IX, 4 (1166 *a* - 1166 *b*, p. 441-447) et 8 (1168 *a* - 1169 *b*, p. 455-460).

15. *Ethique à Nicomaque*, IV, 8, 28-30 (p. 192). La magnanimité, ou grandeur d'âme, a presque disparu du vocabulaire éthique contemporain. Pour ceux qui voudraient, outre ce qu'en dit Aristote (IV, 7-9), un exemple littéraire point trop ancien, disons que la magnanimité est la vertu d'Athos, dans *Les Trois mousquetaires* (et plus encore dans *Vingt ans après* et *Le Vicomte de Bragelonne*), comme la prudence est celle de d'Artagnan, comme la politesse est celle d'Aramis, et comme le courage, s'il ne leur était évidemment commun, serait la vertu de Porthos.

16. Voir *Ethique à Nicomaque*, IV, 7, 1123 *b* 15 - 1124 *a* 19 (p. 187-190).

ou croit être faux. La bonne foi exclut-elle alors tout mensonge ? Il semble que oui, et que ce soit presque par définition : comment mentirait-on de bonne foi ? Mentir suppose qu'on connaisse la vérité, ou qu'on la croie connaître, et qu'on dise délibérément autre chose que ce qu'on sait ou croit. C'est ce que la bonne foi interdit, ou refuse. Etre de bonne foi, c'est dire ce qu'on croit vrai : c'est être fidèle (en paroles ou en actes) à sa croyance, c'est se soumettre à la vérité de ce qu'on est ou pense. Tout mensonge serait donc de mauvaise foi, et coupable par là.

Ce rigorisme, qui me paraît difficilement tenable, semble pourtant assumé par Spinoza et Kant. Une telle rencontre, entre ces deux sommets, mérite au moins examen.

« L'homme libre n'agit jamais en trompeur, écrit Spinoza, mais toujours de bonne foi. »[17] L'homme libre est en effet celui qui ne se soumet qu'à la raison, qui est universelle : si elle autorisait le mensonge, elle l'autoriserait toujours, et toute société humaine serait impossible.[18] Fort bien. Mais si c'est au péril, pour tel individu, de sa propre vie ? Cela ne change rien, répond tranquillement Spinoza, puisque la raison, étant la même en tous, ne saurait dépendre des intérêts, même vitaux, de chacun. De là ce scolie étonnant :

> « Demande-t-on si, en cas qu'un homme pût se délivrer par la mauvaise foi d'un péril de mort imminent, la règle de la conservation de l'être propre ne commanderait pas nettement la mauvaise foi ? Je réponds de même : si la raison commande cela, elle le commande donc à tous les hommes, et ainsi la raison commande d'une manière générale à tous les hommes de ne conclure entre eux pour l'union de leurs forces et l'établissement des droits communs que des accords trompeurs, c'est-à-dire commande de n'avoir pas en réalité de droits communs, ce qui est absurde. »[19]

17. *Ethique*, IV, prop. 72.
18. *Ibid.*, démonstration.
19. *Ibid.*, scolie.

Je n'ai jamais compris, en tout cas jamais d'une façon qui me satisfasse complètement, comment ce scolie pouvait s'accorder avec les propositions 20 à 25 de la même partie de l'*Ethique*, où l'effort pour se conserver est au contraire « la première et unique origine de la vertu », en même temps que sa mesure et sa fin. Je remarque toutefois que Spinoza n'interdit pas absolument le mensonge, mais constate que la raison, qui seule est libre, ne saurait le commander. Les deux choses sont différentes, puisque la raison n'est pas tout, en l'homme, ni même l'essentiel (l'essentiel est le désir, l'essentiel est l'amour)[20], et puisque aucun homme n'est libre ou raisonnable absolument, ni ne doit l'être, ni même vouloir l'être[21]. L'homme qui agit en trompeur, ce n'est jamais, précise la démonstration, « en tant que libre » qu'il le fait[22]. Soit. Et le mensonge ou la fourberie ne sauraient pour cela, en eux-mêmes, être des vertus. Soit encore. Mais il serait déraisonnable, bien souvent, de n'écouter que la raison, il serait coupable de n'aimer que la vertu, il serait fatal pour la liberté de ne vouloir agir qu'*en tant que libre*. La bonne foi est une vertu, mais la prudence en est une aussi, et la justice, et la charité. S'il faut mentir pour survivre, ou pour résister à la barbarie, ou pour sauver celui qu'on aime, qu'on doit aimer, nul doute pour moi qu'il faille mentir, quand il n'y a pas d'autre moyen, ou quand tous les autres moyens seraient pires, et Spinoza, me semble-t-il, l'accorderait. La raison, certes, ne saurait le *commander*, puisqu'elle est universelle, ce que le mensonge ne saurait être : si tout le monde mentait, à quoi bon mentir, puisque personne ne serait cru, et à quoi bon parler ? Mais cette raison n'est qu'abstraite, si le désir ne s'en empare, s'il ne la fait vivre. Or le désir est singulier toujours, concret toujours, ce pourquoi d'ailleurs on peut mentir,

20. *Ethique*, III, déf. 1 des affects, et *passim*.
21. Voir *Ethique*, IV, prop. 2 à 4 (spécialement le corollaire de la prop. 4).
22. *Ethique*, IV, démonstration de la prop. 72.

comme le reconnaît le *Traité politique*[23], sans violer le droit de nature ni (ou c'est-à-dire) l'intérêt de chacun ou, même, de tous. La volonté, non la raison, commande ; le désir, non la vérité, dicte sa loi[24]. Le désir de vérité, qui est l'essence de la bonne foi, reste en cela soumis à la vérité du désir, qui est l'essence de l'homme[25] : être fidèle au vrai ne saurait dispenser d'être fidèle à la joie, à l'amour, à la compassion[26], enfin, comme dit Spinoza, à la justice et à la charité, qui sont toute la loi et la fidélité vraie[27]. Etre fidèle au vrai d'abord, c'est aussi être fidèle à la vérité en soi du désir : s'il faut tromper l'autre ou se trahir soi, tromper le méchant ou abandonner le faible, manquer à sa parole ou manquer à l'amour, la fidélité au vrai (à ce vrai qu'on est, qu'on porte, qu'on aime) peut parfois imposer le mensonge. C'est par quoi, même en cet étrange scolie de la proposition 72, Spinoza, tel que je le comprends, reste différent de Kant. La bonne foi est une vertu, bien sûr, ce que le mensonge ne saurait être, mais cela ne veut pas dire que tout mensonge soit coupable ni, *a fortiori*, qu'on doive toujours s'interdire de mentir. Aucun mensonge n'est libre, certes ; mais qui peut toujours être libre ? Et comment le serait-on, face aux méchants, aux ignorants, aux fanatiques, quand ils sont les plus forts, quand la sincérité, vis-à-vis d'eux, serait complice ou suicidaire ? *Caute...* Le mensonge n'est jamais une vertu, mais la sottise non plus, mais le suicide non plus[28]. Simplement il faut parfois se contenter du moindre mal[29], et le mensonge peut en être un.

Kant, lui, va beaucoup plus loin, et beaucoup plus claire-

23. Spinoza, *Traité politique*, II, 12 (p. 20 de l'éd. Appuhn, G.-F., 1966).
24. *Ethique*, III, scolie de la prop. 9 et *passim*.
25. *Ethique*, III, déf. 1 des affects et explication.
26. Rappelons que je traduis ainsi la *misericordia* de Spinoza : voir *Ethique*, III, déf. 24 des affects, et *supra*, chap. 8, p. 144-146.
27. Spinoza, *Traité théologico-politique*, chap. 14.
28. Voir *Ethique*, IV, prop. 20, démonstration et scolie.
29. *Ethique*, IV, prop. 66, démonstration, corollaire et scolie.

ment. Le mensonge non seulement n'est jamais une vertu, mais il est toujours une faute, toujours un crime, toujours une indignité[30]. C'est que la véracité, qui est son contraire, est « un devoir absolu qui vaut en toutes circonstances » et qui, étant « tout à fait inconditionné », ne saurait admettre la moindre exception « à une règle qui par son essence même n'en tolère aucune »[31]. Cela revient à penser, objectait Benjamin Constant, que même « envers des assassins qui vous demanderaient si votre ami qu'ils poursuivent n'est pas réfugié dans votre maison, le mensonge serait un crime »[32]. Mais Kant ne se laisse pas impressionner pour si peu : ce serait un crime, en effet, puisque l'humanité se joue là, dans la parole vraie, puisque la véracité est « un commandement de la raison qui est sacré, absolument impératif, qui ne peut être limité par aucune convenance », fût-ce la conservation de la vie d'autrui ou de la sienne propre[33]. L'intention ici n'entre pas en jeu. Il n'y a pas de pieux mensonge, ou plutôt, même pieux, même généreux, tout mensonge est coupable : « Sa cause peut être la légèreté, voire même la bonté, et l'on peut même en mentant se proposer une fin bonne ; mais par sa simple forme la manière de tendre à cette fin est un crime de l'homme envers sa propre personne et une indignité qui le rend méprisable à ses propres yeux. »[34]

Quand bien même cela serait, c'est attacher beaucoup d'importance, me semble-t-il, à sa propre personne. Qu'est-ce que cette vertu si soucieuse de soi, de sa petite intégrité, de sa petite dignité, qu'elle est prête, pour se préserver, à livrer un innocent à des assassins ? Qu'est-ce que ce devoir sans

---

30. *Doctrine de la vertu*, I, liv. 1, section 2, § 9, p. 103 à 106 de la trad. Philonenko, Vrin, 1968 ; *Sur un prétendu droit de mentir par humanité*, p. 67 à 73 de la trad. Guillermit, Vrin, 1980.
31. *Sur un prétendu droit de mentir...*, p. 71 à 73.
32. Benjamin Constant, cité par Kant, *Sur un prétendu droit de mentir...*, p. 67.
33. Kant, *Ibid.*, p. 67 à 71. Voir aussi *Doctrine de la vertu*, § 9, p. 103-104.
34. *Doctrine de la vertu*, § 9, p. 104.

prudence, sans compassion, sans charité ? Le mensonge est une faute ? Sans doute. Mais la sécheresse de cœur aussi, et plus grave ! La véracité est un devoir ? Soit. Mais l'assistance à personne en danger en est un autre, et plus pressant. Malheur à celui qui préfère sa conscience à son prochain !

Déjà choquante au XVIIIᵉ siècle, comme le montre l'objection de Benjamin Constant, la position de Kant est devenue, au milieu du nôtre, proprement insoutenable. Parce que la barbarie a pris, en ce triste XXᵉ siècle, une autre dimension, auprès de quoi tout rigorisme est dérisoire, quand il n'occupe que la conscience, ou odieux, s'il revient à servir effectivement les bourreaux. Vous abritez un Juif ou un Résistant dans votre grenier. La Gestapo, qui le cherche, vous interroge. Allez-vous lui dire la vérité ? Allez-vous (ce qui reviendrait au même) refuser de répondre ? Bien sûr que non ! Tout homme d'honneur, tout homme de cœur, et même tout homme de devoir, se sentira non seulement autorisé mais tenu de mentir. Je dis bien : de mentir. Car le mensonge n'en restera pas moins ce qu'il est, une déclaration intentionnellement fausse. « Mentir aux policiers allemands qui nous demandent si nous cachons chez nous un patriote, écrit Jankélévitch, ce n'est pas mentir, *c'est dire la vérité* ; répondre : il n'y a personne, quand il y a quelqu'un, c'est [dans cette situation] le plus sacré des devoirs. »³⁵ J'accorde évidemment la seconde proposition ; mais comment accepter la première sans renoncer à penser, sans s'interdire par là, parce qu'on le dissout, de poser le problème que l'on prétend résoudre ? Mentir aux policiers allemands, c'est évidemment mentir, et cela prouve simplement (puisque ce mensonge, dans l'exemple considéré, est assurément vertueux) que la véracité n'est pas un devoir absolu, quoi qu'en ait pensé Kant, n'est pas un devoir inconditionné, n'est pas un devoir

---

35. *Traité des vertus*, II, 1, chap. 3 (« La sincérité »), p. 283 de l'éd. Champs-Flammarion (1986).

universel, et peut-être qu'il n'y a pas de devoirs absolus, universels, inconditionnés (pas de devoirs du tout, donc, au sens de Kant), mais seulement des valeurs, plus ou moins hautes, mais seulement des vertus, plus ou moins précieuses, urgentes ou nécessaires. La véracité en est une, répétons-le. Mais moins importante que la justice, que la compassion, que la générosité, moins importante que l'amour, évidemment, ou plutôt moins importante, comme amour de la vérité, que la charité comme amour du prochain. Au reste le prochain est vrai aussi, et cette vérité en chair et en os, cette vérité souffrante, est plus importante — encore plus importante! — que la véracité de nos paroles. Fidélité au vrai d'abord, mais à la vérité des sentiments davantage encore qu'à celle de nos déclarations, mais à la vérité de la douleur davantage encore qu'à celle de la parole. A faire de la bonne foi un absolu on la perd, puisqu'elle n'est plus bonne, puisqu'elle n'est plus que véracité desséchée, mortifère, haïssable. Ce n'est plus bonne foi, c'est véridisme ; ce n'est plus vertu, c'est fanatisme. Fanatisme théorique, désincarné, abstrait : fanatisme de philosophe, qui aime la vérité *à la folie*. Mais aucune folie n'est bonne. Mais aucun fanatisme n'est vertueux.

Prenons un autre exemple, moins extrême. Faut-il dire la vérité au mourant ? Oui, toujours, répondrait Kant, du moins si le mourant interroge, puisque la véracité est un devoir absolu. Non, jamais, répond Jankélévitch, puisque ce serait lui infliger sans raison « la torture du désespoir »[36]. Le problème me paraît plus compliqué. Dire la vérité au mourant, lorsqu'il la demande, lorsqu'il peut la supporter, ce peut être aussi l'aider à mourir dans la lucidité (mentir au mourant, n'est-ce pas lui voler sa mort, comme disait Rilke?), dans la paix, dans la dignité, à mourir dans la vérité, comme il a vécu, comme il a voulu vivre, et non dans

36. *Ibid.*, p. 249-250.

l'illusion ou la dénégation. « Celui qui dit au mourant qu'il
va mourir ment, écrit Jankélévitch : d'abord à la lettre, parce
qu'il n'en sait rien, parce que Dieu seul le sait, parce qu'aucun homme n'a le droit de dire à un autre homme qu'il va
mourir », ensuite « en esprit, car il lui fait mal »[37]. Mais,
quant à la lettre, c'est confondre bonne foi et certitude, sincérité et omniscience : qu'est-ce qui empêche le médecin ou les
proches de dire sincèrement ce qu'il savent ou croient, y
compris les limites, dans ces domaines, de tout savoir et de
toute croyance ? Et quant à l'esprit, c'est accorder trop peu
de valeur à la vérité, et trop peu d'estime à l'esprit. Mettre
l'espoir plus haut que la vérité, plus haut que la lucidité, plus
haut que le courage, c'est mettre l'espoir trop haut. Que vaut
l'espérance, si c'est au prix du mensonge, si c'est au prix de
l'illusion ? « Il ne faut pas que les hommes pauvres et seuls
aient de la peine, dit encore Jankélévitch, ceci est plus important que tout et même que la vérité. »[38] Oui, si la peine est
atroce, si l'homme seul et pauvre ne peut la supporter, si l'illusion seule le fait vivre. Mais est-ce toujours le cas ? Et à
quoi bon alors la philosophie, à quoi bon, même, la sincérité,
si l'une et l'autre doivent s'arrêter à l'approche de la mort, si
la vérité ne vaut que quand elle nous rassure, que quand elle
ne risque pas de nous faire de la peine ? Je me méfie de ceux
qui disent *jamais*, dans ces domaines, autant que de ceux qui
disent *toujours*. Qu'on puisse mentir par amour ou par compassion, et qu'on le doive parfois, j'en suis bien sûr d'accord.
Quoi de plus imbécile, et de plus lâche, que d'imposer aux
autres un courage dont on n'est pas sûr d'être soi-même
capable ? Oui : c'est au mourant d'abord de décider, quand
il le peut, de l'importance qu'il attache à la vérité, et nul ne
saurait, quand il ne le peut pas, en décider à sa place. Douceur, donc, plutôt que violence : la compassion l'emporte ici,

37. *Ibid.*
38. *Ibid.*, p. 249.

et doit l'emporter, sur la véracité. Mais la vérité n'en demeure pas moins une valeur, dont on ne saurait priver autrui, surtout s'il la demande, sans très fortes et très précautionneuses raisons. Le confort n'est pas tout. Le bien-être n'est pas tout. Qu'il faille supprimer la souffrance physique, autant qu'on peut, bien sûr, et nos médecins devraient s'en occuper davantage. Mais la souffrance morale, mais l'angoisse, mais la peur, quand elles font partie de la vie elle-même ? « Il est mort sans s'en apercevoir », dit-on parfois. Est-ce là vraiment une victoire de la médecine ? Car enfin il n'en est pas moins mort, et la tâche des médecins, que je sache, est de nous guérir, quand ils le peuvent, non de nous cacher qu'ils ne le peuvent pas. « Si je lui dis la vérité, il se tue », me dit un médecin. Mais le suicide n'est pas toujours une maladie (c'est aussi un droit, dont on le prive par là), et la dépression en est une, qui se soigne. Les médecins sont là pour soigner, non pour décider à la place de leur patient si sa vie — et sa mort ! — vaut ou pas la peine d'être vécue. Attention, amis médecins, au paternalisme : vous êtes en charge de la santé de vos patients, mais non de leur bonheur, mais non de leur sérénité. Un mourant n'a-t-il pas le droit d'être malheureux ? N'a-t-il pas le droit d'être angoissé ? Qu'est-ce donc, dans ce malheur, dans cette angoisse, qui vous effraie à ce point ?

Cela étant dit, ou devant être dit, comme toujours, sous réserve de la compassion, de la douceur, de la tendresse... Mieux vaut mentir que torturer, mieux vaut mentir qu'affoler. La vérité ne tient pas lieu de tout. Mais aucune vertu non plus ne saurait tenir lieu de vérité, ni valoir absolument sans elle. La mort la plus belle, moralement, spirituellement, humainement, c'est la plus lucide, la plus sereinement lucide, et c'est aussi notre devoir d'accompagner les mourants, quand il le faut, quand ils le peuvent, vers cette vérité ultime. Qui oserait mentir, en leurs derniers moments, au Christ ou au Bouddha, à Socrate ou à Epicure, à Spinoza ou à Simone Weil ? On dira que ces personnages ne courent pas les rues, ni les chambres d'hôpitaux. Sans doute. Encore faut-il nous aider à nous rapprocher d'eux, quand nous le pouvons, même petitement, plutôt que de nous en ôter d'avance le goût, même amer, ou la possibilité, même douloureuse. La véracité, fût-ce au lit du mourant, continue donc de valoir. Pas seule, répétons-le : la compassion vaut aussi, l'amour vaut aussi, et davantage. Asséner la vérité à qui ne l'a pas demandée, à qui ne peut la supporter, à celui qu'elle déchire ou écrase, ce n'est pas de la bonne foi : c'est de la brutalité, c'est de l'insensibilité, c'est de la violence. Il faut donc dire la vérité, ou le plus de vérité possible, puisque la vérité est une valeur, puisque la sincérité est une vertu ; mais pas toujours, mais pas à n'importe qui, mais pas à n'importe quel prix, mais pas n'importe comment ! Il faut dire la vérité autant qu'on peut, ou autant qu'on doit, disons autant qu'on peut le faire sans manquer par là à quelque vertu plus haute ou plus urgente. C'est où l'on retrouve Jankélévitch : « Malheur à ceux qui mettent au-dessus de l'amour la vérité criminelle de la délation ! Malheur aux brutes qui disent toujours la vérité ! Malheur à ceux qui n'ont jamais menti ! »[39]

Cela ne vaut pourtant que vis-à-vis d'autrui : parce qu'il est légitime de préférer l'autre, surtout lorsqu'il souffre, surtout lorsqu'il est faible, à sa propre véracité. Mais soi-même à la vérité, jamais. C'est où la bonne foi va plus loin que la sincérité, et s'impose, elle, ou vaut, universellement. Il est parfois légitime, même moralement, de mentir à autrui plutôt que de lui dire la vérité. Mais la mauvaise foi ne saurait, envers soi-même, valoir mieux que la bonne : car ce serait se mettre soi plus haut que la vérité, et son confort ou sa bonne conscience plus haut que son esprit. Ce serait pécher contre

39. *Ibid.*, p. 251.

le vrai, et contre soi. A tout péché miséricorde, certes : chacun fait ce qu'il peut, et la vie est trop difficile, trop cruelle, pour qu'on puisse, dans ces domaines, condamner quiconque. Qui sait, face au pire, ce qu'il fera, et la quantité de vérité, alors, qu'il pourra supporter? Miséricorde, miséricorde à tous! Cela ne signifie pas pourtant que tout se vaille, ni que la mauvaise foi, à l'égard de soi-même, puisse jamais être considérée comme moralement neutre ou indifférente. S'il est légitime de mentir au méchant, par exemple quand notre vie est en jeu, ce n'est pas que nous nous mettions alors plus haut que la vérité, puisque cela ne nous empêche en rien de l'aimer, de la respecter, de nous y soumettre au moins intérieurement. C'est au nom de ce que l'on croit vrai, même, qu'on ment à l'assassin ou au barbare, et ce sont mensonges, en ce sens, de bonne foi. C'est où il faut distinguer la sincérité, qui s'adresse à autrui et autorise toutes sortes d'exceptions (c'est bonne foi transitive et conditionnelle), de la bonne foi réflexive, qui ne s'adresse qu'à soi, et qui vaut dès lors universellement. Qu'il faille parfois mentir à autrui, par prudence ou par compassion, on l'a vu et je n'y reviens pas. Mais qu'est-ce qui pourrait justifier qu'on se mente à soi? La prudence? Ce serait mettre son bien-être plus haut que la lucidité, son ego plus haut que son esprit. La compassion? Ce serait manquer de courage. L'amour? Mais sans bonne foi, ce ne serait qu'amour-propre et narcissisme.

Jean-Paul Sartre, dans une problématique qui n'est pas la mienne, a bien montré que la mauvaise foi, comme « mensonge à soi », trahit (c'est-à-dire, indissolublement, exprime et dénie) une dimension essentielle de toute conscience humaine, qui lui interdit de jamais coïncider absolument avec soi, comme une chose ou un fait[40]. Se croire absolument

---

40. *L'être et le néant*, I, chap. 2, Gallimard, 1943, rééd. 1969, p. 85 à 111 (signalons une belle présentation de ce texte difficile par Marc Wetzel, dans la coll. « Profil philosophie », *Sartre, La mauvaise foi*, Hatier, 1985).

garçon de café, ou professeur de philosophie, ou triste ou gai, comme une table est table, et même se croire absolument sincère, comme on est blond ou brun, c'est être de mauvaise foi, toujours, puisque c'est oublier qu'on a à être ce que l'on est (autrement dit qu'on ne l'est pas déjà ni définitivement), puisque c'est dénier sa propre angoisse, son propre néant, sa propre liberté. Aussi la mauvaise foi est-elle, pour toute conscience, « un risque permanent »[41]. Mais c'est un risque qu'il faut affronter, et qu'on ne saurait sans mauvaise foi transformer en fatalité ou en excuse. La mauvaise foi n'est pas un être, ni une chose, ni un destin, mais la chosification de ce que l'on est, de ce que l'on croit être, de ce que l'on veut être, sous la forme, nécessairement factice, de l'en-soi-pour-soi, qui serait Dieu et qui n'est rien. Le contraire de la mauvaise foi n'est pas davantage un être (croire qu'on *est* de bonne foi, c'est se mentir), ni une chose, ni même une qualité : c'est un effort, c'est une exigence, c'est une vertu. Telle est l'authenticité, chez Sartre[42], telle est la bonne foi, chez n'importe qui, quand elle n'est pas coïncidence à soi d'une conscience satisfaite ou pétrifiée, mais arrachement perpétuel au mensonge, à l'esprit de sérieux, à tous les rôles qu'on joue ou qu'on est, bref à la mauvaise foi, et à soi.

A la penser dans sa plus grande généralité, la bonne foi n'est pas autre chose que l'amour de la vérité. C'est pourquoi elle est la vertu philosophique par excellence, non bien sûr au sens où elle serait réservée à quiconque, mais en ceci que sera philosophe, au sens le plus fort et le plus ordinaire du terme, celui qui met la vérité, au moins pour ce qui le concerne, plus haut que tout, honneur ou pouvoir, bonheur ou système, et même plus haut que la vertu, et même plus haut que

41. *Ibid.*, p. 111.
42. *Ibid.*, note 1.

l'amour. Il aime mieux se savoir mauvais que se feindre bon, et regarder en face le désamour, quand il advient, ou son propre égoïsme, quand il règne (presque toujours!), que se persuader faussement d'être aimant ou généreux. Il sait pourtant que la vérité sans la charité n'est pas Dieu[43]. Mais il sait aussi, ou il croit savoir, que la charité sans la vérité n'est qu'un mensonge parmi d'autres, et n'est pas la charité. Spinoza appelait *amour intellectuel de Dieu* cette joie de connaître[44], quel que soit d'ailleurs son objet (« plus nous connaissons les choses singulières, plus nous connaissons Dieu »[45]), puisque tout est en Dieu, et puisque Dieu est tout. C'était trop dire, sans doute, si aucune vérité n'est Dieu, ni leur somme, si aucun Dieu n'est vrai. Mais c'était indiquer pourtant l'essentiel : que l'amour de la vérité est plus important que la religion, que la lucidité est plus précieuse que l'espérance, que la bonne foi vaut plus et mieux que la foi.

C'est aussi l'esprit de la psychanalyse (« la vérité, et encore la vérité »[46]), sans lequel elle ne serait qu'une sophistique comme une autre, ce qu'elle est souvent, et à quoi elle n'échappe que par « l'amour de la vérité », comme disait Freud, « ce qui doit en exclure toute illusion et toute duperie »[47].

C'est l'esprit de notre temps, quand il a encore de l'esprit, quand il ne l'a pas perdu en même temps que la foi.

C'est l'esprit éternel et fugace, qui « se moque de tout », comme disait Alain[48], et de lui-même. De la vérité ? Cela lui

43. Comme disait à peu près Pascal, *Pensées*, 926-582 (éd. Lafuma).

44. *Ethique*, V, prop. 32 et corollaire.

45. *Ibid.*, prop. 24.

46. Freud, Lettre à James J. Putnam, du 30 mars 1914, citée par A. de Mijolla, *Les mots de Freud*, Hachette, 1982, p. 147-148.

47. Analyse terminée et analyse interminable, cité par A. de Mijolla, *op. cit.*, p. 177.

48. *Définitions* (définition de l'esprit), Bibl. de la Pléiade, *Les arts et les dieux*, p. 1056.

arrive, mais c'est une façon encore de l'aimer. La vénérer, en faire une idole, en faire un dieu, même, ce serait mentir. Toutes les vérités se valent, et ne valent rien : ce n'est pas parce que la vérité est bonne que nous devons l'aimer, dirait Spinoza[49], c'est parce que nous l'aimons qu'elle nous paraît bonne, et l'est en effet, pour ceux qui l'aiment. La vérité n'est pas Dieu : elle ne vaut que pour ceux qui l'aiment, et par eux, elle ne vaut que pour les véridiques, qui l'aiment sans l'adorer, qui s'y soumettent sans en être dupes. L'amour est donc premier ? Oui, mais pour autant seulement qu'il est vrai : premier dans la valeur, donc, et second dans l'être.

C'est l'esprit de l'esprit, qui préfère la sincérité au mensonge, la connaissance à l'illusion, et le rire au sérieux.

Par quoi la bonne foi mène à l'humour, comme la mauvaise à l'ironie.

49. Cf. *Ethique*, III, scolies des prop. 9 et 39.

17

L'humour

Qu'il soit une vertu pourra surprendre. Mais c'est que tout sérieux est coupable, portant sur soi. L'humour nous en préserve, et, outre le plaisir qu'on y prend, est estimé pour cela.

Si « le sérieux désigne la situation intermédiaire d'un homme équidistant entre désespoir et futilité », comme dit joliment Jankélévitch[1], il faut observer que l'humour, au contraire, opte résolument pour les deux extrêmes. « Politesse du désespoir », disait Vian, et la futilité peut en faire partie. Il est impoli de se donner l'air important. Il est ridicule de se prendre au sérieux. Manquer d'humour, c'est manquer d'humilité, c'est manquer de lucidité, c'est manquer de légèreté, c'est être trop plein de soi, trop dupe de soi, c'est être trop sévère ou trop agressif, c'est manquer par là, presque toujours, de générosité, de douceur, de miséricorde... Trop de sérieux, même dans la vertu, a quelque chose de suspect et d'inquiétant : il doit y avoir quelque illusion ou quelque fanatisme là-dessous... C'est vertu qui se croit, et qui en manque par là.

N'exagérons pas pourtant l'importance de l'humour. Un salaud peut en avoir ; un héros peut en manquer. Mais cela

1. *Traité des vertus*, II, 1, chap. 4 (« L'humilité et la modestie »), p. 338 de l'Ed. Champs-Flammarion, 1986.

est vrai, nous l'avons vu, de la plupart des vertus, et ne prouve rien contre l'humour sinon, ce qui est bien clair, qu'il ne prouve rien. Mais s'il voulait prouver, serait-il encore de l'humour ? Vertu annexe, si l'on veut, ou composite, vertu légère, vertu inessentielle, drôle de vertu, en un sens, puisqu'elle se moque de la morale, puisqu'elle se contente d'être drôle, mais grande qualité, mais précieuse qualité, dont un homme de bien peut manquer, certes, mais non pas sans que cela atteigne en quelque chose l'estime, même morale, que nous avons pour lui. Un saint sans humour est un triste saint. Et un sage sans humour, serait-ce seulement un sage ? L'esprit est ce qui se moque de tout, disait Alain[2], et c'est en quoi l'humour fait partie, de plein droit, de l'esprit.

Cela n'interdit pas le sérieux, pour ce qui concerne autrui, nos obligations à son égard, nos engagements, nos responsabilités, voire pour ce qui concerne la conduite de notre propre existence. Mais cela interdit d'en être dupe ou trop satisfait. Vanité des vanités : il n'a manqué à l'Ecclésiaste qu'un peu d'humour pour dire l'essentiel. Un peu d'humour, un peu d'amour : un peu de joie. Même sans raison, même contre la raison. Entre désespoir et futilité, il arrive que la vertu soit moins dans un juste milieu que dans la capacité d'embrasser, dans un même regard ou dans un même sourire, l'un et l'autre de ces deux extrêmes, entre lesquels nous vivons, entre lesquels nous évoluons, et qui se rejoignent dans l'humour. Qu'est-ce qui n'est pas désespérant, pour un regard lucide ? Et qu'est-ce qui n'est pas futile, pour un regard désespéré ? Cela n'interdit pas d'en rire, et même c'est le mieux sans doute que nous puissions faire. Que vaudrait l'amour, sans la joie ? Que vaudrait la joie, sans l'humour ?

Tout ce qui n'est pas tragique est dérisoire. Voilà ce

2. Cf *supra*, chap. 16, p. 274 et n. 48.

qu'enseigne la lucidité. Et l'humour ajoute, dans un sourire, que ce n'est pas tragique...

Vérité de l'humour. La situation est désespérée, mais pas grave.

La tradition oppose le rire de Démocrite aux larmes d'Héraclite : « Démocrite et Héraclite, se souvient Montaigne, ont été deux philosophes, desquels le premier, trouvant vaine et ridicule l'humaine condition, ne sortait en public qu'avec un visage moqueur et riant ; Héraclite, ayant pitié et compassion de cette même condition nôtre, en portait le visage continuellement attristé, et les yeux chargés de larmes... »[3] Et certes ce ne sont pas les raisons qui manquent de rire ou de pleurer. Mais quelle attitude vaut mieux ? Le réel ne tranche pas, qui ne rit ni ne pleure. Cela ne veut pas dire qu'on ait le choix, ou cela ne veut pas dire, du moins, que ce choix dépende de nous. Je dirais plutôt qu'il nous constitue, qu'il nous traverse, rire ou larmes, rire et larmes, que nous oscillons entre ces deux pôles, les uns penchant plutôt vers celui-ci, les autres plutôt vers celui-là... Mélancolie contre gaieté ? Ce n'est pas si simple. Montaigne, qui avait ses moments de tristesse, d'accablement, de dégoût, n'en préfère pas moins Démocrite : « J'aime mieux la première humeur, explique-t-il, non parce qu'il est plus plaisant de rire que de pleurer, mais parce qu'elle est plus dédaigneuse, et qu'elle nous condamne plus que l'autre ; et il me semble que nous ne pouvons jamais être assez méprisés selon notre mérite. »[4] En pleurer ? Ce serait se prendre trop au sérieux ! Mieux vaut en rire : « Je ne pense point qu'il y ait tant de malheur en nous comme il y a de vanité, ni tant de malice

3. Montaigne (qui s'appuie ici sur Juvénal), *Essais*, I, 50, p. 303 de l'éd. Villey-Saulnier. Voir aussi la note de Villey, *ad loc.*, t. 2, p. 1261.
4. *Ibid.*

comme de sottise. [...] Notre propre et péculière condition est autant ridicule que risible. »[5] A quoi bon se lamenter pour si peu (pour ce peu que nous sommes) ? A quoi bon se haïr (« ce qu'on hait, on le prend à cœur »[6]), quand il suffit de rire ?

Mais il y a rire et rire, et il faut distinguer ici l'humour de l'ironie. L'ironie n'est pas une vertu, c'est une arme — tournée, presque toujours, contre autrui. C'est le rire mauvais, sarcastique, destructeur, le rire de la moquerie, celui qui blesse, celui qui peut tuer, c'est le rire auquel Spinoza renonce *(« non ridere, non lugere, neque detestari, sed intelligere »[7])*, c'est le rire de la haine, c'est le rire du combat. Utile? Pardi, quand il le faut! Quelle arme qui ne le soit? Mais aucune arme n'est la paix, aucune ironie n'est l'humour. Le langage peut tromper. Nos humoristes, comme on dit, ou comme ils disent, ne sont souvent que des ironistes, que des satiristes, et certes il en faut. Mais les meilleurs mêlent les deux genres : ainsi Bedos, plutôt ironiste quand il parle de la droite, plutôt humoriste quand il parle de la gauche, pur humoriste quand il parle de lui-même, et de nous tous. Quelle tristesse, si l'on ne pouvait rire que *contre*! Et quel sérieux, si l'on ne savait rire que des autres! L'ironie est cela même : c'est un rire qui se prend au sérieux, c'est un rire qui se moque, mais point de soi, c'est un rire, et l'expression est bien révélatrice, qui *se paye la tête d'autrui*. Se retourne-t-elle contre le moi (c'est ce qu'on appelle l'autodérision), qu'elle reste extérieure et néfaste. L'ironie méprise,

5. *Ibid.*, p. 303-304.
6. *Ibid.*, p. 304.
7. *Traité politique*, I, 4 : « Ne pas rire [c'est-à-dire ici ne pas tourner en dérision, ne pas railler], ne pas pleurer, ne pas détester, mais comprendre. » Dans l'*Ethique*, le rire et la plaisanterie sont au contraire salués comme « une pure joie » ; mais c'est qu'il s'agit d'un autre rire, expressément distingué de la raillerie (*Ethique*, IV, scolie de la prop. 45 ; voir aussi le *Court traité*, II, chap. 11, § 1 et 2, Bibl. de la Pléiade, p. 116-117).

accuse, condamne... Elle se prend au sérieux, et ne suspecte que le sérieux *de l'autre* — quitte, comme l'a bien vu Kierkegaard, à « parler de soi comme d'un tiers »[8]. Cela brisa, ou brida, plus d'un grand esprit. Humilité ? Non pas. Comme il faut se prendre au sérieux, au contraire, pour se moquer des autres ! Comme il faut être orgueilleux, même, pour se mépriser ! L'ironie est ce sérieux, aux yeux de quoi tout est ridicule. L'ironie est cette petitesse, aux yeux de quoi tout est petit.

Rilke avait donné le remède : « Gagnez les profondeurs : l'ironie n'y descend pas. »[9] Ce ne serait pas vrai de l'humour, et c'est une première différence. La seconde, la plus significative, tient à la réflexivité de l'humour, à son intériorité, à ce qu'on voudrait appeler son immanence. L'ironie rit de l'autre (ou du moi, dans l'autodérision, comme d'un autre) ; l'humour rit de soi, ou de l'autre comme de soi-même, et s'inclut toujours, en tout cas, dans le non-sens qu'il instaure ou dévoile. Non que l'humoriste ne prenne rien au sérieux (humour n'est pas frivolité). Simplement il refuse de se prendre lui-même, ou son rire, ou son angoisse, au sérieux. L'ironie cherche à se faire valoir, comme dit Kierkegaard[10] ; l'humour, à s'abolir. Il ne saurait être permanent ni s'ériger en système, ou bien ce n'est qu'une défense comme une autre et ce n'est plus de l'humour. Notre époque le pervertit, à force de le célébrer. Quoi de plus triste que de le cultiver pour lui-même ? d'en faire un moyen de séduction ? un monument à la gloire du narcissisme ? En faire un métier passe encore, il faut bien

---

8. *Post-scriptum définitif et non scientifique aux Miettes philosophiques*, VII, 493 (p. 189 de la trad. Tisseau, *Œuvres complètes*, t. XI, Ed. de l'Orante, Paris, 1977). Sur l'humour et l'ironie, voir aussi ce que j'écrivais dans *Vivre*, chap. 5, p. 193-198.
9. *Lettre à un jeune poète*, 2, trad. franç., p. 320 du t. 1 des *Œuvres*, Seuil, 1966.
10. *Op. cit.*, VII, 544, p. 235 de la trad. Tisseau ; voir aussi la note de la p. 234).

gagner sa vie. Mais une religion ? Mais une prétention ? C'est trahir l'humour, et en manquer. Quand il est fidèle à soi, l'humour mène plutôt à l'humilité. Pas d'orgueil sans esprit de sérieux, ni d'esprit de sérieux, au fond, sans orgueil. L'humour atteint celui-ci en brisant celui-là. C'est en quoi il est essentiel à l'humour d'être réflexif ou, à tout le moins, de s'englober dans le rire qu'il entraîne ou le sourire, même amer, qu'il suscite. C'est moins une question de contenu que d'état d'esprit. La même formule, ou la même plaisanterie, peut changer de nature, selon la disposition de qui l'énonce : ce qui sera ironie chez l'un, qui s'en excepte, pourra être humour chez un autre, qui s'y inclut. Aristophane fait de l'ironie, dans *Les nuées*, quand il se moque de Socrate. Mais Socrate (grand ironiste par ailleurs) fait preuve d'humour quand, assistant à la représentation, il rit de bon cœur avec les autres[11]. Les deux registres peuvent bien sûr se mêler, au point d'être indissociables, indiscernables, si ce n'est, et encore, par le ton ou le contexte. Ainsi quand Groucho Marx déclare superbement : « J'ai passé une excellente soirée, mais ce n'était pas celle-ci. » S'il le dit à la maîtresse de maison, après une soirée ratée, ce sera plutôt de l'ironie. S'il le dit au public, à la fin de l'un de ses spectacles, ce sera plutôt de l'humour. Mais il peut s'y ajouter de l'humour, dans le premier cas, si Groucho Marx prend sa part de responsabilité dans l'échec de la soirée, comme de l'ironie dans le second, si le public, cela arrive, manquait par trop de talent... On peut plaisanter sur tout : sur l'échec, sur la guerre, sur la mort, sur l'amour, sur la maladie, sur la torture... Encore faut-il que ce rire ajoute un peu de joie, un peu de douceur ou de légèreté à la misère du monde, et non davantage de haine, de souffrance ou de mépris. On

---

11. Comme le remarque Theodor Lipps, cité par Luigi Pirandello, *L'humour et autres essais*, trad. franç., Paris, Ed. Michel de Maule, 1988, p. 31.

peut rire de tout, mais pas n'importe comment. Une histoire juive ne sera jamais humoristique dans la bouche d'un antisémite. Le rire n'est pas tout, et n'excuse rien. Au reste, s'agissant de maux qu'on peut empêcher ou combattre, il serait évidemment coupable de se contenter de plaisanter. L'humour ne tient pas lieu d'action, et l'insensibilité, concernant la souffrance d'autrui, est une faute. Mais il serait coupable aussi, dans l'action ou l'inaction, de prendre trop au sérieux ses propres bons sentiments, ses propres angoisses, ses propres révoltes, ses propres vertus. Lucidité bien ordonnée commence par soi-même. De là l'humour, qui peut faire rire de tout à condition de rire d'abord de soi.

« La seule chose que je regrette, dit Woody Allen, c'est de n'être pas quelqu'un d'autre. » Mais par là aussi, il l'accepte. L'humour est une conduite de deuil (il s'agit d'accepter cela même qui nous fait souffrir), ce qui le distingue à nouveau de l'ironie, qui serait plutôt assassine. L'ironie blesse ; l'humour guérit. L'ironie peut tuer ; l'humour aide à vivre. L'ironie veut dominer ; l'humour libère. L'ironie est impitoyable ; l'humour est miséricordieux. L'ironie est humiliante ; l'humour est humble.

Mais l'humour n'est pas seulement au service de l'humilité. Il vaut aussi par lui-même : il transmute la tristesse en joie (donc la haine en amour ou en miséricorde, dirait Spinoza), la désillusion en comique, le désespoir en gaieté... Il désamorce le sérieux, mais aussi, et par là même, la haine, la colère, le ressentiment, le fanatisme, l'esprit de système, la mortification, et jusqu'à l'ironie. Rire de soi d'abord, mais sans haine. Ou de tout, mais en tant seulement qu'on en fait partie, et qu'on l'accepte. L'ironie dit non (souvent en feignant de dire oui) ; l'humour dit oui, oui malgré tout, oui quand même, y compris à tout ce que l'humoriste, en tant qu'individu, est incapable d'accepter. Duplicité ? Presque toujours, dans l'ironie (pas d'ironie sans feinte, sans une part de mauvaise foi) ; presque jamais dans l'humour (un humour de mauvaise foi, serait-ce encore de l'humour ?) [12]. Plutôt ambivalence, plutôt contradiction, plutôt déchirure, mais assumées, mais acceptées, mais surmontées en quelque chose. C'est Pierre Desproges annonçant son cancer : « Plus cancéreux que moi, tu meurs ! » C'est Woody Allen mettant en scène ses angoisses, ses échecs, ses symptômes... C'est Pierre Dac confronté à la condition humaine : « A l'éternelle triple question toujours demeurée sans réponse : "Qui sommes-nous ? D'où venons-nous ? Où allons-nous ?", je réponds : "En ce qui me concerne personnellement, je suis moi, je viens de chez moi et j'y retourne." » J'ai remarqué ailleurs qu'il n'y avait pas de philosophie comique [13] : c'est une limite pour le rire sans doute (il ne saurait tenir lieu de pensée) ; mais c'en est une aussi pour la philosophie : elle ne tient pas lieu de rire, ni de joie, ni même de sagesse. Tristesse des systèmes, sérieux écrasant du concept, quand il se croit ! Un peu d'humour en préserve, comme on voit chez Montaigne, comme on voit chez Hume, comme on ne voit ni chez Kant ni chez Hegel. J'ai cité déjà la fameuse formule de Spinoza : « Ne pas railler, ne pas déplorer, ne pas maudire, mais comprendre. » [14] Oui. Mais s'il n'y a rien à comprendre ? Reste à rire — non pas *contre* (ironie), mais *de*, mais *avec*, mais *dans* (humour). Nous sommes embarqués, et il n'y a pas de bateau : mieux vaut en rire qu'en pleurer. C'est la sagesse de Shakespeare, celle de Montaigne, et c'est la même, et c'est la vraie.

12. Cf. L. Pirandello, *op. cit.*, spécialement p. 13 : « L'ironie, en tant que figure rhétorique, suppose une feinte qui est absolument contraire à la nature de l'humour authentique. Elle implique, cette figure rhétorique, une contradiction, mais fictive, entre ce qu'on dit et ce qu'on veut faire comprendre. La contradiction de l'humour, en revanche, n'est jamais fictive, mais essentielle... »

13. « L'illusion, la vérité et la moquette de Woody Allen », *Valeur et vérité*, PUF, 1994, p. 16.

14. *Traité politique* , I, 4 (trad. P.-F. Moreau, que je condense).

« Triomphe du narcissisme », écrit bizarrement Freud[15]. Mais pour constater aussitôt que c'est aux dépens du moi lui-même, remis à sa place, en quelque sorte, par le sur-moi[16]. Triomphe du narcissisme (puisque le moi « s'affirme victorieusement »[17] et finit par jouir de cela même qui l'offense, et qu'il surmonte), mais sur le narcissisme ! « Triomphe du principe de plaisir », écrit encore Freud[18]. Mais qui n'est possible qu'à la condition d'accepter, fût-ce pour en rire, la réalité telle qu'elle est, telle qu'elle demeure. « L'humour semble dire : "Regarde ! voilà le monde qui te semble si dangereux ! Un jeu d'enfant ! le mieux est donc de plaisanter !" »[19] Le « démenti à la réalité », comme dit Freud,[20] n'est humoristique qu'à la condition de se démentir lui-même (sans quoi ce ne serait plus humour mais folie, plus démenti mais démence), qu'à la condition, donc, de reconnaître cette réalité dont il plaisante, qu'il surmonte ou dont il se joue. Ainsi ce condamné à mort qu'on mène à la potence un lundi, et qui s'écrie : « Voilà une semaine qui commence bien ! »[21] Il y a du courage dans l'humour, de la grandeur, de la générosité. Le moi y est comme libéré de lui-même. « L'humour a non seulement quelque chose de libérateur, remarque Freud, mais encore quelque chose de sublime et d'élevé »[22], par quoi il diffère d'autres formes de comique[23] et touche, en effet, à la vertu.

Cela distingue à nouveau fortement l'humour de l'ironie, qui abaisse plutôt, qui n'est jamais sublime, qui n'est jamais

15. *Le mot d'esprit et ses rapports avec l'inconscient*, Appendice, « L'humour », trad. franç., Gallimard, « Idées », 1981, p. 402.
16. *Ibid.*, p. 405. Voir aussi p. 408.
17. *Ibid.*, p. 402.
18. *Ibid.*, p. 402-403.
19. *Ibid.*, p. 408.
20. *Ibid.*, p. 403.
21. C'est l'exemple que donne Freud, *op. cit.*, p. 385 et 399.
22. *Ibid.*, p. 402.
23. *Ibid.*

généreuse. « L'ironie est une manifestation de l'avarice, écrit Bobin, une crispation de l'intelligence serrant les dents plutôt que de lâcher un seul mot de louange. L'humour, à l'inverse, est une manifestation de la générosité : sourire de ce qu'on aime, c'est l'aimer deux fois plus. »[24] Deux fois plus ? Je ne sais. Disons que c'est l'aimer mieux, avec davantage de légèreté, davantage d'esprit, davantage de liberté. L'ironie, au contraire, ne sait guère que haïr, critiquer, mépriser. Dominique Noguez force un peu le trait, mais indique la bonne direction, quand il résume l'opposition de l'humour et de l'ironie dans ces quelques lignes, et surtout dans la formule qui les clôt : « L'humour et l'ironie reposent identiquement sur une non-coïncidence du langage et de la réalité, mais ici ressentie affectueusement comme un salut fraternel à la chose ou à la personne désignée, et là comme, au contraire, la manifestation d'une opposition scandalisée, méprisante ou haineuse. Humour, c'est amour ; ironie, c'est mépris. »[25] Il n'y a pas d'humour, en tout cas, sans un minimum de sympathie, et c'est ce qu'avait vu Kierkegaard : « Justement

24. *L'éloignement du monde*, Paris, Lettres vives, 1993, p. 50-51.
25. D. Noguez, dans son excellent article sur la Structure du langage humoristique, *Revue d'esthétique*, 1969, t. 22, p. 37 à 54 (p. 51-52 pour le passage cité). Voir aussi R. Escarpit, *L'humour*, coll. « Que sais-je ? », rééd. PUF, 1972, p. 114 à 117, ainsi que V. Jankélévitch, *L'ironie*, chap. III, § 4, rééd. Champs-Flammarion, 1991, p. 171-172. L'usage, remarque Jankélévitch, « donne au mot "humour" une nuance de gentillesse et d'affectueuse bonhomie qu'il refuse parfois à l'ironiste. Il y a, dans l'ironie cinglante, une certaine malveillance et comme une rosserie amère qui excluent l'indulgence ; l'ironie est quelquefois fielleuse, méprisante et agressive. L'humour, au contraire, n'est pas sans la sympathie. C'est vraiment le "sourire de la raison", non le reproche ni le dur sarcasme. Alors que l'ironie misanthrope garde par rapport aux hommes l'attitude polémique, l'humour compatit avec la chose plaisantée ; il est secrètement complice du ridicule, se sent de connivence avec lui... » Le même individu, répétons-le, peut bien sûr mêler l'humour et l'ironie, mais les deux choses n'en demeurent pas moins différentes. C'est ce que souligne L. Pirandello, *op. cit.*, p. 15 : « De l'ironie, même quand elle est utilisée à des fins bénéfiques, on ne peut dissocier l'idée de quelque chose de *persifleur* et d'*acerbe*. Or, persifleurs et acerbes, des écrivains indubitablement humoristiques peuvent assurément l'être, mais leur humour ne consiste pas dans cet acerbe persiflage. »

parce que l'humour recèle toujours une douleur cachée, il comporte aussi une sympathie dont l'ironie est dépourvue... »[26] Sympathie dans la douleur, sympathie dans la déréliction, sympathie dans la fragilité, dans l'angoisse, dans la vanité, dans l'insignifiance universelle de tout... L'humour a à voir avec l'absurde, avec le *nonsense*, comme disent les anglophones, avec le désespoir. Non, bien sûr, qu'un propos absurde soit toujours drôle, ni même (si l'on entend par absurde quelque chose qui ne signifie rien) qu'il puisse l'être. On ne peut rire, au contraire, que du sens. Mais tout sens, inversement, n'est pas drôle, et la plupart évidemment ne le sont pas. Le rire ne naît ni du sens ni du non-sens : il naît du passage de l'un à l'autre. Il y a humour quand le sens vacille, quand il se montre en train de s'abolir, dans le geste évanescent (mais comme suspendu en l'air, comme saisi en vol par le rire) de sa présentation-disparition. Par exemple quand Groucho Marx, auscultant un malade, déclare : « Ou ma montre est arrêtée, ou cet homme est mort. » Cela signifie quelque chose, bien sûr, ce n'est drôle, même, que parce que cela a du sens. Mais le sens que cela a n'est ni possible (si ce n'est abstraitement) ni plausible : le sens s'abolit dans l'instant même où il se donne, ou plutôt ne se donne (car s'il était entièrement aboli nous ne ririons pas) qu'*en train de s'abolir*. L'humour est un tremblement de sens, un vacillement de sens, parfois une explosion de sens, bref toujours un mouvement, un processus, mais concentré, ramassé, qui peut d'ailleurs rester plus ou moins proche de son origine (le sérieux du sens) ou au contraire s'approcher davantage de son débouché naturel (l'absurdité du non-sens), et accentuer par là, comme chacun peut l'observer, telle ou telle de ses infinies nuances ou modulations. Mais toujours, me semble-t-il, l'humour sera dans l'entre-deux, dans ce brusque mouvement

26. *Post-scriptum...*, VII, 544, p. 235 de la trad. Tisseau.

(saisi en cours de route, comme figé dans l'instant) entre sens et non-sens. Trop de sens, ce n'est pas encore de l'humour (ce sera souvent de l'ironie) ; trop peu, ce n'en est plus (ce n'est plus que de l'absurde). On retrouve ici un juste milieu quasi aristotélicien : l'humour n'est ni le sérieux (pour qui tout fait sens) ni la frivolité (pour qui rien n'en a). Mais c'est un juste milieu instable, ou équivoque, ou contradictoire, qui dévoile ce qu'il y a de frivole dans tout sérieux, et de sérieux dans toute frivolité. L'homme d'humour, dirait Aristote, rit comme il faut (ni trop ni trop peu), quand il faut, et de ce dont il faut... Mais l'humour seul en décide, qui peut rire de tout, y compris d'Aristote, y compris du juste milieu, y compris de l'humour...

On rira d'autant mieux, ou l'humour sera d'autant plus profond, que le sens touchera des zones plus importantes de notre vie, ou entraînera avec lui, ou fera vaciller, des pans plus vastes de nos significations, de nos croyances, de nos valeurs, de nos illusions, disons de notre sérieux. Parfois c'est la pensée qui semble imploser, par exemple quand Lichtenberg évoque son fameux « couteau sans lame auquel manque le manche ». D'autres fois c'est la vanité de telle ou telle ambition contemporaine, par exemple celle de la vitesse, dans un champ particulier, par exemple celui des méthodes dites de lecture rapide : « J'ai lu tout *Guerre et paix* en vingt minutes, raconte Woody Allen : ça parle de la Russie. » D'autre fois encore c'est le sens même de nos conduites ou réactions qui entre en jeu, qui est comme fragilisé ou remis en cause, brouillant nos valeurs, nos repères, nos prétentions... Woody Allen encore : « Je porte toujours une épée sur moi pour me défendre. En cas d'attaque, j'appuie sur le pommeau, et l'épée se transforme en canne blanche. Alors on vient à mon secours. » On remarquera que, dans ce dernier exemple, il y a moins passage du sens au non-sens que d'un sens (la mâle assurance de l'épée : voilà un homme prêt à se battre) à un autre sens (la ruse un peu lâche de la canne blanche). Mais ce passage d'un sens à l'autre, et du plus estimable au plus ridicule, les fragilise l'un et l'autre, et donne raison par là, au moins virtuellement, au non-sens. D'autres fois encore (les exemples qui suivent sont tous empruntés à Woody Allen), c'est l'angoisse qui s'exprime, mais absurdement, et qui en est comme exorcisée ou mise à distance : « Bien que je n'aie pas peur de la mort, j'aime mieux être ailleurs quand ça se produira. » Ou bien ce sont nos sentiments qui sont relativisés, ou qui se relativisent les uns les autres : « Est-il meilleur d'aimer ou d'être aimé ? Ni l'un ni l'autre si notre taux de cholestérol excède 5,35. » D'autre fois enfin (*enfin*, parce que je vais m'arrêter, mais on pourrait continuer bien sûr à l'infini : toujours il y a du sens à remettre en cause, toujours du sérieux à éloigner), d'autres fois, donc, et pour finir, ce sont nos espérances qui dévoilent ce qu'elles ont de problématique (« l'éternité c'est long, surtout vers la fin »), de sordide (« Si seulement Dieu voulait m'adresser un signe de son existence... S'il me déposait un bon paquet de fric dans une banque suisse, par exemple ! »), ou d'improbable (« Non seulement Dieu n'existe pas, mais essayez de trouver un plombier pendant le week-end ! »)... J'ai suivi ici Woody Allen, à tout seigneur tout honneur. Freud, qui n'eut pas la chance de le connaître, l'aurait apprécié, je crois, lui qui aimait à évoquer cette publicité que faisait une agence américaine de Pompes funèbres : « A quoi bon vivre, quand on peut se faire enterrer pour dix dollars ? »[27] Il y ajoutait ce commentaire : « Dès qu'on s'interroge sur le sens et la valeur de la vie, on est malade, car ni l'un ni l'autre n'existent objectivement... »[28] C'est ce que l'humour manifeste, et dont il s'amuse au lieu de pleurer.

Cela rejoint à nouveau Kierkegaard : « Fatigué du temps

27. Freud, Lettre à Marie Bonaparte, du 13 août 1937 *(« Why live, if you can be buried for ten dollars ? »)*, citée par A. de Mijolla, *Les mots de Freud*, Hachette, 1982, p. 236. Les citations de Woody Allen sont empruntées à ses *Opus 1* et *2*, trad. franç., rééd. Seuil, coll. « Point virgule », 1985 et 1986.
28. *Ibid.*

et de sa succession sans fin, l'humoriste s'en détache d'un saut et trouve un soulagement humoristique à constater l'absurde. »[29] Mais c'était moins, pour Kierkegaard, la vérité de l'humour que sa « falsification », sa « rétractation » ou « révocation »[30], par quoi l'humour trahit sa vocation vraie, qui est de mener de l'éthique au religieux[31], d'être ainsi « le dernier stade de l'existence intérieure avant la foi »[32], d'être même, comme disait Kierkegaard, l'*incognito* de la religiosité dans l'éthique, tout comme l'ironie était l'*incognito* de l'éthique dans l'esthétique[33] ! Je n'en crois rien, bien sûr. S'il est vrai que l'humour met en cause le sérieux de l'éthique, le relativise, le suspecte, s'amuse de sa vanité, de ses prétentions, etc., il met en cause tout aussi bien le sérieux de l'esthète, quand sérieux il y a (chez le snob, chez l'homme à femmes...), ou celui, plus fréquent, plus essentiel, de l'homme religieux. Rire de l'éthique au nom d'un sens supérieur (par exemple au nom de la foi), ce ne serait pas de l'humour, ce serait de l'ironie. L'humour rira plutôt de l'éthique (ou de l'esthétique, ou de la religion...) au nom d'un sens inférieur, donc (tendanciellement) au nom du non-sens ou, simplement, de la vérité. Par exemple ceci, qui est de Pierre Desproges : « Le Seigneur a dit : "Tu aimeras ton prochain comme toi-même." Personnellement, je préfère moi-même, mais je ne ferai pas entrer mes opinions personnelles dans ce débat. » Ou cela, qui est de Woody Allen : « Toujours obsédé par l'idée de la mort, je médite constamment. Je ne

---

29. *Op. cit.*, VII, 279, p. 272 de la trad. Tisseau, t. X (d'après la trad., qui me paraît ici plus heureuse, de P. Petit, Gallimard, rééd. 1989, coll. « Tel », p. 195).

30. *Ibid.*, et VII, 544-546, t. XI, p. 235-237 de la trad. Tisseau (p. 374-375 de la trad. Petit).

31. *Op. cit.*, VII, 492 sq., p. 188 et s. de la trad. Tisseau, t. XI (p. 339 et s. de la trad. Petit).

32. *Ibid.*, VII, 278, p. 271 de la trad. Tisseau (t. X), p. 195 de la trad. Petit.

33. *Ibid.*., VII, 490-512, p. 187-207 (trad. Tisseau, t. XI) ou 338-352 (trad. Petit).

cesse de me demander s'il existe une vie ultérieure, et s'il y en a une, peut-on m'y faire la monnaie de vingt dollars ? » Il n'y a que la vérité qui soit drôle, en tout cas qui soit humoristique, qui puisse l'être, et c'est pourquoi le non-sens, si souvent, nous amuse : parce que rien n'est vrai, dans le sens, que par le sérieux que nous y mettons, que l'humour ne supprime pas (puisqu'on ne peut plaisanter toujours, puisqu'on ne doit, puisque l'humour suppose, pour en rire, que le sens soit en quelque chose maintenu), mais qu'il relativise, qu'il allège, qu'il met à distance, qu'il fragilise heureusement, vis-à-vis de quoi enfin il nous libère (puisqu'on peut plaisanter de tout) sans l'abolir (puisque l'humour laisse le réel inchangé, et puisque nos désirs, nos croyances, nos illusions en font partie). L'humour est une désillusion joyeuse. C'est en quoi il est doublement vertueux, ou peut l'être : comme désillusion, il touche à la lucidité (donc à la bonne foi) ; comme joie, il touche à l'amour, et à tout.

L'esprit, répétons-le avec Alain, se moque de tout. Quand il se moque de ce qu'il déteste ou méprise, c'est de l'ironie. Quand il se moque de ce qu'il aime ou estime, c'est de l'humour. Ce que j'aime le plus, ce que j'estime le plus facilement ? « Moi-même », comme disait Desproges. Cela dit assez la grandeur de l'humour, et sa rareté. Comment ne serait-ce pas une vertu ?

18

L'amour

Le sexe ni le cerveau ne sont des muscles, ni ne peuvent l'être. Il en découle plusieurs conséquences importantes, dont la moindre n'est pas celle-ci : on n'aime pas ce qu'on veut, mais ce qu'on désire, mais ce qu'on aime, et qu'on ne choisit pas. Comment choisirait-on ses désirs ou ses amours, puisqu'on ne peut choisir — fût-ce entre plusieurs désirs différents, entre plusieurs amours différents — qu'en fonction d'eux ? L'amour ne se commande pas, et ne saurait en conséquence être un devoir[1]. Sa présence dans un traité des vertus devient dès lors problématique ? Peut-être. Mais il faut dire aussi que vertu et devoir sont deux choses différentes (le devoir est une contrainte, la vertu, une liberté), nécessaires toutes deux, certes, solidaires l'une de l'autre, évidemment, mais plutôt complémentaires, voire symétriques, que semblables ou confondues. Cela est vrai, me semble-t-il, de toute vertu : plus on est généreux, par exemple, et moins la bienfaisance apparaît comme un devoir, c'est-à-dire comme une

---

1. Kant, *Critique de la raison pratique*, Des mobiles de la raison pure pratique, p. 87 de la trad. Picavet, PUF, 1971, et surtout *Doctrine de la vertu*, Introduction, XII, *c*, « De l'amour des hommes », p. 73-74 de la trad. Philonenko, Vrin, 1968 : « L'amour est une affaire de *sentiment* et non de *volonté*, et je ne peux aimer parce que je le *veux*, encore moins parce que je le *dois* (être mis dans la nécessité d'aimer) ; il s'ensuit qu'un *devoir d'aimer* est un non-sens » (c'est Kant qui souligne).

contrainte[2]. Mais c'est vrai *a fortiori* de l'amour. « Ce qu'on fait par amour s'accomplit toujours par-delà le bien et le mal », disait Nietzsche[3]. Je n'irais pas jusque-là, puisque l'amour est le bien même. Mais par-delà le devoir et l'interdit, oui, presque toujours et c'est tant mieux ! Le devoir est une contrainte (un « joug », dit Kant)[4], le devoir est une tristesse, alors que l'amour est une spontanéité joyeuse. « Ce que l'on fait par contrainte, écrit Kant, on ne le fait pas par amour. »[5] Cela se

2. Sur le devoir comme contrainte, voir Kant, *Critique de la raison pratique*, Analytique (spécialement les chapitres 1 et 3), ainsi que *Doctrine de la vertu*, Introduction, I. Dans ce dernier texte, Kant montre que la loi morale ne prend la forme du *devoir* que pour des êtres raisonnables « qui manquent assez de sainteté pour avoir envie de violer la loi morale, bien qu'ils en reconnaissent l'autorité, et, lorsqu'ils lui obéissent, pour ne le faire que *contre leur gré* (en résistant à leur penchant), en quoi consiste précisément la contrainte » (p. 49-50 de la trad. Philonenko, c'est toujours Kant qui souligne). Même idée au § 4 : « Le devoir est une *contrainte* en vue d'une fin qui n'est pas voulue de bon gré » (p. 56). Si l'on admet (contre Kant, mais avec Aristote et tous les Anciens) que la vertu suppose au contraire qu'on agisse *de bon gré*, il en résulte que devoir et vertu tendront à évoluer, en toute volonté bonne, en proportion inverse : que, par exemple, celui qui ne donnera que *par devoir*, et donc, si l'on peut dire, *de bonne volonté mais de mauvais gré*, ne sera pas pour autant généreux (ce n'est qu'un avare qui se force, un avare moral, et certes cela vaut mieux qu'un avare qui ne se force pas), et qu'inversement, pour l'homme vraiment généreux, le don ou la bienfaisance auront cessé d'être des contraintes et donc (puisqu'il donne *de bon gré*) des devoirs. Ces deux extrêmes restent théoriques : il n'a jamais existé sans doute de pure vertu sans aucune contrainte (ce serait sainteté) ni, selon toute vraisemblance, de pure obéissance au devoir sans aucune vertu (ce serait moralité sans cœur, sans plaisir, sans amour, moralité tout entière de mauvais gré : triste moralité !). Ce qui existe réellement, ce que chacun peut expérimenter, ce sont les degrés intermédiaires, mais qui ne sont tels que par rapports à ces deux extrêmes qui, pour théoriques qu'ils soient, et peut-être parce qu'ils le sont, restent éclairants. On pourrait d'ailleurs dire la même chose autrement, et mieux, en distinguant deux types de vertu : une vertu seulement morale (la vertu selon Kant : agir par devoir) et une vertu éthique (la vertu selon Aristote ou Spinoza : faire le bien de bon gré, et joyeusement). Nous avons bien sûr besoin des deux, et d'autant plus de la première, hélas, que nous sommes moins capables de la seconde... Voir à ce propos ce que j'écrivais dans *Vivre*, p. 115 à 133, et dans *Valeur et vérité*, p. 183 à 205.

3. *Par-delà le bien et le mal*, aph. 153 (trad. G. Bianquis, rééd. « 10-18 », 1973, p. 130).

4. *Critique de la raison pratique*, Analytique, chap. 3, p. 89 de la trad. Picavet.

5. *Doctrine de la vertu*, Introd., XII, *c*, p. 73 de la trad. Philonenko.

retourne : ce qu'on fait par amour, on ne le fait pas par contrainte ni, donc, par devoir. Chacun le sait, et que certaines de nos expériences les plus évidemment éthiques n'ont pour cela rien à voir avec la morale, non parce qu'elles la contredisent, certes, mais parce qu'elles n'ont pas besoin de ses obligations. Quelle mère nourrit son enfant *par devoir* ? Et quelle plus atroce expression que celle de *devoir conjugal* ? Quand l'amour est là, quand le désir est là, qu'a-t-on besoin du devoir ? Qu'il y ait une vertu conjugale, en revanche, qu'il y ait une vertu maternelle, et dans le plaisir même, et dans l'amour même, oui, assurément ! On peut donner le sein, on peut se donner soi, on peut aimer, on peut caresser, avec plus ou moins de générosité, plus ou moins de douceur, plus ou moins de pureté, plus ou moins de fidélité, plus ou moins de prudence, quand il en faut, plus ou moins d'humour, plus ou moins de simplicité, plus ou moins de bonne foi, plus ou moins d'amour... Qu'est-ce autre que nourrir son enfant ou faire l'amour vertueusement, c'est-à-dire excellemment ? Il y a une manière médiocre, égoïste, haineuse parfois de faire l'amour. Et il y en a une autre, ou plusieurs autres, et autant que d'individus ou de couples, de le faire bien, ce qui est bien faire, et ce qui est vertu. L'amour physique n'est qu'un exemple, qu'il serait aussi absurde de surévaluer, comme beaucoup font aujourd'hui, qu'il l'a été, pendant des siècles, de le diaboliser. L'amour, s'il naît de la sexualité, comme le veut Freud et comme je le crois volontiers, ne saurait s'y réduire, et va bien au-delà, en tout cas, de nos petits ou grands plaisirs érotiques. C'est toute notre vie, privée ou publique, familiale ou professionnelle, qui ne vaut qu'à proportion de l'amour que nous y mettons ou y trouvons. Pourquoi serions-nous égoïstes, si nous ne nous aimions nous-mêmes ? Pourquoi travaillerions-nous, n'était l'amour de l'argent, du confort ou du travail ? Pourquoi la philosophie, n'était l'amour de la sagesse ? Et si je n'aimais la philosophie, pourquoi tous ces livres ? Pourquoi celui-ci, si je n'aimais les vertus ? Et pourquoi le lirais-tu, lecteur, si tu ne partageais tel ou tel de ces amours ? L'amour ne se commande pas, puisque c'est l'amour qui commande.

Cela vaut aussi, bien sûr, dans notre vie morale ou éthique. Nous n'avons besoin de morale que faute d'amour, répétons-le, et c'est pourquoi, de morale, nous avons tellement besoin ! C'est l'amour qui commande, mais l'amour fait défaut : l'amour commande en son absence, et par cette absence même. C'est ce que le devoir exprime ou révèle, qui ne nous contraint à faire que ce que l'amour, s'il était là, suffirait, sans contrainte, à susciter. Comment l'amour pourrait-il commander autre chose que lui-même, qui ne se commande pas, ou autre chose du moins que ce qui lui ressemble ? On ne commande que l'action, et cela dit l'essentiel : ce n'est pas l'amour que la morale prescrit ; c'est d'accomplir, par devoir, cette même action que l'amour, s'il était là, aurait déjà librement accompli. Maxime du devoir : *Agis comme si tu aimais.*

Au fond, c'est ce que Kant appelait l'amour pratique : « L'amour envers les hommes est possible, à vrai dire, mais il ne peut être commandé, car il n'est au pouvoir d'aucun homme d'aimer quelqu'un simplement par ordre. C'est donc simplement l'*amour pratique* qui est compris dans ce noyau de toutes les lois. [...] Aimer le prochain signifie pratiquer *volontiers* tous ses devoirs envers lui. Mais l'ordre qui nous en fait une règle ne peut pas non plus commander d'*avoir* cette intention dans les actions conformes au devoir, mais simplement d'y *tendre*. Car le commandement que l'on doit faire quelque chose volontiers est en soi contradictoire. »[6] L'amour n'est pas un commandement : c'est un idéal (« l'idéal de la sainteté », dit Kant)[7]. Mais cet idéal nous guide, et nous éclaire.

---

6. *Critique de la raison pratique*, « Des mobiles de la raison pure pratique », p. 87 de la trad. Picavet.
7. *Ibid.*, p. 87-88.

On ne naît pas vertueux ; on le devient. Comment ? Par l'éducation : par la politesse, par la morale, par l'amour. La politesse, on l'a vu, est un semblant de morale : agir poliment, c'est agir *comme si* l'on était vertueux[8]. Par quoi la morale commence, au plus bas, en imitant cette vertu qui lui manque et dont pourtant, par l'éducation, elle s'approche et nous approche. La politesse, dans une vie bien conduite, a pour cela de moins en moins d'importance, quand la morale en a de plus en plus. C'est ce que les adolescents découvrent, et nous rappellent. Mais ce n'est que le début d'un processus, qui ne saurait s'arrêter là. La morale, pareillement, est un semblant d'amour : agir moralement, c'est agir *comme si* l'on aimait. Par quoi la morale advient et continue, en imitant cet amour qui lui manque, qui nous manque, et dont pourtant, par l'habitude, par l'intériorisation, par la sublimation, elle s'approche et nous approche, elle aussi, au point parfois de s'abolir dans cet amour qui l'attire, qui la justifie, et la dissout. Bien agir, c'est faire d'abord ce qui se fait (politesse), puis ce qui *doit* se faire (morale), enfin parfois c'est faire ce que l'on veut, pour peu qu'on aime (éthique). Comme la morale libère de la politesse en l'accomplissant (seul l'homme vertueux n'a plus à agir comme s'il l'était), l'amour, qui accomplit à son tour la morale, nous en libère : seul celui qui aime n'a plus à agir comme s'il aimait. C'est l'esprit des Evangiles (« Aime, et fais ce que tu veux »)[9], par quoi le Christ nous libère de la Loi, explique Spinoza, non en l'abolissant, comme l'a voulu stupidement Nietzsche, mais en l'accomplissant (« Je ne suis pas venu abolir mais accomplir... »)[10], c'est-à-dire, commente Spinoza, en la confirmant

---

8. *Supra*, chap. 1.

9. Comme disait excellemment saint Augustin, dans une formule qui n'a bien sûr rien à voir avec le laxisme, mais qui est au contraire la plus exigeante, en même temps que la plus libératrice, qui soit (*Commentaire de la première Épître de saint Jean*, VII, 8, p. 328-329 de la trad. Agaësse, Cerf, 1961).

10. *Evangile selon saint Matthieu*, V, 17.

et en l'inscrivant à jamais « au fond des cœurs »[11]. La morale
est ce semblant d'amour, par quoi l'amour devient possible,
qui en libère. Elle naît de la politesse et tend à l'amour : elle
nous fait passer de l'une à l'autre. C'est pourquoi, même aus-
tère, même rebutante, nous l'aimons. Encore faut-il aimer l'amour ? Sans doute, mais nous l'aimons en effet (puisque nous aimons au moins être aimés), ou
la morale ne peut rien pour qui ne l'aimerait pas. Sans cet
amour de l'amour nous sommes perdus, et c'est peut-être la
définition vraie de l'enfer, je veux dire de la damnation, de la
perdition, ici et maintenant. Il faut aimer l'amour ou n'aimer
rien, aimer l'amour ou se perdre. Quelle contrainte autrement ? Quelle morale ? Quelle éthique ?[12] Sans l'amour, que
resterait-il de nos vertus ? Et que vaudraient-elles, si nous ne
les aimions pas ? Pascal, Hume et Bergson sont plus éclairants
ici que Kant : la morale vient du sentiment davantage que
de la logique, du cœur plus que de la raison[13], et la raison

11. Spinoza, *Traité théologico-politique*, chap. 4, p. 93 de l'éd. Appuhn, G.-F.,
1965 (« il les libéra de la servitude de la loi et néanmoins la confirma et l'écrivit à
jamais au fond des cœurs »). Sur la différence, de ce point de vue, entre Nietzsche et
Spinoza, voir ma contribution à *Pourquoi nous ne sommes pas nietzschéens*, sous la dir. de
L. Ferry et A. Renaut, Grasset, coll. « Le collège de philosophie », 1991, spécialement aux p. 65 à 68, ainsi que mon intervention au colloque sur Nietzsche et le
judaïsme, *De Sils-Maria à Jérusalem*, sous la dir. de D. Bourel et J. Le Rider, Cerf,
1991 (« Nietzsche et Spinoza », p. 47 à 66).
12. Sur la différence entre morale et éthique (et sur la morale comme *semblant
d'amour*), voir mon article « Morale ou éthique ? », dans *Valeur et vérité*, PUF, 1994,
p. 183-205.
13. Pascal, *Pensées*, 513-4 (éd. Lafuma). Hume, *Traité de la nature humaine*,
livre III, première partie, sections 1 et 2 (p. 569 à 592 de la trad. Leroy, Aubier,
1983) ; voir aussi l'*Enquête sur les principes de la morale*, spécialement l'appendice I,
p. 205 à 216 de la trad. Baranger-Saltel, G.-F., 1991. Bergson, *Les deux sources de la
morale et de la religion*, p. 85 à 99 (p. 1046 à 1057 de l'éd. du centenaire, rééd. PUF,
1970). Aristote, avant eux tous, notait déjà qu' « il n'y a qu'un seul principe moteur,
la faculté désirante », et que « l'intellect ne meut manifestement pas sans le désir »
(*De anima*, III, 10, 433 *a*, 21-24, p. 204 de la trad. Tricot, rééd. Vrin, 1982 ; voir
aussi II, 3, 414 *b*, 1-5, p. 81). C'est un des nombreux points où Epicure et Lucrèce
seraient d'accord avec Aristote.

elle-même n'y commande (par l'universalité) ou n'y sert (par la prudence) que pour autant que nous le désirons. Kant est plaisant, qui prétend combattre l'égoïsme ou la cruauté par le principe de non-contradiction ! Comme si celui qui n'hésite pas à mentir, à tuer, à torturer, allait se soucier de ce que la maxime de son action puisse ou pas être érigée, sans contradiction, en loi universelle ! Que lui fait la contradiction ? Que lui fait l'universel ? Nous n'avons besoin de morale que faute d'amour. Mais nous n'en sommes capables, et nous ne ressentons ce besoin, que par le peu d'amour, fût-ce de nous-même, qui nous a été donné, que nous avons su garder, rêver ou retrouver...

L'amour est donc premier, non absolument sans doute (car alors il serait Dieu), mais par rapport à la morale, au devoir, à la Loi. C'est l'alpha et l'oméga de toute vertu. D'abord la mère et son enfant. D'abord la chaleur des corps et des cœurs. D'abord la faim et le lait. D'abord le désir, d'abord le plaisir. D'abord la caresse qui apaise ou console, d'abord le geste qui protège ou nourrit, d'abord la voix qui rassure, d'abord cette évidence : une mère qui allaite ; et puis cette surprise : un homme sans violence, qui veille sur un enfant qui dort. Si l'amour n'était antérieur à la morale, qu'aurions-nous su de la morale ? Et qu'a-t-elle à nous proposer de mieux que l'amour dont elle vient, qui lui manque, qui la meut, qui l'attire ? Cela même qui la rend possible est aussi ce vers quoi elle tend, et qui en libère. Cercle ? Si l'on veut, mais point vicieux, puisque d'évidence ce n'est pas le même amour au début et à la fin. L'un est la condition de la Loi, sa source, son origine. L'autre serait plutôt son effet, son dépassement, et sa plus belle réussite. C'est l'alpha et l'oméga des vertus, disais-je, autrement dit deux lettres différentes, deux amours différents (au moins deux !), avec, de l'un à l'autre, tout l'alphabet de vivre... Cercle, donc, mais vertueux, par quoi la vertu devient possible. On ne sort pas de l'amour, puisqu'on ne sort pas du désir. Mais le désir change d'objet sinon de nature, mais l'amour se transforme et nous transforme. Cela justifie qu'on prenne, avant de parler de *vertu* proprement, quelque recul. Qu'est-ce que l'amour ? C'est la grande question. Je voudrais proposer trois réponses, qui s'opposent moins (quoiqu'elles s'opposent, on le verra) qu'elles ne se complètent. Je n'invente aucune des trois. L'amour n'est pas à ce point méconnu, ni la tradition si aveugle, qu'il faille en inventer la définition ! Tout a été dit, peut-être. Il reste à le comprendre.

Eros

La première définition, d'où je voudrais partir, est celle de Platon, dans le *Banquet*. C'est sans doute le livre le plus fameux de son auteur (du moins quand on sort du cercle des philosophes de métier, qui préféreront la *République*), et il le doit pour beaucoup à son objet. L'amour intéresse tout le monde, et plus que tout. D'ailleurs, quel sujet intéressant, si ce n'est par l'amour qu'on y met ou qu'on y cherche ?

Rappelons l'argument, comme on dirait d'une pièce de théâtre, et au fond c'en est une. Plusieurs amis sont réunis chez Agathon, pour fêter son succès, quelques jours plus tôt, à un concours de tragédie. C'est un banquet, donc, strictement : l'on y mange et l'on y boit. Mais surtout, l'on y parle. De quoi ? De l'amour *(érôs)*. Non qu'on s'y fasse des confidences, ou guère. C'est un repas d'hommes : l'amour y brille surtout par son absence ou, disons, par son idée. C'est plutôt une définition qu'ils cherchent, chacun voulant saisir l'essence de l'amour en faisant son éloge, ou le louer en disant ce qu'il est. Cela même est assez caractéristique, qui suggère qu'il est de l'essence de l'amour d'être bon, en tout cas d'être aimé, célébré, glorifié. Prudence, donc. Car que prouve la gloire ? Trop d'enthousiasme peut brouiller les esprits, c'est d'ailleurs ce qu'on voit dans le *Banquet* et que Socrate reprochera à ses amis : ils ont sacrifié la vérité à l'éloge, quand c'est évidemment l'inverse qu'il faudrait faire[14]. Cette évidence est philosophique. Elle est la philosophie même. D'abord la vérité, qui n'est soumise à rien, à quoi tout le reste, éloges ou blâmes, doit être soumis. Ce n'est pas sortir de l'amour, dont Socrate ne cesse de répéter que c'est le sujet par excellence du philosophe, le seul au fond qui l'intéresse, lui, Socrate, dont il se veuille expert[15]. Mais s'agissant du discours ou de la pensée, l'amour de la vérité doit l'emporter sur tout autre, y compris sur l'amour de l'amour. Le discours autrement n'est plus qu'éloquence, sophistique ou idéologie. Mais laissons. Je n'évoque que pour mémoire les premiers discours, qui n'ont pas tant d'importance : celui de Phèdre, qui veut montrer qu'Eros est le dieu le plus ancien (puisqu'il n'a ni père ni mère) et le plus utile (par l'émulation) pour l'homme comme pour la Cité ; celui de Pausanias, distinguant l'amour populaire, qui aime le corps plus que l'âme, de l'amour céleste, qui aime l'âme plus que le corps et reste pour cela « fidèle toute sa vie, parce qu'il s'est uni à une chose durable », alors que l'amour des corps, comme chacun sait, périt en même temps que leur beauté ; celui du médecin Eryximaque, qui célèbre « l'universelle puissance d'Eros » et en tire une espèce de pan-érotisme, aussi bien médical qu'esthétique et cosmologique, sans doute inspiré d'Hésiode, Parménide ou Empédocle ; enfin le discours d'Agathon, qui loue en Eros la jeunesse, la délicatesse, la beauté, la douceur, la

14. Platon, *Le Banquet*, 198 *c* - 199 *b*.
15. Voir par exemple le *Banquet*, 177 *d* (« moi qui fais profession de ne savoir que l'amour »), 198 *d* (où Socrate se déclare « expert en amour »), 212 *b* (« je m'y adonne plus qu'à tout »)... Voir aussi le *Lysis*, 204 *b-c*.

justice, la tempérance, le courage, l'habileté, bref toutes les vertus, puisqu'il est l'origine de toutes[16]. Tous ces discours, même brillants, sont d'un intérêt plutôt inégal, et la tradition ne les a guère retenus. Quand on parle du *Banquet*, c'est pour évoquer presque toujours l'un des deux discours que j'ai jusqu'à présent omis, celui d'Aristophane, avec son célèbre mythe dit « des androgynes », et celui bien sûr de Socrate. C'est ce dernier, cela va de soi, qui dit la vérité de l'amour selon Platon, et pas seulement selon Platon. L'étrange est qu'on cite plus souvent celui d'Aristophane, qui est le seul, je l'ai vérifié bien souvent, que le grand public retienne, pour en célébrer presque toujours la profondeur, la poésie, la vérité... Oublié, Socrate ! Oublié, Platon ! Ce n'est pas par hasard. Aristophane nous dit exactement, sur l'amour, ce que nous voudrions tous croire (c'est l'amour tel qu'on le rêve, l'amour comblé et comblant : la passion heureuse) ; alors que Socrate dit l'amour tel qu'il est, voué au manque, à l'incomplétude, à la misère, et nous vouant pour cela au malheur ou à la religion. Mais il faut entrer un peu, ici, dans les détails.

D'abord, donc, le discours d'Aristophane[17]. C'est un

---

16. *Ibid.*, 178 *a* - 197 *e* (je cite ordinairement le *Banquet* d'après la traduction d'Emile Chambry, rééd. G.-F., 1964, qu'il m'arrivera toutefois de modifier quelque peu, en m'appuyant alors sur les trad. de L. Robin, dans la Pléiade, et de P. Vicaire, aux Belles Lettres). Pour une analyse et un commentaire de ces différents discours, voir la notice très détaillée de L. Robin, *Le Banquet*, Paris, Les Belles Lettres, rééd. 1992 (avec une trad. nouvelle de P. Vicaire), ainsi, dans un genre très différent, que le *séminaire* (incroyablement bavard mais suggestif) de J. Lacan, *Le transfert (Séminaire, VIII)*, Seuil, 1991, spécialement aux p. 29 à 195. Sur le rôle cosmologique de l'amour chez Hésiode, Parménide et Empédocle, voir Aristote, *Métaphysique*, A, 4, 984 *b* 23 - 985 *a* 10 (p. 36-37 de la trad. Tricot). Enfin, signalons un étonnant *remake* du *Banquet* (qui s'appuie partiellement sur les thèses de Francesco Alberoni, Boris Cyrulnik, Eric Fuchs et Jacques Lacan), dans le livre inclassable et stimulant d'Hubert Aupetit et Catherine Tobin, *L'amour déboussolé*, Paris, Ed. François Bourin, 1993.
17. Platon, *Le Banquet*, 189 *a* - 193 *e* (cette référence valant, sauf précision contraire, pour toutes les citations qui suivent, jusqu'à la fin de ce paragraphe).

poète qui parle. « Jadis, explique-t-il, notre nature n'était pas ce qu'elle est à présent, elle était bien différente. » Nos ancêtres, en effet, étaient doubles, du moins si on les compare à ce que nous sommes, et d'une unité pourtant parfaite, qui nous fait défaut : « Chaque homme constituait un tout, de forme sphérique, avec un dos et des flancs arrondis ; ils avaient quatre mains, autant de jambes, deux visages tout à fait pareils sur un cou parfaitement rond, mais une tête unique pour l'ensemble de ces deux visages opposés l'un à l'autre ; ils avaient quatre oreilles, deux organes de la génération, et tout le reste à l'avenant. » Cette dualité génitale, spécialement, explique qu'il y eût alors non pas deux mais trois genres dans l'espèce humaine : les mâles, qui avaient deux sexes d'homme, les femelles, qui avaient deux sexes de femme, et les androgynes, qui portaient, comme leur nom l'indique, l'un et l'autre sexes. Le mâle, explique Aristophane, était né du Soleil, la femelle de la Terre, l'espèce mixte de la Lune, qui participe de l'un et de l'autre. Ils étaient tous d'une force et d'une vaillance exceptionnelles, au point qu'ils tentèrent d'escalader le ciel pour combattre les dieux. Zeus, pour les punir, décide alors de les couper en deux, de haut en bas, comme on coupe un œuf. C'en était fini de la complétude, de l'unité, du bonheur ! Chacun depuis en est réduit à chercher *sa moitié*, comme on dit, et c'est une expression qu'il faut ici prendre à la lettre : jadis, « nous formions un tout complet (...), jadis nous étions un » ; mais nous voilà « séparés d'avec nous-mêmes », n'ayant de cesse de retrouver ce *tout* que nous étions. Cette recherche, ce désir, c'est ce qu'on appelle l'amour, et la condition, quand il est satisfait, du bonheur. Seul l'amour en effet « recompose l'antique nature, s'efforçant de fondre deux êtres en un seul et de guérir la nature humaine ». On comprend que l'on sera homosexuel ou hétérosexuel selon que l'unité perdue était entièrement homme ou femme (homosexualité masculine ou féminine) ou bien, au contraire, androgyne (hétérosexualité).

Ce dernier cas de figure ne jouit pour Aristophane d'aucun privilège, tant s'en faut (on peut supposer qu'il vaut mieux être né de la Lune que de la Terre, mais rien sans doute ne saurait égaler une origine solaire...), et c'est à tort de ce point de vue qu'on parle du mythe des androgynes, qui ne sont qu'une partie de l'humanité originelle, non certes la meilleure. Mais peu importe. Ce que le public retient, et légitimement, c'est surtout que le mythe d'Aristophane donne raison au mythe de l'amour, je veux dire à l'amour tel qu'on le parle, tel qu'on le rêve, tel qu'on y croit, à l'amour comme religion ou comme fable, au Grand Amour, total, définitif, exclusif, absolu... « Quand donc un homme, qu'il soit porté pour les garçons ou pour les femmes, rencontre celui-là même qui est sa moitié, c'est un prodige que les transports de tendresse, de confiance et d'amour dont ils sont saisis ; ils ne voudraient plus se séparer, ne fût-ce qu'un instant. » Ce qu'ils désirent ? « Se réunir et se fondre avec l'objet aimé, et ne plus faire qu'un au lieu de deux. » C'est la définition même de l'amour fusionnel, qui nous ferait revenir à l'unité de « notre nature première », comme dit Aristophane, qui nous libérerait de la solitude (puisque les amants, comme « soudés ensemble », ne se quitteraient plus), et qui serait, dans cette vie comme dans l'autre, « le plus grand bonheur que l'on puisse atteindre ». Amour total, amour absolu, puisqu'on n'y aime que soi enfin rétabli dans sa complétude, dans son unité, dans sa perfection. Amour exclusif, puisque chacun, n'ayant par définition qu'une seule moitié, ne saurait vivre qu'un seul amour. Amour définitif enfin (sauf à s'être trompé, mais alors ce n'est pas le grand amour...), puisque l'unité originelle nous précède et, une fois rétablie, nous comble jusqu'à la mort et même, promet Aristophane, au-delà... Oui, décidément, il n'y a rien, dans nos rêves d'amour les plus fous, qui ne se retrouve dans ce mythe et qui n'en soit comme justifié. Mais que valent nos rêves ? Et que prouve un mythe ? Les mêmes valeurs, les mêmes croyances, les mêmes illusions se retrouvent aussi dans bien des romans à l'eau de rose, et cela ne prouve pas plus dans un cas que dans l'autre. Aristophane décrit l'amour tel qu'on le rêve, tel que nous l'avons vécu peut-être avec notre mère, c'est en tout cas ce que suggère Freud, ou en elle, je ne sais, mais que nul ne peut vivre à nouveau, que nul ne vit, sauf pathologie ou mensonge, que nul ne vivra, sauf miracle ou délire. On dira qu'ici je me donne raison à l'avance, postulant ce qu'il faudrait démontrer. Soit. Je reconnais que j'ai Aristophane et l'eau de rose contre moi. Mais Platon avec, qui détestait Aristophane[18], mais Lucrèce avec (et Pascal, et Spinoza, et Nietzsche, et toute la philosophie...), mais Freud, Rilke ou Proust avec... On me dira que l'essentiel n'est pas dans les livres, ce que j'accorde bien volontiers. Mais où sont, dans la vie réelle, les contre-exemples, et que prouvent-ils ? Il arrive, rarement, qu'on évoque devant moi tel couple qui aurait vécu cela, cette fusion, cette absoluité, cette complétude... On m'a aussi parlé de plusieurs personnes qui ont vu distinctement la Vierge Marie, et je n'y attache pas davantage d'importance. Hume a dit l'essentiel, sur les miracles, qui vaut contre l'amour comme miracle. Un témoignage n'est jamais que probable, et doit être pour cela confronté à la probabilité de ce qu'il énonce : si l'événement est plus improbable que la fausseté du témoignage, les raisons mêmes qui nous font croire à celui-ci (sa probabilité, aussi grande soit-elle) doivent nous faire douter de sa véracité (puisque cette probabilité ne saurait compenser l'improbabilité plus grande du fait en question). Or c'est le cas, par définition, dans tous les miracles, auxquels il est donc déraisonnable de croire.[19] Je ne m'éloigne pas de mon sujet : quoi de plus improbable, quoi de plus miraculeux, quoi de plus contraire à notre expérience quotidienne, que ces deux êtres qui n'en font qu'un ? Puis je

18. L. Robin, *op. cit.*, p. LIX à LXIII.
19. Hume, *Enquête sur l'entendement humain*, section X.

me fie aux corps, davantage qu'aux livres ou aux témoins. Il faut être deux pour faire l'amour (au moins deux !), et c'est en quoi le coït, loin d'abolir la solitude, la confirme. Les amants le savent bien. Les âmes pourraient se fondre peut-être, si elles existaient. Mais ce sont des corps qui se touchent, qui s'aiment, qui jouissent, qui demeurent... Lucrèce a bien décrit, dans l'étreinte amoureuse, cette fusion qui se cherche, parfois, souvent, mais qui jamais ne se trouve, ou qui ne se trouve, ou ne croit se trouver (parce que l'ego, soudain, s'est comme aboli), que pour, aussitôt, se perdre :

> « Membres accolés, ils jouissent de cette fleur de jeunesse, déjà leur corps devine la volupté prochaine ; Vénus va ensemencer le champ de la femme ; ils pressent avidement le corps de leur amante, ils mêlent leur salive à la sienne, ils respirent son souffle, les dents collées contre sa bouche : vains efforts, puisqu'ils ne peuvent rien dérober du corps qu'ils embrassent, non plus qu'y pénétrer et s'y fondre tout entiers. Car c'est là par moments ce qu'ils semblent vouloir faire... »[20]

De là l'échec, toujours, et la tristesse si souvent. Ils voulaient ne faire qu'un, et les voilà plus *deux* que jamais... « De la source même des plaisirs, écrit magnifiquement Lucrèce, surgit je ne sais quelle amertume, qui jusque dans les fleurs prend l'amant à la gorge... »[21] Cela ne prouve rien contre le plaisir, quand il est pur, rien contre l'amour, quand il est vrai. Mais cela prouve quelque chose contre la fusion, que le plaisir récuse lors même qu'il croyait y atteindre. *Post coïtum omne animal triste...* C'est qu'il est rendu à lui-même, à sa solitude, à sa banalité, à ce grand vide en lui du désir disparu. Ou s'il échappe à la tristesse, cela arrive, c'est par l'émerveillement du plaisir, de l'amour, de la gratitude, bref par la rencontre, qui suppose la dualité, et jamais par la fusion des êtres ou l'abolition des différences. Vérité de l'amour : mieux

20. Lucrèce, *De rerum natura*, IV, 1105-1112.
21. *Ibid.*, 1133-1134.

vaut le faire que le rêver. Deux amants qui jouissent simulta-
nément (ce qui n'est pas le plus fréquent, mais passons), cela
fait deux plaisirs différents, l'un à l'autre mystérieux, deux
spasmes, deux solitudes. Le corps en sait plus sur l'amour que
les poètes, du moins que ces poètes-là — presque tous — qui
nous mentent sur le corps. De quoi ont-ils peur ? De quoi
veulent-ils se consoler ? D'eux-mêmes peut-être, de cette
grande folie du désir (ou de sa petitesse après coup ?), de
cette bête en eux, de cet abîme si tôt comblé (ce peu profond
ruisseau glorifié : le plaisir), et de cette paix, soudain, qui ressemble à une mort... La solitude est notre lot, et ce lot c'est le
corps.

Socrate, qui ne me suivrait pas sur ce terrain-là, en tout
cas le Socrate de Platon, n'en suit pas davantage Aristophane. Parce qu'il ne suit personne ? Au contraire. S'il va
nous dire « la vérité sur Eros », « la vérité sur l'Amour »[22], et
s'il semble parler d'abord en son nom propre, il nous
annonce bien vite que cette vérité, il ne l'a pas inventée : il la
tient d'une femme, Diotime (et il n'est pas indifférent sans
doute que sur l'amour Socrate, qui n'est guère coutumier du
fait, se fasse ainsi le disciple d'une femme), dont il nous rapporte les propos. Or, que dit-elle ? Ou que dit Socrate, de ce
qu'elle lui a dit ? D'abord que l'amour n'est pas Dieu, ni un
dieu. Tout amour, en effet, est amour de quelque chose, qu'il
désire et qui lui manque[23]. Or, quoi de moins divin que de
manquer de cela même qui nous fait être ou vivre ? Aristophane n'a rien compris. L'amour n'est pas complétude mais
incomplétude. Non fusion, mais quête. Non perfection comblée, mais pauvreté dévorante. C'est le point décisif, d'où il
faut partir. Il tient en une double définition : l'amour est
désir, et le désir est manque. Amour, désir et manque sont-ils

22. *Le Banquet*, 199 *b* (dans les trad. d'E. Chambry et P. Vicaire).
23. *Ibid.*, 199 *d* - 200 *b*. Cela vaut aussi, selon Platon, pour l'amitié *(philia)* :
Lysis, 221 *d-e*.

alors synonymes ? Point tout à fait, sans doute. Il n'y a désir
que si le manque est perçu comme tel, vécu comme tel (on ne
désire pas ce dont on ignore manquer). Et il n'y a amour que
si le désir, en lui-même indéterminé (ainsi la faim, qui ne
désire aucun aliment en particulier), se polarise sur tel ou tel
objet (ainsi l'amour de la viande, ou du poisson, ou des pâtis-
series...). Manger parce qu'on a faim est une chose, aimer ce
que l'on mange, ou manger ce que l'on aime, en est une
autre. Désirer *une* femme, n'importe laquelle, est une chose
(c'est un désir) ; désirer *cette* femme en est une autre (c'est un
amour, fût-il, cela peut arriver, purement sexuel et momen-
tané). Etre amoureux est autre chose, et plus, qu'être en état
de frustration ou d'excitation sexuelle. Serait-on amoureux,
pourtant, si l'on ne désirait pas, d'une manière ou d'une
autre, celui ou celle que l'on aime ? Sans doute pas. Si tout
désir n'est pas amour, tout amour (du moins cet amour-là :
érôs) est bien désir : c'est le désir déterminé d'un certain
objet, en tant qu'il manque *particulièrement*. C'est la première
définition que j'annonçais. L'amour, écrit Platon, « aime ce
dont il manque, et qu'il ne possède pas »[24]. Si tout manque
n'est pas amour (il ne suffit pas d'ignorer la vérité pour l'aimer : encore faut-il se savoir ignorant et désirer ne plus
l'être), tout amour, pour Platon, est bien manque : l'amour
n'est pas autre chose que ce manque (mais conscient et vécu
comme tel) de son objet (mais déterminé). Socrate enfonce le
clou : « Ce qu'on n'a pas, ce qu'on n'est pas, ce dont on
manque, voilà les objets du désir et de l'amour. »[25] Si l'amour
aime beauté et bonté, comme nous pouvons l'expérimenter,
c'est donc qu'il en manque. Comment serait-il un dieu ? Il
n'est pas pour autant mauvais ou laid, précise Socrate, mais
intermédiaire entre ces deux extrêmes, comme entre le mortel et l'immortel, l'humain et le divin : l'amour est un démon,

24. *Ibid.*, 201 *b*.
25. *Ibid.*, 200 *e*.

explique Diotime, c'est-à-dire (sans rien de diabolique, bien au contraire) un médiateur entre les dieux et les hommes. Ce démon, quoiqu'il soit le plus grand de tous, reste voué au manque. N'est-il pas le fils de Pénia, la pauvreté, et de Poros, l'expédient ? Il est toujours pauvre, commente Diotime, sans souliers, sans domicile, toujours à la piste de ce qui est beau et bon, toujours en chasse, toujours inquiet, toujours ardent et plein de ressources, toujours affamé, toujours avide... Nous voilà bien loin de la complétude toute ronde d'Aristophane, de ce repos confortable dans l'unité recouvrée ! Eros, au contraire, ne se repose jamais. L'incomplétude est son destin, puisque le manque est sa définition. « Il dort à la belle étoile, près des portes et sur les chemins, car il tient de sa mère, et l'indigence est son éternelle compagne (...) ; tantôt il est florissant et plein de vie, tantôt il meurt puis renaît, grâce au naturel qu'il tient de son père ; ce qu'il acquiert lui échappe sans cesse... »[26] Riche pourtant de tout ce qui lui manque, et pauvre, à jamais, de tout ce qu'il poursuit, ni riche ni pauvre, donc, ou l'un et l'autre, toujours dans l'entre-deux, toujours entre fortune et misère, entre savoir et ignorance, entre bonheur et malheur... Enfant de Bohème, si l'on veut, toujours en route, toujours en course, toujours en manque. « Jamais rassasié », comme dira Plotin commentant Platon, jamais comblé, jamais satisfait, et pour cause : « L'amour est comme un désir qui, par sa nature même, serait privé de ce qu'il désire », et en reste privé même « lorsqu'il atteint son but »[27]. Ce n'est plus l'amour tel qu'on le rêve, l'amour comblé et comblant, l'amour à l'eau de rose : c'est l'amour tel qu'il est,

26. *Ibid.*
27. Plotin, *Traité 50* (*Ennéades*, III, 5), § 7, p. 130 de la trad. Hadot, Cerf, 1990 ; voir aussi p. 142-143. Sur la théorie plotinienne de l'amour, dans son rapport à celle de Platon, et outre l'introduction de P. Hadot à ce *Traité 50*, voir également, du même auteur, *Plotin ou la simplicité du regard*, Etudes augustiniennes, 1989, chap. 4, ainsi que la belle méditation de J.-L. Chrétien sur L'amour du neutre, *La voix nue*, Ed. de Minuit, 1990, p. 329 et s.

dans sa souffrance féconde[28], dans son « étrange mélange de douleur et de joie », comme dira le *Phèdre*[29], l'amour insatiable, l'amour solitaire, toujours en peine de ce qu'il aime, toujours en manque de son objet, c'est la passion, la vraie, celle qui affole et déchire, celle qui affame et torture, celle qui exalte et emprisonne. Comment autrement ? On ne désire que ce qui manque, que ce qu'on n'a pas : comment pourrait-on avoir ce qu'on désire ? Il n'y a pas d'amour heureux, et ce manque du bonheur c'est l'amour même. « Qu'est-ce que je serais heureux si elle m'aimait, se dit-il, si elle était à moi ! » Mais s'il était heureux, il ne l'aimerait plus, ou ce ne serait plus le même amour...

Je m'éloigne de Platon, ici, du moins je le modernise quelque peu, disons que j'en tire les leçons. Si l'amour est manque, et dans la mesure où il est manque, la complétude lui est par définition interdite. C'est ce que les amants savent bien, et qui donne tort à Aristophane. Un manque satisfait disparaît en tant que manque : la passion ne saurait survivre longtemps au bonheur, ni le bonheur, sans doute, à la passion. De là la grande souffrance de l'amour, tant que le manque domine. Et la grande tristesse des couples, quand il ne domine plus... Le désir s'abolit dans sa satisfaction : il faut donc qu'il soit insatisfait ou mort, en manque ou manqué, malheureux ou perdu... Une issue ? Platon en suggère deux, mais dont aucune ne règlera, je le crains, les difficultés de notre vie amoureuse. Qu'est-ce qu'aimer ? C'est manquer de ce qu'on aime, et vouloir le posséder toujours[30]. Par quoi l'amour est égoïste, du moins cet amour-là, et pourtant perpétuellement chassé hors de lui-même, extatique, comme dit Lacan[31], et cette extase

28. *Le Banquet*, 206 *e*.
29. 251 *d*.
30. *Ibid.*, 200 *a* - 201 *c* et 204 *a* - 206 *a*.
31. *Op. cit.*

(extase de soi dans l'autre) définit assez bien la passion :
c'est égoïsme décentré, égoïsme déchiré, comme comblé
d'absence, plein du vide de son objet, et de soi, comme
étant ce vide même. Comment pourrait-il posséder toujours,
puisqu'il va mourir, et quoi que ce soit, puisqu'il est
manque ? « Par l'enfantement dans la beauté, répond Platon, selon le corps et selon l'esprit »[32], autrement dit par la
création ou la procréation, par l'art ou par la famille. C'est
la première issue, la plus facile, la plus naturelle. On la voit
déjà à l'œuvre chez les animaux, explique Diotime, quand
ils sont pris du désir d'enfanter, quand l'amour les travaille,
quand ils se sacrifient pour leurs petits... La raison n'y est
pour rien, ce qui suffit à prouver que l'amour la précède ou
la dépasse. Mais alors, d'où vient-il ? De ceci, répond Diotime, que « la nature mortelle cherche toujours, autant
qu'elle le peut, la perpétuité et l'immortalité ; mais elle ne
le peut que par la génération, en laissant toujours un individu plus jeune à la place d'un plus vieux »[33]. Telle est la
cause ou le principe de l'amour : il est ce par quoi les mortels, qui ne restent jamais identiques à eux-mêmes, tendent
pourtant à se conserver et à participer, autant qu'ils peuvent, à l'immortalité. Eternité de remplacement, divinité de
remplacement. D'où cet amour qu'ils ont pour leurs
enfants, d'où cet amour de la gloire : c'est la vie qu'ils
aiment, c'est l'immortalité qu'ils poursuivent — c'est la
mort qui les hante[34]. L'amour est la vie même, mais en tant
qu'elle manque perpétuellement de soi, en tant qu'elle veut
se conserver, en tant qu'elle ne le peut, comme creusée par
la mort, comme vouée au néant. Aussi l'amour n'échappe-
t-il au manque absolu, à la misère absolue, au malheur
absolu, qu'à la condition d'*enfanter,* comme dit Platon : les

32. *Ibid.*, 206 *b* - 207 *a*.
33. *Ibid.*, 207 *a-d*.
34. *Ibid.*, 207 *d* - 208 *e*.

uns enfantent selon le corps, et c'est ce qu'on appelle la famille, les autres selon l'esprit, et c'est ce qu'on appelle la création, aussi bien dans l'art ou la politique que dans les sciences ou la philosophie[35]. Une issue? Peut-être, mais point un salut, puisque la mort malgré tout demeure, qui nous emporte, et nos enfants, et nos œuvres, puisque le manque nous torture ou nous manque... Que la famille soit l'avenir de l'amour, son débouché naturel, c'est ce que chacun constate, mais qui n'a jamais réussi à sauver l'amour, ni le couple, ni la famille. Quant à la création, comment pourrait-elle sauver l'amour, si elle en dépend? Et comment, si elle n'en dépend pas? C'est pourquoi peut-être Platon propose une autre issue, plus difficile, plus exigeante, qui est la fameuse dialectique ascendante, par quoi s'achève le discours de Diotime. De quoi s'agit-il? D'une ascension, en effet, mais spirituelle, autant dire d'un parcours initiatique, et d'un salut proprement. C'est le parcours de l'amour, et le salut par la beauté. Suivre l'amour sans s'y perdre, lui obéir sans s'y enfermer, c'est franchir les uns après les autres les degrés de l'amour : aimer d'abord un seul corps, pour sa beauté, puis tous les beaux corps, puisque la beauté leur est commune, puis la beauté des âmes, qui est supérieure à celle des corps, puis la beauté qui est dans les actions et les lois, puis la beauté qui est dans les sciences, enfin la Beauté absolue, éternelle, surnaturelle, celle du Beau en soi, qui existe en lui-même, pour lui-même, à quoi toutes les belles choses participent, d'où elles procèdent et reçoivent leur beauté[36]... C'est où l'amour nous mène, qui le sauve, et nous sauve. L'amour autrement dit n'est sauvé que par la religion, voilà le secret de Diotime, voilà le secret de Platon : si l'amour est manque, sa logique est de tendre toujours plus vers ce qui manque, vers ce qui

35. *Ibid.*, 208 *e* - 209 *e*.
36. *Ibid.*, 210 *a*

manque de plus en plus, vers ce qui manque absolument, qui est le Bien (dont le Beau n'est que l'éblouissante manifestation), qui est la transcendance, qui est Dieu, et de s'y abolir, enfin rassasié, enfin apaisé, enfin mort et heureux[37]! Est-ce encore de l'amour, si plus rien ne lui manque? Je ne sais. Platon dirait peut-être qu'alors il n'y a plus que la beauté, comme Plotin dira qu'il n'y a plus que l'Un, comme les mystiques diront qu'il n'y a plus que Dieu... Mais si Dieu n'est pas amour, à quoi bon Dieu? Et de quoi Dieu pourrait-il bien manquer?

Il faut laisser Platon, en ce point où il nous laisse. Il nous a menés, ce n'est pas rien, du rêve de la fusion (Aristophane) à l'expérience du manque (Socrate), puis du manque à la transcendance ou à la foi (Diotime). Beau parcours, pour un petit livre, et qui dit assez sa grandeur. Mais de cette issue qu'il propose, sommes-nous encore capables? Pouvons-nous y croire? Pouvons-nous l'accepter? Les chrétiens répondront que oui, sans doute, dont plusieurs passeront tranquillement de l'eau de rose à l'eau bénite... Pas tous, pourtant. C'est que les amants, croyants ou pas, savent bien qu'un Dieu même ne pourrait les sauver, s'ils ne sauvent d'abord l'amour en eux, entre eux, par eux. Que vaut la foi, si nous ne savons aimer? Et en quoi est-elle nécessaire, si nous savons?

Mais la vérité c'est que nous ne savons pas, bien sûr, et c'est ce que les couples ne cessent d'expérimenter, douloureusement, difficilement, qui les condamne à l'échec peut-être, et qui les justifie. Comment aimer sans apprendre? Comment apprendre sans aimer?

J'entends bien qu'il y a d'autres amours, et je vais y venir. Mais celui-là est le plus fort, en tout cas le plus violent (l'amour parental est plus fort encore, chez certains,

---

37. Sur l'amour comme désir de mort, voir L. Robin, *La théorie platonicienne de l'amour*, rééd. PUF, 1964, p. 182. Sur le Beau comme manifestation du Bien, voir, *ibid.*, p. 188.

mais plus calme), le plus riche en souffrances, en échecs, en illusions, en désillusions... Eros est son nom ; le manque est son essence ; la passion amoureuse, son sommet. Qui dit manque dit souffrance et possessivité. Je t'aime : je te veux (on sait que les deux expressions, en espagnol, sont identiques : *te quiero*). C'est *l'amour de concupiscence*, comme disaient les scolastiques, c'est *le mal d'amour*, comme disaient les troubadours, c'est l'amour que décrit Platon dans le *Banquet*, comme on l'a vu, mais aussi, plus cruellement, dans le *Phèdre* : c'est l'amour jaloux, avide, possessif, qui loin de se réjouir toujours du bonheur de celui qu'il aime (comme ferait un amour généreux) en souffre atrocement dès que ce bonheur l'éloigne de lui ou menace le sien[38]... Importun et jaloux, tant qu'il aime, infidèle et menteur, dès qu'il n'aime plus, « l'amant, loin de lui vouloir du bien, aime l'enfant [ou la femme, ou l'homme...] » comme un plat dont il veut se rassasier ». Les amants aiment l'aimé « comme les loups aiment l'agneau »[39]. Amour de concupiscence, donc, très exactement : être amoureux, c'est aimer l'autre pour son bien à soi. Cet amour-là n'est pas le contraire de l'égoïsme ; c'est sa forme passionnelle, relationnelle, transitive. C'est comme un transfert d'égoïsme, ou un égoïsme transférentiel[40]... Rien à voir avec une vertu, mais beaucoup, parfois, avec la haine. Eros est un dieu jaloux. Qui aime veut posséder, qui aime veut garder, et pour soi seul. Elle est heureuse avec un autre, et vous la préféreriez morte ! Il est heureux

---

38. Voir le premier discours de Socrate, dans le *Phèdre* (237-241). Le second discours de Socrate (244-257) retrouve, par d'autres voies (par la nostalgie plutôt que par l'espérance) l'inspiration religieuse ou idéaliste du *Banquet*. Sur la comparaison entre ces deux dialogues (et avec le *Lysis*), voir L. Robin, *La théorie platonicienne de l'amour*, chap. 1.

39. *Phèdre*, 240 *e* - 241 *d*.

40. Le transfert, au sens freudien du terme, serait en particulier le sens du discours d'Alcibiade (212-222), ou plutôt de « l'interprétation » qu'en donne Socrate, elle-même interprétée par Lacan : *op. cit.*, p. 179 à 213 ; voir aussi p. 460.

avec une autre, et vous le préféreriez malheureux avec vous... Bel amour, qui n'est amour que de soi. Comme elle vous manque pourtant! Comme vous la désirez! Comme vous l'aimez! Comme vous souffrez! Eros vous tient, Eros vous déchire : vous aimez ce que vous n'avez pas, ce qui vous manque, et c'est ce qu'on appelle un chagrin d'amour.

Mais voilà qu'elle vous aime à nouveau, qu'elle vous aime toujours, qu'elle est là, avec vous, pour vous, à vous... Quelle violence dans vos retrouvailles, quelle avidité dans vos étreintes, quelle sauvagerie dans le plaisir! Puis quelle paix après l'amour, quel reflux, quel vide soudain... Elle vous sent moins présent, moins pressant. « Tu m'aimes encore? », vous demande-t-elle. Vous répondez que oui, bien sûr. La vérité, toutefois, est qu'elle vous manque moins. Cela reviendra, le corps est ainsi fait. A force d'être là tous les jours pourtant, toutes les nuits, tous les soirs, tous les matins, elle finira par vous manquer de moins en moins, c'est inévitable, de moins en moins fort, de moins en moins souvent, puis moins qu'une autre ou que la solitude. Eros s'apaise, Eros s'ennuie : vous avez ce qui ne vous manque plus, et c'est ce qu'on appelle un couple.

« Les hommes, me disait une amie, meurent rarement d'amour : ils s'endorment avant. » Et les femmes meurent, parfois, de cet endormissement.

Je noircis le tableau? Disons que je schématise, il faut bien. Certains couples vivent mieux, beaucoup mieux, que cet assoupissement de la passion, que ce désamour qui n'ose pas dire son nom. Mais d'autres vivent bien pire, jusqu'à la haine, jusqu'à la violence, jusqu'à la folie. Qu'il y ait des couples heureux, c'est ce que Platon n'explique guère, et qu'il faudra pourtant essayer de comprendre. Si l'amour est manque, comment le combler sans l'abolir, comment le satisfaire sans le supprimer, comment le faire sans l'user ou le défaire? Le plaisir n'est-il pas la fin (le but, mais aussi le terme) du désir ? Le bonheur n'est-il pas la fin de la passion ? Comment l'amour pourrait-il être heureux, s'il n'aime que ce qui n'est « ni actuel ni présent »[41] ? Comment pourrait-il durer, s'il est heureux ? « Imaginez cela : Mme Tristan ! », écrit Denis de Rougemont[42]. Chacun comprend ce que cela veut dire : que c'eût été la fin de sa passion, qu'Iseut n'a pu rester amoureuse que grâce à cette épée qui la séparait de Tristan et du bonheur, bref que l'amour n'est passionné que dans le manque, qu'il est ce manque même, polarisé par son objet, exalté par son absence, et que la passion dès lors ne peut durer que dans la souffrance, que par elle, que pour elle peut-être... Le manque est une souffrance, la passion est une souffrance, et c'est la même, ou celle-ci n'est qu'une exacerbation hallucinatoire ou obsessionnelle de celle-là (l'amour, disait le Dr Allendy, est « un syndrome obsessionnel normal »[43]), par concentration sur un objet défini qui se trouve dès lors (puisque le manque, lui, est indéfini) indéfiniment valorisé. De là tous ces phénomènes d'exaltation, de *cristallisation*, comme dit Stendhal, d'*amour fou*, comme dit Breton[44], de là le romantisme sans doute[45], de là la religion peut-être (Dieu est ce qui manque absolument), de là cet amour, dans tous les cas, qui n'est si fort qu'à la condition de la frustration et du malheur. « Victoire de la "passion" sur le désir, écrit Denis de Rougemont, triomphe de la mort sur la vie. »[46] Souvenons-nous d'*Adèle H...*, de Truffaut. Comme on voudrait qu'elle ne soit plus amoureuse, qu'elle cesse de l'attendre, de

---

41. *Banquet*, 200 e.

42. *L'amour et l'Occident*, I, 9, rééd. « 10-18 », 1974, p. 36.

43. R. Allendy, *L'amour*, Denoël, rééd. 1962, p. 144.

44. Stendhal, *De l'amour* (rééd. G.-F., 1965 ; voir spécialement les chap. 2 à 12, ainsi que la note du chap. 15). André Breton, *L'amour fou*, Gallimard, 1937, rééd. 1971.

45. D. de Rougemont, *op. cit.*, I, 11, p. 42 : « Je définirais volontiers le romantique occidental comme un homme pour qui la douleur, et spécialement la douleur amoureuse, est un moyen privilégié de connaissance. »

46. *Ibid.*, p. 36-37.

souffrir, qu'elle guérisse! Mais elle préfère la mort ou la folie. C'est toujours la chanson de Tristan : « Pour quel destin suis-je né? La vieille mélodie me répète : Pour désirer et pour mourir! Pour mourir de désirer! »[47] Si la vie est manque, de quoi manque-t-elle? D'une autre vie : de la mort. C'est la logique du néant (« la vraie vie est absente » : l'être est ailleurs, l'être est ce qui manque!), c'est la logique de Platon (« les vrais philosophes sont déjà morts... »[48]), c'est la logique d'Eros : si l'amour est désir, si le désir est manque, on ne peut aimer que ce qu'on n'a pas, et souffrir de ce manque, on ne peut avoir que ce qui ne manque plus, et qu'on ne saurait dès lors (puisque l'amour est manque) continuer d'aimer... La passion, donc, ou l'ennui. Albertine présente, Albertine disparue... Quand elle est là, il rêve d'autre chose, qui lui manque (« comparant, écrit Proust, la médiocrité des plaisirs que me donnait Albertine à la richesse des désirs qu'elle me privait de réaliser »[49]), et il s'ennuie avec elle. Mais la voilà qui part : la passion instantanément renaît, dans le manque et la souffrance! Tant il est vrai, commente Proust, que « bien souvent, pour que nous découvrions que nous sommes amoureux, peut-être même pour que nous le devenions, il faut qu'arrive le jour de la séparation »[50]. Logique de la passion : logique du manque, dont le couple est l'horizon (dans le rêve) et la mort (dans la réalité). Comment pourrait-on manquer de ce qu'on a? Comment pourrait-on aimer passionnément ce qui ne manque pas? Tristan et Iseut, observe Denis de Rougemont, « ont besoin l'un de l'autre pour brûler, mais non de l'autre tel qu'il est; et non de la présence de

---

47. Wagner, *Tristan et Isolde*, cité par D. de Rougemont, *ibid.*, p. 40.
48. *Phédon*, 64. Sur l'absence de l'être et sur l'amour de la mort, chez Platon, voir *Vivre*, chap. 4, p. 21 à 29.
49. *A la recherche du temps perdu*, Bibl. de la Pléiade, 1954, t. 3, p. 419.
50. *Ibid.*, p. 506. Voir aussi Stendhal, *op. cit.*, chap. 6, p. 43 : « Etes-vous quitté, la cristallisation recommence... ».

l'autre, mais bien plutôt de son absence ! »[51] De là cette épée entre eux salutaire, de là cette chasteté volontaire, comme un suicide symbolique : « Ce que l'on désire, on ne l'a pas encore — c'est la Mort —, et l'on perd ce que l'on avait — la jouissance de la vie. »[52] Logique d'Eros, logique de Thanatos : « Sans le savoir, les amants malgré eux n'ont jamais désiré que la mort ! »[53] C'est qu'ils aimaient l'amour, plus que la vie. Le manque, plus que la présence. La passion, plus que le bonheur ou le plaisir. « Seigneurs, vous plaît-il d'entendre un beau conte d'amour et de mort ?... » C'est le début du *Roman de Tristan et Iseut*[54], et ce pourrait être celui, aussi bien, de *Roméo et Juliette*, de *Manon Lescault* ou d'*Anna Karénine*. Encore n'est-ce vrai que dans le meilleur des cas, je veux dire quand passion il y a vraiment, et non son imitation, son espérance ou sa nostalgie, qui emprisonnent aussi, qui tuent aussi, mais sans grandeur. Pour une Iseut, combien de Mme Bovary ?

N'exagérons pas la passion, ne l'enjolivons pas, ne la confondons pas avec les romans qu'on en a faits (dont les meilleurs sont d'ailleurs ceux qui en sont le moins dupes : Proust, Flaubert, Stendhal...). Je me souviens de cette femme écrivain à qui j'opposais le peu de goût que j'avais pour les romans d'amour, pour toutes ces grandes passions dévorantes, absolues, sublimes, qu'on ne trouve guère que dans les livres, observais-je, par exemple dans les siens... Elle m'objecte le cas d'un de nos amis communs, qui a vécu justement, me dit-elle, réellement vécu, une de ces histoires d'amour grandioses et tragiques... J'en ignorais tout : cela

51. D. de Rougemont, *op. cit.*, I, 8, p. 33.
52. *Ibid.*, I, 11, p. 43.
53. *Ibid.*, p. 37. De même, chez Platon, « l'amour est une sorte de mort », ou tend à se confondre « avec le désir de la mort » (L. Robin, *La théorie platonicienne de l'amour*, p. 182).
54. Dans la merveilleuse reconstitution de Joseph Bédier, Paris, Edition d'art H. Piazza, 1926 (qui était déjà la 231ᵉ édition...).

pique ma curiosité. Quelques jours plus tard, j'interroge
l'ami en question. Il sourit : « Tu sais, je n'aurai finalement
vécu qu'un désastre assez médiocre... » Ne confondons pas
l'amour avec les illusions que l'on s'en fait quand on est
dedans ou quand on l'imagine de l'extérieur. La mémoire
est plus vraie que le rêve ; l'expérience, que l'imagination.
Etre amoureux d'ailleurs, qu'est-ce d'autre que se faire un
certain nombre d'illusions sur l'amour, sur soi-même ou sur
la personne dont on est amoureux ? Le plus souvent ces
trois flux d'illusions s'additionnent, se mêlent, et font ce
fleuve qui nous emporte... Où ? Où tous les fleuves vont, où
ils finissent, où ils se perdent : dans l'océan du temps ou les
sables de la vie quotidienne... « Il entre dans l'essence de
l'amour, remarque Clément Rosset, de prétendre aimer
toujours, mais dans son fait de n'aimer qu'un temps. »[55] Il
entre donc dans l'essence de l'amour (en tout cas de cet
amour-là : la passion amoureuse) d'être illusoire et éphé-
mère. La vérité même le condamne. Ceux qui le célèbrent
voudraient pour cela condamner la vérité : plusieurs font
profession de préférer le rêve ou l'illusion. Mais cela ne suffit ordinairement pas à les sauver, ni à sauver l'amour. Ils
voudraient donner tort au réel ; puis le réel les rattrape, et
leur donne tort. Ils voudraient sauver la passion, la faire
durer, l'entretenir... Comment le pourraient-ils, puisqu'elle
ne dépend pas d'eux, puisque la durée la tue, quand elle est
heureuse, puisque l'idée d'entretien est le contraire même
de la passion ? Tout manque s'apaise, s'il ne tue pas : parce
qu'on le satisfait, parce qu'on s'y habitue, parce qu'on l'oublie... Si l'amour est manque, il est voué à l'échec (dans la
vie) ou ne peut réussir que dans la mort.

On dira qu'il échoue en effet, et que cela donne raison à
Platon. Soit. Mais est-ce le seul amour dont nous soyons

55. *Le principe de cruauté*, Ed. de Minuit, 1988, p. 54.

capables ? Ne savons-nous que manquer ? Que rêver ? Quelle vertu serait-ce là, qui ne mène qu'à la souffrance ou à la religion ?

Philia

J'avais annoncé trois définitions. Il est temps d'en venir à la seconde. Nul ne peut désirer la vertu, disait à peu près Spinoza, s'il ne désire agir et vivre[56]. Comment la vie pourrait-elle lui manquer, puisqu'il ne peut la désirer qu'à la condition de l'avoir ? C'est qu'il désire toujours une autre vie que celle dont il jouit ? C'est ce que dirait Platon, et qui nous enferme dans le malheur ou l'insatisfaction. Si le désir est manque, et dans la mesure où il est manque, la vie nécessairement est manquée : si l'on ne désire que ce qu'on n'a pas, on n'a jamais ce qu'on désire, et l'on n'est pour cela jamais heureux ni satisfait[57]. Le désir même du bonheur nous en sépare. « Qu'est-ce que je serais heureux, si j'étais heureux !... » La formule, qui est de Woody Allen, donne raison à Platon, à nouveau, et nous donne tort : nous ne savons désirer que « ce qui n'est ni actuel ni présent », comme dit Socrate[58], autrement dit que ce qui n'existe pas. Non cette femme, qui est réelle, mais sa possession, qui ne l'est pas. Non l'œuvre, que l'on fait, mais la gloire, que l'on espère. Non la vie, que l'on a, mais une autre, que l'on n'a pas. Nous ne savons désirer que le néant : nous ne savons désirer que la mort. Et comment pourrait-on aimer ce qui n'existe pas ? Si l'amour est manque, il n'est d'amour qu'imaginaire — et l'on n'aime jamais que des fantômes.

56. *Ethique*, IV, prop. 21.
57. Etre heureux, pour Platon comme pour n'importe qui, c'est en effet avoir ce qu'on désire : *Banquet*, 204 *e* - 205 *a*.
58. *Ibid.*, 200 *e*.

Mais l'amour est-il toujours un manque ? N'est-il que cela ? Socrate, dans le *Banquet*, se faisait à lui-même une objection : celui qui est en bonne santé, ne peut-il désirer la santé ? Et n'est-ce pas là, pour lui, désirer ce qu'il a, ce dont il jouit, ce dont il ne manque pas ? Non pas, répondait Socrate, car ce n'est pas la même santé qu'il a et qu'il désire : ce qu'il a, c'est la santé présente ; ce qu'il désire, c'est sa continuation, autrement dit la santé à venir, qu'il n'a pas[59]. La réponse est éclairante, mais plus peut-être que Platon ne l'aurait voulu : elle confond le désir et l'espérance, et c'est dans cette confusion que tout se joue. Car il vrai, certes, très vrai, tristement vrai, que je ne puis espérer ce que j'ai, ce que je suis ou fais : comment pourrais-je espérer être vivant, puisque je le suis, être assis, puisque c'est le cas, écrire, puisque je le fais ? On n'espère que ce qu'on n'a pas : l'espérance est vouée, à jamais, à l'irréel et au manque, et nous y voue. Dont acte. Mais tout désir est-il d'espérance ? Ne savons-nous vraiment désirer que ce qui n'est pas ? Comment pourrions-nous alors aimer ce qui est ?

Cela va très au-delà du platonisme. « L'homme est fondamentalement *désir d'être* », écrira Sartre, et « le désir est manque »[60]. C'était nous vouer au néant ou à la transcendance, et l'existentialisme, athée ou chrétien, n'est pas autre chose. C'est toujours Platon qui recommence. Surtout, c'était s'interdire d'aimer, sinon dans la frustration (quand l'autre n'est pas là) ou dans l'échec (quand il y est : « le plaisir est la mort et l'échec du désir »[61]). Néant, quand tu nous tiens... C'était confondre, encore une fois, le désir et l'espérance, l'amour, et tout amour, avec le manque. Comme Platon. Avec Platon. C'était prendre la partie pour le tout, l'accident pour l'essence. Il est vrai, disais-je, qu'on

59. *Banquet*, 200 *b-e*.
60. *L'être et le néant*, Gallimard, rééd. 1969, p. 652.
61. *Ibid.*, p. 467.

ne peut espérer que ce qui manque : l'espérance est le manque même, dans l'ignorance et dans le temps. On n'espère que ce qu'on n'a pas, que ce qu'on ne sait pas, que ce qu'on ne peut pas[62]. Par quoi l'espérance, disait Spinoza, est inquiétude, ignorance, impuissance[63]. Mais le désir, non. Mais l'amour, non. Ou plutôt : point tout désir, ni tout amour. Celui qui se promène, que désire-t-il, sinon se promener, sinon ces pas même qu'à l'instant il accomplit ? Comment pourraient-ils lui manquer ? Et comment pourrait-il marcher, s'il ne le désirait ? Quant à celui qui ne désirerait que les pas à venir, que les paysages à venir, etc., ce ne serait pas un promeneur, ou il ignorerait tout du plaisir de la promenade. Cela vaut pour tout individu, dès qu'il cesse d'espérer, et à tout instant. Pourquoi serais-je assis, si tel n'était mon désir ? Comment pourrais-je écrire, si je ne désirais le faire ? Et qui pourra croire que je ne désire que les mots que je n'ai pas encore tracés, que les mots à venir, et non ceux qu'à l'instant je forme ? J'anticipe les autres, qui suivront ? Certes, mais je ne les espère pas ! Je les imagine, je les pressens, je les cherche, je les laisse venir, je les choisis... Comment espérer ce qui dépend de moi ? Pourquoi espérer ce qui n'en dépend pas ? Le présent d'écrire, comme tout présent vivant, est orienté vers l'avenir. Mais point toujours ni surtout par le manque ou l'espérance. Il y a un abîme entre *écrire* et *espérer écrire* : c'est l'abîme qui sépare le désir comme manque (espérance ou passion) du désir comme puissance ou jouissance (plaisir ou action). La volonté, pour les choses qui dépendent de nous, est ce désir en acte : comment manquerait-elle de son objet, puisqu'elle l'accomplit ? Et le plaisir, pour les choses qui n'en dépendent pas, est ce désir comblé : comment manquerait-il de

---

62. Voir *Une éducation philosophique*, p. 350 à 353.
63. *Éthique*, III, déf. 12 des affects (avec l'explication de la déf. 13), et surtout IV, prop. 47, avec sa démonstration et son scolie.

son objet, puisqu'il en jouit ? Désirer ce qu'on fait, ce qu'on a ou ce qui est, cela s'appelle vouloir, cela s'appelle agir, cela s'appelle jouir ou se réjouir, et c'est en quoi la moindre de nos actions, le moindre de nos plaisirs, la moindre de nos joies, est une réfutation du platonisme. Car quand y a-t-il action ? Quand y a-t-il plaisir ? Quand y a-t-il joie ? La réponse est bien simple. Il y a action, il y a plaisir, il y a joie à chaque fois que nous désirons ce que nous faisons, ce que nous avons, ce que nous sommes ou ce qui est, bref à chaque fois que nous désirons *ce dont nous ne manquons pas* : il y a action, plaisir ou joie à chaque fois que Platon a tort, et cela en dit long sur le platonisme ! Boire quand on a soif, manger quand on a faim ou quand c'est bon, se promener quand on en a envie, parler avec ses amis, admirer un paysage, écouter la musique que l'on aime, écrire les mots que l'on choisit, accomplir les actes que l'on veut... Où est le manque ? Dans la faim, dans la soif ? Notons d'abord que ce ne serait pas vrai de la musique, de l'amitié ou de l'action, dont on jouit sans manque préalable. Ensuite qu'on peut manger ou boire avec plaisir, quand c'est très bon, sans ressentir aucun manque. Enfin qu'il n'y a guère de sens à parler de manque pour celui qu'on suppose, par hypothèse, avoir à manger et à boire. La faim est une chose, qui torture l'affamé ; l'appétit en est une autre, qui réjouit le mangeur ; le goût, enfin, en est une troisième, qui fait le bonheur du gourmet. Le manque peut se mêler au plaisir. Il ne saurait y suffire ni totalement l'expliquer. Dans la sexualité même, est-il sûr qu'Eros règne en maître, qu'il règne seul ? Dans la passion, dans la souffrance, dans la frustration, soit. Mais dans l'amour ? Mais dans le plaisir ? Mais dans l'action ? Si l'on ne désirait que ce qu'on n'a pas, que ce qui n'est pas, que ce dont on manque, il me semble que notre vie sexuelle serait encore plus compliquée qu'elle n'est, et moins plaisante.

Un homme, une femme, qui s'aiment et qui se désirent :

de quoi manqueraient-ils, grands dieux, quand ils font
l'amour ? De l'autre ? Mais non, puisqu'il est là, puisqu'il se
donne, puisqu'il est tout entier offert et disponible ! De l'orgasme ? Mais non, puisque ce n'est pas l'orgasme qu'ils désirent, puisqu'il viendra bien assez tôt, puisque le désir suffisamment les comble, puisque l'amour même, quand ils le
font, est un plaisir ! Qu'il y ait dans le désir une tension, et
qu'elle appelle sa détente, soit. Mais c'est la tension d'une
force plutôt que d'un manque, c'est une tension joyeuse, affirmative, vitale, qui n'a rien à voir avec une frustration :
c'est une expérience, bien plutôt, de la puissance et de la plénitude. Comme ils sont vivants ! Comme ils sont présents !
Comme ils sont l'un par l'autre comblés, ici et maintenant
comblés ! La vérité est qu'ils ne manquent de rien, c'est d'ailleurs pourquoi ils sont tellement bien, tellement heureux,
c'est ce qu'il y a de tellement fort dans l'amour qu'on fait,
quand on le fait avec amour, quand on le fait avec plaisir : ils
jouissent d'eux-mêmes, l'un de l'autre, l'un par l'autre, ils
jouissent de leur désir, ils jouissent de leur amour, mais c'est
un autre désir, puisqu'il ne manque de rien, mais c'est un
autre amour, puisqu'il est heureux. Ou si ces deux amours
peuvent se mêler, comme chacun l'a expérimenté, cela
confirme encore qu'ils sont différents. Il y a l'amour que l'on
subit, et c'est passion ; il y a l'amour que l'on fait ou que l'on
donne, et c'est action. Où avez-vous vu que l'érection soit un
manque ? Où avez-vous vu que tout amour soit en
souffrance ?

On peut multiplier les exemples. Le père n'est père,
remarquait Socrate, qu'en tant qu'il a un fils[64]. Fort bien.
Mais dès lors : le père aime son fils, qui ne lui manque pas !
Il l'aimait avant de l'avoir, certes, en tout cas cela se peut, il
le désirait, il l'espérait, peut-être même était-il en mal d'en-

64. *Banquet*, 199 *d-e*.

322

fant, comme on dit, il aimait l'enfant qui lui manquait, voilà, il avait la passion d'enfanter, il avait l'éros paternel... Amour imaginaire : objet imaginaire. Il aimait l'enfant rêvé, et ce n'était que le rêve d'un amour. Rêve heureux, tant qu'il s'imagine satisfait, puis douloureux, s'il dure. Que de souffrances, que de frustrations, si l'enfant ne vient pas! Mais s'il vient, s'il est là? Va-t-on, parce qu'il ne manque plus, cesser de l'aimer? Cela peut arriver, mais ce n'est pas, d'évidence, le plus commun. La plupart des pères apprendront plutôt à l'aimer autrement, à l'aimer pour de bon, c'est-à-dire tel qu'il est, tel qu'il vit, tel qu'il grandit, tel qu'il change, tel qu'il ne manque pas... C'est passer de l'amour de l'enfant rêvé à l'amour de l'enfant réel, et l'on n'en a jamais fini. Tous les parents savent que c'est à la fois nécessaire et difficile, qu'il n'y a pas d'amour (du réel) sans une part de deuil (de l'imaginaire), et qu'en vérité même on ne passe pas de l'un à l'autre, de l'enfant rêvé à l'enfant réel, mais que ces deux amours se mêlent, qu'ils s'ajoutent l'un à l'autre sans pourtant se confondre tout à fait. Car l'imagination demeure. Le manque demeure. On ne se libère pas comme cela de Platon ou d'Eros. Le père, comme tout un chacun et comme dirait Platon, désire « avoir dans l'avenir aussi »[65] ce qu'il a dans le présent : il désire donc ce qu'il n'a pas (puisque l'avenir, par définition, fait défaut) et qui lui manque. Il désire que l'enfant corresponde à ce qu'il en espère, ce dont l'enfant n'a cure, et surtout qu'il vive, mon Dieu, qu'il vive, ce dont la vie ne se soucie pas. Voilà le père dans la crainte et les tremblements de la passion : Eros le tient, qui ne le lâche plus. Quel père sans espoirs, quel père sans angoisses? Mais qui ne voit que ce n'est pas le tout de son amour, ni sa meilleur part, ni la plus vivante, ni la plus vraie, ni la plus libre, ni la plus heureuse? Pauvre père,

65. *Banquet*, 200 d.

pauvre amour (et pauvre fils!), s'il n'aimait que le fils à venir, que la *conservation* du fils, comme dirait Platon[66], autrement dit que cela même dont la mort, à tout instant, peut le priver, que dis-je, dont elle le privera nécessairement (« fasse le ciel, pense le père, que ce soit par ma mort à moi! »), dont elle le prive déjà, puisque c'est le fils qui manque, puisque c'est le fils qui n'existe pas, puisque c'est le fils comme rêve et comme néant, puisque c'est le fils de l'angoisse, comme un grand trou dans l'être ou le bonheur, et cette boule dans la gorge, et cette envie soudain de pleurer... Cet amour existe bien, répétons-le : c'est l'amour passionné du père pour son fils, avec son lot d'espérances et de craintes, qui l'enferme, comme toute passion, qui risque d'enfermer aussi le fils, qui les livre tous deux à l'angoisse, à l'imaginaire, au néant... Cet amour existe, mais enfin ce n'est pas le seul : le père aime aussi l'enfant tel qu'il est, tel qu'il ne manque pas, l'enfant actuel et présent, l'enfant vivant, contre lequel la mort ne peut rien, ni l'angoisse, ni le néant, dont la fragilité même a quelque chose d'indestructible ou d'éternel, malgré la mort, malgré le temps, quelque chose d'absolument simple et d'absolument vivant, que le père parfois sait accompagner simplement, et qui l'apaise, et qui le rassure, étrangement, oui, qui le rassure, et qui le réjouit...

Contre l'angoisse ? Le réel. Contre le manque ? La joie. C'est amour encore, mais ce n'est plus Eros. Alors, quoi ?

Et avec nos amis ? Quelle tristesse, s'il fallait ne les aimer qu'absents ou manquants! C'est tout le contraire qui est vrai, par quoi l'amitié se distingue bien fortement de la passion : pas de manque ici, pas d'angoisse, pas de jalousie, pas de souffrance. On aime les amis qu'on a, comme ils sont, comme ils ne manquent pas. Platon n'a rien écrit qui vaille sur l'amitié, et ce n'est pas un hasard. Aristote, au contraire, a dit l'es-

---

66. Cf. *Banquet*, 200 *d-e*.

sentiel, en deux livres sublimes de l'*Ethique à Nicomaque*. L'essentiel ? Que sans l'amitié, la vie serait une erreur. Que l'amitié est condition du bonheur, refuge contre le malheur, qu'elle est à la fois utile, agréable et bonne. Qu'elle est « désirable par elle-même », et « consiste plutôt à aimer qu'à être aimé ». Qu'elle ne va pas sans une forme d'égalité, qui la précède ou qu'elle instaure. Qu'elle vaut mieux que la justice, et l'inclut, qu'elle est à la fois sa plus haute expression et son dépassement. Qu'elle n'est ni manque ni fusion, mais communauté, partage, fidélité. Que les amis se réjouissent les uns des autres, et de leur amitié. Qu'on ne peut être l'ami de tous, ni du grand nombre. Que l'amitié la plus haute n'est pas une passion, mais une vertu. Enfin, mais cela résume tout, qu'« aimer [est] la vertu des amis »[67]. De fait, c'est amour encore (un ami qu'on n'aimerait pas ne serait pas un ami), mais ce n'est pas manque, mais ce n'est pas Eros. Alors, quoi ?

Il nous faut une autre définition, et nous voilà chez Spinoza. L'amour est désir, certes, puisque le désir est l'essence même de l'homme[68]. Mais le désir n'est pas manque : le désir est puissance[69], l'amour est joie[70]. C'est de là qu'il faut partir, ou repartir.

---

67. Voir *Ethique à Nicomaque*, livres VIII et IX. Les citations sont extraites du livre VIII, chap. 9 et 10, 1159 *a* 25-34 (trad. Tricot, p. 404-405). Voir aussi *Ethique à Eudème*, livre VII, et *Grande Morale*, livre II, chap. 11 à 16. Sur l'amitié dans l'Antiquité, on pourra consulter la thèse de Jean-Claude Fraisse, *Philia, La notion d'amitié dans la philosophie antique*, Vrin, 1984 (avec un long chapitre sur Aristote, p. 189 à 286), ainsi que le livre d'André-Jean Voelke, *Les rapports avec autrui dans la philosophie grecque d'Aristote à Panétius*, Vrin, 1961. Signalons enfin les quelques pages, malheureusement peu nombreuses mais suggestives, que Pierre Aubenque à consacrées à « L'amitié chez Aristote », dans un appendice à *La prudence chez Aristote*, PUF, 1963 (réédité récemment dans la coll. « Quadrige »).
68. Spinoza, *Ethique*, III, scolie de la prop. 9 et déf. 1 des affects.
69. *Ethique*, III, prop. 6 à 13, avec les démonstrations et scolies, et déf. générale des affects, avec son explication. Je ne reviens pas sur ce que j'ai montré ailleurs : « Spinoza contre les herméneutes », *Une éducation philosophique*, p. 245 et s.
70. *Ibid.*, et déf. 6 des affects, avec son explication.

On parle de puissance sexuelle, et cela dit quelque chose d'important. Quoi ? Que le désir, qu'il manque ou pas de son objet, ne saurait se réduire à ce manque éventuel, qu'il est aussi et d'abord une force, une énergie, une *puissance*, comme dit en effet Spinoza : c'est puissance de jouir et jouissance en puissance. Cela est vrai du désir sexuel, mais point de lui seul. Tout désir, pour Spinoza, est puissance d'agir ou force d'exister *(« agendi potentia sive existendi vis »)*[71], puissance de vivre, donc, et la vie même comme puissance. Quel plaisir autrement ? Quel amour autrement ? Quelle vie autrement ? La mort serait plus facile, et il faut bien que quelque chose nous en sépare. Si la faim est manque de nourriture, donc souffrance, l'appétit est puissance de manger (y compris quand la nourriture ne manque pas) et de jouir de ce qu'on mange. On dira que l'appétit n'est qu'une faim légère, et que le manque reste en cela l'essentiel. Mais non, puisque les morts n'ont pas faim : la faim suppose la vie, le manque suppose la puissance. Réduire le désir au manque, c'est prendre l'effet pour la cause, le résultat pour la condition. Le désir est premier, la puissance est première. C'est l'anorexique, qui manque de quelque chose, non celui qui mange de bon appétit ! C'est le mélancolique, qui manque de quelque chose, non celui qui aime la vie et qui la croque, comme on dit, à pleines dents ! C'est l'impuissant qui manque de quelque chose, non l'amant heureux et dispos ! D'ailleurs, qui n'a connu, dans une vie un peu longue, ses moments de dégoût, de dépression, d'impuissance ? Ce qui nous manquait alors ? Point toujours un objet, ni le manque de cet objet (puisqu'il pouvait indifféremment être là ou non, offert ou pas à notre jouissance), mais le désir, mais le goût, mais la force de jouir ou d'aimer ! Ce n'est pas le désir qui est manque : c'est l'objet parfois qui lui fait défaut (frustration) ou qui le lasse

---

71. *Ethique*, III, déf. générale des affects.

(dégoût)[72]. Le manque n'est pas l'essence du désir; c'est son accident ou son rêve, la privation qui l'irrite ou le fantôme qu'il s'invente.

Comme il y a des désirs différents pour des objets différents, il doit y avoir aussi, si l'amour est désir, des amours différents pour différents objets. C'est en effet le cas : on peut aimer le vin ou la musique, une femme ou un pays, ses enfants ou son travail, Dieu ou le pouvoir... Le français, qu'on loue ordinairement pour sa clarté analytique, fait ici preuve d'un bel esprit de synthèse, qu'on retrouve, il est vrai, dans beaucoup d'autres langues[73]. L'amour de l'argent, l'amour de la bonne chère, l'amour d'un homme, l'amour d'une femme, l'amour qu'on a pour ses parents ou ses amis, pour un tableau, pour un livre, l'amour de soi, l'amour d'une région ou d'un pays, l'amour que l'on fait, l'amour que l'on donne, l'amour de la campagne ou des voyages, l'amour de la justice, l'amour de la vérité, l'amour du sport, du cinéma, du pouvoir, de la gloire... Ce qu'il y a de commun à ces différents amours, et qui justifie l'unicité du mot, c'est le plaisir, comme dit Stendhal, ou la joie, comme dit Spinoza, que ces objets nous procurent ou nous inspirent. « Aimer, écrit Stendhal, c'est avoir du plaisir à voir, toucher, sentir par tous les sens, et d'aussi près que possible, un objet aimable et qui nous aime. »[74] Supprimez la dernière relative, qui ne vaut

72. Voir Spinoza, *Ethique*, III, scolie de la prop. 59.
73. Spécialement, selon Denis de Rougemont, dans les langues européennes : voir *Les mythes de l'amour*, Albin Michel, 1961, rééd. NRF, « Idées », 1978, Introd., p. 15-16. Puisque nous en sommes aux considérations linguistiques, rappelons en passant, pour les puristes, qu'*amour*, au pluriel, peut être indifféremment masculin ou féminin (« l'usage n'est pas fixé », constate Grevisse, « le masculin est toujours permis » rappelle Hanse), et reste ordinairement « masculin au singulier comme au pluriel dans son acception générale » (V. Thomas, *Dictionnaire des difficultés de la langue française*, Larousse, 1956, rééd. 1976). Le féminin pluriel, d'allure toujours recherchée et souvent emphatique, ne s'utilise plus guère que pour désigner des liaisons amoureuses.
74. *Op. cit.*, chap. 2, p. 34.

que pour les rapports interpersonnels, ajoutez qu'on peut jouir ou se réjouir aussi de la seule pensée de cet objet (puisqu'on peut aimer les absents ou les abstractions), et vous aurez une définition passable de l'amour : aimer, c'est prendre plaisir à voir, toucher, sentir, connaître ou imaginer. La grande généralité de cette définition, que certains trouveront excessive, correspond en français à la polysémie du mot ou, pour mieux dire, à la pluralité de ses référents. Une définition ne vaut que pour ce qu'elle permet ou éclaire, et chacun est maître de son vocabulaire. Encore faut-il ne pas violenter trop la langue. Pour ma part, je proposerai la définition suivante, qui me paraît à la fois plus simple (en compréhension) et plus vaste (en extension) que celle de Stendhal, qu'elle recoupe et prolonge : *aimer, c'est pouvoir jouir ou se réjouir de quelque chose*. Ainsi celui qui aime les huîtres, par opposition à qui ne les aime pas. Ou celui qui aime la musique, ou telle musique, par opposition à ceux qu'elle laisse indifférents ou qu'elle ennuie. Ou celui qui aime les femmes, ou telle femme, par opposition à celui qui jouira (amour physique) ou se réjouira (amour spirituel, les deux pouvant bien sûr aller de pair et se mêler) plus volontiers des hommes ou, comme les convives du *Banquet*, des garçons... Les objets d'amour sont innombrables, comme les causes de plaisirs et de joies, comme les façons d'aimer, toutes différentes, que ces objets suscitent ou autorisent. J'aime les huîtres, j'aime Mozart, j'aime la Bretagne, j'aime cette femme, j'aime mes enfants, j'aime mes amis... Imaginons que rien de cela ne me manque : je suis en Bretagne, avec mes enfants, avec la femme que j'aime, avec mes meilleurs amis, nous mangeons des huîtres en regardant la mer et en écoutant Mozart... Qu'y a-t-il de commun, entre ces différents amours ? Certes pas le manque, ni même la satisfaction d'un manque. Mozart, les huîtres ou la Bretagne ne me manquent pour ainsi dire jamais, et mes amis, sauf séparation très longue, guère davantage : leur existence, même de loin, suffit à me réjouir. Ce que ces différents amours ont en commun, c'est d'ailleurs cela même : une joie en moi, une puissance de jouir ou de me réjouir (de jouir *et* de me réjouir) de quelque chose qui peut me manquer par ailleurs (si j'ai très faim, si je suis en manque de femme, d'enfants, d'amis...), mais dont le manque n'est ni l'essence, ni le contenu, ni même la condition (puisque, dans l'exemple considéré, j'aime précisément ce qui ne me manque pas). On dira que tout cela n'est guère érotique... Soit, si l'on pense à l'Eros de Platon et à ce qu'il y a d'anodin dans mon exemple. Mais les amants savent combien ce peut être sensuel, et voluptueux, et fort, que de faire l'amour dans la joie plutôt que dans le manque, dans l'action plutôt que dans la passion, dans le plaisir plutôt que dans la souffrance, dans la puissance comblée plutôt que frustrée, que de désirer l'amour qu'on *fait*, donc, plutôt que celui qu'on rêve, qu'on ne fait pas, et qui nous hante...

La définition que je viens de proposer doit beaucoup à une autre, qui est de Spinoza. La voici : « *L'amour est une joie qu'accompagne l'idée d'une cause extérieure.* »[75] Aimer c'est se réjouir, ou plus exactement (puisque l'amour suppose l'idée d'une cause) *se réjouir de*. Se réjouir ou jouir, disais-je ; mais le plaisir n'est un amour, au sens le plus fort du terme, que s'il réjouit l'âme, et c'est le cas, spécialement, dans les rapports interpersonnels. La chair est triste quand il n'y a pas d'amour, ou quand on n'aime que la chair. Cela donne raison à Spinoza : l'amour est cette joie qui s'ajoute au plaisir, qui l'illumine, qui le réfléchit, comme au miroir de l'âme, qui l'annonce, l'accompagne ou le suit, comme une promesse ou un écho de bonheur. Est-ce là le sens ordinaire du mot ? Il me semble que oui, ou du moins que cela le recoupe pour une part essentielle, qui est sa meilleure part. Si quelqu'un vous dit : « Je suis joyeux à l'idée que tu existes », ou

---

75. *Ethique*, III, déf. 6 des affects.

bien : « Quand je pense que tu existes, cela me rend joyeux », ou encore : « Il y a une joie en moi, et la cause de ma joie, c'est l'idée que tu existes... », vous prendrez cela pour une déclaration d'amour, et vous aurez bien sûr raison. Mais vous aurez aussi beaucoup de chance : non seulement parce qu'une déclaration spinoziste d'amour, cela n'est pas donné à tout le monde, mais aussi et surtout parce que c'est une déclaration d'amour, ô surprise, qui ne vous demande rien ! J'entends bien que quand on dit « Je t'aime », on n'en demande en apparence pas davantage. Tout dépend pourtant de quel amour il s'agit. Si l'amour est manque, dire « Je t'aime » c'est demander, et pas seulement que l'autre vous réponde « Moi aussi » : *c'est demander l'autre lui-même*, puisque vous l'aimez, puisqu'il vous manque, et puisque tout manque, par définition, veut posséder[76] ! Quel poids pour celui ou celle que vous aimez ! Quelle angoisse ! Quelle prison ! Se réjouir, au contraire, ce n'est rien demander du tout : c'est célébrer une présence, une existence, une grâce ! Quelle légèreté, pour vous et pour l'autre ! Quelle liberté ! Quel bonheur ! Ce n'est pas demander, c'est remercier. Ce n'est pas posséder, c'est jouir et se réjouir. Ce n'est pas manque, c'est gratitude. Qui n'aime remercier, quand il aime ? Qui n'aime déclarer son amour, quand il est joyeux ? Et par là même c'est don, c'est offrande, c'est grâce en retour. Qui n'aime être aimé ? Qui ne se réjouit de la joie qu'il procure ? Par quoi l'amour nourrit l'amour, et le redouble[77], d'autant plus fort, d'autant plus léger, d'autant plus *actif*, dirait Spinoza[78], qu'il est sans manque. Cette légèreté a un nom : c'est la joie. Et une preuve : le bonheur des amants. Je t'aime : je suis joyeux que tu existes.

---

76. *Banquet*, 204 *d-e*.
77. Voir *Ethique*, III, prop. 41 et scolie.
78. Voir *Ethique*, III, prop. 58 et 59, avec les démonstrations et le scolie. Voir aussi la prop. 40 de la cinquième partie.

Sous sa forme spinoziste, ce genre de déclaration peut sembler rare. Mais qu'importe la forme, et qu'importe le spinozisme ? Il existe d'autres façons, plus simples, plus fréquentes, de dire la même chose. Par exemple celle-ci : « *Merci d'exister, merci d'être ce que tu es, de ne pas manquer au réel !* » C'est déclaration d'amour comblé. Ou simplement un regard, un sourire, une caresse, une joie... La gratitude, disais-je, est le bonheur d'aimer[79]. Disons plus : c'est l'amour même, comme bonheur. De quoi manquerait-il, et pourquoi, puisqu'il se réjouit de ce qui est, puisqu'il est cette joie même ? Quant à « la volonté qu'a l'amant de se joindre à la chose aimée, écrit Spinoza critiquant ici la définition cartésienne, elle n'exprime pas l'essence de l'amour mais sa propriété », d'ailleurs de manière fort obscure et équivoque :

« Il faut observer, précise Spinoza, qu'en disant que cette propriété consiste dans la volonté qu'a l'amant de se joindre à la chose aimée, je n'entends point par volonté un consentement ou une délibération, c'est-à-dire un libre décret [puisqu'il n'y a pas de libre arbitre : puisque personne ne peut décider d'aimer ou de désirer], non pas même un désir de se joindre à la chose aimée quand elle est absente, ou de persévérer dans sa présence quand elle est là ; l'amour peut se concevoir en effet sans l'un ou sans l'autre de ces désirs [c'est-à-dire sans manque] ; mais par volonté j'entends le contentement qui est dans l'amant à cause de la présence de la chose aimée, contentement par où la joie de l'amant est fortifiée ou au moins alimentée. »[80]

L'amour, en tant que tel, ne manque de rien. S'il manque de son objet, ce qui peut évidemment arriver, c'est pour des raisons extérieures ou contingentes : le départ de l'aimé, son

79. *Supra*, chap. 10.
80. *Ethique*, III, explication de la déf. 6 des affects (les passages entre crochets sont ajoutés par moi). Comparer avec Descartes, *Traité des passions*, II, art. 79 et 80 (AT, 387).

absence, sa mort peut-être... Mais ce n'est pas pour cela qu'il l'aime! Il arrive que l'amour soit frustré, souffrant, en deuil. Si la cause de ma joie disparaît, comment ne serais-je pas malheureux[81]? Mais l'amour est dans la joie, même blessée, même amputée, même douloureuse atrocement quand on l'arrache, et non dans cette absence qui la déchire. Ce n'est pas ce qui me manque que j'aime; c'est ce que j'aime, parfois, qui me manque. L'amour est premier : la joie est première. Ou plutôt le désir est premier, la puissance est première, dont l'amour, dans la rencontre, est l'affirmation joyeuse. Adieu Platon et son démon! Adieu Tristan et sa tristesse! A considérer l'amour dans son essence, c'est-à-dire pour ce qu'il est, il n'y a pas d'amour malheureux.

Et il n'y a pas davantage de bonheur sans amour. On remarquera en effet que si l'amour est une joie qu'accompagne l'idée de sa cause, si donc tout amour, dans son essence, est joyeux, la réciproque est vraie aussi : toute joie a une cause (comme tout ce qui existe)[82], toute joie est donc aimante, au moins virtuellement (une joie sans amour est une joie qu'on ne comprend pas : c'est une joie ignorante, obscure, tronquée), et l'est en effet quand elle est pleinement consciente d'elle-même et, donc[83], de sa cause. L'amour est ainsi comme la transparence de la joie, comme sa lumière, comme sa vérité connue et reconnue. C'est le secret de Spinoza, et de la sagesse, et du bonheur : il n'est amour que de joie, il n'est joie que d'aimer.

On va m'accuser pour le coup d'embellir le tableau... Mais non pas. Je schématise, il faut bien, comme je l'ai fait pour Platon, mais sans trahir ni enjoliver. Si nous n'y reconnaissons pas les couleurs plus nuancées, plus confuses, plus brouillées de notre vie, c'est que joie et tristesse se

81. Voir *Ethique*, III, prop. 19 et démonstration. Voir aussi la prop. 21.
82. *Ethique*, I, axiome 3 et prop. 28.
83. *Ethique*, I, axiome 4.

L'AMOUR

mêlent, bien sûr, c'est que nous ne cessons d'hésiter, d'oscil-
ler, de fluctuer entre ces deux affects, entre ces deux vérités
(celle de Platon, celle de Spinoza), entre manque et puissance, entre espérance et gratitude, entre passion et action,
entre religion et sagesse, entre l'amour qui ne désire que ce
qu'il n'a pas et qu'il veut posséder *(éros)*, et l'amour qui a
tout ce qu'il désire, puisqu'il ne désire que ce qui est, dont
il jouit ou qui le réjouit — au fait, comment allons-nous
l'appeler?

En français, c'est *amour* : aimer un être, c'est désirer qu'il
soit, quand il est (on ne fait autrement que l'espérer), c'est
jouir de son existence, de sa présence, de ce qu'il offre de plaisirs ou de joies. Mais le même mot vaut aussi, on l'a vu, pour
le manque ou la passion (pour *éros*), et prête par là à confu-
sions. Le grec est plus clair, qui utilise sans hésiter le verbe
philein (aimer, quel que soit l'objet de cet amour) et, surtout
pour les rapports interpersonnels, le substantif *philia*. L'amitié? Oui, mais au sens le plus large du terme, qui est aussi le
plus fort et le plus élevé. Le modèle de l'amitié, pour Aristote,
c'est d'abord « la joie que les mères ressentent à aimer leurs
enfants »[84], c'est aussi « l'amour *[philia]* entre mari et
femme », spécialement quand « tous deux mettent leur joie
en la vertu de l'autre »[85], c'est encore l'amour paternel, fraternel ou filial[86], mais c'est aussi l'amour des amants, qu'*érôs*

84. *Ethique à Nicomaque*, VIII, 9, 1159 *a*, 27-33 (p. 404-405 de la trad. Tricot).
Voir aussi VIII, 14, 1161 *b* 26, p. 419, et surtout IX, 4, 1166 *a* 7-9, p. 443 : un ami
peut se définir «celui qui souhaite que son ami ait l'existence et la vie, pour l'amour
de son ami même (c'est précisément ce sentiment que ressentent les mères à l'égard
de leurs enfants), [...] ou celui qui partage les joies et les tristesses de son ami (sentiment que l'on rencontre aussi tout particulièrement chez les mères) ».
85. *Ethique à Nicomaque*, VIII, 14, 1162 *a* 15-33 (p. 420-421 de la trad. Tricot).
86. *Ibid.*, VIII, 14, 1161 *b* 16 - 1162 *a* 15, p. 418-420 de la trad. Tricot. Voir
aussi *Ethique à Eudème*, VII, 10, 1242 *a* 23 - *b* 1 (p. 184-185 de la trad. Décarie, Vrin,
1984), où Aristote montre que « la famille est une amitié », et même que c'est en son
sein que « se trouvent d'abord les commencements et les sources de l'amitié, de
l'Etat et de la justice ».

ne saurait tout entier contenir ni épuiser[87], et c'est enfin l'amitié parfaite, celle des hommes vertueux, ceux qui « souhaitent du bien à leurs amis pour l'amour de ces derniers », ce qui en fait « des amis par excellence »[88]. Disons le mot : *philia* c'est l'amour, quand il s'épanouit entre humains[89] et quelles qu'en soient les formes, dès lors qu'il ne se réduit pas au manque ou à la passion (à l'*érôs*). Le mot a donc une extension plus restreinte que le français « amour » (qui peut valoir aussi pour un objet, un animal ou un dieu), mais plus large que notre « amitié » (qui ne se dit guère, par exemple, entre enfants et parents). Disons que c'est l'amour-joie, en

---

87. *Ethique à Nicomaque*, VIII, 5, 1157 *a* 6-15 (p. 393) et IX, 1, 1164 *a* 2-13 (p. 432).
88. *Ibid.*, VIII, 4, 1156 *b* 6-35 (p. 390-392).
89. Voir, *ibid.*, VIII, 2, 1155 *b* 27-31 (p. 387) : « Pour désigner le sentiment par lequel on aime les choses inanimées, le langage courant n'emploie pas le mot d'amitié. C'est qu'il ne saurait être question pour ces choses de nous aimer en retour, ni pour nous de souhaiter leur bien à elles (on ferait rire si, parlant du vin, on prétendait "lui souhaiter du bien" ! Bien sûr, on souhaite qu'il se conserve, mais c'est pour que soi-même on en ait à boire !). Or, à un ami, on doit, dit-on, souhaiter du bien pour lui-même » (trad. Gauthier-Jolif, Louvain, 1958, p. 215). Nous ne pouvons pas non plus, selon Aristote, avoir d'amitié pour les animaux (*Eth. à Nicomaque*, VIII, 13, 1161 *b* 2-3, p. 416) ni pour les dieux (*Eth. à Nicomaque*, VIII, 9, p. 403). Voir aussi *Grande Morale*, II, 11, 1208 *b* 28-32 : « On a tort de s'imaginer qu'une divinité ou des êtres inanimés peuvent être objets d'amitié. Selon nous, en effet, il n'y a amitié que lorsqu'on est payé de retour. Or, l'amitié pour un dieu ne peut être payée de retour et, de façon générale, il est exclu d'éprouver de l'amitié pour un dieu : quelle absurdité ce serait de dire qu'on a de l'amitié pour Zeus ! » (trad. Dalimier, Arléa, 1992, p. 193-194). C'est un point où saint Thomas ne suivra pas Aristote : « La charité, lit-on dans la *Somme théologique*, est une amitié de l'homme pour Dieu » (IIa IIae, quest. 23, art. 1, p. 160 de l'Ed. du Cerf, t. 3, 1985). C'est bien sûr que, avec ce Dieu-là, une « réciprocité d'amour », comme dit saint Thomas, est possible, qui ne l'était pas avec Zeus. Remarquons pourtant que cette exigence de réciprocité, même chez Aristote, n'est pas, pour l'amitié, une condition absolue, comme le montre l'exemple des mères, qui aiment le nouveau-né sans en être aimées, et même, quand il arrive qu'elles doivent l'abandonner définitivement à quelque nourrice ou mère adoptive, qui continuent de l'aimer sans en être aimées ni connues, ce qui, pour Aristote, confirme que « l'amitié consiste plutôt à aimer qu'à être aimé » (*Eth. à Nicomaque*, VIII, 9, 1159 *a* 28-32, p. 404-405 ; voir aussi *Eth. à Eudème*, VII, 5, 1239 *a* 34-40, p. 170-171).

tant qu'il est réciproque ou peut l'être : c'est la joie d'aimer et d'être aimé[90], c'est la bienveillance mutuelle ou susceptible de le devenir[91], c'est la vie partagée[92], le choix assumé, le plaisir et la confiance réciproques[93], bref c'est l'amour-action[94], qu'on opposera pour cela à *érôs* (l'amour-passion), même si rien n'interdit qu'ils puissent converger ou aller de pair. Quels amants, s'ils sont heureux ensemble, qui ne deviennent amis ? Et comment autrement seraient-ils heureux ? Aristote voit bien que « l'amour *[philia]* entre mari et femme » est une des formes de l'amitié, sans doute la plus importante (puisque « l'homme est un être naturellement enclin à former un couple, plus même qu'à former une société politique »), et qu'elle inclut évidemment la dimension sexuelle[95]. C'est ce qui m'autorise à reprendre ce mot de *philia* pour dis-

90. Voir par ex., *Eth. à Nicomaque*, VIII, 9, 1159 *a* 25-28 (p. 404).
91. *Ibid.*, VIII, 2, 1155 *b* 31 - 1156 *a* 5 (p. 387). La bienveillance peut pourtant être à sens unique (par exemple de la mère vers le nouveau-né) sans cesser d'être une *philia* : voir *Eth. à Nicomaque*, VIII, 9, 1159 *a* 27-33 (p. 404-405).
92. *Ethique à Nicomaque*, IX, 12, 1171 *b* 29 - 1172 *a* 8 (p. 473-474). Voir aussi *Politique*, III, 9, 1280 *b* 39 : « le choix délibéré de vivre ensemble n'est autre chose que de l'amitié » (trad. Tricot, rééd. Vrin, 1970, p. 210).
93. Voir par ex. *Ethique à Eudème*, VII, 2, 1237 *a* 30 - *b* 27 : « L'amitié en acte est un choix réciproque, accompagné de plaisir et de connaissance mutuelle. [...] L'amitié est reconnue pour une chose stable [ ]. Or, il n'y a pas d'amitié stable sans confiance, ni de confiance sans le temps... » (trad. Décarie, p. 162-163).
94. J'emprunte l'expression à Denis de Rougemont (qui l'oppose bien sûr, comme je fais aussi, à l'amour-passion : *L'amour et l'Occident*, VII), mais sans trahir Aristote : « Aimer vaut mieux qu'être aimé, car aimer est une sorte d'activité de plaisir et un bien, alors que du fait d'être aimé ne procède aucune activité chez l'aimé » (*Grande Morale*, II, 11, 1210 *b* 6-8, p. 201 de la trad. Dalimier). Sur l'amour comme activité, chez Aristote, voir aussi A.-J. Voelke, *Les rapports avec autrui...*, *op. cit.*, p. 33.
95. *Ethique à Nicomaque*, VIII, 14, 1162 *a* 16-33 (p. 420-421 de la trad. Tricot). Comme le remarque R. Flacelière, Aristote, « qui se maria deux fois, et s'en trouva fort bien », a ainsi « réhabilité l'amour conjugal aux yeux des philosophes en l'intégrant explicitement à la catégorie de la *philia*, qui est la voie de la vertu *(arétè)* » (*L'amour en Grèce*, Hachette, 1960, rééd. « Le club du meilleur livre », 1961, p. 198-199). Pour saint Thomas, de même, le mariage est « une amitié, c'est même la plus intime de toutes » (E. Gilson, *Le thomisme*, p. 347).

tinguer, même dans notre vie amoureuse, l'amour-joie (l'amour selon Spinoza) de l'amour-manque (l'amour selon Platon), comme m'y autorise cette formule toute spinoziste d'Aristote : *« Aimer, c'est se réjouir »*[96]. Cela ne serait pas vrai du manque, et suffit à les distinguer.

Du moins en théorie. En pratique ces deux sentiments peuvent en effet se mêler, on l'a vu, et se mêlent presque toujours, spécialement entre hommes et femmes. On peut se réjouir *(philia)* de cela même qui nous manque *(érôs)*, vouloir posséder *(érôs)* ce dont l'existence est déjà un bonheur *(philia)*, autrement dit aimer passionnément en même temps que joyeusement. La chose n'est pas rare, et même elle est le lot quotidien des couples... surtout quand ils commencent. Etre amoureux, c'est manquer, presque toujours, c'est vouloir posséder, c'est souffrir si l'on n'est pas aimé, c'est craindre de ne l'être plus, c'est n'attendre de bonheur que de l'amour de l'autre, que de la présence de l'autre, que de la possession de l'autre. Et quel bonheur, en effet, si l'on est aimé, si l'on possède, si l'on jouit de cela même qui nous manque ! C'est sans doute ce qu'on peut vivre de plus fort, l'horreur mise à part, et peut-être, la sagesse mise à part, de meilleur. La passion heureuse : le printemps des couples, leur jeunesse, cette joie avide des amoureux qui se bécotent sur les bancs publics, comme disait Brassens, et qui sont en effet bien sympathiques, comme il disait aussi, ou touchants, par ce mélange d'enthousiasme et de niaiserie... Mais comment cela durerait-il ? Comment pourrait-on manquer longtemps de ce qu'on a (autrement dit manquer de ce qui ne manque pas !), comment pourrait-on aimer passionnément celui ou celle dont on partage la vie quotidienne, depuis des années, comment pourrait-on continuer d'idolâtrer celui ou celle que l'on connaît si bien, comment pourrait-on rêver le réel, comment

---

96. *Ethique à Eudème*, VII, 2, 1237 *a* 37-38 (p. 162 de la trad. Décarie).

pourrait-on rester amoureux, en un mot, et quel mot, de son
conjoint ? La cristallisation, pour parler comme Stendhal, est
un état instable, qui survit mal à la stabilité des couples.
Tout paraît d'abord merveilleux, dans l'autre ; puis l'autre
paraît tel qu'il est. On se souvient de cette chanson de
Claude Nougaro : « *Quand le vilain mari tue le prince charmant...* » C'est le même individu pourtant, mais l'un rêvé,
désiré, espéré, absent... et l'autre épousé, côtoyé, possédé —
présent. Le prince charmant, c'est simplement le mari qui
manque ; et le mari, le prince charmant que l'on a épousé, et
qui ne manque plus. L'un brille par son absence, l'autre est
terne par sa présence. Brève intensité de la passion, longue
morosité des couples... Nietzsche a bien vu que le mariage,
s'il pouvait être une aventure exigeante et belle, n'était le
plus souvent que médiocrité et bassesse :

« Hélas ! cette misère de l'âme à deux ! Hélas ! cette ordure de
l'âme à deux ! Hélas ! ce pitoyable bien-être à deux ! [...]
« Tel est parti comme un héros en quête de vérités ; il n'a
capturé qu'un petit mensonge paré. Il appelle cela son
mariage. [...]
« Beaucoup de brèves folies — c'est ce que vous appelez
l'amour. Et à ces brèves folies le mariage met fin — par une
longue sottise. »[97]

C'est Mme Tristan, ou c'est Mme Roméo, ou c'est
Mme Bovary, et elles vont souvent, d'année en année, se ressembler de plus en plus. Quant au mari, il pense toujours
davantage au sexe et au travail, de moins en moins à l'amour
ou à sa femme, si ce n'est pour les soucis qu'elle lui donne, ses
états d'âme, ses reproches, ses humeurs... Il voudrait la paix
et le plaisir ; elle voudrait le bonheur et la passion. Et chacun
de reprocher à l'autre de n'être pas, ou plus, ce qu'il avait
espéré, désiré, aimé, chacun regrettant que l'autre ne soit,
hélas, que ce qu'il est... Comment serait-il autre chose, et à

97. *Ainsi parlait Zarathoustra*, I, « De l'enfant et du mariage ».

qui la faute si la passion n'est qu'un rêve et s'il faut bien se réveiller ? « Je l'aimais pour son mystère », se dit-il. C'est avouer qu'il l'aimait parce qu'il ne la connaissait pas, et qu'il ne l'aime plus, puisqu'il la connaît. « On aime une femme pour ce qu'elle n'est pas, disait Gainsbourg, on la quitte pour ce qu'elle est. » Cela est souvent vrai, et vaut aussi pour les hommes. Il y a plus de vérité, presque toujours, dans le désamour que dans l'amour, du moins que dans cet amour-là, fasciné par le mystère de ce qu'il aime, de ce qu'il ne comprend pas, et qui lui manque. Drôle d'amour, qui n'aime que ce qu'il ignore.

Mais essayons plutôt de comprendre ce qui se passe dans les autres couples, ceux qui réussissent à peu près, ceux qui font plutôt envie, ceux qui ont l'air heureux, et de s'aimer encore, et de s'aimer toujours... La passion intacte, aujourd'hui plus qu'hier et bien moins que demain ? Je n'en crois rien, et quand bien même cela arriverait parfois, ou pourrait arriver, ce serait si rare, si miraculeux, si indépendant de notre volonté, qu'on ne saurait là-dessus fonder un choix de vie ni même une espérance raisonnable. D'ailleurs cela ne correspond pas à l'expérience des couples en question, qui n'ont rien de tourtereaux et qu'on ferait bien rire, le plus souvent, si on les comparaît à Tristan et Iseut... Simplement ces amants-là continuent de se désirer, et certes, s'ils vivent ensemble depuis des années, c'est puissance plutôt que manque, plaisir plutôt que passion, et ils ont su pour le reste transformer en joie, en douceur, en gratitude, en lucidité, en confiance, en bonheur d'être ensemble, bref en *philia*, la grande folie amoureuse de leurs débuts. La tendresse ? C'est une dimension de leur amour, mais point la seule. Il y a aussi la complicité, la fidélité, l'humour, l'intimité du corps et de l'âme, le plaisir visité et revisité (« l'amour réalisé du désir demeuré désir », comme dit Char), il y a la bête acceptée, apprivoisée, à la fois triomphante et vaincue, il y a ces deux solitudes si proches, si attentives, si respectueuses, comme habitées l'une de l'autre, comme soutenues l'une par l'autre, il y a cette joie légère et simple, cette familiarité, cette évidence, cette paix, il y a cette lumière, le regard de l'autre, il y a ce silence, son écoute, il y a cette force d'être deux, cette ouverture d'être deux, cette fragilité d'être deux... Ne faire qu'un ? Il y a bien longtemps qu'ils y ont renoncé, s'ils y ont jamais cru. Ils aiment trop leur duo, avec ses harmoniques, son contrepoint, ses dissonances parfois, pour vouloir le transformer en impossible monologue ! Ils sont passés de l'amour fou à l'amour sage, si l'on veut, et bien fou qui y verrait une perte, un amoindrissement, une banalisation, quand c'est au contraire un approfondissement, davantage d'amour, davantage de vérité, et la véritable exception de la vie affective. Quoi de plus facile à aimer que son rêve ? Quoi de plus difficile à aimer que la réalité ? Quoi de plus facile que de vouloir posséder ? Quoi de plus difficile que de savoir accepter ? Quoi de plus facile que la passion ? Quoi de plus difficile que le couple ? Etre amoureux est à la portée de n'importe qui. Aimer, non.

Lors d'un colloque sur l'amour, j'entendis cet aveu étonnant : « J'aime mieux vivre une petite passion qu'une grande amitié. »[98] Tristesse de la passion, égoïsme de la passion, étroitesse de la passion ! C'est n'aimer que soi, que son amour (non l'autre, mais l'amour qu'on a de lui), que ses petites palpitations narcissiques. Voilà les amis relégués au rang de bouche-trous, entre deux passions. Voilà le monde réduit à un seul être, à un seul regard, à un seul cœur. Il y a de la monomanie dans la passion, et comme une ivresse d'aimer. Cela fait sa force, cela fait sa beauté, cela fait sa

98. Colloque « Paroles d'amour », organisé par le Planning familial de l'Isère, à Grenoble, les 16 et 17 mars 1990. Les Actes du colloque (dont on m'avait demandé d'assurer la conclusion, dans laquelle j'esquissai quelques-unes des thèses ici développées) ont été publiés en 1991, *Paroles d'amour*, Paris, Ed. Syros, « Alternatives ».

grandeur, tant qu'elle dure. Qu'il faille la vivre quand on la rencontre, certes! Tout amour est bon, et celui-là, qui est le plus facile, nous apprendra peut-être à aimer davantage, et mieux. Quoi de plus ridicule que de condamner la passion? Cela est sans effet quand elle est là, sans objet quand elle n'y est pas. La vivre, donc, mais sans en être tout à fait dupe ni prisonnier, si possible, et pourquoi cela ne le serait-il pas? La vérité est qu'il n'y a pas à choisir entre passion et amitié, puisqu'on peut vivre les deux, l'expérience le prouve, puisque la passion n'oblige pas à oublier ses amis, et puisqu'elle n'a elle-même d'avenir que dans la mort, que dans la souffrance, que dans l'oubli, que dans la rancœur... ou dans l'amitié. La passion ne dure pas, ne peut pas durer : il faut que l'amour meure, ou qu'il change. Vouloir à tout prix être fidèle à la passion, c'est être infidèle à l'amour et au devenir : c'est être infidèle à la vie, qui ne saurait se réduire aux quelques mois de passion heureuse (ou aux quelques années de passion malheureuse...) que nous aurons vécus. Puis c'est être à l'avance infidèle à ceux qu'on aime, y compris passionnément, que de soumettre l'amour qu'on en a à l'incontrôlable de la passion. Grande formule de Denis de Rougemont : « Etre amoureux est un état ; aimer, un acte. »[99] Or un acte dépend de nous, au moins pour une part, on peut le vouloir, s'y engager, le prolonger, l'entretenir, l'assumer... Mais un état? Promettre de rester amoureux, c'est se contredire dans les termes. Autant promettre qu'on aura toujours la fièvre, ou qu'on sera toujours fou. Tout amour qui s'engage, en quoi que ce soit, doit engager autre chose que la passion.

J'observe d'ailleurs que le langage moderne, ici comme souvent, donne raison à Aristote. Comment, dans un couple non marié, désigner (quand on en parle à quelqu'un d'autre)

___

99. *L'amour et l'Occident*, VII, 4, p. 262.

celui ou celle dont on partage la vie ? Mon compagnon, ma
compagne ? Cela fait scout ou suranné. Mon concubin, ma
concubine ? Cela ne se dit que pour l'état civil ou les impôts.
Mon partenaire ? Quel horreur ! Mon amant, ma maîtresse ?
Cela suppose ordinairement un autre couple, que l'on transgresse. Alors ? A l'intérieur du couple, le prénom suffit, ou
bien l'on dit « Mon amour », comme tout le monde. Mais
quand il faut en parler au dehors, devant quelqu'un à qui le
prénom ne dira rien ? Le plus souvent on dit alors « mon
ami(e) » (ou pour les plus jeunes : mon copain, ma copine),
et chacun comprend ce que cela veut dire. L'ami, ou l'amie,
c'est celui ou celle que l'on aime ; et si l'on en parle au singulier, comme d'un absolu, c'est celui ou celle dont on partage
la vie ou, à tout le moins, avec qui on fait l'amour, non une
fois ou de loin en loin, comme avec un « partenaire » occa-
sionnel, mais de manière régulière, sur la longue (plus ou
moins longue) durée du couple... Comment l'amitié, au fil
des années, ne se mêlerait-elle pas au désir ? Comment ne se
substituerait-elle pas, peu à peu, à la dévorante passion (ou
simplement à l'état amoureux) qui l'a précédée et d'ailleurs
préparée ? Cela est vrai aussi dans le mariage, quand il est
heureux, et seules les habitudes de langage le rendent alors
moins manifeste. On parle de l'autre en disant « ma
femme », « mon mari », plutôt que « mon ami(e) ». Heureux les couples mariés pour lesquels ce n'est qu'une question
d'usage, qu'un mot différent pour dire la même chose !
Quelle chose ? L'amour, mais réalisé et non plus rêvé. Je me
souviens avec émotion de cette femme d'une quarantaine
d'années, qui me disait, parlant de l'homme avec qui elle
vivait depuis dix ou douze ans, dont elle avait eu deux
enfants, qu'ils élevaient ensemble : « Bien sûr, je ne suis plus
amoureuse de lui. Mais j'ai toujours du désir pour lui, et puis
c'est mon meilleur ami. » J'y ai reconnu, enfin dite, et tranquillement dite, la vérité des couples, quand ils sont heureux,
et aussi une expérience, soit dit en passant, sexuellement très

forte, très douce, très troublante... Ceux qui n'ont jamais fait l'amour avec leur meilleur(e) ami(e) ignorent quelque chose d'essentiel, me semble-t-il, sur l'amour et sur les plaisirs de l'amour, sur le couple et sur la sensualité des couples. Le meilleur ami, la meilleure amie, c'est celui ou celle que l'on aime le plus, mais sans en manquer, sans en souffrir, sans en *pâtir* (d'où vient passion), c'est celui ou celle que l'on a choisi(e), celui ou celle que l'on connaît le mieux, qui nous connaît le mieux, sur qui on peut compter, avec qui on partage souvenirs et projets, espoirs et craintes, bonheurs et malheurs... Qui ne voit que c'est en effet le cas dans un couple, marié ou pas, dès lors qu'il dure un peu, du moins si c'est un couple uni, et pas seulement par l'intérêt ou le confort, si c'est un couple aimant, et vrai, et fort? C'est ce que Montaigne appelait si joliment « l'amitié maritale »[100], et je ne connais pas de couple heureux, hormis le feu des commencements, que cette catégorie ne décrive plus adéquatement que celles de manque, de passion ou d'amour-fou.

La plupart des jeunes filles qui me liront, s'il y en a, verront là un affadissement, une déception, un recul... Mais les femmes qui ont fait ce chemin savent qu'il n'en est rien, ou que ce n'est un recul que par rapport à des rêves auxquels il est bon — si l'on veut *avancer* véritablement — de renoncer. Mieux vaut un peu d'amour vrai que beaucoup d'amour rêvé. Mieux vaut un couple vrai qu'une passion rêvée. Mieux vaut un peu de bonheur réel qu'une illusion heureuse. Au nom de quoi? Au nom de la bonne foi (comme amour de la vérité), et au nom de la vie et du bonheur — puisque la passion ne dure pas, puisqu'elle ne peut pas durer, ou puisqu'elle ne dure que quand elle est malheureuse... « Passion veut dire souffrance, chose subie, prépondérance du destin sur la personne libre et respon-

---

100. *Essais*, III, 9, p. 975 de l'éd. Villey-Saulnier. Sur l'amour et l'amitié selon Montaigne, voir aussi et surtout le fameux chap. 28 du livre I (« De l'amitié »).

sable. Aimer l'amour plus que l'objet de l'amour, aimer la
passion pour elle-même, de l'*amabam amare* d'Augustin jusqu'au romantisme moderne, c'est aimer et chercher la souffrance »[101], c'est manifester « une préférence intime pour le
malheur », pour une autre vie, qui serait « la vraie vie »,
comme disent les poètes, celle qui est ailleurs, toujours ailleurs, puisqu'elle est impossible, puisqu'elle n'existe que
dans la mort[102]. Comme il faut avoir peur de la vie pour lui
préférer la passion ! Comme il faut avoir peur de la vérité
pour lui préférer l'illusion ! Le couple, quand il est heureux
(à peu près heureux, c'est-à-dire heureux), est au contraire
cet espace de vérité, de vie partagée, de confiance, d'intimité paisible et douce, de joies réciproques, de gratitude, de
fidélité, de générosité, d'humour, d'amour... Que de vertus,
pour faire un couple ! Mais ce sont vertus heureuses, ou qui
peuvent l'être. Sans compter que le corps y trouve aussi son
content de plaisirs, d'audaces, de découvertes, que le couple
seul, pour beaucoup, rend possibles. Puis il y a les enfants,
qui sont là, pour quoi les couples sont faits, au moins phy-
siologiquement, et qui les justifie.

Il faut en dire un mot, puisque la famille est l'avenir du
couple, presque toujours, l'avenir de l'amour, donc, et son
commencement. Que saurions-nous de l'amour, si nous
n'avions été aimés d'abord ? Du couple, sans la famille ? Si
tout amour est amour de transfert, comme le pense Freud,
c'est aussi que tout amour est reçu avant d'être donné, ou
pour mieux dire (puisque ce n'est pas le même amour, ni ne
porte sur le même objet) que la grâce d'être aimé précède la
grâce d'aimer, et la prépare. Cette *préparation* est la famille,
malgré ses échecs, et sa plus grande réussite. « Familles, je

---

101. Denis de Rougemont, *L'amour et l'Occident*, I, 11, p. 41. La citation latine
est extraite des *Confessions* de saint Augustin, III, 1 (« *Nondum amabam et amare amabam* : je n'aimais pas encore, et j'aimais aimer »).
102. Voir D. de Rougemont, *ibid.*, p. 41-42.

vous hais »?[103] C'est leur rester fidèle, si c'est au nom de l'amour — au nom d'un amour plus large, plus ouvert, plus généreux, plus libre. Et sans doute il faut aimer hors de la famille, hors de soi, hors de tout. Mais la famille le permet, qui l'impose (par la prohibition de l'inceste) et en résulte (par un nouveau couple et de nouveaux enfants). Freud n'a pas dit autre chose. D'abord la mère et l'enfant, d'abord l'amour reçu, prolongé, sublimé, à la fois interdit (comme *érôs*) et sauvé (comme *philia*), d'abord la chair et le fruit de la chair, d'abord l'enfant protégé, préservé, éduqué. « Finalement, disait Alain, c'est le couple qui sauvera l'esprit. »[104] Oui, mais par fidélité à l'enfant qu'ils furent et, peut-être, qu'ils feront. Par l'enfant, donc, et pour lui, presque toujours, qui ne sauve pas le couple, mais que le couple sauve, ou veut sauver, et sauve en effet, en le perdant. C'est la loi d'airain de la famille, et la règle d'or de l'amour : *« Tu quitteras ton père et ta mère... »*[105] On ne fait pas des enfants pour les posséder, pour les garder : on les fait pour qu'ils partent, pour qu'ils nous quittent, pour qu'ils aiment ailleurs et autrement, pour qu'ils fassent des enfants qui les quitteront à leur tour, pour que tout meure, pour que tout vive, pour que tout continue... L'humanité commence là, et c'est là, de génération en géné-

---

103. Comme disait Gide dans les *Nourritures terrestres* : « Familles, je vous hais ! foyers clos ; portes refermées ; possessions jalouses du bonheur » (liv. IV, rééd. « Le livre de poche », 1966, p. 69-70).

104. *Les sentiments familiaux*, Bibl. de la Pléiade, « Les passions et la sagesse », p. 335.

105. Voir Cl. Lévi-Strauss, « La famille », dans *Le regard éloigné*, Plon, 1983, p. 91 : « Dans tous les cas, la parole de l'Ecriture : "Tu quitteras ton père et ta mère", fournit sa règle d'or (ou, si l'on préfère, sa loi d'airain) à l'état de société. » On sait en effet que la prohibition de l'inceste, parce qu'elle oblige les familles à ne « s'allier que les unes aux autres, et non chacune pour son propre compte, avec soi » (*ibid.*, p. 83), est selon Lévi-Strauss la règle universelle par quoi s'opère « le passage de la nature à la culture, de la condition animale à la condition humaine » (*ibid.* ; voir aussi *Les structures élémentaires de la parenté*, Paris, Plon, 1947, rééd. 1973, spécialement l'introduction et les chap. 1 et 2).

ration, qu'elle se reproduit. Les mères le savent bien, qui m'importent davantage que les jeunes filles.

Les scolastiques distinguaient l'amour de concupiscence ou de convoitise *(amor concupiscentiae)* de l'amour de bienveillance ou, comme dit aussi saint Thomas, d'amitié *(amor benevolentiae sive amicitiae)* [106]. Sans que cela recouvre exactement l'opposition *érôs/philia,* telle que j'ai essayé de la penser, on peut dire que l'amour de convoitise reste fidèle à Platon (« lorsqu'un être manque de quelque chose et rencontre ce qui lui manque, il le convoite ») [107], comme l'amour de bienveillance reste fidèle à Aristote (pour lequel, rappelle saint Thomas, « aimer, c'est vouloir du bien à quelqu'un ») [108].

L'amour, explique saint Thomas, se divise ainsi « en amour d'amitié et amour de convoitise : car un ami, au sens propre, est celui à qui nous voulons du bien ; et l'on parle de convoitise à l'égard de ce que nous voulons pour nous ». [109] Bref,

---

106. *Somme théologique,* Ia IIae, quest. 26, art. 4 (t. 2, p. 194 de l'Ed. du Cerf). Voir aussi E. Gilson, *Le thomisme,* rééd. Vrin, 1979, p. 335-344.

107. E. Gilson, *Le thomisme,* p. 340.

108. *Somme théologique, ibid.,* t. 2, p. 194. Cf Aristote, *Rhétorique,* II, chap. 4, § 2 : « Aimer, ce sera vouloir pour quelqu'un ce qu'on croit lui être un bien, eu égard à son intérêt et non au nôtre, et le fait de se rendre capable en puissance de réaliser ce bien » (trad. Ruelle-Vanhemelryck, Le livre de poche, p. 197). Voir aussi *Ethique à Nicomaque,* IX, 4 : « On définit un ami : celui qui souhaite et fait ce qui est bon en réalité ou lui semble tel, en vue de son ami même... » (trad. Tricot, p. 443).

109. *Somme théologique, ibid.,* Solutions, 1, p. 194. La même distinction se retrouvera, au XVIIᵉ siècle, chez saint François de Sales : « On partage l'amour en deux espèces, dont l'une est appelée amour de bienveillance, et l'autre, amour de convoitise. L'amour de convoitise est celui par lequel nous aimons quelque chose pour le profit que nous en prétendons ; l'amour de bienveillance est celui par lequel nous aimons quelque chose pour le bien d'icelle, car qu'est-ce autre chose avoir l'amour de bienveillance envers une personne que de lui vouloir du bien ? » (*Traité de l'amour de Dieu,* I, 13, Bibl. de la Pléiade, p. 392). Quant à l'amour d'amitié, il peut se définir comme un amour de bienveillance à la fois réciproque et intime : « Quand l'amour de bienveillance est exercé sans correspondance de la part de la chose aimée, il s'appelle amour de simple bienveillance ; quand il est avec mutuelle correspondance, il s'appelle amour d'amitié. Or, la mutuelle correspondance consiste en trois points : car il faut que les amis s'entr'aiment, sachent qu'ils s'entr'aiment, et qu'ils aient communication, privauté et familiarité ensemble » (*ibid.,* p. 393).

l'amour de convoitise ou de concupiscence (gardons ce dernier mot, puisque le français en propose deux, pour le désir sexuel), sans être forcément coupable, est un amour égoïste : c'est aimer l'autre pour son bien à soi. L'amour de bienveillance ou d'amitié, au contraire, est un amour généreux : c'est aimer l'autre pour son bien à lui. Saint Thomas n'ignore pas que les deux peuvent se mêler, et se mêlent en effet dans la plupart de nos amours[110]. La différence n'en subsiste pas moins, que le mélange suppose et confirme. J'aime les huîtres et j'aime mes enfants. Mais ce n'est pas le même amour dans les deux cas : ce n'est pas pour le bien des huîtres que je les aime ; ni seulement pour le mien que j'aime mes enfants. Aucun amour humain, sans doute, n'est totalement dépourvu de convoitise. Mais il arrive que la convoitise règne seule (quand j'aime les huîtres, l'argent, les femmes...), et l'amour, même intense, est alors au plus bas. Ou qu'à la convoitise se mêle la bienveillance (quand j'aime mes enfants, mes amis, la femme que j'aime), et l'amour est alors d'autant plus élevé que la bienveillance se développe davantage. Aristote est manifestement ému par ces mères qui doivent abandonner leurs enfants à la naissance, pour leur bien à eux, et qui continueront de les aimer sans en être connues, une vie durant, qui vont les aimer en pure perte ou désespérément, souhaitant le bien de leurs enfants davantage que le leur propre, prêtes à sacrifier même, pour autant qu'elle puisse distinguer l'un de l'autre, celui-ci à celui-là[111]. C'est pure bienveillance, et cela est beau (« il est beau de faire du bien sans espoir d'être payé en retour »)[112]. Mais ce n'est pas la règle. Le plus souvent bienveillance et convoitise vont se mêler, et c'est tant mieux pour tous ceux qui ne sont pas des saints, c'est-à-dire pour nous tous, puisque cela nous permet

110. *Somme théologique, ibid.*, Solutions, 3 (p. 194).
111. *Éthique à Nicomaque*, VIII, 9, 1159 *a* 27-33 (p. 404-405).
112. *Ibid.*, VIII, 15, 1162 *b* 35 (p. 425).

de chercher notre bien en en faisant un peu, de mêler égoïsme et altruisme, bref d'être l'ami de nos amis (à qui nous voulons du bien) et de nous-même (à qui nous en voulons aussi) [113]. Ainsi, dans le couple : quoi de plus naturel que d'aimer *(philia)* la femme ou l'homme que l'on désire avidement *(érôs)*, quoi de plus normal que de vouloir du bien à celui ou celle qui nous en fait, que d'aimer avec bienveillance, et joyeusement, celui ou celle dont on jouit concupiscemment, que d'être l'ami, donc, de celui ou celle que l'on convoite et possède... *Erôs* et *philia* se mêlent, presque toujours, et c'est ce qu'on appelle un couple ou une histoire d'amour. Simplement *érôs* s'use au fur et à mesure qu'il est satisfait, ou plutôt (car le corps a ses exigences et ses limites) *érôs* ne renaît que pour mourir à nouveau, puis renaître, puis mourir, avec toutefois de moins en moins de violence, de moins en moins de passion, de moins en moins de manque (de moins en moins d'*érôs*, ce qui ne veut pas dire moins de puissance ni de plaisir), quand *philia* au contraire, dans un couple heureux, ne cesse de se renforcer, de s'approfondir, de s'épanouir, et c'est très bien ainsi. C'est la logique de la vie, c'est la logique de l'amour. On n'aime d'abord que soi : l'amant se jette sur l'aimé comme le nouveau-né sur le sein, comme le loup sur l'agneau. Manque : concupiscence. La faim est un désir ; le désir, une faim. C'est l'amour qui prend, c'est l'amour qui dévore. *Eros* : égoïsme. Puis on apprend (dans la famille, dans le couple) à aimer un peu l'autre pour lui-même aussi : joie, amitié, bienveillance. C'est passer de l'amour charnel, comme dit saint Bernard, à l'amour spirituel, de l'amour de soi à l'amour de l'autre, de l'amour qui prend à l'amour qui donne, de la concupiscence à la bienveillance, du manque à la joie, de la violence à la douceur — d'*érôs* à *philia*.

---

113. Sur cette *philautia* (amour de soi, non au sens de l'égoïsme, mais au sens où le sage est ami de soi-même), voir Aristote, *Éthique à Nicomaque*, IX, 4 et 8.

Il y a une ascension ici, comme celle du *Banquet*, qui est ascension de l'amour, et par l'amour. Car l'amour charnel est premier, bien sûr, et c'est ce qu'avait vu saint Bernard de Clairvaux : « Comme la nature est trop fragile et trop faible, la nécessité lui commande de se mettre d'abord au service d'elle-même. C'est là l'amour charnel : l'homme commence par s'aimer lui-même pour le seul amour de soi, ainsi que le dit saint Paul : *La part animale est venue la première, et ensuite la part spirituelle.* Ce n'est pas un commandement, mais un fait inhérent à la nature. »[114] D'où il faudra s'élever, selon saint Bernard, au deuxième degré de l'amour (aimer Dieu pour l'amour de soi), puis au troisième (aimer Dieu pour lui-même), enfin au quatrième (ne plus s'aimer soi que pour Dieu)[115]... Ce chemin-là n'est plus le nôtre. Il dit pourtant quelque chose d'important : que le corps est le point de départ obligé, d'où l'esprit s'élève ou s'invente. Ce chemin est un chemin d'amour, et l'amour même comme chemin. On n'aime d'abord que soi, ou pour soi (quand on aime ce dont on manque). Un nouveau-né survit en chacun de nous, qui cherche un sein, qui le convoite, qui voudrait le garder toujours... Mais on ne peut. Mais on ne doit. La prohibition de l'inceste, par l'interdit qu'elle pose, oblige à aimer autrement, à aimer cela même qu'on ne peut posséder, prendre, consommer, cela même dont on ne peut jouir : un autre amour naît, dans cette soumission (d'abord imposée) du désir à la loi, et c'est l'amour même. Car le désir est premier, répétons-le, la pulsion est première, que nous vivons d'abord dans le manque : *érôs* est premier. Au début même, et comme dirait Freud, il n'y a que *ça* : un corps vivant et avide. Mais

---

114. *Traité de l'amour de Dieu*, chap. VIII (*Œuvres mystiques de saint Bernard*, trad. A. Béguin, Seuil, 1953, rééd. 1992, p. 60). Sur les degrés de l'amour chez saint Bernard, voir aussi E. Gilson, *La théologie mystique de saint Bernard*, rééd. Vrin, 1986, spécialement aux p. 53-61 et 108-112.

115. *Traité de l'amour de Dieu*, chap. IX et X (p. 63 à 68). Voir aussi le chap. XII.

dans un monde humain, ce petit mammifère constate pourtant que quelque chose le précède, l'accueille, le protège, qu'un sein est là pour son désir, pour son plaisir, et bien plus qu'un sein, et bien plus qu'un plaisir. Quoi ? L'amour : celui qui convoite (quelle mère n'a désiré un enfant pour son bien à elle ?), mais aussi celui qui donne (quelle mère qui ne mette le bien de son enfant plus haut que le sien propre ?). *Erôs*, donc, mais aussi *philia*, inextricablement mêlés, embrassés, confondus, mais pourtant différents : puisque celle-ci naît de celui-là, puisque la bienveillance naît de la concupiscence, puisque l'amour naît du désir, dont il n'est que la sublimation joyeuse et comblée. Cet amour-là n'est pas une passion, remarque saint Thomas après Aristote, mais une vertu[116] : vouloir le bien d'autrui, c'est le bien même.

Regardez la mère et le nouveau-né. Quelle avidité chez le petit ! Quelle générosité chez la mère ! Chez lui il n'y a guère que du désir, que de la pulsion, que de l'animalité. Chez elle, c'est à peine si on les voit encore, tant ils sont transfigurés par l'amour, par la douceur, par la bienveillance... Cela commence chez les animaux, me semble-t-il, en tout cas chez les mammifères, mais l'humanité est allée, dans cette direction, beaucoup plus loin qu'aucune autre espèce connue. L'humanité s'invente là, en inventant l'amour ou plutôt en le réinventant. L'enfant prend ; la mère donne. Chez lui, le plaisir ; chez elle, la joie. Eros est premier, disais-je, et en effet : puisque toute mère fut un enfant. Mais l'amour nous précède pourtant, presque toujours (puisque tout enfant est d'une mère), et nous apprend à aimer.

---

116. Aristote, *Éthique à Nicomaque*, VIII, spécialement les chap. 1, 4, 7 et 10 ; voir aussi J.-C. Fraisse, *op. cit.*, p. 257 et s., ainsi qu'A.-J. Voelke, *op. cit.*, p. 59 à 61 (qui montre que « l'amitié n'est pas uniquement une vertu parmi les autres, mais leur couronnement à toutes »). Saint Thomas, *Somme théologique*, Ia IIae, quest. 26, art. 2-4, t. 2, p. 192 à 194, et IIa IIae, quest. 23, t. 3, p. 159 à 167 ; voir aussi E. Gilson, *Le Thomisme*, rééd. Vrin, 1979, p. 335 et s. (spécialement note 5 de la p. 338 : « L'amitié n'est pas une passion, mais une vertu »).

L'humanité s'invente là, l'esprit s'invente là, et c'est le seul Dieu, et c'est un Dieu d'amour. Alain, en bon athée qu'il était, et parce qu'il l'était, a su le dire comme il fallait :

« Devant l'enfant, il n'y a point de doute. Il faut aimer l'esprit sans rien espérer de l'esprit. Il y a certainement une charité de l'esprit à lui-même ; et c'est penser. Mais regardez l'image ; regardez la mère.
« Regardez encore l'enfant. Cette faiblesse est Dieu. Cette faiblesse qui a besoin de tous est Dieu. Cet être qui cesserait d'exister sans nos soins, c'est Dieu. Tel est l'esprit, au regard de qui la vérité est encore une idole. C'est que la vérité s'est trouvée déshonorée par la puissance ; César l'enrôle, et la paie bien. L'enfant ne paie pas ; il demande et encore demande. C'est la sévère règle de l'esprit que l'esprit ne paie pas, et que nul ne peut servir deux maîtres. Mais comment dire assez qu'il y a un vrai de vrai, que l'expérience ne peut jamais démentir ? Cette mère, moins elle aura de preuves et plus elle s'appliquera à aimer, à aider, à servir. Ce vrai de l'homme, qu'elle porte à bras, ce ne sera peut-être rien d'existant dans le monde. Elle a raison pourtant, et elle aura encore raison quand tout l'enfant lui donnerait tort. »[117]

Oui. Mais cela l'enfant ne le sait pas, qui ne l'apprendra qu'en apprenant à aimer.

Agapè

Est-ce là tout ? Ce serait bien si ça l'était, si ça pouvait l'être — si le désir et la joie suffisaient à l'amour, si l'amour se suffisait à lui-même ! Mais cela n'est pas : parce que nous ne savons guère aimer que nous-mêmes ou nos proches, parce que nos désirs sont égoïstes, presque toujours, enfin parce que nous sommes confrontés non seulement à nos proches, ceux

---

117. *Les dieux*, IV, 10, Bibl. de la Pléiade (« Les arts et les dieux »), p. 1352.

que nous aimons, mais à notre prochain, que nous n'aimons pas. L'amitié n'est pas un devoir, puisque l'amour ne se commande pas ; mais c'est une vertu, puisque l'amour est une excellence. Que penserions-nous de celui qui n'aimerait personne ? Inversement, remarque Aristote, « nous louons ceux qui aiment leurs amis », ce qui confirme que l'amitié n'est pas seulement « une chose nécessaire, mais aussi une chose noble »[118]. Epicure ne disait pas autre chose : « Toute amitié est par elle-même une excellence *(arétè)* »[119], autrement dit une vertu, et cette vertu entraîne, vis-à-vis de nos amis, ou entraînerait, si nous savions la vivre jusqu'au bout, toutes les autres. Qui n'est pas généreux avec ses amis (avec ses enfants, etc.), c'est qu'il manque d'amour autant que de générosité. Et de même qui serait lâche, quand il s'agit de les défendre, ou sans pardon, quand il s'agit de les juger. C'est manquer d'amour autant ou davantage que de courage et de miséricorde. Car le courage, la miséricorde ou la générosité valent pour n'importe qui, amour ou pas, mais sont d'autant plus nécessaires, comme vertus, que l'amour fait défaut. De là ce que j'ai appelé la maxime de la moralité : *Agis comme si tu aimais.* Quand l'amour est là, en revanche, les autres vertus suivent spontanément, comme coulant de source, au point parfois de s'annuler comme vertus spécifiques ou spécifiquement morales. La mère qui donne à l'enfant tout ce qu'elle possède n'est pas généreuse, ou elle n'a pas besoin de l'être : elle aime son enfant plus qu'elle-même. La mère qui se ferait tuer pour son enfant n'est pas courageuse, ou elle ne l'est que par surcroît : elle aime son enfant plus que la vie. La mère

118. *Ethique à Nicomaque*, VIII, 1, 1155 a 28-29.
119. *Sentences vaticanes*, 23 (trad. G. Rodis Lewis, qui a sans doute raison, avec Jean Bollack, de conserver la leçon du manuscrit : voir *Epicure et son école*, Gallimard, « Idées », 1975, p. 364, ainsi que les *Actes du VIIIe Congrès de l'Association Guillaume-Budé*, Belles Lettres, 1969, p. 223-226). Sur le rapport, chez Epicure, entre la morale et l'amitié, voir mon *Traité du désespoir et de la béatitude*, t. 2, chap. 4, p. 124 à 131.

qui pardonne tout à son enfant, qui l'accepte comme il est, quoi qu'il ait fait, quoi qu'il fasse, n'est pas miséricordieuse : elle aime son enfant plus que la justice ou le bien. On pourrait prendre d'autres exemples, en particulier dans la vie des saints ou de Jésus-Christ. Mais ils seraient presque tous historiquement discutables ou difficiles à interpréter. Le Christ a-t-il vraiment existé ? Qu'a-t-il vécu ? Dans quelle mesure les saints sont-ils saints ? Que pouvons-nous savoir de leurs intentions, de leurs motivations, de leurs sentiments ? Trop de légendes ici, trop de distance. L'amour des parents, et spécialement des mères, est à la fois plus proche, plus manifeste, et tout aussi exemplaire. Si légende il y a, comme partout, du moins la pouvons-nous confronter à un réel observable. Or, que voit-on ? Que les mères, vis-à-vis de leurs enfants, ont la plupart des vertus qui nous manquent (et qui leur manquent) ordinairement, ou plutôt que l'amour chez elles en tient lieu, presque toujours, et en libère — puisque ces vertus ne sont *moralement* nécessaires, presque toutes, que par manque d'amour. Quoi de plus fidèle, quoi de plus prudent, quoi de plus courageux, quoi de plus miséricordieux, quoi de plus doux, quoi de plus sincère, quoi de plus simple, quoi de plus pur, quoi de plus compatissant, quoi de plus juste (oui, davantage que la justice même !) que cet amour-là ? Ce n'est pas toujours le cas ? Je le sais bien : il y a aussi la folie des mères, l'hystérie des mères, la possessivité des mères, leur ambivalence, leur orgueil, leur violence, leur jalousie, leur angoisse, leur tristesse, leur narcissisme... Oui. Mais l'amour s'y mêle, presque toujours, qui n'annule pas le reste, mais que le reste n'annule pas. Il n'y a que des individus : j'ai vu des mères admirables, d'autres insupportables, d'autres encore qui étaient tantôt l'un tantôt l'autre, voire les deux à la fois... Qui ne voit pourtant qu'il n'est pas un autre domaine, dans toute l'histoire de l'humanité, où ce qui est s'approche si souvent de ce qui devrait être, au point parfois de l'atteindre, au point même de dépasser tout ce qu'on oserait légitimement attendre, demander, exiger ? L'amour inconditionnel n'existe que là sans doute, mais il existe parfois : c'est l'amour de la mère, l'amour du père, pour ce dieu mortel qu'ils ont engendré, et non pas créé, pour ce fils de l'homme (pour cette fille de l'homme) qu'une femme a porté...

Une vertu ? Bien sûr : puisque c'est une disposition, une puissance, une excellence ! « Puissance d'humanité », disais-je des vertus[120], et aucune n'est plus décisive que cette disposition à aimer, que cette puissance d'aimer, que cette excellence d'aimer, chez les parents, par quoi l'animalité en nous s'ouvre à autre chose qu'à elle-même, qu'on peut appeler l'esprit ou Dieu, mais dont le vrai nom est amour, et qui fait de l'humanité, non pas une fois pour toutes mais à chaque génération, mais à chaque naissance, mais à chaque enfance, autre chose qu'une espèce biologique.

Cet amour-là reste pourtant prisonnier de lui-même, et de nous.

Pourquoi aimons-nous tellement nos enfants, et si peu ceux des autres ?

C'est qu'ils sont nôtres, et que nous nous aimons à travers eux.

Et pourquoi aimons-nous nos amis, si ce n'est parce qu'ils nous aiment et parce que nous nous aimons nous-mêmes ? L'amour de soi est premier, montrait Aristote avant saint Bernard[121], et le demeure : l'amitié est comme sa projection, son extension, sa réfraction sur les proches. C'est ce qui rend l'amitié possible, et qui en limite la portée. La même raison qui nous fait aimer nos amis (l'amour que nous avons pour nous-mêmes) nous interdit d'aimer nos ennemis ou même, et

120. *Supra*, Avant-propos, p. 9-10.
121. Aristote, *Éthique à Nicomaque*, IX, chap. 4 et 8. Saint Bernard, *Traité de l'amour de Dieu*, chap. VIII. Sur les limites de cette *philautie*, voir aussi V. Jankélévitch, *Traité des vertus*, II, 2 *(Les vertus et l'amour)*, chap. VI, § 3 et 4, p. 179 à 206.

par définition, ceux qui nous sont indifférents. On ne sort de l'égoïsme et du narcissisme que par l'amour de soi, dont on ne sort pas.

Mais alors l'amour serait la plus haute des vertus, quant à ses effets, mais aussi la plus pauvre, la plus étroite, la plus chiche quant à sa portée, je veux dire quant à ses objets possibles. Combien de vivants sont pour nous causes de joie, et le sont au point de vaincre en nous (fût-ce par amour déplacé ou sublimé de nous-même) l'égoïsme ? Quelques enfants, quelques parents, quelques amis véritables, un ou deux amants ou amantes... Cela fait dix ou vingt personnes, pour chacun d'entre nous et dans le meilleur des cas, que nous sommes capables à peu près d'aimer : il en reste beaucoup plus de cinq milliards qui sont hors du champ de cet amour-là ! Faut-il se contenter, à leur égard, de la morale, du devoir, de la loi ? C'est ce que j'ai pensé longtemps, c'est ce qu'il m'arrive de croire encore, et certes je vois bien que c'est ce qui rend la morale nécessaire. Mais est-elle pour autant suffisante ? Entre l'amitié et le devoir, n'y a-t-il rien ? Entre la joie et la contrainte ? Entre la puissance et la soumission ? *Quid* alors de l'esprit du Christ, comme dit Spinoza[122], autrement dit de cet amour à la fois singulier et universel, exigeant et libre, spontané et respectueux, de cet amour qui ne saurait être érotique, puisqu'il aime ce qui ne lui manque pas (comment le prochain nous manquerait-il, lui qui ne se définit que d'être là, lui qui ne cesse de nous encombrer, d'être de trop ?), ni simplement amical, puisqu'au lieu d'aimer seulement les amis, comme chacun d'entre nous, il se reconnaît à ceci, c'est sa différence spécifique, sa mesure-démesure

---

122. Par ex. *Lettres 43* (à J. Osten) et *76* (à Albert Burgh), p. 275 et 342 de l'éd. Appuhn, rééd. G.-F., t. 4, 1966. Voir aussi le *Traité théologico-politique*, chap. XIV. Sur le rapport de Spinoza à Jésus-Christ (qui n'est pour lui ni Dieu ni fils de Dieu, mais le plus grand des maîtres spirituels), voir Sylvain Zac, *Spinoza et l'interprétation de l'Ecriture*, PUF, 1965 (spécialement p. 190 à 199), et surtout Alexandre Matheron, *Le Christ et le salut des ignorants chez Spinoza*, Aubier, 1971.

propre, qu'il est aussi, et peut-être surtout, *l'amour des ennemis* ?

« Vous avez entendu qu'il a été dit : "Tu aimeras ton prochain et tu haïras ton ennemi". Eh bien moi je vous dis : Aimez vos ennemis, faites du bien à ceux qui vous haïssent, priez pour vos persécuteurs... »[123] Que le Christ ait existé ou pas, et quoi qu'il ait vécu ou dit effectivement, que nous ne connaîtrons jamais, qui ne voit que le message évangélique, tel qu'il nous est parvenu, excède de très loin les capacités de l'*érôs*, cela va de soi, mais aussi de la *philia* ? Aimer ce qui manque est à la portée de n'importe qui. Aimer ses amis (ceux qui ne manquent pas, ceux qui nous font du bien ou qui nous aiment), quoique plus difficile, reste accessible. Mais aimer ses ennemis ? Mais aimer les indifférents ? Mais aimer ceux qui ne nous manquent ni ne nous réjouissent ? Mais aimer ceux qui nous encombrent, qui nous attristent ou qui nous font du mal ? Comment en serions-nous capables ? Comment, même, pourrions-nous l'accepter ? Scandale pour les Juifs, dira saint Paul[124], folie pour les Grecs, et en effet : cela excède la Loi autant que le bons sens. Pourtant, et quand bien même cela n'existerait qu'à titre d'idéal ou d'imagination, cet amour au-delà de l'amour (au-delà de l'*érôs*, au-delà de la *philia*), cet amour sublime et peut-être impossible mérite au moins un nom. Ce nom, en français, est ordinairement *charité*. Mais le mot est tellement dévoyé, prostitué, sali (par deux mille ans de condescendance cléricale, aristocratique puis bourgeoise), qu'il vaut mieux remonter à la source, et continuer, après *érôs* et *philia*, de parler grec : cet amour qui n'est ni manque ni puissance, ni passion ni amitié, cet amour qui aime jusqu'aux ennemis, cet amour universel et désintéressé, c'est ce que le grec des Ecritures (reprenant,

123. *Evangile selon saint Matthieu*, V, 43-44. Voir aussi Luc, VI, 27.
124. A propos du Christ crucifié, qui est l'image même de cet amour : *Première épître aux Corinthiens*, I, 23.

sans doute parce qu'il était disponible, un mot presque inconnu de la littérature profane, au moins sous la forme nominale, mais dérivé du verbe *agapan*, accueillir avec amitié, aimer, chérir, lui-même attesté en grec classique, par exemple chez Homère ou Platon), c'est ce que le grec des Ecritures, donc, depuis la Bible des Septante jusqu'aux épîtres apostoliques, appelle *agapè* (ainsi dans l'Evangile de saint Jean : « Dieu est amour, *o Théos agapè estin* »)[125], que la Vulgate traduisit le plus souvent par *caritas* (l'amour, l'affection, ce qui rend *cher*), qui donnera en effet, et indépendamment de ses perversions ultérieures, le français *charité*. C'est la troisième définition que j'annonçais, ou plutôt c'est le troisième amour, ou le troisième nom de l'amour, qui ne tient pas encore lieu de définition, mais qui l'appelle. Si Dieu est amour, cet amour ne peut être manque, puisque Dieu ne manque de rien. Ni amitié, puisque Dieu ne se réjouit pas d'un être, qui serait cause de sa joie et le ferait exister davantage, mais l'engendre, mais le crée, quand bien même sa joie

---

125. *Première épître de saint Jean*, IV, 8 et 16. Sur les questions de vocabulaire, et sur le contenu doctrinal qui s'y rattache, voir l'important article « Charité » du *Dictionnaire de spiritualité ascétique et mystique*, sous la dir. de M. Viller, SJ, t. 2, Beauchesne, 1953, p. 507-691, ou, sous une forme plus ramassée et d'un point de vue évidemment thomiste, l'introduction, par A.-M. Henry, au traité de la charité de saint Thomas (*Somme théologique*, IIa IIae, quest. 23 à 46), p. 153 à 157 du t. 3 de l'Ed. du Cerf. Ce dernier auteur remarque que « le substantif *Agapè*, extrêmement rare dans la littérature profane, est presque une création du Nouveau Testament », où il figure « 117 fois, parmi lesquelles 75 fois chez Paul et 25 chez Jean » (p. 153). Sur l'*agapè*, le livre de référence (quoique parfois unilatéral ou trop systématique) reste *Erôs et agapè*, d'A. Nygren, trad. franç., Aubier, réed. 1962 (en trois volumes, malheureusement introuvables en librairie). Nombreuses indications aussi dans les deux livres déjà cités de Denis de Rougemont. Pour une confrontation avec la tradition grecque (qui parlait plutôt de *philanthropia* ou de *philoxénia* : l'amour de l'humanité, l'amour de l'étranger), voir quelques pages suggestives de Marcel Conche, dans *Vivre et philosopher*, PUF, 1992, p. 195 à 202, ainsi que les remarques d'A.-J. Voelke, *Les rapports avec autrui...*, *op. cit.*, p. 185 à 188 (« Sagesse antique et charité chrétienne »). Pour une confrontation avec la tradition juive, voir l'article de Catherine Chalier, « Equité et bonté », dans le n° 11 de la série « Morales » de la revue *Autrement* (*La charité*, avril 1993, p. 20 et s.).

ne saurait en être augmentée, ni sa puissance, ni sa perfection, mais bien plutôt amputées, pour autant que ce soit possible, blessées, crucifiées. C'est d'où il faut partir : de la création, et de la Croix. Pour chercher Dieu ? Du tout. Pour chercher l'amour. *Agapè* est l'amour divin, si Dieu existe, et plus encore, peut-être, si Dieu n'existe pas. Pourquoi le monde ? L'existence de Dieu, loin de répondre à cette question, comme on le croit parfois, la rend plus difficile. Dieu, en effet, est supposé absolument parfait, et cette supposition, montrent Descartes ou Leibniz, lui sert — ou plutôt nous sert — de définition[126] : Dieu est le maximum d'être et de valeur possible. Il ne saurait donc manquer de quoi que ce soit. Imaginer que Dieu a créé le monde et les hommes pour son bien à lui, parce qu'il manquait de quelque chose, par exemple d'une œuvre, d'une gloire ou d'un public, bref imaginer une justification *érotique* de la création, c'est évidemment ne rien comprendre à l'idée de Dieu telle que l'Occident l'a pensée, c'est-à-dire en tant qu'absolue perfection. Si Dieu est parfait, tout dans le monde manque de lui peut-être, tout tend vers lui (ainsi chez Aristote, où Dieu meut tout comme cause finale, c'est-à-dire comme objet d'amour, *érômenon*, sans être mu ni ému par quoi que ce soit)[127], mais lui-même ne manque de rien, ne tend vers rien, et donc, explique Aristote, ne se meut pas : Dieu se pense lui-même — sa pensée est pensée de la pensée — et cette contemplation en acte suffit à sa joie, qui est éternelle, et n'a que faire d'une création ou d'un amour[128]. Cela vaut aussi,

---

126. Descartes, *Méditations métaphysiques*, III et V ; Leibniz, *Discours de métaphysique*, § 1, *Monadologie*, § 41. Signalons une bonne présentation du problème par Bernard Sève, *La question philosophique de l'existence de Dieu*, PUF, 1994 (spécialement, pour Descartes et Leibniz, le chap. 1).
127. *Métaphysique*, Λ, 7, spécialement 1072 *b* 3 (trad. Tricot, rééd. Vrin, 1981, p. 678).
128. Aristote, *ibid.*, 7-9 (trad. Tricot, p. 672-706). Voir aussi A. Nygren, *Erôs et agapè*, t. 1, p. 203-207 de la trad. franç. (« La conception aristotélicienne de l'éros »).

bien sûr, pour le Bien en soi de Platon, objet ultime de tout désir, de tout manque, de tout *érôs*, et n'en éprouvant aucun. Si l'amour est désir du bien, comme dira Plotin, et si le désir est manque, comment le Bien pourrait-il être amour, puisqu'il devrait pour cela manquer de soi[129] ?

Mais le monde ne pourrait pas davantage s'expliquer par la *philia* divine. Non seulement parce qu'il y a quelque ridicule, comme l'avait vu Aristote, à se croire l'ami de Dieu[130], mais aussi parce que l'amitié reste soumise à la loi de l'être, de l'amour de soi, de la *puissance*. Cela, qu'on pourrait lire chez Aristote[131], est plus explicite encore chez Spinoza. Qu'est-ce que l'amour ? Une joie qu'accompagne l'idée de sa cause. Qu'est-ce qu'une joie ? Le passage à une perfection ou à une réalité (les deux mots pour Spinoza sont synonymes) supérieure[132]. Se réjouir, c'est exister davantage, c'est sentir augmenter sa puissance, c'est persévérer triomphalement dans l'être. Etre triste, au contraire, c'est exister moins, c'est voir sa puissance diminuer, c'est se rapprocher en quelque chose de la mort ou du néant. C'est pourquoi tout homme désire la joie (puisque tout être s'efforce de persévérer dans son être, d'exister le plus possible), donc l'amour (puisque l'amour est une joie, donc un *plus* d'existence ou de perfection). Bref l'amour n'est qu'une occurrence parmi d'autres du *conatus* ou, comme dit aussi Spinoza, de la *puissance*[133], en tant qu'elle est finie et variable. Spinoza en tire sans trembler les conséquences. Dieu, explique-t-il, « n'éprouve aucune affection de joie ou de tristesse, et conséquemment n'a

---

129. Mêmes références que *supra*, note 27.
130. *Grande Morale*, II, 11, 1208 *b* 30-32 (p. 193-194 de la trad. Dalimier).
131. *Ethique à Nicomaque*, IX, 4-9.
132. Spinoza, *Ethique*, III, scolie de la prop. 11 et déf. 2 des affects. Voir aussi la déf. 6 de la deuxième partie.
133. *Ethique*, III, prop. 6 et s. Voir aussi, dans la première partie, le scolie de la prop. 11.

d'amour ni de haine pour personne »[134] — non par manque de puissance, on s'en doute, mais au contraire parce que sa puissance, étant absolument infinie, est constante : elle ne saurait donc être augmentée (joie, amour) ni diminuée (tristesse, haine) par quoi que ce soit[135]. Le Dieu de Spinoza est trop plein d'être, trop plein de puissance, trop plein de soi pour aimer, ou même pour laisser exister, autre chose que lui-même[136]. Aussi bien n'est-il pas créateur : puisqu'il est tout, et le demeure.

S'agissant du Dieu personnel des différents monothéismes, la création n'est guère plus simple à penser, du moins tant qu'on reste dans cette logique de la joie pleine, de la perfection, de la puissance. Pourquoi Dieu irait-il créer quoi que ce soit, puisqu'il est lui-même tout l'être et tout le bien possibles ? Comment rajouter de l'être à l'Etre infini ? Du bien, au Bien absolu ? Créer n'a de sens, dans cette logique de la puissance, qu'à la condition d'améliorer, au moins un peu, la situation initiale. Mais c'est ce que Dieu, même tout-puissant, ne saurait faire : puisque la situation initiale, étant Dieu lui-même, est absolument infinie et parfaite ! Certains imaginent Dieu, avant la création, comme insatisfait de soi, tel un élève exigeant qui écrirait, en marge de sa propre copie ou de sa propre divinité : « Peut mieux faire »... Mais non : Dieu ne peut pas faire mieux que ce qu'il est, ni même aussi bien (puisqu'il faudrait alors se créer soi, et donc ne rien créer du tout : tel est peut-être le sens de la Trinité). Dieu, s'il veut créer autre chose que soi, c'est-à-dire créer, ne peut faire que moins bien que soi. Disons mieux, ou pire : Dieu, étant déjà tout le bien possible et ne pouvant en conséquence l'augmenter, ne

---

134. *Ethique*, V, prop. 17, démonstration et corollaire.
135. *Ethique*, I, déf. 6, prop. 11 (avec les démonstrations et le scolie), et coroll. 2 de la prop. 20.
136. *Ethique*, I, prop. 15 et 18, et V, prop. 35.

peut créer que le mal ! De là ce monde qui est le nôtre. Mais alors : pourquoi diable l'avoir créé ? Ce problème est traditionnel. Mais personne peut-être ne l'a mieux perçu, ni mieux résolu, si tant est qu'on le puisse, que Simone Weil. Qu'est-ce que ce monde, demande-t-elle, sinon l'absence de Dieu, son retrait, sa distance (que nous appelons l'espace), son attente (que nous appelons le temps), son empreinte (que nous appelons la beauté) ? Dieu n'a pu créer le monde qu'en s'en retirant (sinon il n'y aurait que Dieu), ou s'il s'y maintient (sinon il n'y aurait rien du tout, pas même le monde) c'est sous la forme de l'absence, du secret, du retrait, comme la trace laissée sur le sable, à marée basse, par un promeneur disparu, et qui seule atteste, mais par un vide, de son existence en même temps que de sa disparition... Il y a là comme un panthéisme en creux, qui est la récusation de tout panthéisme vrai ou plein, de toute idolâtrie du monde ou du réel. « Ce monde en tant que tout à fait vide de Dieu est Dieu lui-même »[137], et c'est pourquoi « Dieu est absent »[138], toujours absent, comme l'indique d'ailleurs la prière fameuse. *« Notre Père, qui êtes aux cieux... »* Simone Weil prend l'expression au sérieux, et en tire toutes les conséquences : « C'est le Père qui est dans les cieux. Non ailleurs. Si nous croyons avoir un Père ici-bas, ce n'est pas lui, c'est un faux Dieu. »[139] Spiritualité du désert, qui ne rencontre ou ne prie que « la formidable absence, partout présente », comme disait Alain[140], à quoi répond, chez son élève, cette formule

---

137. *La pesanteur et la grâce*, p. 112 de la rééd. UGE, « 10-18 », 1979.
138. *Attente de Dieu*, p. 216.
139. *Ibid.*, p. 215.
140. *Les dieux*, IV, 2, Bibl. de la Pléiade, p. 1324. Sur le rapport de Simone Weil à Alain, qui fut son professeur, et sur leur refus commun du panthéisme et du Dieu-puissance, voir mon exposé « Le Dieu et l'idole (Alain et Simone Weil face à Spinoza) », dans *Spinoza au XXᵉ siècle*, sous la dir. d'O. Bloch, PUF, 1993, p. 13 à 39 (le même article est paru dans les *Cahiers Simone Weil*, t. XIV, nº 3, septembre 1991, p. 213 et s.).

étonnante : « Il faut être dans un désert. Car celui qu'il faut aimer est absent. »[141] Mais pourquoi cette absence ? Pourquoi cette création-disparition ? Pourquoi ce « bien mis en morceaux et éparpillé à travers le mal »[142], étant entendu que tout le bien possible existait déjà (en Dieu) et que le mal n'existe que par cet éparpillement du bien, que par l'absence de Dieu — que par le monde ? « On ne peut accepter l'existence du malheur qu'en le regardant comme une distance »[143], écrit encore Simone Weil. Soit. Mais pourquoi cette distance ? Et puisque cette distance est le monde lui-même, en tant qu'il n'est pas Dieu (et il ne peut être le monde, bien évidemment, qu'à la condition de *n'être pas* Dieu), pourquoi le monde ? Pourquoi la création ?

Simone Weil répond : « Dieu a créé par amour, pour l'amour. Dieu n'a pas créé autre chose que l'amour même et les moyens de l'amour. »[144] Mais cet amour n'est pas un *plus* d'être, de joie ou de puissance. C'est tout le contraire : c'est une diminution, une faiblesse, un renoncement. Le texte le plus clair, le plus décisif, est sans doute celui-ci :

> « La création est de la part de Dieu un acte non pas d'expansion de soi, mais de retrait, de renoncement. Dieu et toutes les créatures, cela est moins que Dieu seul. Dieu a accepté cette diminution. Il a vidé de soi une partie de l'être. Il s'est vidé déjà dans cet acte de sa divinité. C'est pourquoi Jean dit que l'Agneau a été égorgé dès la constitution du monde. Dieu a permis d'exister à des choses autres que Lui et valant infiniment moins que Lui. Il s'est par l'acte créateur nié lui-même, comme le Christ nous a prescrit de nous nier nous-mêmes. Dieu s'est nié en notre faveur pour nous donner la possibilité de nous nier pour Lui. Cette réponse, cet écho qu'il dépend de nous de refuser, est la seule justification possible à la folie d'amour de l'acte créateur.

141. *La pesanteur et la grâce*, p. 112.
142. *Ibid.*, p. 75.
143. *Attente de Dieu*, Fayard, 1966, rééd. « Livre de vie »1977; p. 106.
144. *Ibid.*

« Les religions qui ont conçu ce renoncement, cette distance volontaire, cet effacement volontaire de Dieu, son absence apparente et sa présence secrète ici-bas, ces religions sont la religion vraie, la traduction en langages différents de la grande Révélation. Les religions qui représentent la divinité comme commandant partout où elle en a le pouvoir sont fausses. Même si elles sont monothéistes, elles sont idolâtres. »[145]

C'est où l'on retrouve la passion, mais en un tout autre sens : ce n'est plus la passion d'Eros ou des amoureux, c'est celle du Christ et des martyrs. C'est où l'on retrouve l'amour fou, mais en tout autre sens : ce n'est plus la folie des amants ; c'est la folie de la Croix.

Cet amour, explique Simone Weil, est le contraire de la violence, autrement dit de la force qui s'exerce comme de la puissance qui gouverne. Et de citer Thucydide : « Toujours, par une nécessité de nature, tout être exerce tout le pouvoir dont il dispose. »[146] C'est la loi du *conatus*, c'est la loi de la puissance, et point seulement à la guerre ou dans la politique, c'est la loi du monde, c'est la loi de la vie. « Les enfants sont comme l'eau, me faisait remarquer un ami : ils occupent toujours tout l'espace disponible. » Mais Dieu, non : il n'y aurait autrement que Dieu, et pas de monde. Mais les parents, non : il arrive, pas toujours (il faut bien qu'ils protègent, eux aussi, leur espace de survie !), mais il arrive parfois, et plus souvent qu'on ne le croit, qu'ils se retirent, qu'ils reculent, qu'ils n'occupent pas tout l'espace disponible, juste-

---

145. *Ibid.*, p. 131-132. Ce thème de la création-retrait, et donc du monde comme absence de Dieu, était déjà présent, semble-t-il, dans la tradition mystique juive : voir à ce propos l'article de Richard A. Freund, « La tradition mystique juive et Simone Weil », dans les *Cahiers Simone Weil*, t. X, n° 3, septembre 1987. Il s'agit plutôt d'une rencontre, selon toute vraisemblance, que d'une influence : on sait que Simone Weil, dont les parents étaient des juifs laïques et agnostiques, s'est montrée fort injuste avec le judaïsme.

146. *La pesanteur et la grâce*, p. 20, ou *Attente de Dieu*, p. 127 (« Toujours, par une nécessité de nature, chacun commande partout où il en a le pouvoir »). La citation de Thucydide est extraite de l'*Histoire de la guerre du Péloponnèse*, V, 105.

ment, qu'ils n'exercent pas tout le pouvoir dont ils disposent. Pourquoi ? Par amour : pour laisser plus de place, plus de pouvoir, plus de liberté à leurs enfants, et d'autant plus que les enfants sont plus faibles, plus démunis, plus fragiles, pour ne pas les empêcher d'exister, pour ne pas les écraser de leur présence, de leur puissance, de leur amour... Ce n'est d'ailleurs pas réservé aux seuls parents. Qui ne fait attention à un nouveau-né ? Qui ne restreint, devant lui, sa propre force ? Qui ne s'interdit la violence ? Qui ne limite son pouvoir ? La faiblesse commande, et c'est ce que signifie la charité. « Il arrive, écrit Simone Weil, quoique ce soit extrêmement rare, que par pure générosité un homme s'abstienne de commander là où il en a le pouvoir. Ce qui est possible à l'homme est possible à Dieu. »[147] Par pure générosité ? Disons plutôt par pur amour, dont la générosité découle. Mais quel amour ? *Eros* ? Non pas : puisque Dieu ne manque de rien, ni les parents de leurs enfants, ni l'adulte de la faiblesse qu'il protège. *Philia* ? Non plus, du moins sous sa forme première : puisque la joie de Dieu ne saurait être augmentée, ni celle des parents épuiser leur amour, ni celle de l'adulte expliquer à elle seule — devant un enfant qui lui est étranger — cette douceur en lui qui fait comme une paix, et davantage peut-être. La bienveillance est là pourtant, la joie est là — mais en creux, mais attestées surtout par cette force qui ne s'exerce pas, par ce retrait, par cette douceur, cette délicatesse, par cette puissance qui semble se vider d'elle-même, se limiter elle-même, qui préfère se nier plutôt que s'affirmer, se retirer plutôt que s'étendre, donner plutôt que garder ou prendre, et perdre, même, plutôt que posséder. On dirait le contraire de l'eau, le contraire des enfants, le contraire du *conatus*, le contraire de la vie qui dévore ou s'affirme : le contraire de la

147. *Attente de Dieu*, p. 131.

pesanteur, et c'est ce que Simone Weil appelle la grâce, le contraire de la force, et c'est ce qu'elle appelle l'amour. Les couples parfois s'en approchent. Il y a *érôs*, qui désire, qui prend, qui possède. Il y a *philia*, qui se réjouit, qui partage, qui est comme une addition de forces, comme une puissance redoublée par la puissance de l'autre, par la joie de l'autre, par l'existence de l'autre. Et qui n'aime être désiré ou aimé ? Pourtant, à force de voir l'autre exister de plus en plus, à force de le voir tellement fort, tellement content, tellement satisfait, à force de voir comme le couple lui réussit, comme l'amour lui réussit, à force de le voir occuper si bien tout l'espace disponible, toute la vie disponible, à force de le voir affirmer sa puissance, son existence, sa joie, à force de le voir persévérer si triomphalement dans l'être, il arrive qu'on sente face à lui comme une immense fatigue, comme une lassitude, comme une faiblesse, il arrive qu'on se sente soudain comme envahi, écrasé, débordé, qu'on en existe soi-même de moins en moins, qu'on étouffe, qu'on ait envie de fuir ou de pleurer... Vous reculez d'un pas ? Il avance aussitôt d'autant, comme l'eau, comme les enfants, comme les armées : il appelle cela « son amour », il appelle cela « votre couple ». Et soudain vous préféreriez être seul(e).

Il faut citer une dernière fois la bouleversante formule de Pavese, dans son journal intime : « Tu seras aimé le jour où tu pourras montrer ta faiblesse sans que l'autre s'en serve pour affirmer sa force. » Cet amour-là est le plus rare, le plus précieux, le plus miraculeux. Vous reculez d'un pas ? Il recule de deux. Simplement pour vous laisser plus de place, pour ne pas vous bousculer, pour ne pas vous envahir, pour ne pas vous écraser, pour vous laisser un peu plus d'espace, de liberté, d'air, et d'autant plus qu'il vous sent plus faible, pour ne pas vous imposer sa puissance, pas même sa joie ou son amour, pour ne pas occuper tout l'espace disponible, tout l'être disponible, tout le pouvoir disponible... C'est le contraire de ce que Sartre appelait *« le gros plein d'être »*, en quoi il voyait une définition plausible du salaud. Si on accepte cette définition, qui en vaut une autre, il faut dire que la charité, pour autant que nous en soyons capables, serait le contraire de cette *saloperie* d'être soi. Ce serait comme une renonciation à la plénitude de l'ego, à la puissance, au pouvoir. Ainsi en Dieu, qui « s'est vidé de sa divinité », écrit Simone Weil[148], et c'est ce qui rend le monde possible et la foi supportable. « Le vrai Dieu est le Dieu conçu comme ne commandant pas partout où il en a le pouvoir. »[149] C'est l'amour vrai, ou plutôt (car les autres sont vrais aussi) ce qu'il y a de divin, parfois, dans l'amour. « L'amour consent à tout et ne commande qu'à ceux qui y consentent. L'amour est abdication. Dieu est abdication. »[150] L'amour est faible : « Dieu est faible »[151], quoique tout puissant, puisqu'il est amour. C'est un thème que Simone Weil pouvait trouver chez Alain, qui fut son maître : « Il faut dire que Dieu est faible et petit, et sans cesse mourant entre deux voleurs par la volonté de la moindre police. Toujours persécuté, souffleté, humilié ; toujours vaincu ; toujours renaissant le troisième jour. »[152] De là ce qu'Alain appelait le *jansénisme*, lequel, expliquait-il, « se réfugie en un Dieu caché, de pur amour, ou de pure générosité, comme disait Descartes ; en un Dieu qui n'a rien à donner que d'esprit ; en un Dieu absolument faible et absolument proscrit, et qui ne sert point, mais qu'il faut servir au contraire, et dont le règne n'est pas arrivé... »[153]

---

148. *La pesanteur et la grâce*, p. 43. Il y a là une référence implicite à l'*Épître aux Philippiens* de saint Paul, II, 7 (« il s'anéantit lui-même, il se vida de lui-même »).

149. *Attente de Dieu*, p. 130.

150. Simone Weil, *La connaissance surnaturelle*, Gallimard, 1950, p. 267.

151. *La pesanteur et la grâce*, p. 114.

152. Alain, *Cahiers de Lorient*, t. 2, Gallimard, 1964, p. 313. Voir aussi mon article sur « Alain et Simone Weil face à Spinoza » (cf. *supra*, n. 140), ainsi que ma conférence devant l'Association des Amis d'Alain, « L'existence et l'esprit selon Alain », *Bulletin de l'association*, n° 77, Le Vésinet, juin 1994.

153. Alain, *Entretiens au bord de la mer*, Bibl. de la Pléiade, *Les passions et la sagesse*, p. 1369-1370.

Athéisme purificateur, dira Simone Weil[154], et purifié en effet de religion. L'amour est le contraire de la force, tel est l'esprit du Christ, tel est l'esprit du calvaire : « Si l'on me parle encore de dieu tout-puissant, insiste Alain, je réponds, c'est un dieu païen, c'est un dieu dépassé. Le nouveau dieu est faible, crucifié, humilié... Ne dites point que l'esprit triomphera, qu'il aura puissance et victoire, gardes et prisons, enfin la couronne d'or. Non... C'est la couronne d'épines qu'il aura. »[155] Cette faiblesse de Dieu, ou cette divinité de la faiblesse[156], c'est une idée que Spinoza n'aurait jamais eue, selon toute vraisemblance, qu'Aristote n'aurait jamais eue, et qui parle pourtant à notre fragilité, à notre fatigue, et même à cette force en nous, me semble-t-il, si légère, si rare, le peu d'amour vraiment désintéressé dont parfois nous sommes capables, ou dont nous croyons l'être, ou dont nous sentons, à tout le moins, la nostalgie ou l'exigence. Non plus le manque, la passion ou la convoitise *(érôs)*, non plus la puissance joyeuse et expansive, l'affirmation commune d'une existence réciproquement augmentée, l'amour de soi redoublé par l'amour de l'autre *(philia)*, mais le retrait, mais la douceur, mais la délicatesse d'exister moins, de s'affirmer moins, de s'étendre moins, mais l'autolimitation de son pouvoir, de sa force, de son être, mais l'oubli de soi, le sacrifice de son plaisir, de son bien-être ou de ses intérêts, l'amour qui ne manque de rien mais qui n'est pas pour autant plein de soi ou de sa force (l'amour qui ne manque de rien parce qu'il a renoncé à tout), l'amour qui n'augmente pas la puissance mais qui la limite ou la nie (l'amour qui est abdication, comme dit Simone Weil, l'amour qui est le contraire de l'égoïsme et de la violence), l'amour qui ne redouble pas

---

154. Voir le chapitre, qui porte ce titre, de *La pesanteur et la grâce*.
155. Alain, *Préliminaires à la mythologie*, Bibl. de la Pléiade, *Les arts et les dieux*, p. 1178-1179.
156. Voir Alain, *Entretiens au bord de la mer*, p. 1368 ; et *Les dieux*, p. 1352.

l'amour de soi mais qui le compense ou le dissout, l'amour qui ne conforte pas l'ego mais qui en libère, l'amour désintéressé, l'amour gratuit, le pur amour, comme disait Fénelon[157], l'amour qui donne (ce qu'était déjà *philia*), mais qui donne en pure perte, et non à son ami (donner à un ami ce n'est pas perdre : c'est posséder autrement, c'est jouir autrement), mais à l'étranger, mais à l'inconnu, mais à l'ennemi...

Anders Nygren a bien montré les traits distinctifs de l'*agapè* chrétienne : c'est un amour spontané et gratuit, sans motif, sans intérêt, et même sans justification[158]. Cela la distingue bien sûr de l'*érôs*, toujours avide, toujours égoïste, toujours motivé par ce qui lui manque, toujours trouvant sa valeur dans l'autre, sa raison dans l'autre, son espérance dans l'autre. Mais cela la distingue aussi de la *philia*, qui n'est jamais tout à fait désintéressée (puisque l'intérêt de mes amis est mon intérêt), jamais tout à fait gratuite (puisque je me fais plaisir en leur faisant plaisir, puisqu'ils m'en aimeront davantage, puisque je m'en aimerai davantage), jamais tout à fait spontanée ou libre (puisque toujours déterminée par la rencontre heureuse de deux ego, par la combinaison harmonieuse de deux égoïsmes : « parce que c'était lui, parce que c'était moi... »). L'amour que Dieu a pour nous, selon le christianisme, est au contraire parfaitement désintéressé, parfaitement gratuit et libre : Dieu n'a rien à y gagner, puisqu'il ne manque de rien, ni n'en existe davantage, puisqu'il est infini et parfait, mais au contraire se sacrifie pour nous, se limite pour nous, se crucifie pour nous, et sans raison autre qu'un amour sans raison, sans autre raison que l'amour, sans autre raison que lui-même renonçant à être tout. Dieu, en effet, ne nous aime pas en fonction de ce que nous sommes, qui justifierait cet amour, parce que nous serions

---

157. Voir par ex. les *Lettres et opuscules spirituels*, XXIII et XXIV (Bibl. de la Pléiade, t. 1, p. 656 et s.), ainsi que, *supra*, notre chap. 14.

158. *Op. cit.*, par ex. p. 73-80 du t. 1. Voir aussi, pour l'opposition avec *érôs*, le tableau de la p. 235 (ainsi que, dans le t. 3, les p. 299 et s.).

aimables, bons, justes (Dieu aime aussi les pécheurs, et même c'est pour eux qu'il a donné son fils), mais parce qu'il est amour et que l'amour, en tout cas cet amour-là, n'a pas besoin de justification. « L'amour de Dieu est absolument spontané, écrit Nygren. Il ne cherche pas dans l'homme un motif. Dire que Dieu aime l'homme, ce n'est pas énoncer un jugement sur l'homme, mais sur Dieu. »[159] Ce n'est pas l'homme qui est aimable ; c'est Dieu qui est amour. Cet amour est absolument premier, absolument actif (et non réactif), absolument libre : il n'est pas déterminé par la valeur de ce qu'il aime, qui lui manquerait *(érôs)* ou le réjouirait *(philia)*, mais il la détermine au contraire en l'aimant. Il est la source de toute valeur, de tout manque, de toute joie. L'agapè, écrit Nygren, est « indépendante de la valeur de son objet »[160], puisqu'elle la crée :

> « L'*agapè* est un amour *créateur*. L'amour divin ne s'adresse pas à ce qui est déjà en soi digne d'amour ; au contraire, il prend pour objet ce qui n'a aucune valeur en soi, et lui en donne une. L'*agapè* n'a rien de commun avec l'amour qui se fonde sur la constatation de la valeur de l'objet auquel il s'adresse [comme fait *érôs*, mais comme fait aussi *philia*, presque toujours]. *L'agapè ne constate pas des valeurs, elle en crée.* Elle aime et, par là, confère de la valeur. L'homme aimé de Dieu n'a aucune valeur en soi ; ce qui lui donne une valeur, c'est le fait que Dieu l'aime. L'*agapè* est un principe créateur de valeur. »[161]

Quel rapport avec nous, demandera-t-on, avec nos vies, avec nos amours, si Dieu n'existe pas ? Au moins un rapport de différence et, par là, d'éclaircissement. Quand Denis de Rougemont, s'appuyant pourtant sur Nygren, veut opposer le mariage chrétien, qui serait une figure d'*agapè*, à la passion des amants, qui seraient prisonniers d'*éros*[162], il oublie simple-

159. *Ibid.*, t. 1, p. 74.
160. *Ibid.*, p. 75.
161. *Ibid.*, p. 77.
162. Voir par ex. *L'amour et l'Occident*, VII, 4-5 (spécialement p. 262 de la rééd. 10-18).

ment qu'on n'épouse pas n'importe qui, que l'amour qu'on a pour son mari ou sa femme n'est ni gratuit ni désintéressé, et par exemple (mais c'est bien plus qu'un exemple : une pierre de touche) que nul n'a recommandé d'épouser ses ennemis... L'opposition duelle d'*éros* et d'*agapè* est trop simple, trop schématique, pour fonctionner vraiment ou pour rendre compte de nos amours effectifs : parce que nos amours humains (spécialement dans le couple, chrétien ou pas) doivent au moins autant à *éros* qu'à *philia*, et beaucoup plus à *philia*, sans doute, qu'à *agapè*. De là cette tripartition que je suggère, qui reste schématique, il le faut bien, mais qui me paraît rendre davantage compte de nos sentiments réels, de leur évolution, et du passage continu d'un type d'amour à un autre. Car Nygren a sans doute tort, lui aussi, d'opérer, entre *éros* et *agapè*, une coupure si radicale, si définitive, au point qu'on ne puisse plus passer de l'un à l'autre ni chercher entre eux deux quelque synthèse ou transition que ce soit. Saint Augustin, saint Bernard ou saint Thomas furent plus nuancés, plus réalistes, plus humains, qui surent montrer comment on passe de l'amour de soi à l'amour de l'autre, puis de l'amour intéressé de l'autre à son amour désintéressé, de la concupiscence à la bienveillance puis à la charité, bref d'*éros* à *philia* puis, parfois, au moins un peu, au moins comme horizon, de *philia* à *agapè*.[163] La charité n'est pas absolument sans rapport avec le manque (on pourrait dire qu'elle est le

---

163. Sur ces trois auteurs, et la critique qu'en fait Nygren (dans une perspective luthérienne), voir *Erôs et agapè*, t. 3, chap. II (sur Augustin) et IV (sur Thomas d'Aquin et Bernard de Clairvaux), ainsi que la conclusion, p. 312 et s., où Nygren oppose la *caritas* catholique (qui ferait « une place plus grande à l'*érôs* hellénistique qu'à l'*agapè* du christianisme primitif ») à la conception luthérienne de l'amour, laquelle serait « entièrement déterminée par l'*agapè* chrétienne » et dans laquelle on chercherait en vain « un seul trait marqué par l'*érôs* ». Pour une présentation plus positive des trois docteurs de l'Eglise, voir les trois livres que leur a consacrés Etienne Gilson : *Introduction à l'étude de saint Augustin*, Vrin, 1982, *La théologie mystique de saint Bernard*, Vrin, 1986, *Le thomisme, Introduction à la philosophie de saint Thomas d'Aquin*, Vrin, 1979.

manque en nous du bien, et le bien même en tant qu'il nous attire), ni sans rapport avec l'amitié (elle est comme une amitié universelle et désintéressée, qui serait libérée de la préférence toujours égoïste, ou en tout cas toujours égoïque, que nous avons pour tel ou tel). Plus proche pourtant, cela va de soi, de *philia* que d'*érôs*. L'amour en nous qui manque de Dieu, dirait saint François de Sales, n'étant qu'un amour intéressé, n'est pas encore la charité (puisque, disait saint Paul, la charité « ne cherche pas son intérêt »[164]) : ce n'est que convoitise, ce n'est qu'espérance[165] ! La charité ne commence vraiment qu'avec l'amour d'amitié que nous avons pour Dieu : elle est cette amitié même[166], en tant qu'elle illumine toute notre vie et rejaillit sur nos prochains. Le passage décisif est bien marqué par saint Thomas. La charité est un amour de bienveillance (une amitié) qui s'étend au-delà de l'amitié proprement dite, qui en dépasse les limites, la détermination affective ou pathologique (au sens de Kant), la spontanéité seulement réactive ou préférentielle. Par quel processus ? Par une espèce de transfert, comme nous dirions aujourd'hui, ou de transitivité, ou de généralisation de l'amour : « L'amitié que nous avons pour un ami peut être si grande qu'à cause de lui nous aimions ceux qui lui sont liés,

---

164. *Première épître aux Corinthiens*, XIII, 5.

165. « L'amour que nous pratiquons en l'espérance va certes à Dieu, mais il retourne à nous. [...] et, partant, cet amour est voirement amour, mais amour de convoitise et intéressé » (saint François de Sales, *Traité de l'amour de Dieu*, II, 17, Bibl. de la Pléiade, p. 459-462).

166. Voir par ex. François de Sales, *op. cit.*, II, 22, p. 476 : La charité « est une amitié et non pas un amour intéressé, car par la charité nous aimons Dieu pour l'amour de lui-même » (et non pas, comme dans l'espérance, pour les biens que nous en attendons : voir p. 459-460). Or, disait aussi François de Salles, « le souverain amour n'est qu'en la charité ; mais en l'espérance l'amour est imparfait » (p. 462). Il n'en reste pas moins qu'on peut, selon saint François de Salles comme selon saint Bernard, passer de l'un à l'autre : « Dieu, par un progrès plein de suavité ineffable, conduit l'âme qu'il fait sortir hors de l'Egypte du péché, d'amour en amour, comme de logement en logement, jusques à ce qu'il l'ait fait entrer en la Terre de promission, je veux dire la très sainte charité... » (p. 476).

même s'ils nous offensent ou nous haïssent. C'est de cette manière que notre amitié de charité s'étend même à nos ennemis : nous les aimons de charité, en référence à Dieu auquel va principalement notre amitié de charité. »[167] Mais qu'en reste-t-il, si Dieu n'existe pas ?

Peut-être une certaine idée de l'humanité, en quoi tous les hommes sont liés : c'est ce que les Grecs appelaient *philanthropia*, qu'ils définissaient comme « un penchant naturel à aimer les hommes, une manière d'être qui porte à la bienfaisance et à la bienveillance envers eux »[168]. La charité ne serait alors qu'une amitié très large, comme on voyait peut-être chez Epicure[169], certes affaiblie, dans son intensité, mais aussi augmentée, quant à sa portée, enrichie, quant à ses objets, comme ouverte à l'universel, comme faisant « le tour du monde habité »[170], comme une lumière de joie ou de douceur répandue sur tout homme, connu ou inconnu, proche ou lointain, au nom d'une humanité commune, d'une vie commune, d'une fragilité commune. Comment ne pas aimer, au moins un peu, celui qui nous ressemble, celui qui vit comme nous, qui souffre comme nous, qui va mourir comme nous ? Tous frères devant la vie, même opposés, même ennemis, tous frères devant la mort : la charité serait comme une fraternité de mortels, et certes ce n'est pas rien.

Il en reste aussi, peut-être, une certaine idée de l'amour, en tant qu'il n'est pas soumis à la valeur de ce qu'il aime,

167. Saint Thomas d'Aquin, *Somme théologique*, IIa IIae, quest. 23, art. 1, p. 160 du t. 3 de l'Ed. du Cerf.

168. Pseudo-Platon, *Définitions*, 412 *e*, trad. Robin (Pléiade, t. 2, p. 1395). Voir aussi M. Conche, *Vivre et philosopher*, p. 199-201.

169. Il semble en effet (mais les textes conservés ne permettent pas de l'attester absolument) qu'il y ait eu chez Epicure une volonté d'universalisation de l'amitié, qui devait changer quelque peu sa nature et la rapprocher de la *philanthropia* : voir à ce propos G. Rodis-Lewis, *Epicure et son école*, Gallimard, « Idées », 1975, p. 362 et s., ainsi que J. Salem, *Tel un dieu parmi les hommes, L'éthique d'Epicure*, Vrin, 1989, p. 152 à 159.

170. Epicure, *Sentences vaticanes*, 52.

puisqu'il l'engendre, puisqu'il en est la source. « Amour spontané, disait Nygren, amour sans motif, amour créateur... » C'est l'amour même. Ce n'est pas parce qu'une chose est bonne que nous la désirons, explique Spinoza, c'est parce que nous la désirons que nous la jugeons bonne[171]. Puissance du désir, qui fait des trésors et des joyaux, comme dira Nietzsche, de toutes choses évaluées[172]. Cela vaut aussi et surtout pour l'amour. Ce n'est pas parce qu'une chose est aimable que nous l'aimons ; c'est parce que nous l'aimons qu'elle est aimable. Ainsi les parents aiment-ils leur enfant avant de le connaître, avant d'en être aimés, et quoi qu'il soit, et quoi qu'il devienne. Cela excède *erôs*, cela excède *philia*, du moins tels que nous les vivons ou pensons ordinairement (comme soumis à, et déterminés par, la valeur préalable de leur objet). L'amour est premier, non quant à l'être (car alors il serait Dieu), mais quant à la valeur : ce qui vaut, c'est ce que nous aimons. C'est à ce titre sans doute qu'il est la valeur suprême : l'alpha et l'oméga de vivre, disais-je, l'origine et la fin de nos évaluations. Mais alors l'amour vaut aussi, si nous l'aimons, et d'autant plus que nous aimons davantage. Ce n'est pas parce que les gens sont aimables qu'il faut les aimer, c'est dans la mesure où nous les aimons qu'ils sont (pour nous) aimables. La charité est cet amour qui n'attend pas d'être mérité, cet amour premier, gratuit, spontané, en effet, qui est la vérité de l'amour et son horizon.

Il reste qu'en tant qu'il s'oppose à l'égoisme, à l'amour de soi, au *conatus*, cet amour désintéressé peut paraître mystérieux, et qu'on peut même douter de son existence. Aimer son prochain comme soi-même, est-ce simplement possible ? Sans doute pas. Mais cela indique une direction, qui est celle de l'amour. Or si cette direction, dans l'amitié, est

171. *Ethique*, III, scolie de la prop. 9.
172. *Ainsi parlait Zarathoustra*, I, « Des mille et un buts ».

celle de la vie, de la joie, de la puissance, elle semble ici, dans la charité, s'inverser, comme si le vivant devait renoncer à soi pour laisser exister l'autre. C'est le thème bien connu de la mort à soi même, chez les mystiques, ou de la *décréation*, chez Simone Weil : de même que Dieu, dans la création, renonce à être tout, « nous devons renoncer à être quelque chose »[173]. A nouveau, c'est l'exact contraire du *conatus* spinoziste :

> « Dieu s'est vidé de sa divinité. Nous devons nous vider de la fausse divinité avec laquelle nous sommes nés.
> « Une fois qu'on a compris qu'on n'est rien, le but de tous les efforts est de devenir rien. C'est à cette fin qu'on souffre avec acceptation, c'est à cette fin qu'on agit, c'est à cette fin qu'on prie.
> « Mon Dieu, accordez-moi de devenir rien. »[174]

On peut y voir un triomphe de la pulsion de mort, qu'on rattachera sans peine à ce qu'il y a de possiblement pathologique (cette fois au sens ordinaire du terme) dans la personnalité de Simone Weil. Soit. Mais cela une fois admis, reste à savoir ce que l'on fait soi-même de cette pulsion de mort ou, comme on voudra dire, de l'agressivité. Car ce que Freud a montré ou suggéré, et qu'on oublie un peu trop vite, c'est que la pulsion de mort triomphe nécessairement, puisque la vie même lui est soumise[175], et qu'on ne saurait en tout cas s'en débarrasser purement et simplement. Quel désir qui ne soit aussi désir de mort ? Quelle vie qui ne soit violence ? Beaucoup n'appelleront *amour* que la

173. *La pesanteur et la grâce*, p. 42.
174. *Ibid.*, p. 43. Sur tout cela, voir aussi le beau petit livre de Gaston Kempfner (qui est sans doute la meilleure introduction à la pensée de Simone Weil), *La philosophie mystique de Simone Weil*, La Colombe, Ed. du Vieux Colombier, 1960 ; ou, dans un registre plus universitaire, l'ouvrage très riche de Miklos Vetö, *La métaphysique religieuse de Simone Weil*, Vrin, 1971.
175. Comme Freud l'explique dans ce qui est sans doute son plus grand texte : « Au-delà du principe de plaisir », *Essais de psychanalyse*, trad. franç., Payot, 1981.

dénégation de ce désir, de cette violence, de cette agressivité qui est vivre. Mais Simone Weil pratique peu la dénégation. Ce à quoi nous assistons chez elle, c'est plutôt à l'introversion de la mort, de la violence, de la négativité, ou, pour le dire avec des mots qui ne sont pas les siens, à la rétroversion de la pulsion de mort sur le moi, ce qui libère la pulsion de vie et la rend disponible pour autrui. Le désir demeure (puisque « nous sommes désir »[176]), la joie demeure (puisque « la joie et le sentiment de réalité sont identiques »[177]), l'amour demeure (puisque « la croyance à l'existence d'autres êtres humains comme tels est amour »[178]), mais libérés de l'égoïsme, de l'espérance[179], de la possessivité — comme libérés de nous-mêmes, de « la prison du moi »[180], et d'autant plus légers, et d'autant plus joyeux, et d'autant plus lumineux : puisque l'ego ne fait plus obstacle au réel ou à la joie, puisqu'il a cessé d'absorber en lui tout l'amour ou toute l'attention disponibles. Cette légèreté, cette joie, cette lumière, ce sont celles de la sagesse, ce sont celles de la sainteté, et c'est ce qui les réunit. Il n'est pas sûr que Simone Weil y ait eu accès — elle n'y a d'ailleurs jamais prétendu. Mais elle nous aide à les penser. « Le péché en moi dit "je" », écrit-elle[181]. Et ailleurs : « Je dois aimer être rien. Comme ce serait horrible si j'étais quelque chose. Aimer mon néant, aimer être néant. »[182] Ressentiment, idéal ascétique, haine de soi ? Cela peut se dire ainsi. Cela, même, peut exister, et existe sans

---

176. Simone Weil, *Attente de Dieu*, p. 216.
177. *La pesanteur et la grâce*, p. 70.
178. *Ibid.*, p. 69.
179. Voir par ex. *La pesanteur et la grâce*, p. 29-30 (« Renoncement au temps »), où Simone Weil est très proche de ce que j'ai appelé le désespoir. Voir aussi *Attente de Dieu*, p. 71, et les *Pensées sans ordre concernant l'amour de Dieu*, Gallimard, 1962, p. 13-14.
180. *Attente de Dieu*, p. 216-217.
181. *La pesanteur et la grâce*, p. 39.
182. *La pesanteur et la grâce*, p. 114.

doute. Mais si c'était le seul contenu de cet amour, Simone Weil nous toucherait-elle à ce point ? Nous éclairerait-elle à ce point ? Il se peut qu'il y ait aussi autre chose, qui serait comme une interversion des pulsions vitales et mortifères, ou pour mieux dire (puisque ces pulsions, selon toute vraisemblance, n'en font qu'une), comme une permutation de leurs objets aux deux pôles d'une même ambivalence. Mettre sa vie en Dieu, explique Simone Weil, c'est « mettre sa vie dans ce qu'on ne peut pas du tout toucher ». Et elle ajoute : « C'est impossible. C'est une mort. C'est cela qu'il nous faut. »[183] Eros et Thanatos... Chez la plupart des gens, ou chez tous et la plupart du temps, Eros est concentré sur le moi (et ne se projette sur les autres qu'autant qu'ils peuvent nous manquer ou nous réjouir : qu'autant qu'ils peuvent nous servir), quand Thanatos se concentre plutôt sur les autres : on s'aime plus facilement qu'autrui, on déteste autrui plus facilement que soi. Ce que Simone Weil appelle la *décréation*, et qui s'exprime selon elle dans la charité, pourrait peut-être se penser (dans les concepts de Freud, sinon dans les siens) comme une interversion ou un croisement de ces deux forces ou de leurs objets, le moi cessant de monopoliser la pulsion de vie, cessant d'absorber l'énergie positive, et concentrant sur soi, au contraire, toute la pulsion de mort ou toute l'énergie négative. Il y a place ici, me semble-t-il, pour une lecture non religieuse de Simone Weil, qui pourrait intégrer dans une théorie matérialiste (par exemple d'inspiration freudienne) quelque chose de cette *décréation* ou, comme elle dit aussi, de ce « retournement du positif et du négatif » :

> « Nous sommes retournés. Nous naissons tels. Rétablir l'ordre, c'est défaire en nous la créature.
> « Retournement de l'objectif et du subjectif.

183. *La pesanteur et la grâce*, p. 112-113.

« De même, retournement du positif et du négatif. C'est aussi le sens de la philosophie des Upanishads.

« Nous naissons et vivons à contresens, car nous naissons et vivons dans le péché qui est un renversement de la hiérarchie. La première opération est le retournement. La conversion.

« Si le grain ne meurt... Il doit mourir pour libérer l'énergie qu'il porte en lui afin qu'il s'en forme d'autres combinaisons.

« De même nous devons mourir pour libérer l'énergie *attachée,* pour posséder une énergie libre susceptible d'épouser le vrai rapport des choses. »[184]

Le vrai rapport des choses? Leur égalité absolue : puisqu'aucune ne vaut, sans l'amour, puisqu'elles valent toutes, par l'amour. Par quoi la charité n'est pas autre chose que la justice (« l'Evangile, remarque Simone Weil, ne fait aucune distinction entre l'amour du prochain et la justice »[185]), par quoi plutôt elle ne s'en distingue que par l'amour (on peut être juste sans aimer, on ne peut aimer universellement sans être juste), par quoi elle est comme un amour libéré de l'injustice du désir *(érôs)* et de l'amitié *(philia),* comme un amour universel, donc, sans préférence ni choix, comme une dilection sans prédilection[186], comme un amour sans limites et même sans justifications égoïstes ou affectives. La charité ne saurait donc se réduire à l'amitié, qui suppose toujours un choix, une préférence, une relation privilégiée, quand la charité au contraire se veut universelle[187] et porte spécialement

184. *La pesanteur et la grâce,* p. 43-44.
185. *Attente de Dieu,* p. 125.
186. *Diligere* est l'équivalent latin d'*agapan,* comme *amare* est l'équivalent de *philein.* De là ce vieux mot de *dilection,* aujourd'hui tombé en désuétude (mais fréquent, jusqu'au XVIIᵉ siècle, dans les textes religieux ou mystiques), bien sûr calqué sur le latin *dilectio,* qui sert parfois dans la Vulgate pour traduire *agapè* (moins souvent pourtant que *caritas,* qui intervient 90 fois contre 24 pour *dilectio* : voir l'article « Charité » du *Dictionnaire de spiritualité,* t. 2, Beauchesne, 1953, p. 508-510).
187. Voir Simone Weil, *Attente de Dieu,* p. 198 : « La préférence à l'égard d'un être humain est nécessairement autre chose que la charité. La charité est indiscriminée. » Comparer avec Alain, *Quatre-vingt-un chapitres sur l'esprit et les passions,* IV, 8, Bibl. de la Pléiade, *Les passions et la sagesse,* p. 1187.

(puisque, pour les autres, l'amitié peut suffire) sur les ennemis ou les indifférents. Comme le remarque Ferdinand Prat, « on ne dirait pas en latin, ni à plus forte raison en grec : *"Amate (phileite) inimicos vestros"*, ce serait demander l'impossible ; mais toujours : *"Diligite (agapate) inimicos vestros"* »[188]. Comment serait-on l'ami de ses ennemis ? Comment pourrait-on se réjouir de leur existence, quand elle nous blesse, quand elle nous tue ? Il faut donc les aimer autrement. Quant à *érôs*, il ne se trouve, ni lui ni aucun mot de même racine, dans aucun texte du nouveau testament.[189] Comment d'ailleurs pourrait-on manquer de ses ennemis ? Comment pourrait-on en attendre un bien, un plaisir, un bonheur ? Cela confirme que l'amour *agapique* est bien singulier, précisément en ceci qu'il se veut universel. Etre amoureux de son prochain, autrement dit de tout le monde et de n'importe qui, *a fortiori* être amoureux de ses ennemis, serait une évidente absurdité. Et ce n'est pas un ami, remarquait Aristote, que celui qui est l'ami de tous[190]. La charité est donc autre chose : « C'est l'amour transfiguré en vertu », comme dit Jankélévitch[191], ou plutôt (si l'amitié, comme je le crois, peut être déjà une vertu), c'est l'amour « devenu permanent et chronique, étendu à l'universalité des hommes et à la totalité de la personne »[192], qui peut certes porter aussi sur celui ou celle dont on est l'amant ou l'ami, mais qui s'adresse à tous les humains, bons ou méchants, amis ou ennemis, qui n'empêche d'ailleurs pas de préférer ceux-là (quant à l'amitié) ni de combattre ceux-ci (si on peut les combattre

---

188. *Dictionnaire de spiritualité*, art. « Charité », p. 509, qui cite ici la formule fameuse des évangiles selon saint Matthieu (V, 44) et saint Luc (VI, 27), qu'on traduit en français par « Aimez vos ennemis ».

189. Comme le remarque encore Jean Prat, art. cité, p. 510.

190. *Ethique à Nicomaque*, IX, 10, 1171 *a* 15-20 (p. 470 de la trad. Tricot).

191. *Traité des vertus*, II, 2, chap. 6 (« L'amour »), p. 171.

192. *Ibid.*

sans haine : si la haine n'est pas la seule motivation du combat), mais qui introduit, dans les relations humaines, cet horizon d'universalité que la compassion ou la justice suggéraient déjà, certes, mais surtout négativement ou formellement, et que la charité, pour autant qu'elle soit possible, vient remplir d'un contenu positif et concret. C'est l'acceptation joyeuse de l'autre, et de tout autre. Tel qu'il est, et quoi qu'il soit.

En tant qu'elle est universelle, la charité porte aussi sur le moi (quand Pascal écrit qu'il faut se haïr[193], il manque évidemment de charité vis-à-vis de lui-même : quel sens y aurait-il à aimer son prochain comme soi-même, si l'on ne devait pas s'aimer soi-même ?), mais sans privilège aucun. « Aimer un étranger comme soi-même, écrit plus justement Simone Weil, implique comme contrepartie : s'aimer soi-même comme un étranger. »[194] C'est où l'on retrouve Pascal : « En un mot le moi a deux qualités. Il est injuste en soi en ce qu'il se fait le centre de tout. Il est incommode aux autres en ce qu'il les veut asservir, car chaque moi est l'ennemi et voudrait être le tyran de tous les autres. »[195] La charité est l'antidote de cette tyrannie et de cette injustice, qu'elle combat par un *décentrement* (ou, dirait Simone Weil, une *décréation*) du moi. Le moi n'est haïssable que parce qu'il ne sait pas aimer — et s'aimer — comme il faudrait. Parce qu'il n'aime que lui, ou pour lui (par convoitise ou concupiscence). Parce qu'il est égoïste. Parce qu'il est injuste. Parce qu'il est tyrannique. Parce qu'il absorbe en lui — tel un *trou noir* spirituel — toute joie, tout amour, toute lumière. La charité, si elle n'est pas incompa-

---

193. *Pensées*, 220-468, 271-545 et 597-455 (éd. Lafuma).
194. *La pesanteur et la grâce*, p. 68. Voir aussi Alain Vinson, L'ordre de la charité chez Pascal, chez Péguy et chez Simone Weil, *Cahiers Simone Weil*, t. XIV, n° 3, septembre 1991, p. 234 à 254.
195. *Pensées*, 597-455.

tible avec l'amour de soi (qu'elle inclut au contraire en le purifiant : « s'aimer soi-même comme un étranger »), s'oppose évidemment à cet égoïsme, à cette injustice — à cet esclavage tyrannique du moi. C'est peut-être ce qui la définit le mieux : c'est un amour libéré de l'ego, et qui en libère.

Serait-elle impossible à vivre qu'elle serait encore nécessaire à penser : pour savoir ce qui nous manque, ou qui nous fait défaut.

Car cet amour-là est au moins objet de désir, et ce manque en nous suffit à en faire naître la valeur, ou à le faire naître comme valeur. Par quoi l'amour serait bien « cette soif qui invente les sources »[196], et la source elle-même : comme un manque qui libérerait de tout manque, comme une puissance qui libérerait de la puissance. Car l'amour nous manque, car l'amour nous réjouit : *agapè* est aussi un objet ou un horizon pour *érôs* et *philia*, qui interdit à l'un et l'autre de rester prisonnier de soi, satisfait de soi, qui les oblige toujours, et cela Platon l'avait vu, à aller au-delà de tout objet possible, de toute possession possible, de toute préférence possible, jusqu'en cette zone de l'esprit ou de l'être où plus rien ne manque et où tout nous réjouit, que Platon appelait le Bien, que d'autres ont appelé Dieu, depuis deux mille ans, et qui n'est pas autre chose peut-être que l'amour qui nous appelle dans la mesure exacte — mais dans cette mesure seulement — où nous l'appelons, où nous l'aimons, où nous vivons parfois, sinon sa présence, qui n'est jamais avérée, du moins son absence, du moins son exigence, du moins son commandement. L'amour ne peut être commandé, disais-je, puisqu'il commande. Mais il commande effectivement, et c'est par quoi il est toute la loi, comme saint Paul l'avait

---

196. Pour reprendre, dans un autre registre, une belle formule de Jean-Louis Chrétien, *La voix nue*, p. 329.

vu[197], et plus précieux même que la science, la foi ou l'espérance, qui ne valent que par lui, quand elles valent, et pour lui. C'est ici le lieu de citer le plus beau texte peut-être qu'on ait écrit sur la charité, dont ce long chapitre ne se voulait au fond qu'une justification, mais sans Dieu, et tant pis pour ceux qui jugent cela impossible ou contradictoire :

« Quand je parlerais les langues des hommes et des anges, si je n'ai pas la charité, je ne suis plus qu'airain qui sonne ou cymbale qui retentit. Quand j'aurais le don de prophétie et que je connaîtrais tous les mystères et toute la science, quand j'aurais la plénitude de la foi, une foi à transporter des montagnes, si je n'ai pas la charité, je ne suis rien. Quand je distribuerais tous mes biens en aumônes, quand je livrerais mon corps aux flammes, si je n'ai pas la charité, cela ne me sert de rien.

« La charité est longanime ; la charité est serviable ; elle n'est pas envieuse ; la charité ne fanfaronne pas, ne se gonfle pas ; elle ne fait rien d'inconvenant, ne cherche pas son intérêt, ne s'irrite pas, ne tient pas compte du mal ; elle ne se réjouit pas de l'injustice, mais elle met sa joie dans la vérité. Elle excuse tout, croit tout, espère tout, supporte tout.

« La charité ne passe jamais. Les prophéties ? elles disparaîtront. Les langues ? elles se tairont. La science ? elle disparaîtra. Car partielle est notre science, partielle aussi notre prophétie. Mais quand viendra ce qui est parfait, ce qui est partiel disparaîtra. Lorsque j'étais enfant, je parlais en enfant, je pensais en enfant, je raisonnais en enfant ; une fois devenu homme, j'ai fait disparaître ce qui était de l'enfant. Car nous voyons à présent

197. *Epître aux Galates*, V, 14 : « Une seule formule contient toute la Loi en sa plénitude : *Tu aimeras ton prochain comme toi-même.* » Même idée dans l'*Epître aux Romains* : « Celui qui aime autrui a de ce fait accompli la loi », puisque tous les commandements « se résument en cette formule : *Tu aimeras ton prochain comme toi-même.* La charité ne fait point de tort au prochain. La charité est donc la Loi dans sa plénitude » (XIII, 8-10). Pour une présentation générale de saint Paul, voir le beau petit livre de Stanislas Breton, *Saint Paul*, PUF, coll. « Philosophies », 1988. Sur l'*agapè* paulinienne, voir le livre déjà cité d'Anders Nygren, t. 1, p. 108 à 156. Enfin, rappelons en passant que Spinoza, qui s'est voulu fidèle à l'esprit du Christ, s'est reconnu spécialement dans le message paulinien (qu'il interprète bien sûr à sa façon : dans l'immanence, et par elle) ; voir à ce propos le livre de Sylvain Zac, *Spinoza et l'interprétation de l'Ecriture*, PUF, 1965, p. 170-171.

dans un miroir, en énigme, mais alors ce sera face à face. A présent, je connais d'une manière partielle ; mais alors je connaîtrai comme je suis connu.

« Maintenant donc demeurent foi, espérance, charité, ces trois choses, mais la plus grande d'entre elles, c'est la charité. »[198]

Ces trois « choses » sont ce qu'on appelle traditionnellement (parce qu'elles auraient Dieu même pour objet) les trois vertus théologales. Deux d'entre elles, la foi et l'espérance, sont absentes de ce traité, parce qu'elles m'ont paru n'avoir d'autre objet plausible, en effet, que Dieu, auquel je ne crois pas. De ces deux vertus, on peut d'ailleurs se passer : le courage suffit, face à l'avenir ou au danger, comme la bonne foi, face à la vérité ou à l'inconnu. Mais comment pourrait-on se passer (au moins comme idée ou comme idéal) de la charité ? Et qui oserait pré-

198. Saint Paul, *Première épître aux Corinthiens*, XIII (c'est ce qu'on appelle « l'hymne à la charité »). *Charité* traduit ici (rappelons que je cite les Écritures à partir de la *Bible de Jérusalem*, Cerf, 1973) le grec *agapè*, que d'autres traducteurs (par exemple L. Segond, dans l'édition de Genève, ou M. Carrez, dans son édition bilingue du Nouveau Testament) traduisent par *amour*. On serait tenté de préférer cette dernière traduction, pour échapper aux contaminations par l'aumône et la condescendance qui sont pour nous attachées à la charité, au sens moderne et devenu presque péjoratif du mot. Mais cela risquerait de faire naître d'autres contresens, moins évidents et pour cela plus dangereux. Stanislas Breton, prêtre catholique, remarque (*op. cit.*, p. 115) que cet hymne « figure souvent au menu des messes de mariage », où l'on traduit de préférence *agapè*, j'imagine, par *amour*... Sans être impossible, cette traduction est équivoque : elle suggère (surtout dans ce contexte matrimonial !) qu'il suffit d'être amoureux pour vivre en harmonie avec l'éthique la plus haute, ce que l'expérience, c'est le moins que l'on puisse dire, ne confirme guère : il ne suffit pas d'être amoureux pour vivre chrétiennement, pas plus qu'il ne suffit d'être chrétien pour rester amoureux... La traduction par *charité*, à laquelle je me suis finalement rangé, si elle prête aussi à équivoque, pour les raisons que j'ai dites, le fait de manière plus évidente, pourrait-on dire, et par là moins dangereuse. Personne ne confondra cet amour désintéressé avec ce que Saint Paul tourne au contraire « en dérision », comme le remarque Stanislas Breton, ou dont il constate en tout cas l'inanité, à savoir « le geste de miséricorde aumônière distribuant à ceux qui n'ont pas, les miettes qui tombent parfois de la table des puissants » (S. Breton, *op. cit.*, p. 115). C'est ce qu'on appelle « faire la charité ». Mais « faire la charité, disait-on dans ma jeunesse, est à la charité ce que faire l'amour est à l'amour » : parfois son expression, parfois sa caricature.

tendre qu'elle ne peut porter que sur Dieu, quand chacun ressent (et quand Paul écrit explicitement) le contraire, à savoir qu'elle ne peut exister tout entière que dans l'amour du prochain[199] ? Au reste, saint Augustin et saint Thomas, commentant l'hymne à la charité, ont bien montré que, des trois vertus théologales, la charité n'était pas seulement « la plus grande des trois », comme disait saint Paul, mais aussi la seule qui ait un sens en Dieu ou, comme ils disent, dans le Royaume. La foi passera (comment croire en Dieu quand on *est* en Dieu ?), l'espérance passera (dans le Royaume, il n'y aura plus rien à espérer), et c'est pourquoi il est dit que la charité seule « ne passera pas » : dans le Royaume il n'y aura que l'amour, sans espérance et sans foi[200] ! Nous y sommes. L'espérance et la foi nous ont quittés : il n'y a plus que le manque, il n'y a plus que la joie, il n'y a plus que la charité. Ce n'est pas là trahir forcément l'esprit du Christ, ni renoncer en tout à le suivre. Le Christ, remarque saint Thomas, n'avait « ni la foi ni l'espérance », et cependant il y eut en lui « une charité parfaite »[201]. Que cette perfection ne nous soit pas accessible, c'est assez clair. Mais est-ce une raison pour renoncer au peu d'amour pur, gratuit ou désintéressé — au peu de charité — dont, peut-être, nous sommes capables ?

Je dis « peut-être », puisque rien ne garantit qu'un tel amour soit seulement possible. Mais il en va ainsi, montrait Kant, de toute vertu[202], et cela ne réfute donc pas davantage

---

199. Voir les textes cités *supra*, note 197.

200. Saint Augustin, *Soliloques*, I, 7, et *Sermons*, 158, 9. Saint Thomas, *Somme théologique*, IIa IIae, quest. 18, art. 2 (t. 3, p. 125 de l'Ed. du Cerf).

201. *Somme théologique*, Ia IIae, quest. 65, art 5 (t. 2, p. 395-396). Inversement, remarquera saint François de Sales, tout amour d'espérance est toujours imparfait : *Traité de l'amour de Dieu*, II, 17, Bibl. de la Pléiade, p. 459 à 462.

202. Voir par ex. *Fondements de la métaphysique des mœurs*, début de la deuxième section (p. 75-77 de la trad. Delbos-Philonenko, Vrin, 1980), et *La religion dans les limites de la simple raison*, I, 3 (qui cite d'ailleurs saint Paul), p. 59-60 de la trad. Gibelin, Vrin, 1972. Sur l'amour comme idéal, voir aussi *Critique de la raison pratique*, « Des mobiles de la raison pure pratique », p. 87-88 de la trad. Picavet.

la charité que le devoir. Un tel amour est-il à notre portée ? Pouvons-nous le vivre ? Pouvons-nous nous en approcher ? On ne peut le savoir ni le prouver. C'est peut-être « cet amour qui manque à tout amour », comme dit Bobin[203], et qui pourtant ne manque de rien, et qui nous manque pour cela, et nous attire. Même absent, il nous éclaire : l'absence de l'amour est encore un amour.

« Aimer, disait Alain, c'est trouver sa richesse hors de soi. »[204] C'est pourquoi l'amour est pauvre, toujours, et l'unique richesse. Mais il y a plusieurs façons d'être pauvre en l'amour, par l'amour, ou d'être riche, plutôt, de sa pauvreté : par le manque, qui est passion, par la joie reçue ou partagée, qui est amitié, enfin par la joie donnée, et donnée en pure perte, par la joie donnée et abandonnée, qui est charité. Il y aurait donc, pour résumer, pour simplifier, trois façons d'aimer, ou trois types d'amour, ou trois degrés dans l'amour : le manque *(érôs)*, la joie *(philia)*, la charité *(agapè)*. Il se peut que cette dernière ne soit en vérité qu'un halo de douceur, de compassion et de justice, qui viendrait tempérer la violence du manque ou de la joie, qui viendrait modérer ou creuser ce que nos autres amours peuvent avoir de trop brutal ou de trop plein. Il y a un amour qui est comme une faim, un autre qui résonne comme un éclat de rire. La charité ressemblerait plutôt à un sourire, quand ce n'est pas, cela lui arrive, à une envie de pleurer. Je ne vois pas que cela la condamne. Nos rires sont mauvais plus souvent que nos larmes.[205] Compassion ? Il se peut que ce soit en effet le contenu principal de la charité, son affect le plus effectif, voire son vrai nom. C'est le nom en tout

203. Christian Bobin, *La part manquante*, Gallimard, 1989, p. 24.
204. *Quatre-vingt-un chapitres sur l'esprit et les passions*, V, 4, Bibl. de la Pléiade, *Les passions et la sagesse*, p. 1199.
205. Sur les deux types de rire, voir *supra*, notre chap. 17, p. 279 et n. 7.

cas que lui donne l'Orient bouddhiste, qui serait en cela, comme je l'ai suggéré, plus lucide ou plus réaliste que l'Occident chrétien[206]. Il se peut aussi que l'amitié — mais une amitié purifiée, comme raréfiée à proportion de son extension — soit le seul amour généreux dont nous soyons capables : c'est ce qu'un épicurien aurait objecté, sans doute, à saint Paul ou aux premiers chrétiens. La charité, si elle est possible, se reconnaîtrait pourtant à ceci (par quoi elle dépasserait la compassion) qu'elle n'a pas besoin de la souffrance de l'autre pour l'aimer, qu'elle n'est pas « à la remorque du malheur », comme disait Jankélévitch, qu'elle est comme une compassion première et non réactive[207], de même qu'elle se distinguerait de la simple amitié, et la dépasserait, en ceci qu'elle n'a pas besoin d'être aimée pour aimer, ni de pouvoir l'être, qu'elle n'a que faire de réciprocité ou d'intérêt[208], qu'elle est comme une amitié première et non réactive : ce serait comme une compassion libérée de la souffrance, et comme une amitié, répétons-le, libérée de l'ego.

Son absence, quand bien même elle serait sans issue, est ce qui rend les vertus nécessaires : l'amour (mais l'amour non égoïste) libère de la loi, quand il est là, et l'inscrit au fond des cœurs[209], quand il manque.

Qu'il manque le plus souvent, et toujours peut-être, c'est ce qui justifie ce traité : à quoi bon parler de morale, si l'amour ne faisait défaut ? « La meilleure et la plus courte définition de la vertu, disait saint Augustin, est celle-ci : l'ordre de l'amour. »[210] Mais l'amour n'y brille, le plus sou-

206. Voir, *supra*, la fin de notre chapitre 8.

207. Jankélévitch, *Traité des vertus*, II, 2, p. 168.

208. Contrairement à l'amitié épicurienne : *Sentences vaticanes*, 23 et 39 ; voir aussi Diogène Laërce, X, 120.

209. Pour reprendre, d'un autre point de vue, une expression de Spinoza (s'appuyant d'ailleurs sur l'*Épître aux Romains* de saint Paul, III, 28, et VII, 6 de nos éditions), *Traité théologico-politique*, chap. 4, p. 93 de l'éd. Appuhn, rééd. GF, 1965.

210. *Cité de Dieu*, XV, 22 (trad. Saisset, Paris, Charpentier, 1855, t. 3, p. 175).

vent, que par son absence : de là l'éclat des vertus et l'obscurité de nos vies. Eclat second, obscurité essentielle, mais point totale. Les vertus ne se justifient presque toutes que par ce manque en nous de l'amour, et se justifient donc. Elles ne sauraient pourtant combler ce vide qui les éclaire : cela même qui les rend nécessaires interdit de les croire suffisantes.

Par quoi l'amour nous voue à la morale, et en libère. Par quoi la morale nous voue à l'amour, fût-il absent, et s'y soumet.

TABLE ANALYTIQUE

tempérance ne se réduit pas à l'hygiène ; difficulté de la tempérance ; la tempérance comme puissance, c'est-à-dire comme vertu.

plicité et bon sens ; que la simplicité n'est pas la sincérité
(Fénelon) ; simplicité et générosité : la générosité est le
contraire de l'égoïsme, la simplicité celui du narcissisme ou
de la prétention ; que toute vertu, sans la simplicité, manquerait de l'essentiel ; la simplicité et le temps : qu'elle est
vertu du présent ; la simplicité et le moi ; simplicité, sagesse
et sainteté.

Agapè

Qu'*érôs* ni *philia* ne suffisent ; à nouveau sur l'amour et la morale ; l'amour parental ; que l'amour de soi est premier ; limites de l'amitié ; la charité : « aimer ses ennemis » ; amour, création et décréation selon Simone Weil : l'amour comme retrait ; que la charité est le contraire de la violence et de l'affirmation de soi ; « l'agapè chrétienne » (A. Nygren et D. de Rougemont) ; *érôs, philia* et *agapè* ; que reste-t-il de la charité si Dieu n'existe pas ? ; la *philanthropia* chez les Grecs, l'amour chez Spinoza, la décréation chez Simone Weil ; d'un bon usage de la pulsion de mort ? ; charité, justice et amour de soi : la charité comme amour libéré de l'ego ; la charité comme valeur : l'amour commande, même en son absence ; les trois vertus théologales (la foi, l'espérance et la charité) : que la charité seule a un sens en Dieu ou dans l'athéisme ; qu'elle n'existe peut-être que pour autant qu'elle nous manque.

Les trois façons d'aimer, ou les trois degrés de l'amour : le manque, la joie, la charité ; charité, compassion et amitié ; les vertus et l'amour.

Imprimé en France
Imprimerie des Presses Universitaires de France
73, avenue Ronsard, 41100 Vendôme
Janvier 1995 — N° 40 912